BIOGRAFIA DA TELEVISÃO BRASILEIRA

VOLUME 1

Flávio Ricco e José Armando Vannucci

BIOGRAFIA DA TELEVISÃO BRASILEIRA

MATRIX

© 2017 - Flávio Ricco e José Armando Vannucci
Direitos em língua portuguesa para o Brasil:
Matrix Editora
www.matrixeditora.com.br

Diretor editorial
Paulo Tadeu

Capa
Hans Donner

Projeto gráfico e diagramação
Allan Martini Colombo

Pesquisa
Renan Vieira Silva e Gustavo Galvão

Coordenação de produção
Rosilaine Soares Pereira Sinhorini

Revisão
Adriana Wrege
Silvia Parollo
Eduardo Ruano

CIP-BRASIL - CATALOGAÇÃO NA PUBLICAÇÃO
SINDICATO NACIONAL DOS EDITORES DE LIVROS, RJ

Ricco, Flávio
Biografia da televisão brasileira / Flávio Ricco, José Armando Vannucci. - 1. ed. - São Paulo: Matrix , 2017.
928 p. : il.

ISBN 978-85-8230-414-3

1. Televisão - Brasil - História. I. Vannucci, José Armando. II. Título.
17-43581
CDD: 791.450981
CDU: 791.4

Agradecimentos

Este livro não seria possível sem a dedicação de nomes importantes da nossa televisão.

Os autores agradecem a Adilson Pontes Malta, Adriana Colin, Adriane Galisteu, Agnaldo Rayol, Aguinaldo Silva, Alberto Pecegueiro, Albino Castro, Alcides Nogueira, Alessandra do Valle, Álvaro de Moya, Alfonso Aurin, Amilcare Dallevo, Ana Maria Braga, Ana Paula Padrão, Ana Rosa, Ana Terra, Antônio Fagundes, Antônio Viviani, Arlete Salles, Astrid Fontenelle, Bárbara Bruno, Beatriz Segall, Benedito Ruy Barbosa, Beto Marden, Bianca Rinaldi, Boni, Britto Júnior, Carlos Augusto Montenegro, Carlos Alberto Missiroli, Carlos Alberto de Nóbrega, Carlos Miranda, Carlos Nascimento, Carlos Roberto Bem-Te-Vi, Cássio Gabus Mendes, Castrinho, Catia Fonseca, Celso Portiolli, Celso Freitas, César Filho, César Tralli, Cidinha Campos, Ciro José, Christina Carvalho Pinto, Christina Rocha, Claudete Troiano, Claudia Swarowsky, Claudino Mayer, Cléber Machado, Dalmo Pessoa, Danilo Gentili, Datena, David Roque Júnior, Décio Clemente, Dácio Nitrini, Dedé Santana, Dora Câmara, Edir Macedo, Edgard Piccoli, Eduardo Araújo, Eduardo Zebini, Eliana, Elmo Francfort, Emiliano Queiroz, Eva Wilma, Fábio Porchat, Fabio Wajngarten, Fausto Silva, Fernanda Montenegro, Fernando Musa, Fernando Mitre, Fernando Pelegio, Fernando Solera, Fernando Vanucci, Flávio Ferrari, Flávia Altheman, Flávio Lins, Francesco, Franz Vacek, Fulvio Stefanini, Gabriel Priolli, Gabriel Romeiro, Galvão Bueno, Gilnei Rampazzo, Glória Menezes e Tarcísio Meira, Glória Pires, Gloria Perez, Goulart de Andrade, Gugu Liberato, Hans Donner, Haroldo Costa, Hélio Vargas, Henrique Casciato, Henrique Martins, Hermano Henning, Heródoto Barbeiro, Idalina de Oliveira, Ingra Liberato, Ione Borges, Jair Oliveira, Jayme Monjardim, Jô Soares, Johnny Saad, José Carlos

Missiroli, José Roberto Maluf, José Roberto Maciel, José Trajano, Kadu Moliterno, Lady Francisco, Lafayette Hohagen, Lafayette Galvão, Lana Santos, Laura Cardoso, Lauro César Muniz, Léo Batista, Leila Cordeiro, Leonor Corrêa, Lolita Rodrigues, Luciana Liviero, Luciano Huck, Lúcio Mauro, Luiz e Alzira Francfort, Luiz Carlos Miele, Luis Gustavo, Luiza Helena Trajano, Lula Vieira, Magdalena Bonfiglioli, Roberto Manzoni (Magrão), Manuela Dias, Mara Maravilha, Marcelo Mainardi, Marcelo Parada, Marcelo Rezende, Marcílio Moraes, Marcos Hummel, Marcos Mion, Maria Christina, Maria Lydia Flândoli, Mariane, Maria Pia Finocchio, Marina Ruy Barbosa, Marília Gabriela, Murilo Fraga, Marilu Torres, Marieta Severo, Mario Fanucchi, Mauro Alencar, Mauro Lissoni, Mauro Mendonça, Meire Nogueira, Moacyr Franco, Mônica Pimentel, Ney Gonçalves Dias, Nicette Bruno, Nilton Travesso, Norma Blum, Octacilio Pereira, Octávio Florisbal, Olga Bongiovanni, Oliveira Andrade, Orlando Duarte, Orlando Marques, Oscar Vicente, Palmirinha, Paulo Planet, Ratinho, Raul Gil, Renata Dias Gomes, Reynaldo Boury, Ricardo Monteiro, Roberto Avallone, Roberto Cabrini, Roberto Irineu Marinho, Roberto Petri, Rodrigo Carelli, Rodrigo Faro, Ronnie Von, Rubens Pontes, Ricky Medeiros, Sabrina Sato, Sabrina Parlatore, Saulo Ramos, Serginho Groisman, Silvio Alimari, Silvio de Abreu, Silvio Luiz, Solange Castro Neves, Sonia Abrão, Sonia Maria Dorce, Suzy Camacho,Tânia Alves, Ticiana Villas Boas, Tiago Santiago, Thelma Guedes, Tony Ramos, Vera Nunes, Vicente Sesso, Vida Alves, Vivi de Marco, Vivian de Oliveira, Walcyr Carrasco, Walderez de Barros, Walther Negrão, Wanderléa, Washington Olivetto, Xuxa, Zé Paraibuna, José Emilio Ambrósio, Zico Góes.

SUMÁRIO

CAPÍTULO 1
Entra no ar a TV no Brasil 11

CAPÍTULO 2
Os primeiros aventureiros e sonhadores da TV 19

CAPÍTULO 3
Chega a Record com os shows e mais organização 33

CAPÍTULO 4
Cassiano Gabus Mendes, o primeiro grande nome da televisão brasileira 41

CAPÍTULO 5
Os programas dos primeiros anos 47

CAPÍTULO 6
Profissionais de várias áreas criaram a verdadeira linguagem da TV 59

CAPÍTULO 7
A carioquinha chega no pedaço com humor e popularidade 69

CAPÍTULO 8
As garotas-propaganda: não é mesmo uma tentação? 87

CAPÍTULO 9
Nossos comerciais, por favor! 101

CAPÍTULO 10
Um relógio de pulso e Festa da Uva nos marcos da televisão 107

CAPÍTULO 11
Música: presença marcante na primeira década da TV 121

CAPÍTULO 12
A TV aposta nos programas voltados para as mulheres 131

CAPÍTULO 13
Como pode o peixe vivo viver fora da água fria – a televisão se alastra pelo Brasil 161

CAPÍTULO 14
Papagaio de smoking, estatuetas e noites de gala! É preciso reconhecer o talento de quem faz a televisão **181**

CAPÍTULO 15
Também estou no Canal 9 – a TV Excelsior chega para impor a televisão moderna **193**

CAPÍTULO 16
Começa a era da novela, o principal produto da televisão brasileira **219**

CAPÍTULO 17
Tupi e Record também se rendem à popularidade e à força comercial das novelas **233**

CAPÍTULO 18
Globo, aquela que virou a terceira emissora de televisão do mundo.................... **257**

CAPÍTULO 19
Beto Rockfeller: malandro brasileiro impõe o nosso jeito de fazer novelas tipo exportação **271**

CAPÍTULO 20
Entra no ar a TV Bandeirantes **281**

CAPÍTULO 21
Os incêndios na televisão brasileira – o fogo que destrói é o mesmo que traz novidades ... **291**

CAPÍTULO 22
A era de ouro dos musicais na TV: rompimento de limites, novos comportamentos e jovens tardes de domingo **303**

CAPÍTULO 23
Irmãos Coragem: é preciso coragem e ousadia na TV **325**

CAPÍTULO 24
A teledramaturgia nos anos 1970: "Vamos botar de lado os entretanto e partir pros finalmente" **335**

CAPÍTULO 25
Os criadores de sonhos na televisão brasileira....................................... **381**

CAPÍTULO 26
O governo militar e o controle da televisão **405**

CAPÍTULO 27
Sufocada pelo regime militar, a TV Excelsior agoniza em público até ser cassada **417**

CAPÍTULO 28
O Galinho em Salvador e o tucano em São Paulo: nascem emissoras com forte identidade com sua gente.. **425**

CAPÍTULO 29
Mais cor em sua vida... **443**

CAPÍTULO 30
O Brasil ligado pelas ondas da televisão **451**

Apesar das novas tecnologias e das inovadoras formas de distribuição de mídias, eu penso que a televisão continua sendo a grande geradora de informações e companheira afetiva da maior parte dos brasileiros. Criticada e elogiada ao longo da história, segue influenciando o comportamento e formando opiniões, tornando-se poderoso instrumento nas mãos dos seus concessionários.

Gugu Liberato

Acho importante um livro sobre a história da televisão, agora que o mundo está mudando com as mídias sociais. É importante conhecer o passado para irmos rumo a um futuro melhor, menos mediano, pueril. E assim analisar com profundidade o que determinou a televisão que temos hoje, como somos feitos, o que nos conduziu.

Lima Duarte

Entra no ar a TV no Brasil

Quando a televisão surgiu no Brasil, em 18 de setembro de 1950, poucos se arriscavam a dizer que ela se transformaria no maior e mais popular veículo de comunicação do país, superando em muito o rádio, que nos anos 50 do século passado vivia sua era de ouro com as principais estrelas, cantores, artistas e autores. Quem era importante e famoso trabalhava numa das emissoras de rádio das grandes cidades, principalmente em São Paulo, Rio de Janeiro, Recife e Belo Horizonte, onde estavam os maiores grupos de comunicação e os programas mais ouvidos pelo público. Assis Chateaubriand, dono dos Diários Associados e o empresário do setor mais influente no Brasil, tinha um bom trânsito entre os políticos e patrocinadores, era conhecido por ser ousado, visionário e conseguir tudo o que desejava. E foi a partir de uma viagem sua aos Estados Unidos, e de muita politicagem com quem mandava no país naquela época, que a televisão se transformou em realidade na América Latina.

A história da televisão brasileira começa alguns anos antes desse 1950, mais exatamente em 1946, quando o governo Dutra distribuiu as primeiras concessões do país e o grupo Diários Associados iniciou o trabalho de construção da torre para a TV Tupi Canal 6, do Rio de Janeiro. A intenção, até como caminho obrigatório, era fazer da capital federal o ponto de partida para esse novo veículo de comunicação no país, mas uma equipe de técnicos dos Estados Unidos especialmente contratada constatou que o Morro do Pão de Açúcar, em função da topografia da cidade, não era o local ideal para instalar os transmissores da primeira emissora de televisão da América Latina. A inauguração deveria ser adiada até que se encontrasse uma região melhor para a torre da Tupi, aconselharam os profissionais, mas Chateaubriand não queria perder a oportunidade de entrar para a história. Ele sabia que os Estados Unidos estavam patrocinando a chegada da televisão em Cuba para o Natal de 1950. Decidiu, então, focar os investimentos em São Paulo, onde também foi beneficiado com uma concessão para o Canal 3. O empresário atuou muito nos bastidores e, por sua influência, o governo brasileiro adotou o sistema norte-americano para as transmissões no Brasil, com distribuição das emissoras em 12 canais VHF, do 2 ao 13. Chateaubriand só não conseguiu ser o primeiro da América Latina. No dia 31 de agosto de 1950, o jornalista Rómulo O'Farrill inaugurou o Canal 4 da Cidade do México.

A implantação da televisão em São Paulo foi relativamente rápida e usou boa parte das instalações da Rádio Tupi, no bairro do Sumaré, zona oeste da capital paulista, onde foram instalados os estúdios e as centrais de produção, enquanto a torre com os transmissores foi erguida no topo do edifício do Banco do Estado, no centro da cidade. O local foi reformado alguns anos depois e, com o crescimento da TV Tupi e o fim da era de ouro do rádio, a estrutura da televisão se sobrepôs ao restante do grupo. Alguns meses antes, em julho de 1950, Assis Chateaubriand convocara as principais estrelas do rádio, entre cantores, atores e atrizes, apresentadores e locutores, para uma grande caravana que acompanhou o transporte dos equipamentos da televisão do porto de Santos à sede da TV Tupi. Enquanto isso, alguns poucos profissionais ligados ao rádio, entre eles Cassiano Gabus Mendes, Álvaro de Moya e Francisco Dorce, pensavam no que seria exibido no dia da inauguração do novo veículo de comunicação e os técnicos eram apresentados às câmeras, microfones e iluminação. Três grandes testes, considerados transmissões experimentais, foram realizados pelos profissionais da RCA que orientavam quem trabalharia na televisão. O primeiro aconteceu no Hospital das Clínicas, em 15 de junho, quando foi filmado o "Vídeo Educativo" para exibições no mês seguinte. No dia 7 de julho, no auditório do Museu de Arte de São Paulo – Masp –, Frei Mojica foi a estrela da noite, visto por poucas pessoas, afinal só havia aparelhos funcionando no saguão do prédio e na Praça Dom José Gaspar. O último grande teste foi realizado às vésperas da aguardada inauguração da televisão brasileira. No dia 10 de setembro, o então arcebispo da Arquidiocese de Aparecida do Norte, Dom Carlos Carmelo de Vasconcelos Motta, abençoou os estúdios e em seguida entrou no ar um filme sobre Getúlio Vargas, que retomava sua vida política.

Com toda a correria para a grande noite, nos bastidores do Sumaré havia muita especulação e curiosidade. Vida Alves, uma das pioneiras da televisão, recorda que entre os mais jovens todos queriam saber quem faria parte da novidade. "Os bonitinhos vão ser escolhidos, mas os feinhos vão ficar no rádio", disse Walter Forster à atriz, numa brincadeira com a imagem. Se no rádio a voz criava todo um envolvimento com o público, a partir daquele momento o tipo físico contaria muito na construção de personagens, já que não haveria mais espaço para a imaginação de quem estava em casa. A imagem em movimento mostraria a realidade. Foi necessário um tempo para alguns deles se acostumarem com o que viam na tela. "Eu fui lá para ver e, quando a câmera me pegou, que eu olhei para o monitor, fiquei tão horrorizada. 'Isso que é televisão?', perguntei", conta Lolita Rodrigues, que teve papel de destaque na inauguração do mais popular veículo de comunicação do Brasil.

Assis Chateaubriand acompanhou de perto todos os preparativos para a chegada da TV Tupi, Canal 3 de São Paulo. São muitos os relatos de que o empresário tinha o costume de entrar nos estúdios ou nas salas técnicas sem se anunciar para ver como os profissionais estavam treinando ou se adaptando à nova tecnologia. Em diversas ocasiões brincava diante das câmeras como se noticiasse o que havia feito nas últimas horas. Foi Chateaubriand, por exemplo, quem escolheu Sonia Maria Dorce para ser a primeira pessoa a aparecer na televisão. Ela cantava e declamava no *Clube do Papai Noel*, um programa de grande sucesso na época na Rádio Tupi sob a direção de Francisco Dorce e Homero Silva. "Ele percebeu que eu era uma criança dinâmica e falou para meu pai que colocaria um cocar em minha cabeça para dar boa-noite ao público", recorda a atriz e advogada. Foi o empresário quem encomendou a Guilherme de Almeida a letra do "Hino da Televisão"[1] e a Álvaro de Moya a primeira logomarca da TV Tupi, um índio bravo com a mão na testa olhando para o futuro. Assis Chateaubriand também foi o responsável por garantir os patrocínios da Sul América Seguros, Antarctica Paulista, Moinho Santista e Laminações F. Pignatari, que, em troca de espaço nos programas do rádio, garantiram os recursos necessários para a festa de inauguração e primeiros dias de trabalho da televisão.

---

1 Hino da Televisão
Vingou como tudo vinga / No teu chão, Piratininga / A cruz que Anchieta plantou / Pois dir-se-á que ela hoje acena / Por uma altíssima antena / A cruz que Anchieta plantou / E te dá num amuleto / O vermelho, branco e preto / Das penas do teu tocar / Das penas do teu tocar / E te mostra num espelho / O vermelho, branco e preto / Das contas do teu colar / Das contas do teu colar

Passados os testes, as transmissões experimentais, os treinamentos técnicos e a bênção aos estúdios, chegou o tão esperado 18 de setembro de 1950. Às 16 horas, uma pequena cerimônia religiosa comandada pelo bispo auxiliar de São Paulo, Dom Paulo Rolim Loureiro, seguida pelo discurso de Assis Chateaubriand e da mensagem do presidente da RCA Victor Corporation, David Sarnoff. Também participaram desse evento a poetisa Rosalina Coelho Lisboa Larragoiti, a madrinha da televisão, o embaixador do Brasil em Washington, o governador de São Paulo, Lucas Nogueira Garcez, e os apresentadores Homero Silva e Lia de Aguiar. Enquanto isso, os artistas, cantores e apresentadores que apareceriam no show inaugural realizaram o último ensaio e se prepararam para a grande estreia. A maquiadora veio da Argentina especialmente para a ocasião e teve como assistente a brasileira Nora Fonte. "Ficou todo mundo com cara de fantoche, mas estava todo mundo bonitinho. Tínhamos todos vinte e poucos anos", recorda Lolita Rodrigues. O figurino ficou sob responsabilidade de cada um e algumas mulheres chegaram a encomendar vestidos a costureiros, mesmo sem o reembolso do valor gasto com a roupa pela emissora.

Dom Paulo Rolim Loureiro na inauguração da Tupi

O fato é que, apesar de todos os cuidados que foram tomados antes da inauguração da TV Tupi, naquela segunda-feira de setembro de 1950 os profissionais envolvidos com o show inaugural foram obrigados a improvisar e usar da criatividade para que tudo desse certo e atendesse às expectativas do público que assistiria ao espetáculo num dos 200 televisores importados por Assis Chateaubriand instalados estrategicamente em alguns pontos da cidade. Horas antes de a televisão entrar no ar, uma das três câmeras importadas quebrou, obrigando os artistas, diretores, cinegrafistas e técnicos a refazerem todas as marcações de cenas. Durante muitos anos, acreditou-se numa história inventada por Lima Duarte de que a câmera pifou depois que, empolgado com a realização de seu grande sonho, Assis Chateaubriand a acertou com uma garrafa de champanhe. "Ele custou a reconhecer que estava exagerando. Não é verdade. No momento em que nós íamos entrar, uma das câmeras simplesmente parou. Cassiano, que já era gênio sem saber, conseguiu fazer a festa de inauguração", lembra Lolita Rodrigues.

As primeiras transmissões da Tupi: curiosidade pelo novo veículo

"Chateaubriand era louco, mas não rasgava dinheiro", completa Sonia Maria Dorce. A solução encontrada foi fixar uma câmera no estúdio principal, o maior, onde aconteceram todas as apresentações, e mover a segunda rapidamente para registrar quadros e comerciais no estúdio menor.

Perto das 22 horas, com praticamente uma hora de atraso e muito tempo com a imagem do índio na tela, entrou no ar o *TV na Taba*, uma espécie de revista eletrônica com um pouco de tudo o que a TV Tupi pretendia apresentar em sua programação. "Boa noite. Está no ar a televisão do Brasil", disse uma menina de 5 anos de idade, iniciando a história do maior veículo de comunicação do Brasil. Apesar da pouca idade, Sonia Maria Dorce, que era uma das estrelas infantis da programação da rádio, encarou aquela estreia como algo natural, afinal "era só mais um dia, porque eu estava muito acostumada com a Tupi. Eu passava praticamente o dia todo lá", recorda-se. Na sequência, Yara Lins, uma das atrizes mais consagradas da época, anunciou todos os prefixos das rádios das Emissoras Associadas e destacou o da TV Tupi. A história do grupo comandado por Assis Chateaubriand foi a primeira atração da noite, por meio de um vídeo produzido especialmente para a ocasião. Naquela noite, ainda se apresentariam a Orquestra Tupi, o maestro Rafael Puglielli, Amácio Mazzaropi, a "Escolinha do Ciccilo", o conjunto "Os Três Amigos" e Maurício Loureiro Gama. A dramaturgia ficou por conta de Walter Forster, Lia de Aguiar e Vitória de Almeida, com a comédia conjugal *Ministério das Relações Domésticas,* e o esporte com Aurélio Campos. O segmento infantil foi representado pelas crianças do *Clube do Papai Noel*, grande sucesso do rádio. Para encerrar o *TV na Taba,* entraram no palco a Grande Orquestra Tupi, o coral das Emissoras Associadas e Lolita Rodrigues, para interpretar o "Hino da Televisão", composto por Guilherme de Almeida. "Quando eu ouvi aquilo eu falei 'mas chefe, vão rir de mim'", recorda-se Lolita, que durante 40 anos guardou como segredo o verdadeiro motivo pelo qual Hebe Camargo não compareceu ao evento para cantar a música-tema da televisão. Naquele dia, apaixonada, a apresentadora preferiu cumprir um compromisso com seu namorado. "Graças a Deus eu não cantei o hino, porque a letra é história do crioulo doido", gargalhava Hebe Camargo todas as vezes que a amiga contava que havia sido chamada para recordar a inauguração da televisão.

A programação daquela segunda-feira, 18 de setembro de 1950, foi encerrada por volta das 23h30 com imagens de São Paulo acompanhadas pela música "Acalanto". A canção de Dorival Caymmi foi usada durante muitos anos na vinheta que era exibida no término da grade diária da TV Tupi, transformando-se numa das marcas da emissora. Após o *TV na Taba*, elenco, diretores, técnicos, autoridades e convidados foram recebidos em um jantar para comemorar a inauguração da primeira emissora de televisão da América do Sul. Para todos que estavam ali, aquela era uma noite especial. Havia um clima diferente no ar, uma vontade de celebrar e muito bate-papo sobre o que apareceu na tela. Foi numa dessas conversas que alguém lembrou que no dia seguinte a TV Tupi voltaria a funcionar e não havia nada definido sobre o que seria apresentado ao "tele-espectador", como eram chamadas as pessoas que assistiam televisão naquela época. "Então, pegaram o Simplício para fazer a *Escola do Simplício* e eu para cantar", lembra Lolita Rodrigues.

No dia seguinte, jornais e emissoras de rádio repercutiram a inauguração da primeira emissora de televisão da América do Sul. Nas ruas, até mesmo quem não havia assistido ao *TV na Taba* num dos aparelhos instalados em São Paulo queria dar sua opinião sobre a nova aposta de Assis Chateaubriand. Enquanto isso, numa das salas das instalações das Emissoras Associadas Cassiano Gabus Mendes começava a desenhar os programas e atrações que conquistariam o brasileiro e transformariam definitivamente a comunicação no país. "Era só ele e algumas pessoas ali envolvidas que experimentaram, que deram a cara para bater com a coisa nova", fala com orgulho o ator Cássio Gabus Mendes, filho de um dos maiores diretores artísticos que a nossa televisão já teve. "Ele era um cara extremamente profissional, que sempre teve uma concentração muito grande e vivia por meio dessas experiências com outras pessoas", completa o ator. Naquele 19 de setembro de 1950, a programação começou às 18 horas e terminou às 23 horas. Para os padrões atuais, em que as emissoras não param nem por um segundo, ter cinco horas de atrações ao vivo era algo ousado e que reunia os mais importantes e jovens profissionais. Durante muitos anos, todos os canais só investiram no chamado horário nobre, já que no restante do dia a audiência estava concentrada no rádio e nos seus artistas populares contratados, as estrelas dos anos 50. O fato é que os primeiros programas da TV Tupi e, mais tarde, de suas concorrentes, foram inspirados nos sucessos radiofônicos e adaptados do teatro e do circo, já que todos precisavam ser obrigatoriamente ao vivo.

Do rádio para a televisão

Muita gente do rádio – e nem poderia ser diferente – foi aproveitada pela televisão, desde os primeiros dias da sua implantação. Claro que com as devidas e necessárias exceções. César Monteclaro, por exemplo, sempre se destacou por ser o galã das radionovelas, por ter uma voz que levava à loucura as ouvintes da época. Mas não era, e ele mesmo reconhecia, uma pessoa muito bonita. Como muita gente, ele também foi trabalhar na televisão, mas só nos bastidores. Começou como secretário de Cassiano Gabus Mendes e depois chegou a diretor da TV Tupi, em São Paulo.

Os primeiros aventureiros e sonhadores da TV

Os dias que se seguiram à inauguração da televisão no Brasil foram de muitos comentários em São Paulo e de correria no Rio de Janeiro para colocar no ar o mais rápido possível a TV Tupi na então capital federal. Como estratégia de marketing, alguns dos 200 televisores instalados em diversos pontos da cidade foram mantidos em locais públicos para chamar a atenção do paulistano e, quem sabe, levar mais gente a investir muito dinheiro na compra de um aparelho, que só podia ser por importação.

No dia seguinte, logo cedo, além dos cuidados com a programação das rádios das Emissoras Associadas, Cassiano Gabus Mendes dedicou-se ao que a TV Tupi exibiria naquela noite, a segunda da história da televisão no Brasil. Durante muitos anos, a grade de atrações diárias estava restrita à faixa das 18 horas às 23 horas, no máximo, horário em que as pessoas já estavam em casa com suas famílias e poderiam receber amigos, os famosos "televizinhos", que contribuíam para engordar a audiência e, principalmente, fazer a famosa propaganda boca a boca a partir do que tinham visto das imagens ao vivo em movimento e com som. Para o público daquela época, acostumado a acompanhar histórias, novelas, notícias, musicais, esporte e humorísticos por meio do rádio, ver tudo isso num caixote de madeira no meio da sala principal das casas era uma experiência impressionante, algo que gerava muitos comentários e, é claro, certos exageros na hora de contar para quem ainda não tinha acesso à televisão. O fato é que ninguém saía da frente do televisor sem estar absolutamente envolvido com o novo veículo de comunicação. Era simplesmente fascinante ver na sala de sua casa, no balcão da padaria, na praça ou num dos magazines da cidade as grandes estrelas da época. O paulistano vivia o início de uma grande revolução e ninguém imaginava que tudo aquilo que era apresentado por jovens artistas e ousados técnicos mudaria comportamentos, integraria a nação, deixaria o mundo mais próximo e ligado e se transformaria no principal veículo de comunicação do planeta.

No dia 19 de setembro, terça-feira, entraram no ar atrações musicais, *Escolinha do Simplício*, um dos sucessos do rádio daquela época e que poderia gerar comentários e atrair a curiosidade do público, e o *Imagens do Dia*, com Paulo Salomão, Jorge Kurklan, Alfonso Zibas e Ruy Rezende. O primeiro programa jornalístico da televisão brasileira reunia as principais notícias do dia e exibia imagens gravadas dos grandes acontecimentos locais, algo que foi considerado revolucionário diante da tecnologia da época. No dia seguinte, em 20 de setembro, estreou outro programa humorístico, o *Rancho Alegre*, com Mazzaropi. O único problema para o telespectador era a indefinição dos horários para a exibição dos programas, uma vez que a imagem só aparecia depois de todos os ensaios, soluções de problemas no estúdio e do tempo necessário para armar cenários. "Eles botavam o Osni Silva, que tinha uma voz lindíssima, pegavam uma de nós, cantoras, com cara de apaixonadas, colocavam um vaso no estúdio, e fazíamos ao vivo os números musicais", explica Lolita Rodrigues sobre as primeiras transmissões em 1950.

Aos poucos, os outros veículos de comunicação começaram a dar espaço para a televisão, com destaque para o que seria exibido durante a noite. O *Diário de São Paulo*, por exemplo, reservava um campo em sua capa para destacar a grade noturna, e as revistas especializadas nas estrelas do rádio e da música dedicavam algumas páginas para falar sobre a TV Tupi. Com a chegada das outras emissoras e o crescimento de sua importância, as notícias sobre a televisão começaram a roubar espaço nas publicações.

Já nos primeiros dias de funcionamento da TV Tupi, Cassiano Gabus Mendes desenvolveu uma grade de programação mais sólida ainda para exibição a partir das 19h. Sua ideia era atender a todas as faixas de público e, por isso, apostou na versão para a televisão do *Clube do Papai Noel*, um programa infantil comandado por Sonia Maria Dorce, a menina que apareceu na inauguração da TV Tupi vestida de índio. A atração para a garotada tinha o comando artístico de Francisco Dorce e direção de Homero Silva. Com 6 anos de idade, Sonia Maria era uma das apresentadoras do *Gurilândia*. "Me comparavam à Shirley Temple, que eu nem sabia quem era, porque naquela época já não passavam os filmes dela", recorda a primeira criança da nossa televisão.

A televisão brasileira se virava como podia, afinal era pobre em recursos. A equipe era pequena, as estrelas do rádio ganhavam um cachê quase simbólico para as participações nas atrações ao vivo e os artistas eram responsáveis por seus figurinos. Dois meses depois da inauguração, no dia 29 de novembro de 1950, a TV Tupi de São Paulo estreou seu horário para teleteatros, um espaço destinado a versões dos clássicos do teatro e alguns do cinema. Começava ali a cultura de teledramaturgia, atualmente o principal produto da televisão brasileira, com reconhecimento internacional e responsável pelos maiores faturamentos e investimentos. Ao apostar nos teleteatros, Cassiano Gabus Mendes sinalizou a importância da qualidade na programação, atraiu os principais intérpretes brasileiros da época e criou o costume no telespectador de voltar todos os dias para a frente da televisão para acompanhar uma história completa ou o capítulo de algo muito envolvente. "Os atores vinham com muita vontade de mostrar o teatro na televisão para levar gente para suas peças", afirma Reynaldo Boury, diretor que comandou novelas na Tupi, Excelsior, Globo e SBT. *A Vida Por Um Fio*, com a consagrada atriz Lia de Aguiar, foi a primeira produção desse gênero e contou nos bastidores com o trabalho de uma equipe formada por jovens que acreditavam no crescimento da televisão. Walter George Durst, Álvaro de Moya, Lima Duarte, Silas Roberg e Túlio de Lemos são alguns dos profissionais que estiveram envolvidos com a produção inicial desse gênero na TV.

A exibição de *A Vida Por Um Fio* foi um grande sucesso, ganhou repercussão nos jornais e revistas e virou assunto obrigatório entre os funcionários da TV Tupi e das rádios das Emissoras Associadas. Muitos artistas foram procurar Cassiano Gabus Mendes atrás de uma oportunidade na dramaturgia da televisão, um avanço significativo para quem interpretava as personagens famosas das radionovelas. "Cassiano, deixa eu fazer?" era uma das perguntas mais comuns pelos corredores dos estúdios do Sumaré. A atriz Laura Cardoso, atualmente um dos principais nomes das novelas brasileiras, só conseguiu entrar para o elenco fixo dos teleteatros em 1956, depois de muita insistência. Sua estreia com um personagem grande foi em *A Canção Sagrada*, uma adaptação da peça de Paddy Chayefsky, que lhe garantiu o primeiro prêmio da sua carreira na televisão. A versão da peça para a TV Tupi foi assinada por Walter George Durst para o *TV de Vanguarda*, exibido aos domingos. Antes, Laura Cardoso havia feito uma pequena participação no *Tribunal do Coração*, programa escrito por Vida Alves e exibido uma vez por semana.

Os teleteatros ganharam destaque na grade da TV Tupi e desde o seu início conquistaram o telespectador, afinal, não há nada mais eficiente para criar plateia do que uma história bem contada e interpretada por artistas populares. As versões dos textos clássicos e dos títulos que faziam sucesso nos palcos dos Estados Unidos e da Europa atendiam às necessidades das pessoas de alto poder aquisitivo, que podiam naquela época comprar os caros aparelhos de televisão. "A gente fazia todo tipo de teatro. Aos domingos, tinha o *TV de Vanguarda* com os contratados da TV Tupi e, na segunda-feira, algumas peças feitas com atores do teatro especialmente convidados", destaca o diretor de TV Reynaldo Boury. No rádio continuavam as novelas com uma linguagem bem mais popular e tramas carregadas de emoções, amores e suspense. E foi pensando nessa forma de retratar o cotidiano das pessoas, principalmente nas questões familiares e de relacionamentos, que o ator Walter Forster propôs *Sua Vida me Pertence*, história dividida em 25 episódios a serem exibidos duas vezes por semana (terças e quintas), sempre no mesmo horário. Essa pode ser considerada a primeira novela brasileira, apesar de alguns especialistas afirmarem ser *2-5499 Ocupado*, a pioneira do segmento por ter capítulos diários, a principal característica desse gênero. Polêmicas à parte, o fato é que *Sua Vida me Pertence* exibiu uma trama popular com um triângulo amoroso formado pelos personagens de Lia de Aguiar, Vida Alves e o próprio Walter Forster, e levou para a televisão os primeiros elementos da produção industrial de teledramaturgia ao adotar cenários fixos e, assim, organizar melhor a montagem e desmontagem do estúdio. Naquela época, o pessoal ligado à cenografia perdia muito tempo com o desenvolvimento dos ambientes em que os teleteatros seriam realizados.

Sua Vida me Pertence: Walter Forster e Vida Alves

Sua Vida me Pertence é lembrada até hoje por exibir o primeiro beijo da televisão brasileira, protagonizado por Vida Alves e Walter Forster. O assunto era tabu não apenas para o público, mas também entre os artistas. "Antigamente não se beijava no teatro, cinema, na televisão, nem no jardim de casa quando o pai saía", lembra Vida Alves. Para a cena acontecer, o autor e protagonista da primeira novela foi pessoalmente conversar com o marido de sua colega de elenco, um engenheiro italiano que não se opôs à ousadia de sua mulher, depois de ouvir todas as explicações, ter a garantia de que não haveria ensaio e de que os movimentos durante a cena seriam absolutamente técnicos. Com uma imagem que nos dias de hoje é inofensiva, mas que no início da década de 1950 gerou muita discussão, a televisão mostrou ao seu público que a partir dali ajudaria a mudar comportamentos, quebrar as barreiras dos preconceitos e contribuir para a mulher conquistar novas posições na sociedade. Aliás, esse foi um dos papéis mais importantes da TV em seus 67* anos de atividades no Brasil.

***

No Rio de Janeiro, técnicos norte-americanos e brasileiros trabalharam intensamente entre setembro e dezembro de 1950 para colocar no ar a TV Tupi na capital federal e, assim, dar andamento ao projeto ambicioso de Assis Chateaubriand de implantar o novo veículo de comunicação no Brasil. Para operar na cidade, a Tupi precisou montar duas torres para vencer os obstáculos naturais da topografia da região e, assim, garantir um mínimo de qualidade às imagens. No dia 18 de janeiro, dois dias antes da inauguração oficial, foram realizadas algumas transmissões experimentais. Aldo Viana narrou um páreo do Hipódromo da Gávea e Antonio Maria registrou as emoções de Flamengo x Olaria. Também foram exibidas uma revista de Walter Pinto direto do Teatro do Recreio e uma comédia com Aimée, no Teatro Rival. Os testes foram acompanhados pelos principais diretores dos Diários Associados, que relataram tudo a Assis Chateaubriand.

Finalmente, em 20 de janeiro de 1951, dia de São Sebastião, entrava no ar a TV Tupi Rio, a PRG-3. Os estúdios ocuparam parte das instalações da Rádio Tamoio, na Avenida Venezuela, no centro da cidade. O transmissor, o auditório e a central técnica da emissora funcionavam no Cassino da Urca, que estava fechado fazia cinco anos porque os jogos haviam sido proibidos no país. A cerimônia de inauguração começou ao meio-dia, no alto do Pão de Açúcar, e reuniu diretores da TV, artistas e personalidades da capital federal, além do presidente da República, general Eurico Gaspar Dutra, e o prefeito do Distrito Federal, Mendes de Moraes. A solenidade, que terminou por volta das 14h30, foi registrada pelas duas únicas câmeras importadas pelos Diários Associados para a TV Tupi do Rio e, por isso mesmo, os técnicos da emissora estavam a postos para transferir todo o equipamento do alto do Pão de Açúcar num curto espaço de tempo para os estúdios no centro da cidade. Segundo relatos da época, enquanto os convidados começavam a se dirigir para a Praia Vermelha, todos os aparelhos foram desmontados e transportados no alto dos bondinhos. Em menos de seis

---

* Completados quando este livro foi finalizado.

horas, tudo já estava devidamente montado na Avenida Venezuela para a transmissão do primeiro programa da televisão do Rio de Janeiro, uma revista com tudo o que o novo veículo de comunicação poderia oferecer a seu público.

A primeira imagem da PRG-3, TV Tupi do Rio de Janeiro, surgiu às 21h. No palco estava a Orquestra Tabajara, de Severino Araújo, que acompanhou as grandes estrelas da época. Aracy de Almeida, Almirante, Trio de Ouro, Dircinha Batista, Dorival Caymmi, Linda Batista e Alvarenga e Ranchinho foram algumas atrações da noite, que também contou com o Regional de Benedito Lacerda e Ary Barroso e seus calouros. Mazzaropi, que fora ao Rio de Janeiro especialmente para se apresentar no programa inaugural da TV Tupi, ficou responsável pelo segmento de humor, e Nicette Bruno atuou na dramaturgia. "Foi um show de abertura dirigido pelo Chianca de Garcia, e eu participei de alguns esquetes com outros profissionais do teatro", recorda a atriz. "Não veio ninguém de importância aqui para cantar o hino da televisão", diz Fernanda Montenegro.

Diferentemente do que ocorreu em São Paulo, em que inicialmente os profissionais da TV Tupi vieram do rádio, no Rio de Janeiro boa parte dos pioneiros estava nos palcos ou eram ex-profissionais que atuavam nas áreas artísticas do Cassino da Urca. "Eles chamaram um ator, já senhor, o Barbas, que foi galã de Leopoldo Fróes, e o Jaci Campos, do Teatro do Estudante", conta Fernanda Montenegro, a primeira atriz contratada da TV Tupi do Rio. "Um belo dia, eu estou em minha casa, e recebo um convite para ir até a Avenida Venezuela, perto da Praça Mauá. Era para fazer um esquete, porque tinham gostado muito de mim", completa a atriz. Poucos meses antes, alguns diretores dos Diários Associados haviam assistido a uma das sessões da peça *As Alegres Canções das Montanhas*, um fracasso que só foi encenado em oito noites. Mesmo assim, gostaram da atuação de Fernanda Montenegro e a convidaram para a programação da emissora. "Tinha que fazer aquilo tudo a cada dia para ninguém. Umas pessoas iam para as praças, mas a TV não estava ainda na veia do brasileiro", completa a grande atriz.

Assim como em São Paulo, os profissionais que atuaram nos primeiros anos da TV Tupi do Rio de Janeiro precisaram usar de muita criatividade para colocar no ar uma programação que agradasse ao telespectador. O prédio da Avenida Venezuela tinha espaço para apenas dois estúdios pequenos, e com pé-direito baixo, o que não possibilitava muitas ousadias e tomadas diferenciadas. Por isso, muitos programas, incluindo os teleteatros, utilizavam os dois estúdios, a fim de garantir o mínimo de elementos para os cenários. Cabia aos cenógrafos usar de muita habilidade na criação dos ambientes, porque num dos espaços havia bem no meio uma grossa coluna de concreto para sustentação da edificação. Já os técnicos de som precisavam driblar os ruídos externos durante a exibição dos programas, uma vez que as janelas ficavam abertas para garantir ventilação no local a fim de que a temperatura não chegasse ao insuportável. Como os programas eram apresentados somente ao vivo, para dar tempo de trocar os cenários, no intervalo entravam no ar pequenos números musicais registrados em filmes com as grandes estrelas da época, como a cantora de rumba Rayito de Sol com o tocador de gongo Dom Pedrito e Ivon Curi e Hebe Camargo interpretando a canção "Pé de Manacá".

Apesar de toda a precariedade das instalações da TV Tupi do Rio, já nas primeiras semanas de operações a emissora apresentava uma grade de programação bem desenvolvida. No fim da tarde havia um espaço dedicado às crianças, mas o sinal saía do ar no final da atração infantil para um intervalo de aproximadamente uma hora. Depois, já por volta das 20h30, entravam os programas voltados aos adultos, sempre começando com algo de humor, como *Colé na TV*, *Enfrentando as Câmeras*, *Mesquitinha na TV* e *Neguinho e Juraci*. Depois, havia um espaço para entrevistas, programas esportivos, telejornais e um show ou teleteatros. Aos sábados, havia o sucesso *Calouros em Desfile* com Ary Barroso e aos domingos os jogos que aconteciam no Estádio do Maracanã. A atriz Fernanda Montenegro, a primeira contratada da emissora, lembra com orgulho as peças de extrema qualidade que foram exibidas nos primeiros anos da TV Tupi do Rio de Janeiro. "Não tinha uma dramaturgia a serviço da novela. Então, nós fizemos dos gregos a Pirandello. Fizemos Plauto, Bernard Shaw, uma galeria de autores. E no teatro brasileiro começamos com os autos de Anchieta e viemos até Nelson Rodrigues", destaca. Foram dois anos de apresentações semanais de grandes clássicos do teatro, que foram interrompidas por uma crise financeira do braço carioca do grupo comandado por Chateaubriand. "Não se recebia", diz Fernanda Montenegro, que por um período dedicou-se apenas ao teatro e à Rádio Ministério da Educação e Cultura. Em 1953, ela se casou com Fernando Torres e dividia seu tempo entre espetáculos nos palcos cariocas de terça a domingo e apresentações às segundas-feiras na TV Tupi de São Paulo.

Em 1954, viajou para São Paulo com a Companhia Morineau para uma longa temporada na cidade.

***

Em março de 1952, um ano depois da inauguração da TV Tupi do Rio de Janeiro, entrava no ar a TV Paulista, do grupo do deputado Oswaldo Ortiz Monteiro, que montou seus estúdios nas pequenas instalações do Edifício Liège, um prédio residencial na Rua da Consolação, 2.570, entre o Sumaré e a região central da capital. Os programas e telejornais eram redigidos numa redação improvisada numa sala de estar de um dos apartamentos, e o laboratório de revelação dos filmes que ilustravam as reportagens e atrações de entretenimento ocupava a cozinha. Os estúdios foram montados na garagem e num espaço destinado inicialmente para o comércio, e, por causa desse improviso na estrutura física da emissora, era muito comum ver artistas trocando de roupa ou retocando a maquiagem nos corredores e nas escadas do prédio. A superintendência artística da emissora ficou sob responsabilidade de Ruggero Jacobbi, um consagrado diretor teatral. Suas primeiras apostas foram nas companhias teatrais de Nicette Bruno e Cacilda Becker – duas grandes referências dos palcos e com muitos títulos em seus catálogos –, na produção de teledramas e no *Circo do Arrelia*, para atender o público infantil. "Eu tinha um programa de peças teatrais com meu nome e durante pouco mais de oito meses apresentei excelentes textos do repertório de minha companhia", recorda-se Nicette Bruno, que resolveu ir para o Paraná com sua família e o grupo teatral.

Além dos teleteatros, as novelas também ganharam a tela da emissora. Já no dia de sua inauguração, 14 de março de 1952, entrou no ar *Helena*, um texto de Manoel Carlos baseado na obra de Machado de Assis, com Paulo Goulart e Vera Nunes como protagonistas e Rubens de Falco, Cecília Martins e Jane Batista no elenco. Os capítulos eram ao vivo e entravam no ar apenas em algumas noites da semana. A novela foi um grande sucesso de público e também foi muito bem recebida pela crítica, porque trouxe uma história clássica de nossa literatura para os dias atuais, investindo bastante nas situações do cotidiano, uma das principais características de Maneco. Como a estrutura da TV Paulista não permitia muitas ousadias, poucos eram os ensaios, e os atores decoravam suas falas e marcações sabendo que improvisos seriam necessários diante dos imprevistos que surgiriam durante a transmissão ao vivo.

Naquele mesmo ano, foram exibidas *Um Ramo de Rosas, Casa de Pensão, Diva e Senhora*. Em sua primeira década de atividades, a TV Paulista produziu vinte novelas com episódios não diários. Benedito Ruy Barbosa, outro consagrado autor de nossa teledramaturgia, começou sua carreira na televisão na TV Paulista, supervisionando teatros e outros programas do gênero. Depois, atuou na Denison Propaganda como editor de script da Colgate, uma espécie de revisor e supervisor dos autores das novelas produzidas pela equipe da linha de produtos de higiene pessoal. "Lá, ao mesmo tempo, eu escrevia *Somos Todos Irmãos* para a Tupi e supervisionava *Eu Compro Essa Mulher* para a Globo", recorda o dramaturgo.

O primeiro grande salto da TV Paulista aconteceu em 1955, quando Ortiz Monteiro vendeu a emissora para a Organização Victor Costa, que resolveu investir pesado na contratação de artistas, profissionais dos bastidores e técnicos para competir com a TV Tupi. Para conquistar o telespectador, foi desenvolvida uma linha de shows com grandes estrelas, ampliou-se a teledramaturgia e o jornalismo e os esportes foram reforçados. Os atores Walter Forster, Yara Lins e Régis Cardoso e a cantora Hebe Camargo foram alguns dos que deixaram a emissora do Sumaré para ingressar na nova fase da TV Paulista. Com tantos nomes importantes e o aporte financeiro de um grupo forte, a emissora era sucesso comercial. "A TV Paulista tinha tanto anunciante que o Luis Guimarães era locutor de cabine e diretor da área. Eram umas cinco empresas grandes para toda a programação", lembra Silvio Luiz, uma das vozes que marcaram a história da televisão brasileira. "Um dia ele faltou e, como eu sabia de cor todos os textos, me escalaram para falar na cabine", completa o narrador. Silvio Luiz não tinha como seguir profissão fora desse meio de comunicação. Sua mãe, Elizabeth Darcy (seu nome verdadeiro era Natália Perez de Souza), foi uma das mais importantes garotas-propaganda do começo da TV, e sua irmã, a atriz Verinha Darcy, fez trabalhos importantes na dramaturgia, entre eles o seriado *Poliana*, na TV Tupi, de grande sucesso. Ela morreu prematuramente, aos 34 anos. Com 15 anos de idade, Silvio Luiz não saía das instalações da emissora. Um dia, Moacir Pacheco Torres, que dirigia o departamento de esportes, o convidou para ser repórter de campo. Começava ali uma das mais brilhantes carreiras da televisão brasileira. Ele foi *cameraman, caboman*, ator no *Capitão Sete*, diretor de produção, diretor de TV, comentarista e narrador. "Eu fuçava tudo. Só queria saber de TV."

Silvio Luiz com a mãe, Elizabeth Darcy

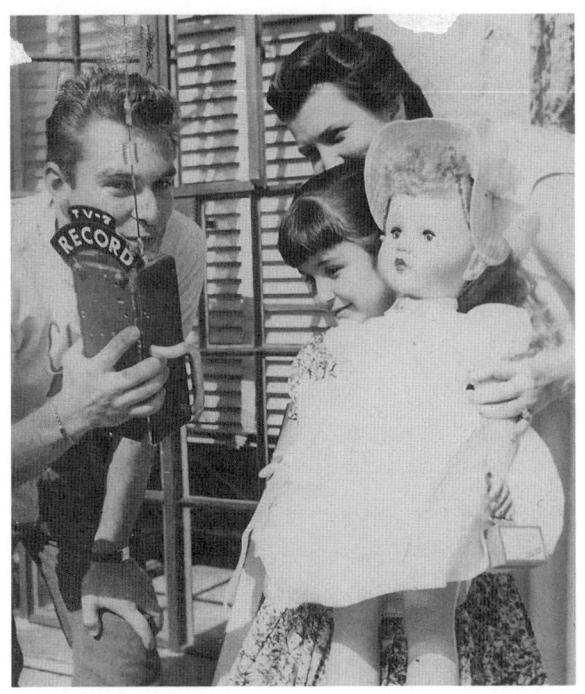

Silvio Luiz com Elizabeth Darcy e a menina Verinha Darcy, que fez Poliana, seriado infantil de Júlio Gouveia e Tatiana Belinky

O esporte teve um papel importante na consolidação da TV Paulista como uma das empresas da Organização Victor Costa, que reunia também a Rádio Excelsior e a Rádio Nacional de São Paulo, transformando-se na segunda rede de emissoras do país. O Campeonato Paulista de Futebol tinha espaço garantido na grade semanal e as transmissões chamavam atenção pelos recursos técnicos. Enquanto as demais emissoras utilizavam apenas duas câmeras num jogo (uma para geral e outra para os *closes*), a TV Paulista recorria a três equipamentos, sendo um deles com uma lente gigante que possibilitava fazer o *zoom* na mão. Outra inovação era o microfone desenvolvido por Silvio Vasconcelos, um técnico que entendia tudo sobre televisão e que morava no último andar do prédio onde ficavam os estúdios e transmissores da emissora. "Era uma caixona que tinha uma bateria e uma antena que se levantava e o som chegava lá em cima na cabine", lembra Silvio Luiz. Em compensação, a Record, emissora da família Machado de Carvalho inaugurada em setembro de 1953, era a mais ágil para exibir os lances importantes dos jogos e repercuti-los com seus convidados das mesas-redondas. Além de transmitir ao vivo, a emissora gravava as partidas em filmes de cinema e os revelava em pequenos tanques instalados em alguma parte dos estádios. Poucos minutos depois do fim do jogo, o apresentador anunciava o lance polêmico, que era projetado numa pequena tela ou na parede e televisionado ao vivo. Em casa, o telespectador até percebia uns saltos e borrões nas imagens, mas não reclamava, porque o conteúdo era mais importante que a qualidade técnica da cena. Com o sucesso desses quadros, a Record adotou a mesma técnica para outros programas, inclusive jornalísticos, e montou um centro de revelação em seu subsolo.

Com apenas dois anos de atividades em São Paulo, a Tupi e a Paulista já brigavam pela atenção dos poucos telespectadores. Os primeiros aparelhos de TV começaram a ser fabricados no Brasil em 1951, mas eram caros, pesados e voltados a um público bem seleto, o suficiente, no entanto, para ter ampliado de forma significativa a plateia do novo veículo de comunicação. O televisor da marca Invictus, uma aposta do empresário Bernardo Kocubej, custava nas lojas 9 mil cruzeiros, uma fortuna na época e muito mais caro que uma radiovitrola. Calcula-se que nessa época pelo menos 7 mil televisores já estavam em lugar de destaque nas casas das famílias mais ricas e de classe média, que podiam pagar por ela o valor próximo ao de um carro zero quilômetro ou três vezes o de uma radiola. O *TV de Vanguarda* era o programa de maior sucesso da crítica e do público, mas a TV Tupi também conquistava boa audiência com o *Clube dos Artistas* e o *Sítio do Picapau Amarelo*. Por sua vez, a TV Paulista tinha como grandes atrações o *Teledrama*, *Teatro Nicette Bruno* e as novelas *Helena*, *Senhora*, *Casa de Pensão*, *Diva* e *Iaiá Garcia*. É claro que toda a força dos Diários Associados, por meio de suas revistas, jornais e rádios, repercutia muito mais as estrelas e programas da TV Tupi, a PRF-3.

Chega a Record com os shows e mais organização

Nos primeiros anos da década de 1950, o empresário Paulo Machado de Carvalho comandava as "Emissoras Unidas", grupo que controlava as rádios Record, Bandeirantes, Panamericana e São Paulo, todas com programas de sucesso, radionovelas populares, grandes estrelas da música, humoristas consagrados e jornais que debatiam os assuntos do cotidiano e os temas políticos do momento. Muito amigo de Assis Chateaubriand, o empresário também acabou apaixonado pelo novo veículo de comunicação e resolveu apostar em seu próprio canal de televisão.

A TV Record, Canal 7, entrou no ar no dia 27 de setembro de 1953, mas os trabalhos na emissora começaram muito tempo antes. Para montar a equipe de produtores e técnicos, foram realizados concursos e palestras para a escolha dos jovens profissionais, uma vez que Paulo

Machado de Carvalho não queria tirar funcionários da TV Tupi ou da Paulista, mas criar uma nova geração capaz de atuar na televisão sem os vícios de quem já estava nesse meio de comunicação ou no rádio e no teatro.

O treinamento com os 48 inscritos foi realizado com parte do equipamento, visto que houve atraso na chegada do material importado, adiando os planos do Marechal da Vitória. As aulas com especialistas americanos duravam pelo menos 12 horas diárias e eram de interpretação, apresentação, operação técnica, direção de TV, luz, som, alinhamento de câmeras e manutenção. Muitos talentos que mais tarde ocuparam os cargos mais importantes da televisão brasileira surgiram desse processo seletivo. "Era quase uma faculdade preparando o profissional para o dia de amanhã, mas num espaço pequeno de tempo", lembra Nilton Travesso, um dos 18 escolhidos para atuar na nova emissora de TV do Brasil. Muito jovem, ele chegou ao concurso da Record por meio da orientação do pai de seu amigo Hélio Mugnaini, que viu na iniciativa de Paulo Machado de Carvalho uma excelente oportunidade para quem desejava iniciar uma carreira no novo meio de comunicação.

Enquanto os jovens talentos eram preparados para ingressar no novo investimento das "Emissoras Unidas", os diretores tomavam todas as providências para a inauguração da TV Record no dia 7 de setembro, data escolhida por ser feriado e o número que o canal ocuparia no seletor dos aparelhos de TV. Mas, apesar de todos os esforços, acabou não sendo assim. A estreia ocorreu vinte dias depois, porque parte dos equipamentos importados não chegou a tempo. A emissora foi instalada num grande prédio na Avenida Miruna, zona sul de São Paulo, construído especialmente para abrigar estúdios e instalações para TV. A sede da Record ficava nas proximidades do aeroporto de Congonhas, um bairro que, naquela época, era bem distante do centro da capital de São Paulo, dos grandes teatros e das casas das estrelas.

Finalmente chegou o dia. A cantora Sandra Amaral e Hélio Ansaldo foram os apresentadores destacados para o show inaugural, que começou pontualmente às 20h daquele 27 de setembro e durou duas horas. O primeiro a entrar no ar foi Gregorian, na época, o mais consagrado comentarista da Rádio Record, que leu o editorial que marcou o início das transmissões da nova TV. Os responsáveis pelo espetáculo de estreia pensaram em cada detalhe da cenografia e dos figurinos, para transformá-lo em algo grandioso e que gerasse repercussão entre o público e a imprensa. O apresentador Blota Júnior e sua esposa Sonia Ribeiro também estiveram presentes naquela noite de festa e chamaram ao palco os musicais com artistas como Dorival Caymmi, Neide Fraga, Adoniran Barbosa, Inezita Barroso e Isaura Garcia, que já eram as grandes estrelas da Rádio Record, para interpretar seus sucessos. A orquestra do maestro Enrico Simonetti e o ator, jornalista e radialista Randal Juliano também foram atrações. Naquela noite, os 18 garotos aprovados no curso de treinamento idealizado por Paulo Machado de Carvalho atuaram em todas as funções, inclusive à frente das câmeras. Nilton Travesso recorda que, além de dirigir algumas cenas, ficou com um dos papéis de *Garoto 53*. "Foi ali que percebi que tinha mais identidade com a direção do que com o ofício de interpretar", destaca. Ainda como parte da programação daquela noite, na sequência, entrou no ar o *Record em Notícias*, um telejornal sem muitos recursos realizado num pequeno estúdio e com apenas uma câmera, que tinha direção de Wandick de Freitas e reportagens e comentários de vários profissionais da rádio, entre eles Murilo Antunes Alves. Para vencer a dificuldade da limitação técnica, os jornalistas apareciam no vídeo em tomadas bem fechadas, seguravam os microfones e as laudas com as notícias caso esquecessem o texto. Para ilustrar as notícias, algumas fotos dos fatos narrados eram projetadas para o telespectador.

Já em sua primeira noite, a Record mostrou ao telespectador quais seriam seus pilares de programação: musicais, jornalismo e dramaturgia, além do esporte, que estrearia na emissora somente no domingo. O *Mesa Redonda* foi uma das grandes inovações da nova emissora de Paulo Machado de Carvalho, e reuniu, logo no começo, grandes nomes da área, como Leônidas da Silva, Paulo Planet Buarque, Raul Tabajara e Reali Júnior, que debatiam e analisavam os lances polêmicos da rodada do fim de semana e exibiam ao telespectador as principais jogadas. "Um time de uma grandiosidade incrível que atraiu audiência e se transformou na referência da época", avalia Nilton Travesso. Esse departamento foi um dos mais atuantes da emissora e responsável por grandes inovações e ousadias, como a exibição de filmes nos debates com convidados e a primeira transmissão ao vivo direto do Jockey Club. E, com apenas um ano de atividades, colocou no ar o jogo Santos x Palmeiras, realizado na Vila Belmiro. Mas essa é uma história para um capítulo mais adiante.

Com duas emissoras já em atividade em São Paulo, os diretores da Record possuíam informações preciosas sobre o processo de produção na Tupi e na Paulista e sobre o gosto do público. Por isso, dez dias antes da estreia da emissora, estavam com a grade de programação desenhada com infantis, teleteatros, jornalismo, esportes e musicais, começando sempre às 18h e encerrando pontualmente às 24h. Os responsáveis pela grade se preocuparam em alterar atrações que possibilitassem a troca de cenários, montagem e desmontagem de palcos e ambientes e o uso das poucas câmeras nos três estúdios da Avenida Miruna. A programação só ultrapassava a meia-noite aos domingos, quando o *Mesa Redonda*, líder de audiência e com bom faturamento, podia avançar na madrugada para terminar todas as análises dos jogos do fim de semana. Antes, também com muito sucesso, era apresentado o *Grande Teatro*, que toda semana exibia um texto de reconhecimento internacional com os artistas famosos do palco paulistano.

No início dos anos 1950, São Paulo vivia um período de intensa produção cultural, com a criação de várias companhias teatrais e turnês de grupos de outras regiões do país, como Rio de Janeiro e Curitiba. Foi nessa época que surgiram o Teatro Brasileiro de Comédia (TBC) e os estúdios da Vera Cruz. "Estavam fundando um novo teatro em São Paulo e começamos a trabalhar a dramaturgia da Record com grandes profissionais no Teatro Cacilda Becker", recorda Nilton Travesso, que no início da emissora dirigiu muitos teleteatros e buscou profissionais que não atuavam na Tupi ou na Paulista. Naquele início de década, as companhias teatrais brasileiras convidavam diretores internacionais para passarem alguns meses no país para uma troca de experiências. Com isso, nomes consagrados na Europa, como Ziembinski, Ruggero Jacobbi e Carla Civelli, também atuaram na Record. Às segundas-feiras, além da própria Cacilda, Walmor Chagas, Cleyde Yáconis e Benedito Ruy Barbosa, entre outros, produziam um espetáculo completo com uma hora e meia de duração. Lysoform Bruto, Mesbla e Mappin eram os patrocinadores dos principais programas do início da Record, principalmente dos teatros que garantiam boa audiência, repercussão entre as pessoas e boas críticas nas poucas colunas especializadas dos jornais e revistas. Quem acompanhava a transmissão ao vivo do Teatro Cacilda Becker ou do Grande Teatro era testemunha da habilidade de todos os profissionais envolvidos nos programas. Os atores recorriam a biombos no estúdio para uma rápida troca de figurinos e até para mudanças de maquiagem para ajudar na passagem de tempo das histórias. Os cinegrafistas agiam com precisão para registrar toda a movimentação nos cenários e muitas vezes corriam contra o tempo para chegar com o equipamento no momento certo no segundo estúdio onde aconteceria a sequência da peça. E os técnicos e diretores que comandavam tudo do *switcher*, a sala de onde é possível controlar todas as câmeras, determinar os cortes e realizar a sonorização adequada, estavam sempre a postos para qualquer corte inesperado, improviso do elenco, esquecimento de falas, falhas de iluminação e gargalhadas no momento errado do texto – como aconteceu certa vez com Cacilda Becker, que mudou toda a marcação da cena para se debruçar na janela do cenário e rir porque havia deixado escapar um pouco de urina. Era televisão ao vivo feita por gente muito jovem e talentosa.

Nos primeiros anos da Record, os musicais também tiveram um papel importante na grade da emissora. Com custo relativamente baixo, era o tipo de programa que agradava a todos e fazia sucesso justamente por reunir as grandes estrelas do rádio e os cantores mais famosos do momento. Blota Júnior e Sandra Amaral apresentavam o *Grandes Espetáculos União*, patrocinado pelo Açúcar União e por onde passaram astros internacionais como Louis Armstrong, Sarah Vaughan e Marlene Dietrich. Era uma produção elaborada e de bom gosto para atender um público qualificado e que sabia o que havia de melhor pelo mundo. Hélio Ansaldo comandava o *Astros do Disco*, Grande Otelo e Norma Bengell conduziam *Senhor Ritmo* e Pipa Amaral era o responsável pelo *Show 713*. Mas talvez o maior sucesso de todos eles tenha sido o *Vamos Falar de Brasil*, com Inezita Barroso, a primeira contratada da Record para comandar um programa musical. O roteiro era relativamente simples, composto por seis canções interpretadas ao vivo em cenários diferentes desenhados na hora por Manoel Victor Filho e trocados entre as músicas. Tudo era muito sincronizado, porque, ao final de cada canção, as imagens se fundiam e surgia uma nova ambientação. O mais ousado era o figurino, elaborado especialmente com base nas letras. Durante o programa, com meia hora de duração, Inezita trocava de roupa no palco, sem que o telespectador percebesse; assim, em todo início de música estava com um traje diferente. Para dar certo, ela iniciava a noite com os seis figurinos e, discretamente, puxava as peças para fazer novas combinações. "Inezita entrava no estúdio gordinha e, quando a câmera fechava em *close*, tirava uma parte da roupa sem ninguém perceber, porque não parava de cantar e nem fazia caretas", recorda Nilton Travesso. Às vezes, ela recorria a adereços ou acessórios para uma transformação mais radical.

Com três anos de atividades, a televisão já começava a chamar a atenção dos empresários de vários setores, principalmente dos magazines e produtos voltados à dona de casa, como eletrodomésticos, limpeza e beleza, que podiam ter seus produtos associados aos artistas e espetáculos que o novo meio de comunicação levava ao público. Surgiram, então, por ideia do radialista Casimiro Pinto Neto, os primeiros patrocínios com a inclusão das marcas nos títulos dos programas e a criação de intervalos comerciais entre os blocos de conteúdo e arte. As garotas-propaganda, que vendiam ao vivo os mais diversos produtos, eram rigorosamente selecionadas para levar credibilidade e um ar moderno à publicidade da época. Além da beleza, elas precisavam decorar os textos, interpretar pequenas cenas criadas pelas agências e saber improvisar com facilidade para sair de qualquer armadilha dos imprevistos de uma transmissão em tempo real. Elas faziam muito sucesso, eram mais conhecidas que as artistas dos teleteatros ou apresentadoras dos musicais e eram referência para muitas donas de casa, que copiavam suas roupas e cortes de cabelo e queriam saber seus segredos de maquiagem. Na Record, durante muitos anos, Alfredinho de Carvalho foi o responsável pela contratação das garotas-propaganda e pela escala de trabalho para que todo o elenco fosse aproveitado durante a semana. Luci Reis, Meire Nogueira, Neide Alexandre, Wilma Chandler e Idalina de Oliveira formavam o time das profissionais que vendiam os produtos dos patrocinadores da emissora durante os intervalos dos musicais, teleteatros, humorísticos e telejornais. As meninas se desdobravam para que tudo desse certo e nenhum anunciante reclamasse de uma propaganda errada. "No vídeo, elas sempre tinham um braço atrás da cintura, porque seguravam um papelzinho com o texto off", explica Nilton Travesso. "E quando botavam a mão para a frente todo mundo sabia que era para a cobertura do produto", completa. As garotas-propaganda vestiam roupas muitas vezes criadas por estilistas famosos, que queriam aparecer na televisão, e usavam joias valiosas, como colares de pérolas e anéis de brilhante. "Não podíamos fazer a propaganda de qualquer jeito ou de calça comprida. Só de vestido. Então, às vezes, colocava-se uma saia por cima da calça e fechava-se a imagem no plano médio", lembra Idalina de Oliveira. "No estúdio comercial havia um cantinho com espelho para a gente trocar a roupa ou só a camisa, correndo, porque quase sempre tínhamos que fazer dois comerciais no mesmo intervalo", completa. Outro recurso para atender os anunciantes era utilizar cartazes com as marcas dos patrocinadores na abertura, no encerramento e nas passagens de blocos dos programas.

Logo em suas primeiras semanas de transmissões, a Record mostrou ao público, empresários e concorrentes que, apesar de ser a terceira TV em atividade em São Paulo, entrou no mercado de televisão disposta a fazer a diferença e conquistar uma posição de destaque no setor. Seu marketing era agressivo e contava com o apoio das rádios das "Emissoras Unidas", que estavam entre as melhores audiências da capital paulista. Inicialmente, adotou dois slogans. "TV Record. 500 quilômetros à frente" e "Se você quer ter sempre o melhor, veja Record" foram frases repetidas durante um bom período nos intervalos e pelos apresentadores dos principais programas do Canal 7. A agressividade também foi notada na contratação do palhaço Arrelia para comandar um momento importante da grade, a faixa voltada às crianças. O cenário reproduzia o picadeiro de um circo, onde ele contava histórias, fazia brincadeiras e recebia seus convidados e a garotada. Rapidamente, o *Circo do Arrelia*, exibido por volta das 18h, se transformou num grande sucesso. Nessa época, pelos mais diferentes motivos, a programação não começava pontualmente às seis da tarde.

O *Circo do Arrelia*, que inicialmente ocupava as noites de quarta-feira e, logo depois, foi transferido para as tardes de domingo, foi exibido inicialmente na TV Paulista. Comandado pelo palhaço Arrelia, o mais famoso e querido da televisão brasileira, e seu sobrinho Pimentinha, o programa exibia esquetes engraçados e brincadeiras e, anos mais tarde, desenhos animados. "Como vai, como vai, como vai? Muito bem, muito bem, muito bem, bem, bem" atravessou gerações. O nome verdadeiro de Arrelia era Waldemar Seyssel, que, antes de se tornar o famoso palhaço, trabalhou como ator em alguns filmes, entre eles *Suzana e o Presidente* e *Modelo 19*, mas o desejo de fazer alguma coisa no circo sempre falou mais forte, até por uma questão de procedência. Ele era um dos filhos de Júlio Seyssel, professor da Sorbonne que, ao conhecer uma jovem artista espanhola que fazia acrobacias em cima de um cavalo, apaixonou-se por ela. E pelo circo. Os dois, depois de superar resistências familiares, acabaram se casando e Julio se tornou apresentador de números circenses. Depois de abandonarem uma excursão do Grande Circo Inglês no Brasil, acabaram fixando residência em São Paulo e tiveram seis filhos. A maioria da família, como Pimentinha e Aleluia, sempre se dedicando ao circo. Assim que surgiu a Record, Arrelia e Pimentinha levaram para a nova emissora o programa de que a garotada gostava.

Certa vez, ainda na fase inicial da Record, Dorival Caymmi aguardava ansiosamente para iniciar seu programa, mas percebeu que não entraria no ar no horário de costume. Naquele dia, houve um problema técnico que atrasou a abertura da programação e, por consequência, tudo o que viria depois. O compositor e cantor baiano nunca gostou de andar de avião e utilizava o trem para fazer a viagem entre São Paulo e Rio de Janeiro. Como tinha um compromisso logo cedo na capital fluminense, já havia reservado sua passagem. O tempo foi passando, a pressão aumentando e toda a equipe cobrando uma posição de Nilton Travesso, que era o responsável pela direção naquela noite. De repente, a ordem na comunicação interna: "Atenção, estúdio, após os cartazes entra Caymmi". Seguindo o roteiro, as câmeras focalizaram a primeira placa com "TV Record, Canal 7, apresenta...", fusão de imagem para a segunda folha com "...Programa Dorival Caymmi, oferecimento Tintas Facilit" e a música-tema como fundo. Mas onde estava Dorival Caymmi? "Com medo de perder o trem, ele colocou o violão na sacola e foi embora para o Rio de Janeiro", ri da história Nilton Travesso, que se viu obrigado a colocar a mensagem com a garota-propaganda e voltar para os cartazes que indicavam o fim do programa. Tudo no improviso, uma marca da televisão brasileira, principalmente em suas origens.

Com artistas famosos já em suas primeiras semanas de exibição e com boa repercussão nas publicações especializadas, era natural que o público desejasse chegar mais próximo das estrelas da emissora ou até mesmo conhecer as modernas instalações na Avenida Miruna. Personalidades, empresários, políticos, intelectuais, artistas e as mulheres dos homens mais importantes de São Paulo visitavam os estúdios e as salas de produção para conferir de perto o novo meio de comunicação. Certo dia, ainda na primeira quinzena de operações da Record, dona Maria Luiza do Amaral, esposa de Paulo Machado de Carvalho, levou algumas amigas para observar como se fazia televisão. Elas andaram por todo o prédio e entraram no estúdio que transmitia naquele momento um teleteatro. O cenário era um grande salão com uma varanda, que tinha como imagem de fundo um jardim e uma cidade. "De repente, bem devagarzinho, dona Maria Luiza e suas duas amigas passaram pelo cenário olhando tudo aquilo, sem perceber que estávamos contando uma história ao vivo", recorda-se Nilton Travesso.

Um pouco mais organizada e com o brilho dos grandes musicais, mas com muito improviso e atrasos diários na programação, estava no ar a terceira emissora de televisão de São Paulo e a quarta do Brasil. Calcula-se que naquela época já havia mais de 35 mil aparelhos televisores no eixo Rio-São Paulo.

Cassiano Gabus Mendes, o primeiro grande nome da televisão brasileira

No dia da inauguração da televisão no Brasil, um jovem diretor da Rádio Tupi mostrou toda a sua genialidade ao solucionar um grave problema que poderia acabar com a festa planejada durante semanas para marcar a chegada do novo veículo de comunicação ao país. Ao saber que uma das câmeras havia pifado, Cassiano Gabus Mendes não precisou de muito tempo para reunir todo o elenco no estúdio e refazer por completo as marcações ensaiadas durante o dia. E, assim, com apenas uma câmera, muito improviso e correria de todos os profissionais, o grande espetáculo aconteceu, virou manchete dos jornais no dia seguinte e iniciou uma das histórias mais fascinantes que esta nação já acompanhou. "Ele era extremamente criativo, extremamente competente", ressalta Eva Wilma, protagonista de *Alô, Doçura*, uma das criações do mestre da teledramaturgia. "Ele era gênio sem saber", completa Lolita Rodrigues, uma das estrelas do show inaugural da TV.

Na década de 1950, quando Assis Chateaubriand realizou seu sonho, Cassiano Gabus Mendes conhecia como poucos a comunicação popular de massa, já atuava no rádio e por isso esteve envolvido com os preparativos da programação da primeira noite. Depois, por muitos anos, criou as mais diversas atrações para a TV, entre teleteatros, seriados, novelas, musicais, programas de auditório e esportivos. Filho do radialista Octavio Gabus Mendes, um dos principais escritores de radionovelas da época e adaptador dos filmes de sucesso para o rádio, ele acompanhou de perto o trabalho do pai em casa, onde eram feitos os textos, e nos estúdios, quando os artistas davam vida aos personagens e situações criadas diariamente no silêncio da concentração de um ator. "Desde os 13 anos de idade, ele ficava com o pai datilografando o texto. Então, absorveu uma experiência incrível, o poder de descrever situações, o domínio da escrita", analisa o filho Cássio Gabus Mendes, que, apesar de observar o pai criando muitas novelas, não se transformou em autor, mas num dos melhores intérpretes de sua geração. Quando passou exclusivamente a escrever novelas, Cassiano manteve o velho hábito de Octávio de trabalhar sozinho, principalmente entre a noite e a madrugada, momentos em que a casa estava mais silenciosa. "Ele era igual ao pai", compara o ator Luis Gustavo, que atuou em muitas de suas novelas e na TV Tupi integrou vários projetos criados e desenvolvidos pelo cunhado.

A explicação para sua genialidade vem de seu exercício profissional. Cassiano Gabus Mendes foi um pouco de tudo e, fundamentalmente, um observador do ser humano. Ele atuou como roteirista, ator, produtor, diretor, contrarregra e sonoplasta e, com a morte de seu pai, herdou os roteiros originais de grandes sucessos feitos para o rádio e que serviram de inspiração e ponto de partida para muitas obras que assinou em sua carreira. "Um dia, depois do programa, ele contou que se inspirou no *Encontro Cinco e Meia*, que seu pai escreveu para o rádio, para fazer o *Alô, Doçura*", revela Eva Wilma. Além de escrever os episódios, ele mesmo os dirigia. "O Cassiano ia para o *switcher* para cortar o programa porque não havia teipe naquela época. Eram três estúdios, nove câmeras. E ele com aquele *switcher*, com aquele teclado na frente", relembra Luis Gustavo.

Cassiano Gabus Mendes costumava dizer aos mais jovens que, quando a TV Tupi foi inaugurada, tudo o que ele poderia fazer era descobrir as possibilidades do novo veículo de comunicação. "Ganhamos um brinquedo e começamos a brincar", dizia o autor a quem perguntava sobre seu início na televisão. "Era só ele e algumas pessoas ali envolvidas que experimentaram e que deram a cara para bater", diz Cássio Gabus Mendes. Ao seu lado, entre outros, executando as grandes ideias, estavam Walter George Durst, Walter Forster, Dionísio Azevedo, Ribeiro Filho, Álvaro de Moya, Túlio de Lemos, Aurélio Campos e Homero Silva, que se envolveram nos grandes teleteatros, nas primeiras novelas, no *TV de Vanguarda*, telejornais e muitos outros projetos que fizeram as primeiras décadas da televisão brasileira e que, por meio de alguns elementos, ainda influenciam programas que são criados e realizados nos dias atuais, 67 anos depois da inauguração da TV Tupi.

Cassiano Gabus Mendes é lembrado por todos que trabalharam com ele como um profissional que não media esforços para colocar os programas no ar e intenso em seus pensamentos e na criatividade. Como diretor artístico da TV Tupi, era um verdadeiro gestor de pessoas, lidando com todos os pedidos dos artistas, produtores, diretores e escritores. "Ele tinha facilidade de conduzir equipes e trabalho. O negócio estava pegando fogo e, depois das reuniões, saía todo mundo calmo, fazendo o que era necessário", destaca Silvio Alimari, superintendente de programação da TV Gazeta, e que iniciou sua carreira na televisão como seu assistente. "Sua maior força era a capacidade de aglutinar pessoas e de orientar", completa.

TV de Vanguarda com Cassiano Gabus Mendes e Lia de Aguiar

Na metade da década de 1970, a emissora já se encontrava numa situação financeira muito delicada e de difícil solução. Em 1976, Cassiano Gabus Mendes deixou a rede que ajudou a fundar e que por 26 anos comandou artisticamente, impondo formatos, padrão de qualidade e lançando inúmeras estrelas que até hoje brilham na televisão brasileira e que entraram para a história desse veículo de comunicação. Das Emissoras Associadas ele foi para a Rede Globo, atendendo a um chamado de Boni, que guardava uma profunda admiração por um antigo chefe seu. Inicialmente, Cassiano resistiu à ideia, mas acabou aceitando escrever novelas em seu novo trabalho. A primeira delas foi *Anjo Mau*, com Susana Vieira no papel de uma mulher ambiciosa que fazia de tudo para se dar bem na vida. No ano seguinte, emplacou mais um grande sucesso: *Locomotivas*, que, com muito humor, contava a história de uma ex-vedete dona de um salão de beleza. E, dessa forma, os altos executivos da Globo perceberam que a comédia era o gênero mais adequado para a faixa das 19h, horário que recebeu muitas outras tramas assinadas por Cassiano Gabus Mendes, como *Te Contei?*, *Marrom Glacê*, *Plumas e Paetês*, *Elas por Elas*, *Ti-Ti-Ti* e *Brega & Chique*. Em 1989, foi ao ar outro verdadeiro marco da televisão brasileira com sua assinatura, a novela *Que Rei Sou Eu?*, uma sátira política ambientada no reino de Avilan em 1786. Tudo começa quando a histérica rainha Valentina, sem nenhuma condição, assume o trono e acaba nas mãos de conselheiros que só pensam nos benefícios próprios. Era um recado direto ao mundo político num país que se preparava para as primeiras eleições diretas em 29 anos. *Que Rei Sou Eu?* foi um grande sucesso de audiência, mas, do surgimento de sua ideia à veiculação, foram pelo menos cinco anos de insistência com Boni e os responsáveis pelo departamento comercial da Rede Globo, que apontavam muitas dificuldades para a realização de merchandising, afinal, como incluir produtos atuais numa história ambientada em 1786? Naquela época não havia luz elétrica, máquina de lavar roupa, geladeira, carros e muito menos produtos alimentícios desejados pela dona de casa e pela garotada, argumentavam os executivos da emissora. "Não tem problema nenhum. Eu faço a mulher da aldeia sonhar com o Omo e o cara com o Fusca. Qual o problema?", sugeriu o autor. Solução criativa encontrada, novela aprovada e no ar. *Meu Bem, Meu Mal* e *O Mapa da Mina* foram suas últimas novelas.

Cassiano Gabus Mendes era um profissional respeitado por todos e, mesmo longe das obrigações de um diretor artístico, sempre que possível dava conselhos aos amigos, outros autores, intérpretes e até para José Bonifácio Oliveira Sobrinho, o todo-poderoso da Globo. "Tinha uma época, nos anos 80, que o Boni sempre chamava meu pai na hora de montar a grade de programação. Eles conversavam primeiro e meu pai dizia o que achava do que estava planejado", revela o ator Cássio Gabus Mendes.

Bola fora

Nos anos 1960, quando Cassiano Gabus Mendes foi trabalhar na TV Excelsior, J. Silvestre assumiu em seu lugar na direção da Tupi, e todos sabiam que ele não era nada simpático às transmissões de futebol. Dizem que quando eram necessárias fitas para gravar, as primeiras apagadas eram justamente as do esporte. Foi assim que a Tupi perdeu praticamente todo o arquivo da Copa do Mundo de 1962. As poucas que sobraram ficaram graças à ação de alguns funcionários que esconderam esse material das vistas de Silvestre. Hoje, nas voltas que o mundo dá, um sobrinho de J. Silvestre, Alexandre, é um brilhante repórter esportivo da TV Gazeta de São Paulo.

Os programas dos primeiros anos

Com forte influência do rádio, o noticiário *Imagens do Dia* estreou em 19 de setembro, uma noite após a inauguração da TV Tupi. Com locução, redação e produção de Ruy Rezende, o pioneiro telejornal reunia os principais fatos do dia mesclando filmes gravados no período da tarde e fotografia, que cobriam a narração da notícia. A estrutura era muito simples e a pauta priorizava os eventos que aconteciam em São Paulo, como a Bienal de Artes, estreia de espetáculos teatrais e a chegada de companhias circenses, em que era possível captar imagens em movimento, além de prestação de serviços e temas voltados à família. Em muitas ocasiões se recorria a pequenos filmes cedidos pelos consulados que abordavam peculiaridades dos países. A diversidade de assuntos tinha como intenção atender homens e mulheres e vencer a falta de recursos da época. Fixado às 21 horas na grade da Tupi, o início de sua exibição dependia muito dos atrasos na programação provocados por problemas técnicos ou porque o programa anterior havia estourado o tempo com mais atrações do que o planejado inicialmente. O *Imagens do Dia* ficou no ar até o dia 31 de dezembro de 1951, sendo substituído em janeiro do ano seguinte pelo *Telenotícias Panair*, noticiário patrocinado pela companhia aérea e apresentado por Toledo Pereira. Em 10 de abril de 1952, a Tupi promoveu outra troca e passou a exibir *O Seu Repórter Esso*, o emblemático jornal que foi sucesso absoluto nas décadas de 1950 e 1960 e levava o nome da petroleira que o patrocinava. Ficou no ar até 31 de dezembro de 1970 na TV Tupi. A partir de um determinado momento, o seu título foi simplificado para *Repórter Esso*, mas conservou até o fim jargões como "o primeiro a dar a notícia" e "a testemunha ocular da história". Kalil Filho foi o seu primeiro apresentador em São Paulo e Gontijo Teodoro, a partir de 1954, na TV Tupi do Rio de Janeiro. Kalil morreu em 1970, num acidente na Marginal Pinheiros, São Paulo, e Gontijo, vítima de infarto, veio a falecer no Rio de Janeiro em 2003. A entrevista exclusiva do então presidente americano John Kennedy foi considerada um dos seus maiores furos, realizada dentro da Casa Branca, pelos repórteres Murilo Nery, Flávio Cavalcanti e Rubens Medina. Colocar o nome das empresas no título do programa era um recurso muito comum no início da televisão, para garantir o investimento publicitário no novo veículo de comunicação, caso de *Telenotícias Panair*, *Reportagem Ducal* e *Telejornal Pirelli*.

A dança também teve seu espaço entre as primeiras atrações da televisão brasileira. A bailarina Lia Marques montou um grupo de balé para a TV Tupi e comandou um programa semanal sobre essa arte produzido por Luiz Gallon. Naquela época, grandes companhias faziam longas temporadas no Theatro Municipal de São Paulo e, de olho nas plateias sempre lotadas, os diretores da Tupi resolveram oferecer ao telespectador esse gênero de atração. Com isso, muitas bailarinas foram contratadas pela emissora e as escolas de dança receberam mais alunas. "Eu era menininha, mocinha de 12 anos, e a coreógrafa Marília Franco nos levava para dançar na televisão", relembra Maria Pia Finocchio, que algum tempo depois foi contratada para apresentar *O Mundo na Ponta dos Pés*, programa semanal na TV Paulista em que eram encenadas as coreografias clássicas. Além da atração própria, a bailarina também participava de outros momentos da grade da emissora, como os especiais e grandes espetáculos. Alguns anos depois, Maria Pia voltou para a Tupi e ficou por lá por muito tempo. Ela era a responsável pelas coreografias, organização e apresentação do *Concertos Matinais*, uma parceria entre a prefeitura de São Paulo e a TV Tupi. O programa era apresentado aos domingos pela manhã e teve entre seus patrocinadores a Mercedes-Benz e a Antarctica. "Levávamos ao ar histórias dançadas, como *Sapatinhos Vermelhos* e *Cinderela*. E na plateia tinha crianças, adultos, senhoras e senhores", diz Maria Pia. O programa era sucesso de público e crítica e, por isso, ganhou inúmeros prêmios, como o Troféu Guanabara e o Troféu Imprensa. A atriz Susana Vieira começou sua carreira na televisão nesse programa, mas naquela época seu nome artístico ainda não era o que a consagrou, e o público a conhecia como Sônia. Seu destino foi outro. Com pouco tempo nos programas de balé surgiu a oportunidade de atuar nos teleteatros, e aquela bailarina se transformou numa das atrizes mais populares da televisão brasileira, a ponto de ter gerado uma brincadeira nos bastidores da Globo. No Rio de Janeiro, dizem que toda vez que uma novela está ruim em audiência é só convocar Susana para uma participação especial que os números sobem, tamanho o seu poder junto ao telespectador. A jornalista Marilu Torres, que no revolucionário *TV Mulher* deixou a sua marca com as inúmeras reportagens internacionais, também atuou nos programas de dança da TV Tupi e da Record. Bailarina de formação, ela trabalhou nos programas *Música e Fantasia, Première e Noturno*. Já Maria Pia Finocchio passou uma temporada na Europa, onde trabalhou na Rai, e voltou alguns anos depois para fazer programas na TV, entre eles um na TV Cultura, e se dedicar à profissionalização da dança no Brasil.

A dramaturgia também foi um elemento importante no início da história da televisão no país. Como os primeiros profissionais vieram do rádio, em que as novelas diárias faziam enorme sucesso, logo se apostou no gênero, mas, diante da precariedade das estruturas das emissoras e da obrigatoriedade de tudo ser ao vivo, as adaptações teatrais se tornaram realidade. As primeiras produções mesclaram os atores populares do rádio com os jovens artistas dos palcos paulistanos. Entraram no ar pequenas adaptações de peças clássicas interpretadas em ato único ou com um intervalo no meio para destacar os patrocinadores da noite. Nesse segmento, no dia 29 de novembro de 1950, foi exibido o primeiro teleteatro completo da televisão brasileira, com Lia de Aguiar no papel principal de *A Vida por um Fio*, adaptação de Cassiano Gabus Mendes para o filme *Sorry, Wrong Number*. A história da mulher paralítica que vive sozinha numa cama e tenta avisar a polícia, os amigos e os médicos de que um crime seria cometido foi sucesso absoluto, de grande repercussão nos jornais e revistas. O final surpreendente, com o assassino, pago pelo próprio marido daquela indefesa mulher, estrangulando a vítima com o fio do telefone, foi assunto durante muito tempo entre os telespectadores. Diante de todo o retorno do público e da crítica, Dermival Costa Lima e Cassiano Gabus Mendes, diretores da TV Tupi na época, não hesitaram em criar imediatamente um horário semanal para os teleteatros, e convocaram Walter George Durst, Walter Forster e Mario Fanucchi para escrever e adaptar as peças que seriam exibidas. Não precisou de muito tempo para as principais companhias teatrais conquistarem espaço na TV com versões de seus espetáculos. Além de garantir um dinheiro a mais no mês com o cachê pago pela televisão, esses artistas dos palcos enxergavam a televisão como mais uma forma de atrair plateia para os teatros. "Nós fizemos de gregos a Pirandello. Fizemos autos medievais. Viemos pelo tempo afora", recorda-se cheia de entusiasmo a atriz Fernanda Montenegro, a primeira contratada da TV Tupi no Rio e que, durante três anos, uma segunda-feira por mês desembarcava em São Paulo com a companhia de Morineau para interpretar uma peça completa na sede paulista da emissora de Assis Chateaubriand. "A gente saía do Rio de Janeiro no domingo à noite após o espetáculo e pegava, geralmente, um ônibus e chegava pela manhã para ensaiar", completa a atriz. À noite, era exibida a peça ao vivo, e, no outro dia logo pela manhã, retornavam à capital fluminense porque o teatro tinha encenações de terça a domingo. Em 1954, já casada com Fernando Torres, mudou-se para São Paulo para trabalhar com teatro e televisão. Fernanda Montenegro destaca que poucos são os profissionais e estudiosos que reconhecem realmente a importância dos artistas pioneiros dos palcos no desenvolvimento da cultura do folhetim diário. "Se hoje a dramaturgia de novela é o sustentáculo dessas estações, isso é trabalho de pioneiro que veio do teatro", ressalta a grande dama das artes brasileiras. Procópio Ferreira, Paulo Goulart, Nicette Bruno, Cleyde Yáconis, Walmor Chagas, Sérgio Britto, Ítalo Rossi, Cacilda Becker, Beatriz Segall, Maria Della Costa e Juca de Oliveira são apenas alguns dos artistas de teatro que, no início da televisão, se dividiam entre os palcos e a TV e contribuíram muito para o desenvolvimento do principal elemento de condução das grades das emissoras brasileiras até os dias atuais e para a projeção de nossas novelas para o mundo inteiro.

O *Grande Teatro Tupi*, que reunia todos esses artistas em São Paulo e no Rio de Janeiro, permaneceu na faixa das 22 horas das segundas-feiras durante nove anos e levou ao ar mais de 450 peças adaptadas dos grandes escritores nacionais e internacionais, nomes como Bernard Shaw, Pirandello, Verga, Artur Azevedo e Nelson Rodrigues, e rendeu muitos prêmios ao elenco, diretores e autores. No Rio de Janeiro, os ensaios eram realizados nas madrugadas, após as sessões teatrais, em um espaço da Rua Siqueira Campos, em Copacabana, onde as cenas eram passadas para a marcação de câmeras. Alguns dos profissionais da televisão acompanhavam esses momentos únicos dos jovens artistas que desejavam levar algo de qualidade ao público do novo veículo de comunicação. Sérgio Britto funcionava como uma espécie de supervisor de *O Grande Teatro Tupi* no Rio de Janeiro, que era dirigido, em esquema de revezamento, por Fernando Torres, Flávio Rangel e o próprio Britto. Em São Paulo, Walter Forster, Ribeiro Filho, Walter George Durst e Cassiano Gabus

Mendes são os principais nomes à frente do primeiro projeto de dramaturgia da TV Tupi. Lia de Aguiar, Wilma Bentivegna, Dionísio Azevedo, Maria Vidal, Yara Lins, Walter Avancini, Madalena Nicol e Nicette Bruno aparecem no elenco das primeiras peças adaptadas para o espaço das segundas-feiras e que recebeu os nomes *Teatro de Walter Forster*, *Teatro de Madalena Nicol* e *Grande Teatro Tupi*. Entre os títulos exibidos estão *A Voz Humana*, *O Juramento de Hipócrates*, *Beco Sem Saída* e *O Pedido de Casamento*, de Tchecov.

Em março de 1952, com a inauguração da TV Paulista, entrou no ar a novela *Helena*, uma adaptação de José Renato e Manoel Carlos para o romance homônimo de Machado de Assis. No elenco estavam Hélio Souto, Jane Batista, Paulo Goulart e Vera Nunes, que interpretou a protagonista. A história original, que se passa no século XIX, foi adaptada para a década de 1950, o que gerou muita repercussão. Os dez capítulos foram transmitidos ao vivo dos pequenos estúdios instalados num prédio residencial que ficava no cruzamento da Avenida Paulista com a Rua da Consolação. Os atores utilizavam os poucos cômodos do local como camarins, e algumas trocas de roupa ou retoques de maquiagem eram realizados nos corredores e escadas do edifício. O primeiro capítulo da novela foi exibido em seguida à inauguração da TV Paulista. "A estrutura era muito precária, e um dia cheguei a ficar vinte minutos presa no elevador, o que atrasou o início do capítulo daquela noite", recorda-se Vera Nunes, a protagonista. Todos os textos eram decorados e repassados durante a tarde, quando a emissora ficava fora do ar. Em algumas ocasiões havia um ensaio para a marcação de cenas. Na prática, *Helena* se tornava o primeiro programa a concorrer com as produções da TV Tupi, que durante quase dois anos atuou sozinha em São Paulo. Depois, Vera Nunes trabalhou em muitos outros seriados e novelas da emissora. A atriz foi protagonista da série *As Aventuras de Susana* e, com Walmor Chagas, brilhou no seriado *O Casal Mais Feliz do Mundo*, que fez muito sucesso na década de 1950. Também nos primeiros anos da TV Paulista foi produzido o seriado *O Invisível*, com relativa repercussão junto ao público.

Também em 1952, no dia 17 de agosto, entrava no ar um dos marcos da história da televisão brasileira, o *TV de Vanguarda*, criado por Cassiano Gabus Mendes e Walter George Durst, que reservaram para as noites de domingo os textos mais ousados em adaptações arrojadas. A ideia era sempre estar à frente das expectativas do telespectador e surpreendê-lo com a qualidade do que chegava a ele através da televisão. "Cassiano e Durst escolhiam os melhores textos universais entre peças de teatro, filmes e livros", recorda Vida Alves, que chegou a atuar em alguns episódios. Pontualmente às 21 horas, momento mais nobre da noite, o *TV de Vanguarda* tinha à sua disposição toda a estrutura da TV Tupi, podendo montar cenários em todas as salas e nos jardins, e "até as ruas do entorno eram adaptadas para as gravações", lembra a atriz do primeiro beijo na televisão brasileira. Na fase inicial do projeto era clara a influência do cinema, principalmente em relação à direção e ao tratamento da fotografia, mas aos poucos produtores, diretores e técnicos encontraram uma linguagem ideal à televisão, em que todos os elementos possuem pesos semelhantes e a iluminação certa faz a diferença. "O Durst tinha uma propriedade para adaptar peças americanas e textos nossos", recorda-se Laura Cardoso, que ganhou seu primeiro prêmio na televisão com sua interpretação na peça *A Canção Sagrada*, adaptada da obra de Paddy Chayefsky, sua estreia nos teleteatros. A atriz, que era do elenco da Rádio Tupi, só entrou para a televisão depois de muita insistência com Cassiano Gabus Mendes. Eva Wilma lembra que os papéis nos teleteatros eram disputadíssimos, principalmente os do *TV de Vanguarda*. "A gente estudava bastante, ensaiava à tarde para entrar ao vivo à noite", destaca a atriz. Os pioneiros envolvidos com o *TV de Vanguarda* são categóricos ao afirmar que o embrião do modelo moderno da estética da televisão foram os teleteatros apresentados aos domingos pela TV Tupi de São Paulo, que se transformou num verdadeiro celeiro de talentos para outras produções, inclusive das emissoras que apareceriam depois, como a Record e a TV Excelsior.

TV de Vanguarda com Lima Duarte e Márcia Real

Em seu primeiro ano, o *TV de Vanguarda* levou ao grande público versões televisivas de *O Surdo, Doce Milagre do Amor, O Homem que Vendeu a Alma, O Inspetor Geral, A Longa Agonia, De Ratos e Homens, Tio Vanya, Henrique IV, O Sopro dos Ventos e Massacre*. Sempre com grande repercussão junto ao público, apoio dos patrocinadores e bem avaliada pela crítica, a faixa dominical de teleteatros foi exibida pela TV Tupi até 1967, sendo que os últimos cinco anos já não contaram com a direção e os textos de Walter George Durst e foram comandados por Benjamin Cattan, que buscou uma forma mais didática de apresentar as peças, introduzindo informações sobre a obra, o autor e a época em que se passava a trama.

Na Record, o *Grande Teatro Cacilda Becker* foi um dos destaques dos teleteatros e reuniu nomes importantes dos palcos paulistanos. O programa tinha por volta de uma hora e vinte minutos de arte ao vivo. "Eram 40 páginas para cada peça, apresentada às segundas-feiras", lembra Nilton Travesso, diretor responsável pelo projeto. Muitas das peças interpretadas necessitavam de passagens de tempo e mudanças de maquiagem e, por isso, atrás dos cenários eram montados pequenos camarins para dar apoio aos artistas. "É até difícil para as pessoas imaginarem essa logística, porque no ar tudo parecia perfeito, e até quando os erros aconteciam eram administrados", completa Travesso.

Entre os programas de humor, o pioneiro foi *A Escolinha do Ciccilo*, que entrou no ar na noite de inauguração da televisão no Brasil e permaneceu na grade por um longo período. Simplício, Lulu Benencase, Xisto Guzzi, Maria Vidal e Amácio Mazzaropi eram nomes frequentes na atração, que tinha texto e direção de Paulo Leblon. Durante um bom tempo o programa foi gerado direto do auditório da Cidade do Rádio, no bairro do Sumaré, que abrigava as instalações das rádios Tupi e Difusora, as quais possuíam no cast os nomes mais importantes do humor, da música e do radioteatro. Muitos outros programas do gênero foram produzidos, entre eles *Praça da Alegria*, do saudoso Manoel de Nóbrega, às segundas-feiras na TV Paulista. "Como não tinha programa de rádio naquela hora, eles montavam o cenário no auditório da Excelsior", lembra Carlos Alberto de Nóbrega. A cenografia era muito simples, com um telão ao fundo, dois bancos de praça à frente e um poste no centro. E por aquele palco desfilavam os mais populares e engraçados tipos. Naquela época, Carlos Alberto era o responsável pelo texto e direção do *Show do Golias*, em que o grande humorista começou a interpretar seus personagens e a dar uma verdadeira aula de improviso.

Praça da Alegria nos tempos da TV Record. Em cima: Raquel Martins, Borges de Barros, Zilda Cardoso, Carlos Alberto de Nóbrega, Manoel da Nóbrega, Marlene Morel, Golias, Consuelo Leandro e Jô Soares
Embaixo: Astrogildo Filho, Simplício, Viana Jr., Roni Rios e Chocolate

O *Clube do Papai Noel*, que representou o segmento infantil no dia da inauguração da televisão e também surgiu do rádio, era comandado por Homero Silva e Francisco Dorce e ficou no ar por muitos anos. Apesar de ser voltado às crianças, ele contava com participações especiais de grandes estrelas da época, como Hebe Camargo e Lia de Aguiar. "Aquilo era um parque de diversões", conta Sônia Maria Dorce, a menina que inaugurou a televisão e que estreou no *Clube do Papai Noel*. Dois anos depois, em 1952, Cassiano Gabus Mendes resolveu ampliar a faixa infantil e contratou o casal Júlio Gouveia e Tatiana Belinky. Os dois escreviam roteiros e dirigiam peças para a garotada e levaram para a Tupi muitos textos através do programa *Fábulas Animadas*, que recebia artistas das mais variadas companhias teatrais. Beatriz Segall foi uma delas e lembra que muitas histórias eram criações da própria Tatiana. "Tinham uma audiência enorme porque eram bons programas", afirma a atriz, que, inicialmente, não se empolgou muito com a televisão. Algum tempo depois, o casal recebeu a autorização de Monteiro Lobato para a realização da primeira versão do *Sítio do Picapau Amarelo*, sucesso que atravessou gerações e sempre esteve presente na grade das principais emissoras. No primeiro elenco estavam Lúcia Lambertini como Emília, David José como Pedrinho, Edy Cerri deu vida a Narizinho,

Rubens Molino era o Visconde de Sabugosa, Sidnéia Rossi a Dona Benta e Benedita Rodrigues a Tia Nastácia. Ficou no ar até 1962 e atingiu 360 episódios. Em setembro de 1957, o "Sítio" estreou no Rio de Janeiro, com direção de Maurício Sherman e Lúcia Lambertini também no papel de Emília. André José Adler foi o Pedrinho, Leny Vieira era Narizinho, Iná Malaguti viveu Dona Benta e Zeni Pereira a Tia Nastácia, enquanto Elísio de Albuquerque interpretou o Visconde e Daniel Filho o Doutor Caramujo. Em 1964, aconteceu uma versão da TV Cultura, mas durou apenas seis meses. Em 1967, Júlio Gouveia e Tatiana Belinky criaram uma nova série do *Sítio* para a TV Bandeirantes, que durou três anos. O *Sítio*, como carinhosamente é chamado pelos profissionais da televisão e pelo público, teve várias montagens, sendo as mais conhecidas aquelas realizadas na TV Globo.

Sítio do Picapau Amarelo na TV Tupi

Outra aposta do Canal 7 de São Paulo para as crianças era o *Teatro Infantil Vicente Sesso*, que mesclava textos inéditos com os grandes espetáculos teatrais criados especialmente para esse público e que chamava a atenção pelo rico e variado figurino. Um dos grandes sucessos da TV Record em seu começo foi a *Grande Gincana Kibon*, apresentada nas tardes de domingo, durante 16 anos, por Vicente Leporace e Clarice Amaral, mas contando sempre com a participação de Durval de Souza.

Já na TV Tupi do Rio de Janeiro, ainda no campo infantil, em 1956 foi criado o *Teatrinho Troll*, com produção e direção de Fábio Sabag. O programa tinha esse nome porque era patrocinado por uma fábrica de brinquedos e apresentou alguns clássicos com *Cinderela* e *Chapeuzinho Vermelho*, contando em seu elenco com artistas como Othon Bastos, Norma Blum, Cláudio Corrêa e Castro, Fernanda Montenegro, Jorge Cherques, entre muitos outros. Mais tarde, na troca dos anunciantes, o programa teve o seu nome modificado para *Grande Teatro Infantil Kibon* e depois para *Vesperal Antarctica*. Ficou dez anos no ar.

As transmissões esportivas são uma das marcas dos vários anos da televisão brasileira, e, cada vez com mais recursos tecnológicos e ângulos diferenciados, atualmente são responsáveis por audiências expressivas e por boa parte do faturamento das emissoras. Os direitos dos campeonatos regionais, do Brasileirão e da Copa do Brasil valem muito dinheiro e são desejados pelas emissoras do país. Mas não foi sempre assim. No começo da televisão no Brasil, até por falta de um olhar mais profissional sobre o futebol, as transmissões eram feitas praticamente de graça, sem o desembolso de nenhuma verba aos times. A primeira partida exibida ao vivo foi entre São Paulo e Palmeiras, no Estádio Municipal do Pacaembu, no dia 15 de outubro de 1950. Para a ousadia entrar no ar, foi necessária uma verdadeira operação de guerra para tirar o equipamento de micro-ondas do Sumaré, levá-lo até o estádio, montá-lo na torre de iluminação, desmontá-lo enquanto a Tupi fazia um longo intervalo com o logotipo da emissora e colocá-lo novamente na sede da empresa a tempo de o programa seguinte começar no horário acertado com o patrocinador, o "Caçula da Antarctica".

É importante salientar que, em 1954, o Instituto Brasileiro de Opinião Pública e Estatística (Ibope) começou a realizar as suas primeiras pesquisas de audiência da TV, com apenas Tupi, Paulista e Record na disputa. O Ibope já estava sob a direção de Paulo Tarso Montenegro, José Perigault, Guilherme Torres e Hairton Santos. Até então, criado em 1942, o instituto de pesquisa funcionou sob a responsabilidade do seu fundador, o radialista Auricélio Penteado, em um sistema de parceria com Cícero Leuenroth, fundador da Standard Propaganda; João Alfredo Souza Ramos, da Agência Panam; Richard Penn, da Colgate-Palmolive; Brasílio Machado Neto, da Associação Comercial de São Paulo; além de outros que colaboraram com pequenas cotas de participação.

Aos poucos, Tupi, Paulista e Record ampliaram os horários das grades e passaram a investir também no período da tarde, principalmente aos sábados e domingos, quando os adultos não trabalhavam e as crianças estavam longe da escola e, portanto, havia uma plateia maior em casa. Os infantis e atrações para toda a família eram prioridade para essas faixas e, nesse sentido, a TV Tupi estreou o programa que ficaria marcado como o de maior exibição contínua da América Latina. Era dia 21 de julho de 1956 quando o *Almoço com as Estrelas* entrou no ar sob o comando de Airton Rodrigues, que, durante alguns anos, foi colunista e crítico de televisão do *Diário de São Paulo* e, portanto, conhecia muitos artistas, empresários e políticos. Antes, durante dois anos, o *Almoço com as Estrelas* tinha sido uma das atrações da Rádio Difusora, porque, quando a ideia foi levada por Lorenzo Madrid, Cassiano Gabus Mendes não gostou de ter gente comendo, cantando e falando ao mesmo tempo na TV, mas depois do sucesso nas ondas radiofônicas resolveu dar "duas ou três semanas para ver se isso pega", recorda-se Lolita Rodrigues, que por mais de 20 anos comandou o programa ao lado de seu marido. "E não é que pegou, menino?", exclama a atriz e apresentadora. O programa foi um grande sucesso e contava com a participação dos artistas mais importantes da época, sendo que muitas carreiras foram lançadas ali. "Roberto Carlos cantou no *Almoço com as Estrelas* e no final o Airton perguntou para o Cauby Peixoto se aquele menino tinha futuro", recorda Lolita Rodrigues. "Vai ser o maior cantor do Brasil", respondeu Cauby.

Almoço com as Estrelas. Em pé: Airton Rodrigues, Pimentinha, Lolita e Roberto de Almeida Rodrigues

O *Almoço com as Estrelas* foi transmitido pela TV Tupi até dia 12 de julho de 1980, quatro dias antes de a emissora sair definitivamente do ar, depois de uma série de problemas financeiros e de ter sua concessão cassada pelo governo federal. Ao todo, foram 2.204 edições exibidas ao vivo ou gravadas de forma contínua pela emissora de Assis Chateaubriand, sendo que nos primeiros anos Aérton Perlingeiro apresentava o *Almoço com as Estrelas* no Rio de Janeiro e Kar Maya em Curitiba. Airton e Lolita Rodrigues, que apresentavam o programa em São Paulo e depois em rede nacional, levaram o programa para a Record e, mais tarde, para a TVS, atual SBT.

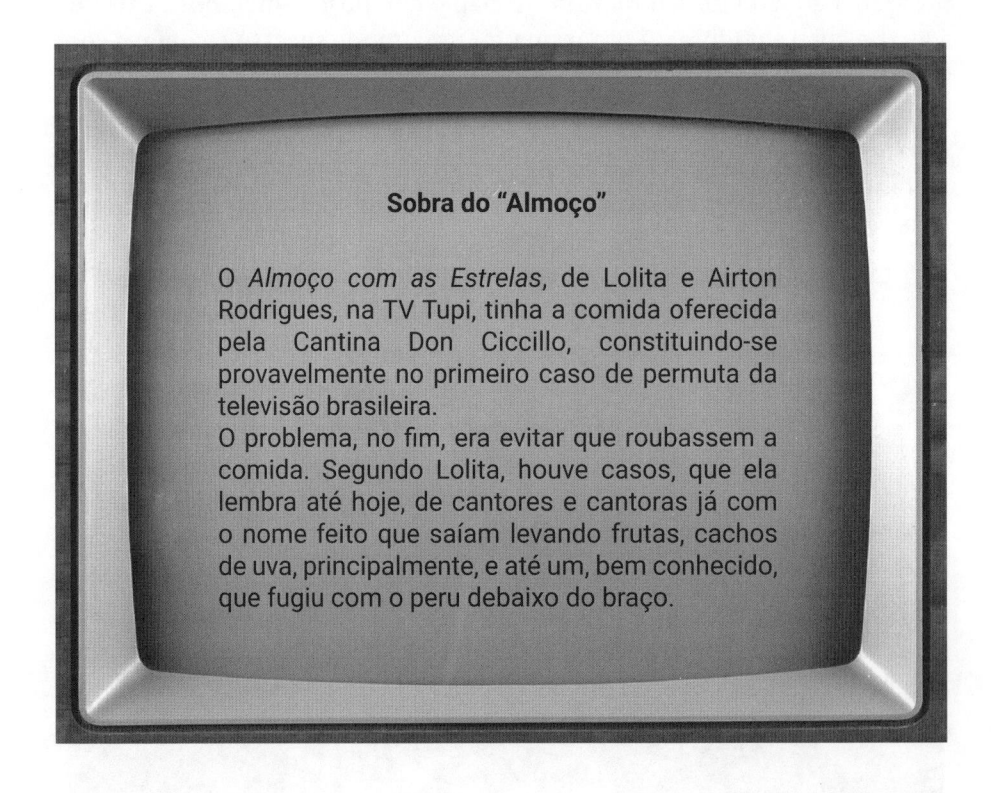

Sobra do "Almoço"

O *Almoço com as Estrelas*, de Lolita e Airton Rodrigues, na TV Tupi, tinha a comida oferecida pela Cantina Don Ciccillo, constituindo-se provavelmente no primeiro caso de permuta da televisão brasileira.

O problema, no fim, era evitar que roubassem a comida. Segundo Lolita, houve casos, que ela lembra até hoje, de cantores e cantoras já com o nome feito que saíam levando frutas, cachos de uva, principalmente, e até um, bem conhecido, que fugiu com o peru debaixo do braço.

Profissionais de várias áreas criaram a verdadeira linguagem da TV

Não foram apenas as grandes estrelas do rádio de São Paulo que aceitaram o desafio de colocar o novo veículo de comunicação no ar. Os profissionais que atuavam nos bastidores das rádios Tupi e Difusora, principalmente, também se envolveram no projeto de Assis Chateaubriand, sendo fundamentais para a criação dos primeiros programas e estruturação de uma grade que atraísse o público e gerasse repercussão nos jornais e nas revistas a ponto de despertar nas mais diversas audiências o desejo de gastar um bom dinheiro na compra de um aparelho televisor para assistir a shows, telejornais e teleteatros com muito chuvisco, mas, mesmo assim, de uma maneira nunca vista no Brasil. Era uma experiência ímpar, que ampliava a percepção de quem era obrigado a imaginar as cenas narradas nos espetáculos, humorísticos, musicais e novelas do rádio. "Eu ficava na casa de uma amiga da minha mãe vendo até acabar, assistindo o chuvisco da imagem para ver se aparecia alguma coisa, algum vulto, alguém ensaiando", relembra José Bonifácio de Oliveira Sobrinho, o Boni, que em muitas ocasiões adormecia diante do televisor e acordava nas primeiras horas da manhã com o equipamento ligado e o ruído da emissora fora do ar. "E os vizinhos vinham pra casa da gente para assistir à TV", lembra Carlos Alberto de Nóbrega. "A primeira imagem que eu tenho da televisão é do Walter Stuart e da Maria Vidal, que era uma comediante muito engraçada. Os dois começavam a rir, e a gente, sem saber o porquê, ficava rindo de casa", completa o comandante do humorístico *A Praça é Nossa*. Walther Negrão, autor de inúmeras novelas, mudou-se com a família para São Paulo em 1954, mas somente dois anos depois é que seu pai conseguiu comprar um aparelho televisor para assistir às TVs Tupi, Record e Paulista. "Aí eu me encantei! Foi quando eu vi pela primeira vez, nossa! Aquele caixotão com válvulas na sala", fala emocionado, como se tivesse voltado no tempo. "Eu ia para a porta da TV Tupi e ficava olhando as pessoas entrarem, para ver os artistas de perto", conta Silvio de Abreu, que no começo dos anos 1950 nem imaginava que escreveria novelas com personagens para seus ídolos Laura Cardoso e Lima Duarte.

A primeira equipe de profissionais da TV Tupi foi montada por Dermival Costa Lima, na época o diretor-geral do complexo do Sumaré, que chamou Walter Forster, Cassiano Gabus Mendes, Dionísio Azevedo, Walter George Durst, Álvaro de Moya, Sylas Rosemberg e Lima Duarte. Todos receberam a missão de criar os primeiros programas e montar os grupos que produziriam cada atração. Como atuavam no rádio, foi mais do que natural que convidassem para o novo veículo de comunicação os mais jovens dos profissionais que trabalhavam nas Emissoras Associadas, que, além da experiência com um veículo eletrônico, já estavam acostumados com as estrelas que apareceriam na televisão. Aos poucos, começou a ingressar no quadro de funcionários gente ligada ao cinema e ao teatro, que enxergava ali a possibilidade de atingir um público muito mais amplo, experimentar novas formas de comunicação e desenvolver uma carreira que só estava começando.

Além da atração natural da modernidade do novo veículo de comunicação, os diretores das emissoras de televisão estavam constantemente atrás de gente nova, de pessoas com olhar diferenciado e que poderiam contribuir no desenvolvimento de uma linguagem específica para o que surgia ali. "Um dia eu tirei umas fotos boas do Cassiano Gabus Mendes e ele me falou que eu daria um bom câmera", conta Reynaldo Boury, que ganhava dinheiro fotografando os artistas enquanto eles atuavam ao vivo nos teleteatros, humorísticos e musicais. "Como eles não podiam se ver, todos compravam as imagens", completa. Convite aceito, Reynaldo Boury chegou aos estúdios da TV Tupi em 24 de agosto de 1954, um dia extremamente agitado com as notícias, naquele momento ainda desencontradas, do suicídio de Getúlio Vargas. "Estava aquela bagunça porque ninguém sabia direito o que estava acontecendo, se era revolução ou não", recorda-se. Durante um bom tempo Boury exerceu a atividade de *caboman*, o auxiliar do cinegrafista, passando para a operação da câmera, depois para a produção, até chegar à direção de novelas.

O ambiente nas TVs do passado era muito diferente dos dias atuais. Se você entrasse num dos estúdios da TV Tupi, TV Paulista ou Record durante a década de 1950, encontraria um clima mais formal. Até mesmo pelo costume da época, os homens, inclusive nos bastidores e nos cargos de direção, trabalhavam o dia inteiro de terno e gravata. "Os câmeras eram da elite, filhos de deputados e protegidos por Assis Chateaubriand", relembra Reynaldo Boury. O fato é que todos os profissionais das emissoras de televisão se conheciam, frequentavam os mesmos lugares e trocavam muitas experiências e informações. "Estava todo mundo começando, era todo mundo amigo", pontua Carlos Alberto de Nóbrega, um dos primeiros integrantes do Clube do Vinho, que na verdade era o início da Associação das Emissoras do Estado de São Paulo (AESP), que reunia, entre outros, Walter Forster, Manoel de Nóbrega, J. Silvestre e Hebe Camargo. "A associação ganhou esse apelido porque na primeira reunião que fizemos alguém levou um garrafão de vinho que nunca foi aberto", recorda-se. O grupo não foi eleito porque funcionários de emissoras de rádio do interior diziam que eles eram ligados aos patrões e não podiam representar a categoria.

Além dos radialistas, a televisão também atraiu importantes nomes do teatro brasileiro e alguns diretores de companhias internacionais, como Ziembinski, Ruggero Jacobbi, Carla Civelli, que trouxeram para o Brasil um gosto refinado na produção de espetáculos teatrais e musicais. "Todos eles estavam fundando um novo teatro brasileiro", diz Nilton Travesso, que não esconde a sua admiração e gratidão a Zbigniew Marian Ziembinski, carinhosamente chamado de Zimba. "Foi o ser humano que me abriu caminho para eu dirigir atores", fala cheio de emoção. Para levar plateia a suas peças, uma das ferramentas era a televisão. "Nós estávamos construindo sabe o quê? Um apoio de mais um ganho para a gente continuar fazendo teatro, onde sempre se ganhou pouco", conta Fernanda Montenegro, que durante muitos anos se dividiu entre os palcos e emissoras de São Paulo e do Rio de Janeiro. Outros atores, como Nicette Bruno, iam também a Belo Horizonte e Curitiba.

Depois que a Record fez um grupo de treinamento para selecionar seus primeiros funcionários e priorizou aqueles sem experiência na Tupi ou na Paulista, os diretores das emissoras começaram a perceber que era importante também contratar profissionais que não tivessem passado pelo rádio. A ideia era iniciar o desenvolvimento de uma geração específica de televisão, que poderia contribuir para a criação de uma linguagem única para o novo veículo de comunicação. Nesse sentido, também foram chamados diretores e técnicos do cinema, já acostumados a trabalhar com imagem em movimento, iluminação e tomadas de câmera. Ainda na década de 1950, foi criada a Academia de Rádio e TV, onde as atrizes Célia Rodrigues e Vida Alves davam aulas de interpretação para a televisão a jovens atores interessados em ingressar nos teleteatros, principalmente da TV Tupi. Entre outras matérias, os alunos estudavam História da Arte, estilo de atuação e os clássicos do teatro, além de eventualmente acompanhar palestras de importantes diretores da época, como Antunes Filho, que "sempre era muito bem recebido e um grande sucesso", conta Vida Alves. A Academia de Rádio e TV ocupava algumas salas de um imóvel alugado na Rua Major Sertório.

Walther Negrão em 1960

Vários artistas consagrados nos dias atuais passaram pela escola de Vida Alves. Walther Negrão é um deles. "Um dia, do ônibus, vi uma escola de televisão. Desci, fui lá me informar, falei com minha mãe escondido e me matriculei", conta. "Meu pai era ferroviário; um filho artista, nem pensar. Era coisa de bicha", completa o dramaturgo, que venceu o preconceito familiar e foi até o final do curso. Os alunos com melhores notas de cada turma eram indicados para o departamento de dramaturgia da TV Tupi, onde atuavam como figurantes, ou extras, como eram chamados naquela época. "Eu me formei e a Vida Alves me deu um bilhetinho indicando o bom resultado", conta Negrão. No dia marcado para se apresentar aos responsáveis pelos teleteatros, o jovem sonhador e encantado com a televisão pegou um ônibus na Praça do Patriarca, região central de São Paulo, em direção ao bairro do Sumaré, onde ficava a Cidade do Rádio. "Eu desci e vi uma construção grande, mas era a caixa d'água. Andei mais um pouco, perguntei para as pessoas, que indicaram uma portinha no meio de um muro", descreve Walther Negrão o momento em que a realidade destruiu a imagem construída a partir da imaginação de quem ouvia histórias, programas e um mundo criado por grandes comunicadores do rádio que só existia nas palavras. O recém-formado ator entregou o bilhetinho de Vida Alves para Roberval, secretário de Cassiano Gabus Mendes, e, quase que imediatamente, começou a trabalhar como extra nos teleteatros da TV Tupi. A regra era simples: se o figurante fosse escalado pelo autor ou diretor para um papel sem fala, ganhava um cachê básico, mas se o personagem tivesse uma fala, mesmo que pequena, o valor dobrava. Por isso, era muito comum que os extras circulassem pelos corredores e salas da emissora atrás dos autores para convencê-los a escrever uma pequena frase, mesmo que sem importância na história. Rolando Boldrin, Fulvio Stefanini e Cláudio Marzo também atuaram como figurantes na TV Tupi antes de estourarem como grandes atores da televisão brasileira e viverem nos folhetins os mais diferentes e importantes personagens. "Eu, Boldrin, Fulvio e o Marzo éramos as estrelas da figuração", fala com orgulho Walther Negrão.

Apesar de todo o avanço da televisão, nos anos 1950, o rádio, por concentrar maior audiência e atrair muitos anunciantes, ainda oferecia salários maiores aos profissionais da comunicação. Por isso, era muito comum um artista, diretor, produtor ou técnico atuar nas emissoras radiofônicas e realizar pequenos trabalhos na televisão. "Eu só pensava em ir para a TV, mas o rádio era para sobreviver", explica Boni, que, em

1955, ingressou na Lintas, uma importante agência de publicidade da época que, além de criar *jingles*, campanhas e anúncios para jornais e revistas, investia na produção de produtos para a televisão, como seriados, pequenos teleteatros e programas com a chancela de seus clientes. Foi de Boni, por exemplo, a ideia do "Nossa Próxima Atração", um filme que era veiculado em todas as emissoras de televisão do Brasil e que anunciava o programa a que o público assistiria na sequência. José Bonifácio de Oliveira Sobrinho criou um padrão de locução e treinou operadores de todo o país para unificar o material criado na agência em São Paulo.

Com a evolução das grades das TVs Tupi, Record e Paulista e com maior audiência, as grandes empresas resolveram ampliar as verbas destinadas ao novo veículo de comunicação, e as agências de publicidade, de olho nas novas oportunidades de negócios, aumentaram os núcleos específicos para a produção de teleteatros, novelas e seriados para atender aos desejos de seus clientes, contratando redatores, artistas e produtores para projetos que seriam levados às emissoras de TV. A Denison Propaganda, por exemplo, tinha o apoio da Colgate-Palmolive, pela qual Benedito Ruy Barbosa fora contratado para ser editor de script. "Como contratado da Colgate eu escrevia *Somos Todos Irmãos* para a Tupi e, ao mesmo tempo, supervisionava *Eu Compro Essa Mulher* para a Globo", revela o autor de grandes clássicos da teledramaturgia brasileira. Como a capacidade de produção das emissoras de televisão era limitada, a parceria com as agências de publicidade e grandes anunciantes era muito bem vista pelos diretores de todas as empresas, que não viam problema em ter projetos com a mesma equipe de bastidores em canais diferentes. Apenas os artistas não poderiam aparecer em duas emissoras ao mesmo tempo.

Em 1957, a Lever, empresa de produtos de beleza, higiene pessoal e limpeza, resolveu entrar de vez na produção de televisão e investiu numa história criada por Boni e Rodolfo Lima Martensen baseada na famosa série *A Guerra dos Mundos*, um sucesso do rádio dos Estados Unidos. Com o projeto aprovado por Cassiano Gabus Mendes e espaço garantido na TV Tupi, *Lever no Espaço* contou com uma grande campanha de lançamento que incluía intervenções todas as noites às 20 horas e reportagens ficcionais em jornais e revistas sobre as estranhas interferências no Canal 3. Até o diretor artístico da TV Tupi concedeu algumas entrevistas para dizer que era impossível controlar a tentativa de comunicação de um povo que vinha de muito longe, talvez Vênus. A novela entrou no ar e foi um grande sucesso, levando a audiência da

Tupi na noite de estreia a 60%. "Era uma história sobre extraterrestres e viagens planetárias, algo bastante ousado para uma época em que não havia videoteipe e os efeitos especiais eram feitos ao vivo, no máximo ensaiados durante o dia", afirma a então estreante Beatriz Segall, que formou par com Lima Duarte, num elenco que contava também com Henrique Martins, Dionísio Azevedo, Fábio Cardoso e Rafael Golombek. O texto era de Mario Fanucchi, direção geral de Cassiano Gabus Mendes, direção de TV de Antonino Seabra, sonoplastia de Darcy Cavalheiro e coordenação de produção de Boni. O cenário era relativamente simples. Num fundo infinito foi construído um disco voador e num dos estúdios montou-se a cabine de comando da nave. Alguns efeitos especiais eram necessários para o telespectador ter a sensação de que o aparelho que transportava os extraterrestres se movimentava. Mas nem tudo saía como planejado. "Era uma coisa precária. A nave precisava se movimentar, mas a miniatura do foguete, em vez de ir para a frente, foi para outra direção", recorda-se Beatriz Segall. Antes de entrar no ar o ensaiado truque com a maquete do disco voador, o ator Fábio Cardoso, que interpretava o comandante da missão, foi focalizado em *close* e disse em tom de ordem: "Para a frente, à velocidade da luz". Corte de imagem e aparece um foguete descontrolado indo para trás, perdendo-se na fumaça do efeito planejado. Imediatamente o capitão dá outra ordem: "Para evitar uma colisão com um asteroide tivemos que fazer uma manobra. Agora, sim, para a frente". Era o improviso obrigatório numa televisão ao vivo que não tinha medo de inovar e arriscar com a criatividade. Muitos outros pequenos acidentes aconteceram em *Lever no Espaço*, como o figurino que enroscou num prego e se rasgou, mostrando mais do que devia do corpo do ator, e uma cena em que Lima Duarte precisou correr para não ser mordido por um jacaré. No script estava previsto que seu personagem fosse jogado num fosso cheio de répteis, lutasse com os animais e saísse vitorioso. A produção providenciou vários animais empalhados e um verdadeiro, que não foi anestesiado corretamente, e partiu em ataque contra o ator. Mais uma vez, o resultado final da cena não estava escrito no roteiro.

Os quase 70 anos da televisão brasileira foram construídos por muitos profissionais que talvez não planejassem atuar nesse veículo, mas que foram atraídos pela energia da inovação e pela magia de uma comunicação direta, ao vivo, em movimento e intensa, e que não se preocuparam com o preconceito de quem atuava nas mídias tradicionais e considerava a televisão o grande mal para a cultura do país, algo que deixaria o povo absolutamente alienado e burro. Aos poucos, as emissoras de TV foram reunindo gente boa de diversas áreas, como o cinema, a dança, publicidade, fotojornalismo, intelectuais e até quem havia acompanhado a implantação da nova mídia em outros países, como é o caso de Jô Soares. "Na Europa, eu assistia a corridas de cavalos e algumas partidas de futebol", lembra um dos maiores entrevistadores de nossa televisão, que aos 17 anos de idade voltou ao Brasil após cinco anos de estudos no exterior. Mesmo planejando ingressar no Itamaraty e seguir carreira diplomática, o garoto Jô Soares fazia pequenos shows para os amigos na beira da piscina do hotel Copacabana Palace, e, numa dessas ocasiões, chamou a atenção de Silveira Sampaio, autor, diretor e ator, criador de uma forma de fazer comédia muito ligada à cultura carioca. "Ao me ver fazendo, entre outras coisas, a dança dos dedos com sapatinho, ele disse que eu poderia estudar o que quisesse, mas que meu destino estava no palco e na televisão", relata. Algumas semanas depois, Jô Soares já estava na TV Rio no programa *TV Mistério* como ator e redator, além de fazer participações em outros humorísticos, entre eles *O Riso é o Limite*.

Armando Nogueira, responsável pela implantação do *Jornal Nacional* e pelo desenvolvimento do telejornalismo brasileiro, é outro profissional que chegou à televisão sem intenção. Apaixonado por fotografia e esportes, ele trabalhava como redator na revista *Manchete*, uma das principais publicações dos anos 1950, quando se rendeu ao convite de Fernando Barbosa Lima para integrar uma equipe da Esquire, produtora independente que realizava programas jornalísticos para a TV Rio. Também na segunda metade dos anos 1950, Carlos Manga já era um profissional com certo destaque no cinema nacional quando foi chamado por Péricles do Amaral para comandar *O Riso é o Limite*. Era apenas o começo de uma longa jornada com importante contribuição para o desenvolvimento de uma linguagem específica para shows na televisão, algo popular, mas com muito refinamento. Álvaro de Moya, o homem que desenhou o primeiro logotipo da televisão brasileira, o indiozinho da TV Tupi, era um jovem desenhista de quadrinhos, que até tentou fugir da TV, mas, além de estar na primeira emissora brasileira, foi assistente de Dermival Costa Lima na Paulista e depois dirigiu a Excelsior.

Fernando Faro, que a maioria chama de Baixo – como, aliás, ele próprio prefere –, antes de trabalhar em jornal ou ser um razoável lateral-esquerdo nas peladas com amigos (achava seu jogo parecido com o de Nilton Santos) e escrever vários textos para o *TV de Vanguarda*, notabilizou-se como um dos maiores produtores musicais do Brasil. Sua carreira como autor na TV Tupi, guindado ao posto por Cassiano Gabus Mendes, se encerrou depois de várias adaptações com um texto de sua autoria, *O Triângulo*, algo considerado muito louco ou inapropriado para a época. Faro tentou fazer uma história próxima do "nouveau roman": um triângulo amoroso, marido, mulher e amante em três atos, apresentando em cada ato o ponto de vista de uma das personagens. Uma coisa maluca para os padrões televisivos da época e de tão complicado entendimento, que, a pedido do diretor comercial da Tupi, ele acabou afastado das funções e transformado em diretor musical. Dos seus primeiros trabalhos na área, ele se lembra de programas com Norma Bengell, Alaíde Costa, até chegar aos grandes nomes da MPB, como Chico e Elis, que sempre preferiram trabalhar com ele em espetáculos musicais ou apresentações na televisão. Amante do futebol, Faro era um dos organizadores dos rachas do fim de semana nos campos do Colégio Santa Cruz ou da USP, com a participação de um pessoal ligado à música, entre eles Chico, os meninos do MPB 4, Walter Silva (o "Pica-Pau") e os irmãos Haya e Lafayette Hohagen, além de jornalistas e publicitários.

A carioquinha chega no pedaço com humor e popularidade

"Agora você já pode assistir televisão." Foi com esse slogan que entrou no ar, no dia 17 de julho de 1955, a TV Rio, emissora que se consagrou com a produção de muitos programas de humor, musicais, novelas de Nelson Rodrigues e a versão brasileira de *O Direito de Nascer,* e por ter desenvolvido o primeiro conceito de grade vertical e disciplinado a relação comercial. "Naquela época, a venda era feita na base da cara do freguês e não tinha padrão, um pagava mais caro que o outro", destaca Gabriel Priolli, biógrafo de Walter Clark e especialista em comunicação de massa.

No início da televisão no Brasil, os contatos das emissoras vendiam tudo que podiam diretamente aos clientes e não se preocupavam muito com a entrega das ações comerciais. Com isso, no final do ano, para prestar contas aos anunciantes, descobria-se que havia mais inserções do que espaço na grade e "a ordem era enxugar os programas para aumentar os intervalos comerciais", completa Priolli. Na década de 1950 e início dos anos 1960, era comum que as atrações mais populares nos meses finais do ano apresentassem longas janelas comerciais, ultrapassando muito o tempo destinado ao conteúdo. Ou seja, o telespectador precisava ter paciência para assistir a uma sequência quase interminável de propagandas.

O Canal 13, que montou seus estúdios nas instalações em que havia funcionado o Cassino Atlântico, na Avenida Atlântica, 4.264, no posto 6 de Copacabana, iniciou suas transmissões com um texto de Moacyr Aêreas interpretado por Luiz Mendes, um dos locutores mais importantes do Rio de Janeiro, sobre o início do Congresso Eucarístico Internacional, que acontecia no Aterro do Flamengo. Na sequência, foi exibido um espetáculo que reuniu importantes artistas e comunicadores da época, entre eles Anilza Leoni, Sargentelli, Murilo Mello Filho e Léo Batista. Nos primeiros meses de atividades, no *casting* estavam os principais artistas da Rádio Mayrink Veiga, alguns nomes tirados da concorrente TV Tupi e muita gente jovem e talentosa disposta a fazer uma nova programação. Nos primeiros meses, a TV Rio exibia humorísticos, musicais, partidas de futebol, telejornais e alguns teleteatros.

A "carioquinha", como era chamada a emissora pelo público e pelas colunas especializadas, não precisou de muito tempo para se firmar no mercado e conquistar a liderança de audiência. Já em 1956, praticamente um ano após sua inauguração, a TV Rio aparecia nas pesquisas em primeiro lugar na preferência do telespectador. O carro-chefe era o *TV Rio Ring*, uma faixa dominical dedicada às lutas de boxe, esporte muito popular na época, mas os teleteatros, principalmente o *Teatro Moinho de Ouro*, também eram muito apreciados pelo público. Imediatamente, a dramaturgia mostrou sua força e as pessoas simplesmente paravam para assistir aos teleteatros, e quem não tinha um aparelho televisor ia à casa de vizinhos ou parentes para acompanhar as mais diversas peças montadas por artistas que moravam na cidade ou por quem atuava em São Paulo e Curitiba, mas estavam de passagem pela capital fluminense. O cachê oferecido pela TV Rio ajudava muitos atores a complementarem o caixa, já que naquela época as companhias de teatro sobreviviam da venda da bilheteria e não de patrocínios de empresas e instituições.

Disposta a crescer e se firmar na liderança em audiência no Rio de Janeiro, em 1956 a TV Rio contratou Walter Clark, um jovem publicitário promissor, cheio de ideias revolucionárias e que compreendia a TV como um veículo de comunicação de massa, que só cresceria se atingisse não somente as famílias mais favorecidas economicamente, mas também as de classe média e baixa. "Com toda a retaguarda da publicidade, ele dinamizou a emissora", lembra Fernanda Montenegro, que já atuava em alguns teleteatros na "carioquinha". Aos poucos, ele foi desenvolvendo um padrão de grade de programação, com faixas definidas para jornalismo, esporte, linha de shows e dramaturgia, uma estrutura que ele e Boni aprimoraram na Globo e é adotada até hoje por todas as emissoras brasileiras. Walter Clark também foi o primeiro profissional da televisão a pensar nos custos diretos e indiretos das atrações que eram exibidas diariamente. Assim que chegou à TV Rio, perguntava aos gestores da empresa quanto custava o minuto de programa e ouvia como resposta que se desconheciam os valores. Então, ele explicava que bastava dividir quanto se gastava por mês pela quantidade de minutos para saber o custo de cada programa. "Esse tipo de cálculo parece tão primário, mas não se fazia, simplesmente, na época", ressalta Gabriel Priolli.

Nos anos 1950 e 1960, as emissoras de TV não separavam por atrações as entradas de receita e um programa com bom faturamento compensava algum que não conseguia atrair anunciantes, mas que era uma aposta da direção. O dinheiro arrecadado com publicidade era contabilizado de maneira global, depois descontavam-se os gastos com a folha de pagamento e com as contas de energia, água, impostos etc. O que sobrava – quando sobrava – era o lucro do mês na emissora. O problema é que, administrativamente, não se sabia se um programa era rentável; ou seja, se gerava mais despesas com cenário, artistas e equipe do que conseguia arrecadar com publicidade. Apesar de Walter Clark instituir esse tipo de cálculo na TV Rio, até hoje muitas emissoras ainda trabalham como na década de 1950, sem saber exatamente quais são os gastos diretos e indiretos.

Aos poucos, sob a direção de Walter Clark, começaram a estrear na TV Rio programas de grande apelo popular. Em 1957, entrou no ar o *Noite de Gala*, apresentado por Flávio Cavalcanti, um dos maiores comunicadores a que este país já assistiu na telinha. Toda segunda-feira, em horário nobre, ele misturava música, humor e jornalismo em um espetáculo que chegava a duas horas de duração, gerava muita repercussão entre o público e servia de assunto para os jornais e as revistas. No elenco do programa também estava Chico Anysio, garantia de sucesso com seu humor sofisticado, mas apreciado por pessoas das mais diferentes formações. "A TV Rio passou a Tupi porque tinha o Chico", explica Fernanda Montenegro. Muito respeitado entre os humoristas do rádio e já apontado como o principal representante desse gênero no Brasil, Chico levou para as comédias da TV Rio muitos nomes consagrados das rádios Mayrink Veiga, Nacional e Tupi, contribuindo assim para a formação de um elenco forte e popular, além de uma equipe de redatores específicos para o novo veículo de comunicação. "O Chico teve a visão de adaptar o texto, porque a maioria dos autores da época escrevia para o rádio e fazia coisa muito extensa, pois não possuía noção da imagem", recorda Moacyr Franco, que também atuava na TV Rio. Ele conta que, quando Chico Anysio percebia que o texto entregue aos atores estava longo demais, chamava cada um em sua sala para mexer nos esquetes. "Ele adaptava aquilo em cinco minutos. Era um craque", recorda sem esconder as emoções que florescem diante da lembrança de um período de muito trabalho e intensa criação artística ao lado de um amigo de décadas.

Moacyr Franco, que em 1962 brilhou na TV Rio com *Show Doçura*, começou na emissora com a indicação de Canarinho para que fosse figurante na *Praça da Alegria*, que Manoel de Nóbrega já apresentava no Rio de Janeiro. Assim como muitos artistas, Moacyr trabalhava em São Paulo, mas, uma vez por semana, pegava o avião para atuar em programas de rádio e como figurante na "carioquinha". Lá, participava de duas atrações seguidas: *O Riso é o Limite*, com Carlos Alberto de Nóbrega e Golias, e *Praça da Alegria*, com o mestre Manuel de Nóbrega, das 20h às 21h. "E um mês depois que eu estava lá, também por sugestão do Canarinho, eu estreei um quadro dentro do *Rio Te Adoro*", completa Moacyr Franco, que nem imaginava que sua pequena participação no programa se transformaria numa das marchas de Carnaval mais conhecidas e executadas até os dias de hoje. O quadro chamava-se "Me dá um dinheiro aí", mesmo título da música composta e lançada por ele no Carnaval de 1960 e que, com certeza, você sabe cantar.

> *Ei, você aí, me dá um dinheiro aí*
> *Me dá um dinheiro aí.*
> *Ei, você aí, me dá um dinheiro aí*
> *Me dá um dinheiro aí*
>
> *Não vai dar?*
> *Não vai dar não?*
> *Você vai ver, a grande confusão*
>
> *Que eu vou fazer, bebendo até cair*
> *Me dá, me dá, me dá, oi*
> *Me dá um dinheiro aí*

Carlos Alberto e Golias em show da caravana

Em 1962, logo após o grande sucesso de "Me Dá um Dinheiro Aí", que vendeu mais de 100 mil cópias de discos, Moacyr Franco passou a comandar, no horário nobre das terças-feiras, o *Show Doçura*, em que misturava um pouco de tudo, mas garantia espaço principalmente para suas músicas. A audiência era boa e a repercussão maior ainda. No início do ano seguinte, ele lançou o LP *Show Doçura*, com 14 canções, entre elas "Alma de Deus", "Um Amor Uma Saudade", "Amor que é Meu Viver" e "A Voz". Logo depois, a TV Excelsior fez uma proposta irrecusável e Moacyr Franco passou a integrar o elenco das grandes estrelas do Canal 9 de São Paulo, como muitos outros artistas da emissora e da concorrente TV Tupi.

Como a TV Rio era ligada à TV Record (seu proprietário, João Batista "Pipa" do Amaral, era cunhado de Paulo Machado de Carvalho), havia um importante intercâmbio entre as duas emissoras, com troca de conteúdo, roteiros e artistas. A *Praça da Alegria*, por exemplo, passou a ser exibida no Rio de Janeiro a partir de 1959 com excelentes resultados. O esquema era o mesmo e os artistas viviam na ponte aérea, no trem que ligava as duas capitais ou, para os mais animados e aventureiros, pela estrada. Carlos Alberto de Nóbrega era um dos que preferiam, às vezes, fazer o trajeto entre São Paulo e Rio de Janeiro de carro, pela Via Dutra. "Era um bate e volta. Saía de São Paulo no final da manhã, entrava no ar na TV Rio às 20h30, dormia um pouco após os programas, pegava a estrada novamente e lá pelas 10 da manhã já estava em São Paulo", conta o comandante de *A Praça é Nossa*, versão do programa de seu pai que apresenta desde 1987 com sucesso no SBT. Como o humor era a principal ferramenta na conquista pela audiência, a TV Tupi do Rio também apostava muito no segmento e realizava um intercâmbio com a sede paulistana. Apesar da concorrência direta, já que TV Rio e TV Tupi possuíam grades semelhantes com atrações do mesmo gênero competindo na mesma faixa, era comum os artistas das duas emissoras dividirem o carro ou se encontrarem nos voos da ponte aérea. "O Aloísio Araújo fazia um programa com a Zilda Cardoso no mesmo dia e horário que o nosso. Eles vinham de carona comigo e o Golias. A gente deixava os dois na Urca e íamos para a TV Rio", conta Carlos Alberto de Nóbrega. No final dos dois programas, um novo encontro para a viagem de volta para São Paulo com os quatro no mesmo veículo. "Havia uma amizade muito grande, uma coisa que eu não vejo hoje", completa.

Um dos maiores sucessos da TV Rio, o *Noites Cariocas* entrou no ar em 1958 e reunia os principais nomes da emissora, os artistas mais populares da rádio Mayrink Veiga e as estrelas do teatro de revista, como Consuelo Leandro, Virgínia Lane, Carmem Verônica e Dercy Gonçalves nos diversos quadros que eram exibidos todas as sextas-feiras. "Se o artista tivesse talento, estava no programa e ficava esperando a oportunidade de fazer a sua graça", recorda Lúcio Mauro, que, além do *Noites Cariocas*, atuou em outros programas de humor da TV Rio. Quem também passou pelo humorístico foi Jô Soares, que chegou na televisão depois da insistência de Silveira Sampaio, quando viu Jô na piscina no Copacabana Palace, conforme narrado aqui anteriormente. Algumas semanas depois desse diálogo no Copacabana Palace, numa festa, Tônia Carrero e Paulo Autran convidaram Jô Soares para uma participação no *TV Mistério*, programa dirigido por Moacir Masson. "Entrei como ator e passei a escrever algumas histórias", recorda o apresentador, que também foi para *O Riso é o Limite*, em que fez a "Dança dos Sapatinhos" e até ganhou prêmio como revelação. No *Noites Cariocas*, os quadros mais populares eram de Carmem Verônica, que interpretava a *socialite* milionária casada com o famoso Oscar, a candidata a um programa de calouros vivida por Consuelo Leandro e a *Escolinha do Golias,* com Ronald Golias e Carlos Alberto de Nóbrega. "O Golias era um profissional fora de série. Esse negócio do 'vamos fazer' eu aprendi com ele, que sempre tinha um personagem novo ou uma grande sacada para colocar todo mundo pra rir", completa Carlos Alberto. Esses três momentos do *Noites Cariocas* atravessaram gerações e ganharam versões com outros artistas em programas de diversas épocas e em emissoras bem distintas.

No auge de sua popularidade, além de *Praça da Alegria* e *Noites Cariocas*, a TV Rio também contava em seu horário nobre com *Noite de Gala*, *Discoteca do Chacrinha*, *Boa Noite Brasil*, *O Riso é o Limite* e *Chico Anysio Show*, atração de grande audiência apresentada aos domingos e que já exibia muitos personagens criados pelo humorista em esquetes com atores famosos da época. Sátiras e brincadeiras com a própria programação eram muito bem aceitas e podiam se transformar em atrações próprias, como foi o caso de *O Riso é o Limite*, comandado por Castrinho e J. Silvestre. "Ele fazia o *Céu é o Limite*, que tinha muito sucesso, e nós pensamos na brincadeira com o título", recorda-se Castrinho, que na TV Rio também comandou com Dorinha Duval o *Nunca aos Domingos*, um musical semanal que recebia cantores dos mais diferentes gêneros e promovia intenso intercâmbio com artistas de outros estados.

O jornalismo também teve um papel importante nos primeiros anos da TV Rio. O principal produto desse segmento era o *Telejornal Pirelli*, apresentado por Léo Batista e Heron Domingues, que levavam ao telespectador as principais notícias do dia e alguns comentários sobre os fatos mais marcantes. O *Correspondente Vemag* era sinônimo de credibilidade e registrava audiência interessante para os padrões da época. Programas de entrevistas também completavam a grade dos primeiros anos da emissora, sendo o mais marcante o *Preto no Branco*, em que o convidado respondia a várias questões e no final era submetido às perguntas mais difíceis e polêmicas feitas por Oswaldo Sargentelli, que adotava um tom meio cavernoso para intimidar quem estava na berlinda e criar tensão no telespectador.

Como "A carioquinha" fazia parte das "Emissoras Unidas", em 1959, foi a pioneira na ligação São Paulo-Rio de Janeiro para a transmissão de boletins informativos por meio de micro-ondas a partir dos estúdios da Record na capital paulista e até de alguns programas. Dois anos antes, no dia 12 de outubro de 1957, havia se tornado a primeira emissora brasileira a realizar transmissões a longa distância através do UHF. No dia da Padroeira do Brasil, com o suporte de uma subestação em Guaratinguetá – Canal 12, que retransmitia a programação da TV Rio –, entrou no ar ao vivo a missa realizada na Basílica de Nossa Senhora Aparecida. Foi algo ousado para a época, já que eram muitas as limitações técnicas e os enormes e poucos equipamentos exigiam tempo e habilidade para grandes operações.

Sair da zona de conforto para buscar informação ou exibir uma missa a partir de outro estado só foi possível graças ao trabalho do departamento técnico acostumado com a logística que viabilizava as partidas de futebol. "A gente só tinha um micro-ondas, o rádio que ligava o estúdio com o transmissor. Então, em dia de jogo, duas horas antes, a gente desligava a estação, que saía do ar, tirava o equipamento de micro-ondas da torre do Posto 6 e levava para o Maracanã", explica Adilson Pontes Malta, o homem que ajudou Boni a conceber o Projac, o maior centro de produção de conteúdo para televisão da América Latina. Assim que o jogo terminava, os técnicos tiravam novamente a TV Rio do ar, desmontavam a estrutura que viabilizou a transmissão, levavam as câmeras e o micro-ondas para o estúdio, que ficava a quase 13 quilômetros de distância. Era uma operação cronometrada, em que tudo precisava sair exatamente como o planejado para a TV Rio não ficar muito tempo fora do ar e para que nenhum imprevisto danificasse os pesados equipamentos que atendiam a eventos externos e programas gerados a partir do estúdio. "Depois, com o tempo, os empresários perceberam que tirar a TV do ar gerava prejuízo para eles", completa Adilson. Ele lembra que, quando a televisão surgiu, como não havia uma indústria de cinema forte como nos Estados Unidos, muitos profissionais que atuavam nos bastidores não tinham formação superior, mas a experiência do rádio e do teatro. "A TV nasceu muito distante de um modelo já audiovisual", completa.

Os bastidores da TV Rio não eram muito diferentes do *backstage* da TV Tupi de São Paulo e Rio, da Record e da TV Paulista. Os profissionais que atuavam atrás das câmeras trabalhavam muito e emendavam um programa ao vivo no outro. Os artistas aproveitavam os horários em que a emissora estava fora do ar para ensaiar os textos e repassar as marcações das cenas e, muitas vezes, eram responsáveis por seus figurinos e até por detalhes dos cenários. Diretores, produtores, redatores e parte do elenco costumavam se reunir no fim da noite para discutir o que havia dado certo, os erros dos programas e apresentar novas ideias. "A gente levava a equipe toda num barzinho para um jantar, porque se você deixasse para o dia seguinte todos os envolvidos iam esquecer o que aconteceu ao vivo e ficava mais difícil corrigir o que deu errado", conta Adilson Pontes Malta, que entrou para a equipe técnica da TV Rio assim que se formou. Os pioneiros da televisão brasileira são unânimes em afirmar que as melhores ideias de programas, quadros, personagens e até de músicas imortais surgiram em bares e restaurantes durante os jantares, cafés, conversas informais e nos momentos em que ninguém estava no estúdio, mas todos continuavam com os pensamentos fervilhando. Muitas contratações e a descoberta de novos talentos surgiram em locais diversos da televisão, mas que concentravam os profissionais de um veículo de comunicação que arrebatava quem passasse por perto.

Líder de audiência e com os melhores humoristas em seu *casting*, a TV Rio não conseguiu segurar suas principais estrelas quando sofreu o primeiro grande ataque da TV Excelsior, que chegou ao Rio de Janeiro com uma postura agressiva e disposta a tirar a liderança da "carioquinha". "Da noite para o dia ela ficou sem programação", recorda Fernanda Montenegro, que naquela época já atuava em alguns teleteatros da emissora. A nova concorrente contratou, principalmente, os apresentadores e equipes que atuavam no horário nobre, a linha de shows composta basicamente por humorísticos, e que garantiam os melhores índices de audiência. "Só não mexeram no jornalismo e no esporte", dizia Walter Clark aos mais próximos, como está relatado em *O Livro do Boni*. Chico Anysio, Moacyr Franco e Castrinho estavam entre as grandes estrelas que saíram, seduzidos por salários maiores e propostas artísticas mais ousadas. "Foi quando propusemos as novelas de Nelson Rodrigues para poder preencher a programação", revela Fernanda Montenegro. Nelson escreveu, entre outras, *A Morta sem Espelho, Pouco Amor Não é Amor, Sonho de Amor, Acorrentados* e *O Desconhecido*, todas com desempenho modesto, sem grande sucesso, mas funcionais para a manutenção da emissora e com excelente qualidade de texto.

Foi justamente nessa época que Walter Clark convidou Boni para ajudá-lo na condução da TV Rio. Em 1964, José Bonifácio de Oliveira Sobrinho era um dos diretores da Rádio Bandeirantes, em São Paulo, após uma passagem relativamente curta na sede paulista da TV Excelsior. "O Walter ligou para reclamar que haviam tirado todos os artistas da emissora e me pediu socorro", recorda-se Boni, que só aceitou o convite ao constatar que a programação da rádio estava estabilizada e após uma reunião com João Carlos Saad, presidente da Bandeirantes, e Murilo Leite, que deram o aval para a troca e acenaram para uma volta após o socorro ao amigo. Imediatamente, ele começou a pensar numa grade de programação, e ao chegar ao Rio de Janeiro percebeu que o desafio era muito maior do que imaginava. "Um desastre. Transmissor baleado, câmeras que tinham que ficar ligadas 24 horas porque se desligassem paravam de vez, auditório sem altura e uma emissora praticamente sem nenhum elenco", lembra Boni, que foi avisado por Clark da volta de Chico Anysio da TV Excelsior para a TV Rio.

A primeira aposta de Boni foi na versão para a televisão de um grande sucesso do rádio, a novela cubana *O Direito de Nascer*, de Felix Caignet. Ele uniu esforços e contou com amigos no Brasil e no exterior para chegar ao autor e comprar os direitos do texto. A negociação foi relativamente fácil, com a troca de algumas mensagens por telex e telefonemas, em que ficou acertado que Caignet só assinaria o contrato após receber 6 mil dólares, sendo mil declarados em nota para a cobrança de impostos pelo governo mexicano e cinco mil em dinheiro entregues em mãos ao criador da novela. Por esse valor, considerado elevado para o início da década de 1960, ele daria os roteiros de *O Direito de Nascer* e de mais duas histórias para adaptação no Brasil. Com aval de Walter Clark, o negócio foi fechado, mas a empresa, por uma questão contábil e administrativa, só aceitou liberar o valor declarado em nota fiscal, para evitar problemas com a receita brasileira. Boni e Clark tiraram do próprio bolso os 5 mil dólares pagos diretamente a Caignet e seu agente, Ladrón Guevara, investimento que valeu a pena, "afinal, *O Direito de Nascer* sozinho colocou a TV Rio de volta no primeiro lugar", reconhece Boni, que precisou da ajuda de uma amiga para que a maleta com os dólares chegasse ao autor do folhetim. Dercy Gonçalves foi quem levou o dinheiro do Rio de Janeiro ao México. Isso porque, para trocar a Excelsior pela TV Rio, ela pediu, além de um bom salário, duas passagens internacionais para curtir alguns dias num lugar diferente. Boni a convenceu a fazer turismo pelo México e a levar uma encomenda para um "amigo" seu.

Com o texto em mãos, Boni foi atrás de quem pudesse produzir a novela no Brasil. A primeira opção era a parceira das "Emissoras Unidas", a TV Record, em São Paulo, que recusou a proposta por acreditar que aquele não era seu melhor segmento de atuação. Boni recorreu então à agência Lintas, que tinha a conta da Lever, patrocinadora e realizadora de muitos programas e que se interessou pelo projeto, mas que ainda dependia de um produtor. Surgiu o nome de Cassiano Gabus Mendes, responsável artístico da TV Tupi de São Paulo, que aceitou o desafio depois que a TV Tupi do Rio de Janeiro abriu mão de exibir a novela na cidade. Thalma de Oliveira e Teixeira Filho assinaram o texto da adaptação, a direção foi de Lima Duarte, Henrique Martins e José Parisi, e no elenco estavam Isaura Bruno, no papel de mamãe Dolores, Guy Loup, como Isabel Cristina, Nathalia Timberg, Amilton Fernandes, Rolando Boldrin, Luis Gustavo, Marcos Plonka, Meire Nogueira, entre outros. *O Direito de Nascer*, com capítulos de 30 minutos, não conquistou apenas a liderança em seu horário, mas colocou em primeiro lugar os programas que entravam no ar antes e depois de sua exibição. A novela terminou no dia 13 de agosto de 1965 com um episódio transmitido ao vivo direto do Maracanãzinho lotado e entrou para a história da teledramaturgia brasileira ao atingir, na capital fluminense, 99,75% de audiência.

Também foi nessa época que, para cobrir parte de sua grade, a TV Rio adquiriu algumas séries internacionais, os famosos enlatados. Em 1964, entrou no ar o maior sucesso infantil da década de 1960 de nossa televisão, a produção japonesa *National Kid*, que até hoje é lembrada por quem foi garoto naquela época ou nos anos seguintes e que se encantou pelos Incas Venusianos, os Seres Abissais, Hellstar e Tarô, o garoto espacial. Os 39 episódios de *National Kid* passaram também na Record e mais tarde na TV Globo e fizeram muito mais sucesso no Brasil do que no Japão e praticamente passaram despercebidos em muitos países.

Apesar de todo o sucesso da versão para a televisão de *O Direito de Nascer* e de ter uma excelente atração para as crianças, a TV Rio não estava com suas contas em dia e os salários chegavam sempre atrasados, numa época em que a inflação de quase 40% provocava uma corrosão rápida nos vencimentos dos trabalhadores. Chico Anysio, insatisfeito pelo fato de perder para um programa que ele mesmo havia criado na concorrente, e Dercy Gonçalves voltaram para a TV Excelsior, uma movimentação que abalou novamente a grade, mexeu com a audiência geral e irritou muitos diretores. Boni também saiu e regressou para a Rádio Bandeirantes, e Walter Clark, em dezembro de 1965, aceitou o convite para comandar a TV Globo, que surgia com toda a força. "Aí começou a decadência da TV Rio", pontua Fernanda Montenegro.

Nos anos seguintes, graças à parceria com a Record, a TV Rio apresentou vários programas musicais, muitos voltados aos jovens. Entre eles, *Hoje é Dia de Rock, Brotos no Treze* e *Rio Jovem Guarda*, com artistas consagrados em São Paulo, como Roberto Carlos, Erasmo Carlos e Agnaldo Rayol, que, a convite de Carlos Manga, uma vez por semana comandava o *Agnaldo Rayol Show*, um programa de auditório transmitido ao vivo com direito a orquestra, humoristas e elenco. "Fez um sucesso legal, não tanto como o de São Paulo, mas era um programa bem-feito", lembra o cantor. Na área musical, também foram exibidos especiais com estrelas internacionais, como Rita Pavone, Connie Francis, Brenda Lee e The Platters, que vinham ao Brasil em turnê e eram convidados da Record e da TV Rio.

Anúncio do Agnaldo Rayol Show na revista Intervalo

No mesmo ano em que a TV Rio foi inaugurada, em Belo Horizonte entrou no ar a TV Itacolomi, ligada aos Diários Associados, de Assis Chateaubriand. Diferentemente do que aconteceu em São Paulo e Rio de Janeiro, onde os técnicos americanos foram responsáveis pela montagem das estruturas da TV Tupi, a televisão iniciou suas transmissões oficiais em Minas Gerais no dia 8 de novembro de 1955, depois de alguns testes comandados pelo engenheiro Victor Purri Neto, que, pouco antes da entrada oficial da emissora, assumiu a superintendência da afiliada da TV Tupi. Entre as transmissões experimentais estão a exibição de prova de atletismo, imagens da Igreja São José e filmes cedidos por consulados. Naquela quente noite de terça-feira, nos últimos andares do Edifício Acaiaca, no centro da capital, o clima era de grande expectativa com a chegada do novo veículo de comunicação. Entre outros, estavam presentes Chateaubriand, Juscelino Kubitschek, o governador Clóvis Salgado, o banqueiro Cristiano

Guimarães, que financiou por meio do Banco da Lavoura a implementação da TV Itacolomi, e o arcebispo metropolitano, Dom Antônio dos Santos Cabral, que abençoou os estúdios e equipamentos da emissora, considerada a mais moderna da época por contar com três câmeras nos estúdios e mais três no caminhão de externas. "A inauguração foi estrondosa em todos os sentidos. Foi um marco em Belo Horizonte, que parou para ver a televisão", recorda a atriz Lady Francisco, com o mesmo entusiasmo daquela noite. Além do elenco local e dos funcionários que dariam suporte nos bastidores, também estavam presentes na festa de inauguração algumas das estrelas das TVs Tupi de São Paulo e Rio de Janeiro, como Dalva de Oliveira, Lolita Rodrigues, Eva Todor, Cacilda Becker, Ângela Maria, Hebe Camargo e Ary Barroso, que pararam a cidade ao desembarcarem no aeroporto e que nos anos seguintes teriam programas, quadros e participações na grade de "Uma TV para Minas Gerais", o slogan criado para chamar a atenção do público da capital mineira e algumas cidades próximas.

Logo depois da solenidade de inauguração, que foi transmitida ao vivo, entrou no ar a apresentação do Coro Pró-Hóstia, seguida de um espetáculo de dança com o Ballet Minas Gerais e do programa *Honra ao Mérito*. A noite foi encerrada com o *Minas por Minas*, que mostrava as particularidades e artes do estado. Como toda a montagem da emissora foi patrocinada pelo Banco da Lavoura, já na primeira noite de programação entraram no ar inserções comerciais com algumas garotas-propaganda que atuavam no Rio de Janeiro e em São Paulo, algo que chamou muita atenção do público e se transformou no assunto das pessoas nos dias seguintes. Como só se falava no novo veículo de comunicação, nas estrelas que chegaram à cidade e na magia da imagem, a sensação que se tinha era de que todo mundo em Belo Horizonte estava assistindo à TV Itacolomi. Talvez essa seja a explicação para uma história contada por José de Oliveira, ex-diretor da emissora, sobre a venda de mais de dez mil aparelhos televisores para a capital e algumas cidades vizinhas em apenas vinte dias. O número era muito exagerado para os padrões e valores da época, mas durante um tempo não foi questionado, porque a chegada da televisão era o assunto mais comentado, e muitas pessoas afirmavam ter em casa um televisor só para que os outros não achassem que elas estavam de fora da sensação do momento. Segundo os estudiosos e historiadores, o mais correto é aceitar a comercialização de 500 unidades pelas lojas especializadas, afinal "a maioria da população era pobre e os aparelhos custavam muito caro", comenta o professor Flávio Lins, da Universidade Federal de Juiz de Fora.

"Vivíamos a era dos televizinhos e televisitas", completa. Os mais antigos recordam que, assim que a Itacolomi começou a operar, pequenos grupos se formaram nos diversos bairros para assistir aos programas preferidos na casa de familiares, amigos e vizinhos, e muitos chegavam a ficar debruçados nas janelas ou se equilibrando nos muros para não perder a imagem que fascinava, e, mesmo sem ninguém naquele momento perceber, apontava para uma grande mudança de comportamento.

Para causar impacto e gerar repercussão nos jornais e revistas especializadas, nos dias seguintes à inauguração alguns artistas paulistas e cariocas permaneceram em Belo Horizonte para se apresentar em programas locais. Ao mesmo tempo, começaram a ser exibidos espetáculos de dança e música e os teleteatros com artistas mineiros, entre eles Ary Fontenelle, Octavio Cardoso, Salvador Alberto, Palmira Barbosa, Ana Lúcia Fatah, Lady Francisco e Wilma Henriques, muitos que atuavam nas companhias teatrais e rádios mineiras. A direção ficou sob responsabilidade de Fernando Barroca Marinho, que fez estágio de poucos meses nas emissoras associadas do Rio e de São Paulo. "Eram pessoas empolgadas com um campo tão novo de trabalho que, de amadores, se tornaram em pouco tempo profissionais forjados em exaustivos ensaios a que foram submetidos", relembra Rubens Pontes, que trabalhou durante muitos anos na TV Itacolomi. "Nós fazíamos com amor e éramos tão unidos que saía tudo numa perfeição", destaca Lady Francisco. Segundo o professor Flávio Lins, em Minas Gerais também se fez uma TV na base da experimentação e da descoberta, "que gerava soluções originais e adequadas às possibilidades físicas e financeiras do período", completa.

Apesar das modernas instalações no alto do Edifício Acaiaca, no centro de Belo Horizonte, a TV Itacolomi possuía apenas um estúdio, considerado pequeno pelos funcionários da técnica, e que por isso exigia muita criatividade dos cenógrafos. "O Gerson Caetano fazia malabarismos de improvisações, usando tapadeiras para dar continuidade a programas que exigiam sequencialmente novos ambientes", lembra Rubens Pontes. Os artistas eram responsáveis por parte de seus figurinos e os maquiadores não possuíam muitos recursos, além dos itens básicos para tirar o brilho da pele. Com mais dinheiro no caixa a partir do momento que José Vaz assumiu a direção comercial, a TV Itacolomi investiu no horário nobre. Surgiram o *Grande Teatro Lourdes*, patrocinado pela Perfumaria Lourdes e com roteiro de Lea Delba e Vicente Prates, *O Céu é o Limite* e *Quem Sou Eu?*, de Rubens Pontes, e *A Garrafa do Diabo*, um teleteatro semanal com as mais famosas histórias universais. "Era uma mágica. Tudo acontecia dentro dessa garrafa e foi o maior sucesso em Belo Horizonte", lembra Lady Francisco, do elenco fixo dessa produção. Para vencer a precariedade tecnológica da época, eram feitos alguns truques para o telespectador ter a sensação de que os personagens estavam realmente dentro de uma garrafa.

Nessa televisão transmitida ao vivo e cheia de improviso e jeitinho para vencer as limitações, muitos momentos cômicos aconteceram nos bastidores. O estúdio ficava nos últimos andares do edifício e, por isso, era muito comum encontrar artistas maquiados, objetos de cena e até animais nos elevadores. Certo dia, para dar mais veracidade, os produtores da programação religiosa tiveram a ideia de incluir um jumento na cena de uma peça baseada na história de Jesus. A solução foi subir com o animal no elevador. Até aí, problema nenhum, afinal ele era bem mansinho. Mas, no trajeto do térreo ao vigésimo terceiro andar, "ele fez cocô ao meu lado", diverte-se Lady Francisco, que já estava vestida para interpretar Maria. É claro que sobrou para alguém limpar aquela sujeira antes que outros frequentadores do prédio reclamassem. Outra história muito lembrada por quem trabalhou nos primeiros anos da TV Itacolomi é sobre a aquisição dos figurinos para os teleteatros de época. Muitas peças masculinas e femininas chegaram à emissora graças a uma rara oportunidade de negócio com uma companhia de espetáculo no gelo que faliu no final dos anos 1950 e vendeu por um valor bem baixo as roupas usadas em suas montagens. A Itacolomi comprou todas as fantasias e as aproveitou ao máximo. "As transmissões e os aparelhos não possuíam a qualidade que temos atualmente e as pessoas não eram tão informadas, portanto você podia apresentar peças que aconteciam em épocas distintas com o guarda--roupa semelhante", destaca Flávio Lins.

Na década de 1950, Belo Horizonte era uma cidade relativamente distante dos centros que possuíam maior produção cultural e, por isso, recebia menos companhias teatrais e shows das grandes estrelas do rádio, mas as revistas especializadas e colunas de jornais que circulavam na capital mineira destacavam muito os artistas mais populares do eixo Rio-São Paulo, provocando muita curiosidade nas pessoas. Para aproximar Minas Gerais das produções paulistana e carioca, Assis Chateaubriand e os diretores da Itacolomi convocaram artistas consagrados para comandar programas eventuais e apresentar peças inteiras nos teleteatros da emissora. Sempre havia alguém desembarcando por lá para trabalhar na TV. Lolita Rodrigues, por exemplo, apresentava às terças um programa voltado às crianças e no dia seguinte uma atração musical em que interpretava seu repertório e recebia convidados. "Durante um longo período, eu saía de São Paulo, ia para o Recife, onde fazia programa no domingo e na segunda, na terça de manhã eu pegava um avião pinga-pinga, fazia programa às seis horas da tarde em Minas Gerais, ia para o hotel, dormia e, na quarta-feira, estava novamente ao vivo no estúdio. Na quinta, vinha para São Paulo para as atrações na Tupi e voltava para Recife no sábado à noite", conta a atriz, que tinha uma intensa rotina profissional, assim como muitos artistas da época. As atrações regionais ajudavam a reforçar o caixa no fim do mês e os projetava para o Brasil inteiro numa época em que as distâncias eram longas e as características regionais bem fortes, longe da nacionalização cultural que a televisão ajudou a desenvolver quando passou a operar em rede para todo o país. Além disso, ao contar com as grandes estrelas de São Paulo e Rio de Janeiro, aos poucos o grupo de Assis Chateaubriand começou a padronizar uma grade para suas emissoras. Por meio desse intercâmbio com as TVs Tupi paulista e carioca, os mineiros assistiram a boas montagens nos teleteatros da TV Itacolomi, textos internacionais e brasileiros, como *Romeu e Julieta, Otelo, A Dama das Camélias, O Avarento, Pigmaleão* e *O Tempo e o Vento*, sempre com importantes e consagrados artistas, entre eles Sérgio Britto, Ítalo Rossi, Walmor Chagas, Lima Duarte, Fernanda Montenegro, Cleyde Yáconis e Grande Otelo. O infantil *Gladys e os seus Bichinhos* e o *Torneio de Mímica*, com Heloísa Helena, também foram grandes sucessos em Minas Gerais que rodavam a televisão do Brasil.

Quatro anos após sua inauguração, em 1959, entrou em operação o link BH-Rio, que possibilitou a exibição simultânea dos programas produzidos e gerados pela TV Tupi carioca, provocando o fim de muitas atrações regionais que atendiam muito bem ao telespectador de Belo Horizonte. A novidade não deu certo e houve acentuada rejeição do público, o que obrigou a direção da TV Itacolomi a recusar os produtos que não se adequavam ao gosto mineiro. "A tradicional família da cidade sentiu-se ameaçada pelo modismo de Leila Diniz, por exemplo, e as ousadias cariocas dividiram a opinião pública", analisa o professor Flávio Lins.

O jornalismo e os esportes sempre tiveram um papel importante na grade de programação dos anos iniciais da TV Itacolomi. O primeiro noticiário diário foi o *Repórter Real*, patrocinado pela Real Aerovias do Brasil e apresentado por Milton Panzi, que usava como base as reportagens e artigos publicados pelo *Estado de Minas*, impresso de grande circulação do grupo Diários Associados, além das informações que chegavam direto da redação após o fechamento do jornal. Em 1959, entrou no ar o emblemático *Repórter Esso*, que ocupava a faixa das 20h às 20h15 com apresentação de Luiz Oscar Cordeiro e o mesmo esquema que já existia em outras emissoras de TV e rádio, com notas que chegavam em inglês das agências internacionais e eram traduzidas pelos produtores regionais. "Com dois telejornais, formava-se uma equipe de profissionais que, ganhando experiência, se destacou nos meios da imprensa televisiva brasileira", ressalta com orgulho Rubens Pontes, ex-diretor da TV Itacolomi. Grandes nomes do telejornalismo brasileiro surgiram em Minas Gerais, como Hélio Costa, que foi apresentador na emissora e, muitos anos depois, o responsável por montar a sucursal da Globo nos Estados Unidos. Já o departamento de esportes foi formado por profissionais das rádios Guarani e Mineira, além de alguns redatores dos jornais *Estado de Minas* e *Diário da Tarde*. Fernando Sasso, Milton Colen, Dênio Moreira e Benedito Adami de Carvalho eram alguns dos nomes que estavam à frente da Jornada Esportiva ao vivo patrocinada pela Casa Guanabara, uma grande loja popular da época, e o programa *Resenha Esportiva*, com o apoio da cerveja Caracu. Aliás, vale destacar que o setor de bebidas, principalmente as cervejarias, sempre foi o grande patrocinador do futebol na televisão mundial. O moderno caminhão de externas da TV Itacolomi foi inaugurado com a partida Atlético x Vila Nova, que exigiu muita habilidade do pessoal da técnica para montar e desmontar a estrutura necessária, deixando a emissora fora do ar pelo menor tempo possível.

Bem organizada e com uma grade voltada ao interesse do público mineiro, mesmo com alguns programas da TV Tupi do Rio de Janeiro e da presença de artistas de São Paulo, a Itacolomi reinou absoluta por praticamente dez anos, mesmo quando chegaram a Belo Horizonte as TVs Rio e Continental. "Quando surgiu a Globo, ela estava parada no tempo e no espaço, com seu equipamento inteiramente superado pelas novas conquistas tecnológicas, sua programação inferior à de sua concorrente. Ela foi batida em termos de audiência e, como consequência, de faturamento", recorda Rubens Pontes. "Uma TV para Minas Gerais" entrava numa nova fase de sua história, já sem tanto brilho.

Em paz com os Demônios

Maurício Sherman decidiu produzir um especial na Tupi para rebater a frase de Vinicius de Moraes sobre São Paulo ser o túmulo do samba. Roberto Talma reuniu os principais sambistas paulistas. Não poderia faltar Adoniran Barbosa se apresentando com os Demônios da Garoa. Adoniran disse estar rompido com o conjunto, mas que aceitava gravar. Marcado o dia, Adoniran chegou e foi conversando com cada um dos componentes do conjunto. Um produtor, intrigado, achando que as pazes já estavam feitas, foi falar com dona Olga, mulher de Adoniran, e ouviu dela: "O Rubinato (nome real do artista) brigou com o conjunto, mas não com eles".

As garotas-propaganda: não é mesmo uma tentação?

Quando a televisão chegou ao Brasil, poucos imaginavam que aquele eletrodoméstico que ocupava espaço de destaque na sala das casas ajudaria a transformar comportamentos, ditar moda, apresentar novidades e estabelecer uma nova relação de consumo. Aos poucos, os empresários dos mais variados setores perceberam que aquele veículo de comunicação recém-inaugurado era muito mais eficiente que o rádio, as revistas e os jornais para alavancar suas vendas e desenvolver nas pessoas, principalmente nas donas de casa, o desejo de ter algo que até então não era necessário em seu cotidiano. Patrocinar um programa na TV era a forma de mostrar a muitas pessoas as vantagens dos produtos e, para isso, entraram em cena as garotas-propaganda, belas mulheres que, nos primeiros anos da TV, chegaram a ser mais importantes que muitas atrizes e apresentadoras. "Todas eram populares, respeitadas e admiradas pelas donas de casa", explica Nilton Travesso, e "as celebridades da época", completa.

As estrelas dos intervalos comerciais surgiram praticamente um ano após a inauguração da TV Tupi em São Paulo e alguns meses após a chegada da filial no Rio de Janeiro. Com o aumento do número de telespectadores nas duas cidades e a grande repercussão dos programas nas revistas e jornais, cresceu consideravelmente o interesse de anunciantes na nova mídia, mas que já não se contentavam com a exibição de slides e cartões desenhados com o nome da loja e o produto em promoção. A imagem parada com uma locução em off já não atendia às necessidades de um público que queria mais, nem dos comerciantes, que a cada dia programavam uma nova promoção. Os diretores da TV Tupi desenvolveram, então, uma ação diferente, em que uma linda e jovem mulher mostraria para os telespectadores as vantagens de comprar o produto que estava em suas mãos ou numa bancada instalada no estúdio. Era uma forma barata, mas com mais requinte do que os cartões desenhados, de atrair mais publicidade para a emissora.

O primeiro anúncio com uma garota-propaganda aconteceu em 1951 e foi algo revolucionário na televisão. Pontualmente às 20h, Rosa Maria entrou no ar para anunciar a oferta da Marcel Modas, uma loja feminina que atendia na Rua Augusta, onde estavam localizadas naquela época as grandes grifes e os mais conceituados estabelecimentos comerciais. No dia seguinte, as vendas aumentaram consideravelmente e os donos do magazine resolveram colocar no ar outra promoção imperdível, que gerou mais movimento e levou Marcel a ocupar por muitos anos o espaço das 20h na Tupi.

"Boa-noite, senhores telespectadores. Eis aqui a Tentação do Dia", falava diariamente Rosa Maria.

A câmera cortava para o produto em promoção, que podia ser uma camisola, blusa, saia, vestido ou acessórios, que no dia seguinte seriam disputados pelas donas de casa que estavam diante da televisão pontualmente às oito da noite. Com a imagem no vídeo, Rosa Maria falava sobre as características do produto, cores disponíveis, suas vantagens e, é claro, o preço, sempre melhor que o da concorrente. No final do texto explicativo, foco na garota-propaganda, que encerrava o anúncio ao vivo.

"Não é mesmo uma tentação?", finalizava.

A propaganda feita com uma apresentadora era algo ousado na televisão, mas que esbarrava em alguns tabus e respeitava normas de comportamento. Quando a "Tentação do Dia" era uma calcinha ou sutiã, a câmera mostrava apenas uma caixinha delicadamente decorada e cabia a Rosa Maria descrever o produto com muita discrição, afinal, na década de 1950, até nas lojas as roupas íntimas ficavam num local mais reservado, para que a consumidora não se intimidasse ao escolher uma peça que não deveria ser vista por ninguém – às vezes, nem pelo próprio marido.

Com o sucesso do novo formato comercial, mais garotas-propaganda foram contratadas pela Tupi e os espaços comerciais passaram a contar com várias ações desse gênero. O mercado se ampliou com a chegada das concorrentes TV Paulista e Record, que também montaram elenco para seus intervalos e desenvolveram diretorias específicas para cuidar desse importante departamento nas emissoras. "Era como um time de futebol e cada emissora tinha o seu", conta Meire Nogueira, que atuou como garota-propaganda na TV Tupi, na Record e em Curitiba. "A Record tinha a Idalina de Oliveira, Wilma Chandler e Luci Reis. Na Tupi eram Elizabeth Darcy, Neide Alexandre, eu e Marlene Morel. E a Branca Ribeiro era da Paulista", completa. Era por aí que o dinheiro dos patrocinadores entrava e tudo precisava funcionar da melhor maneira possível, inclusive com o mesmo tratamento dos grandes programas.

Para o telespectador, as propagandas realizadas ao vivo pelas jovens que pareciam suas melhores amigas traziam muito mais que ofertas. Em dois minutos de anúncio, havia muita informação. "As pessoas queriam ouvir o que aquelas mulheres falavam, porque para o público era absoluta novidade o que elas apresentavam", explica o publicitário Lula Vieira. A televisão abria um novo mundo a muitas donas de casa, que passaram a conhecer as máquinas que facilitavam a vida doméstica, como a lava--roupa, a geladeira, o liquidificador ou a batedeira; produtos cosméticos que limpavam a pele e ainda traziam benefício, como o suave sabonete no lugar do sabão; e objetos inovadores, entre eles o sofá-cama, algo que tinha mais de uma utilidade. "O público aceitava porque era pouco exigente, e os produtos, sem grande tecnologia", afirma o publicitário Décio Clemente. O fato é que a chegada da televisão ampliou as possibilidades de os empresários atingirem o consumidor com ações mais atraentes que os anúncios no rádio ou nas revistas e coincidiu com um importante avanço na produção de itens que ajudariam a otimizar o cotidiano das famílias. Um novo passo na comunicação aconteceu no exato momento em que a indústria ampliava sua atuação e o comércio nas grandes cidades deixava de ser feito apenas por pequenos estabelecimentos de bairro e passou para os magazines, que ofereciam uma variedade muito maior de produtos e modelos. E quem resiste a uma novidade? A tentação do dia já não era somente a propaganda das 20h, mas tudo o que era novo, bonito e funcional demonstrado com tanta habilidade pelas lindas jovens da televisão.

As garotas-propaganda ainda inspiravam as mulheres que estavam em casa. Elegantes, ditavam moda e apontavam tendências. O público nem imaginava quanto elas se desdobravam para todo dia aparecerem na TV com uma roupa nova. "Não existia permuta. Então, um dia, a gente fazia com o casaquinho pra frente e, no outro, virado pra trás. Às vezes colocava um colar e, logo depois, uma echarpe", revela Meire Nogueira, que durante muito tempo costurou seus próprios vestidos para aparecer na televisão. "Eu chegava do trabalho e pegava um tecido e cortava porque o salário não permitia comprar tanta roupa nova", completa. Naquela época, poucas eram as mulheres que ousavam andar nas ruas com calças compridas, por isso, essa era uma peça terminantemente proibida nas propagandas exibidas ao vivo. "Só vestido! Às vezes, colocava uma saia por cima da calça, porque o câmera fechava no plano médio – do rosto até um pouco mais abaixo da cintura, mas sem chegar aos joelhos – e ninguém em casa percebia nada", conta Idalina de Oliveira, uma das mais populares garotas-propaganda da televisão brasileira e a principal profissional de sua área na TV Record. "No estúdio comercial, no cantinho, tinha um espelho e era ali que a gente trocava a camisa correndo para fazer duas propagandas no mesmo intervalo", diverte-se Idalina. Apesar de equipes com várias profissionais, para atender a demanda comercial de um dia de programação, era necessário escalar todas as meninas para o revezamento durante os intervalos. "Dentro do estúdio ficavam quatro ou cinco moças e cada uma falava de um produto", conta Meire Nogueira, que muitas vezes trocou o figurino em menos de dois minutos, a tempo de voltar diferente para a propaganda de outro anunciante no mesmo break. A grande preocupação era com o texto. Com oito laudas, em média, ele deveria ser decorado e falado com naturalidade para atingir a dona de casa. Sem teleprompter[2], algumas garotas-propaganda guardavam seus segredinhos para os momentos de aperto. "Quando você cortava para o produto, elas tiravam de trás – sempre um braço estava atrás da cintura – um papelzinho com o que tinham que falar", entrega Nilton Travesso. As garotas-propaganda voltavam ao foco das câmeras quando colocavam novamente a mão na cintura, escondendo a cola. É claro que, durante os 12 anos em que atuaram intensamente na televisão, muitas vezes o papelzinho caiu bem no meio da

---

2 Aparelho que permite ao apresentador de TV ler o texto olhando diretamente para a câmera.

fala, obrigando quem estava no ar a improvisar e lembrar do texto aprovado pelos diretores da TV e os produtores das agências de publicidade. "De repente, chegava o empresário que havia comprado os dois minutos de propaganda e escolhia uma das meninas que estavam na emissora naquela noite. A solução era decorar rápido", conta Lady Francisco, que também atuou como anunciadora na TV Itacolomi.

Se nos primeiros anos da televisão as garotas-propaganda foram uma forma de atrair os anunciantes e as ações nos intervalos seguiam um roteiro estabelecido pelos donos do comércio ou pelos diretores das emissoras, a partir da metade da década de 1950 houve um importante processo de profissionalização do setor, com a chegada de agências de publicidade internacionais ou associadas a empresas do exterior, que passaram a desenvolver campanhas para seus clientes com estudo de perfil do consumidor, melhor forma de comunicação e elaboração dos textos e de toda a linguagem visual válida para todo o Brasil. Com mais dinheiro em circulação e com um número expressivo de anunciantes, aumentou significativamente o espaço comercial e, aos poucos, foram desenvolvidos cenários para cada produto. Assim, por exemplo, para mostrar à telespectadora as vantagens de uma geladeira, a garota-propaganda aparecia numa linda cozinha armada num cenário de madeira revestido por azulejos, com direito a janelas, cortinas, detalhes de decoração e iluminação diferenciada. "Foi o avanço de algo que já acontecia no rádio, mas de uma forma mais sofisticada, com dados agregados por meio de pesquisas, que contribuiu também para o avanço da publicidade brasileira", explica Décio Clemente. A mesma ação acontecia em várias cidades, sempre com o texto aprovado, ambientação semelhante e fiscalização da agência responsável. A solução era promover um intercâmbio entre as garotas-propaganda, que viam em outra cidade como era feita aquela campanha. "Nós tínhamos que pegar o avião, ir ao Rio de Janeiro para aprender o conceito e saber exatamente o que o cliente desejava", conta Meire Nogueira, que durante um bom tempo se dividiu entre as emissoras de São Paulo e Curitiba.

Com maior controle das agências de publicidade e, principalmente, com mais verbas para as emissoras de TV, os erros passaram a não ser admitidos e as garotas-propaganda foram obrigadas a seguir padrões para a apresentação de seus blocos comerciais. "Eles eram superseveros e fui suspensa várias vezes porque eu tinha acesso de riso durante o texto", recorda Lady Francisco, que, num dos intervalos da TV Itacolomi, soltou um "merda" ao vivo, termo que era considerado um palavrão pesado na época, mas que atualmente é quase que pontuação nas novelas do horário nobre. A atriz, que chegou a ser considerada a mulher com as pernas mais bonitas de Belo Horizonte, estava demonstrando um aparelho elétrico para depilação feminina e tomou um choque. Sua reação foi jogar para longe o objeto e soltar o palavrão. Esse não foi o único incidente com a atriz. Certa noite, chegou ao estúdio a ordem para fazer a propaganda da cerveja Caracu, que, misturada ao ovo, era considerada um ótimo e popular fortificante. Por ser a mais descontraída e alegre entre as garotas-propaganda da Itacolomi, Lady Francisco foi a escolhida. Texto decorado, chegou a hora de entrar em ação. Ela falou a mensagem do anunciante, pegou a bebida, quebrou o ovo, misturou no liquidificador e bebeu! E, ao vivo para toda a Belo Horizonte, vomitou em seguida. "Aquilo era insuportável e o câmera não tinha prática suficiente para desligar tudo correndo e mostrar outra coisa", justifica. Foram 15 dias de suspensão, com direito a corte no salário.

Para sair de qualquer embaraço durante uma transmissão ao vivo, o improviso e a agilidade de pensamento não podiam faltar às garotas-propaganda. Por isso, era fundamental que elas conhecessem detalhes do produto e da empresa que o fabricava. Mesmo assim algumas confusões aconteciam. "Eu mudei o nome do anunciante. Somente isso", fala Idalina de Oliveira, que depois foi para os bastidores chorar pelo erro cometido ao vivo e que poderia não ser perdoado pelo cliente e pelos diretores. Meire Nogueira também trocou as empresas, numa gafe muito maior. A atriz fez o texto direitinho e, na última frase, derrapou.

Mudar slogans era algo relativamente comum, para desespero das agências de publicidade que sonhavam com os padrões da Europa e dos Estados Unidos, onde, já na década de 1950, filmes superproduzidos eram distribuídos para todas as emissoras de televisão, uniformizando as campanhas e eliminando completamente os erros. Mas, por aqui, ainda era possível assistir a momentos hilários protagonizados pelas mais belas garotas-propaganda. "Kolynos, combate os dentes e protege as cáries", "Bombril risca e não dá brilho" e "O saponáceo Radium é um alimento" são apenas algumas das pérolas que surgiram ao vivo em nossa televisão. Meire Nogueira lembra-se de uma história que ficou popular entre as garotas-propaganda e que se transformou em piada nos bastidores das emissoras daquela época. Um branco na memória colocou uma das profissionais numa situação literalmente embaraçosa. Ao perceber que havia esquecido completamente o texto, morrendo de vergonha, a jovem passou a se enrolar na cortina que ficava no fundo do estúdio. "Parecia um charuto", diverte-se Meire. Presa na cortina, técnicos e diretores foram obrigados a ajudar a desenrolar o pano para socorrer a garota-propaganda, que estava em choque por causa do momento absolutamente constrangedor.

Certo dia, Meire Nogueira foi escalada para um importante comercial da Real Aerolíneas, empresa aérea de grande prestígio na década de 1950 que voava para as principais capitais brasileiras e algumas cidades nos Estados Unidos e Europa. Líder de mercado, sua principal concorrente era a Varig, que havia adotado uma política agressiva de expansão e que, em 1961, acabou adquirindo-a. Para a ação comercial o cliente fez questão de que Meire aparecesse vestida de aeromoça, e todos os cuidados foram tomados com a cenografia.

"Meire, não vá trocar o nome da Real Aerolíneas pela Varig", advertiu um dos diretores de estúdio daquela noite.

"Pode ficar tranquilo", respondeu a garota-propaganda.

Imagem no ar, Meire Nogueira vestida de aeromoça, texto perfeitamente decorado e fotografias do interior dos aviões exibidas no momento certo. Confiante, ela foi para a frase de encerramento:

"Aí está o comandante dentro do navio, pronto para a decolagem!".

Corta a imagem, segue a programação e Meire Nogueira sai toda confiante do estúdio, afinal, havia feito mais um belo trabalho. Na porta estava, às gargalhadas, Cassiano Gabus Mendes, diretor artístico da TV Tupi.

"E aí, Meire, ele decolou?", indagou.

"Decolou, né?".

A confiante jovem percebeu que algo de errado havia acontecido, já que pelo corredor começavam a aparecer outros profissionais às gargalhadas com a troca de bola. "Naquela hora eu percebi a besteira que tinha falado", recorda Meire Nogueira, que, por quase 15 dias, foi alvo de muitas piadas com o navio voador.

Presentes em toda a programação e com grande respaldo junto às telespectadoras, as anunciadoras recebiam tratamento diferenciado nas emissoras de televisão e seus salários ficavam próximos aos das grandes estrelas que conduziam programas e participavam dos teleteatros. Além disso, quando eram escolhidas pelo cliente para que fossem anunciadoras exclusivas de seus produtos, ganhavam um cachê extra, o que engordava consideravelmente o caixa pessoal. Em 1963, por exemplo, o salário mensal médio de uma garota-propaganda na Record, Tupi ou Paulista era de 50 mil cruzeiros, o equivalente a 28 salários mínimos e mais ou menos um terço da retirada de um diretor de estúdio. Nesse mesmo ano, uma reportagem da revista *Intervalo*, especializada nos bastidores das emissoras de TV e que gostava de fofoca apimentada, revelou que Idalina de Oliveira recebia por mês 300 mil cruzeiros. A publicação citava um indignado e anônimo diretor da Record que trabalhava muito mais horas diariamente e não via todo aquele dinheiro em sua conta bancária. Enciumado, disse à repórter que a famosa e poderosa garota-propaganda precisava usar um pouco do que recebia para mudar o corte de cabelo, já que havia mais de três anos usava o mesmo penteado, o famoso "gatinho", que virou moda e foi adotado por muitas mulheres que desejavam ser bonitas, elegantes, jovens e atuantes como a mais importante anunciadora da época. "No *Grande Show União* eu fui contratada para fazer o comercial da União. O diretor do Açúcar União escrevia os textos e o Nilton Travesso dirigia. Era um programa humorístico com vários quadros feitos no estúdio principal e eu ficava no comercial para entrar nos intervalos. E não podia mudar nem um ponto, uma vírgula, porque o Ceperi, diretor do Açúcar União, acompanhava de casa o que ele havia escrito", ilustra Idalina de Oliveira o motivo pelo qual recebia cachê extra para ser exclusiva de um anunciante.

O prestígio das garotas-propaganda não estava ligado somente ao fato de os diretores de TV estarem de olho no dinheiro que elas atraíam por meio dos comerciais ou porque as donas de casa copiavam seu estilo; as revistas especializadas também dedicavam páginas para reportagens sobre seu cotidiano, acontecimentos e vida pessoal. Para elas era vantajoso aparecer numa das publicações, principalmente nas capas destinadas aos cantores e apresentadores. Com o sucesso, naturalmente e de uma forma gradual, elas começaram a ser escaladas para conduzir programas, atuar em novelas, teleteatros e seriados, participar de projetos especiais, e até ganharam categorias específicas nas premiações voltadas ao mundo da televisão. "Era importante participar de tudo, porque mostrava sua capacidade profissional, e quem aparecia mais tinha mais categoria para fazer as coisas", diz Idalina de Oliveira, que durante dez anos interpretou Silvana, a eterna noiva do *Capitão 7*, que adquiriu superpoderes ao ser levado ao Sétimo Planeta. "A criançada adorava esse seriado e muitas meninas receberam o nome da minha personagem", fala com orgulho. Mesmo com papel de destaque, nos intervalos Idalina precisava correr para anunciar o produto de um dos clientes. "Acabava o episódio, eu tinha que correr para o estudinho comercial, tirar o figurino da Silvana e colocar uma camisa para fazer a propaganda ao vivo", explica. E é claro que, com tanta correria, as gafes apareciam. Certa vez, um dos blocos terminava com um grande desmoronamento que exigia uma ação heroica do Capitão 7 e de sua noiva. Para garantir veracidade à cena, os responsáveis pela cenografia criaram pedras de isopor e misturaram serragem para dar, no vídeo, a impressão de terra. Ao entrar a vinheta no ar, Idalina saiu correndo para o outro estúdio, trocou a roupa e então se deu conta de que seu cabelo estava todo marrom. Só deu tempo de bater a mão para tirar o excesso da serragem e fazer a propaganda. O pior foi controlar a voz, uma vez que o produto utilizado na trucagem secou sua garganta, dificultando a fala. Idalina de Oliveira também era presença constante no *Astros do Disco*, programa com Randal Juliano, *Imóveis em Revista* e no *Jornal da Mulher*, atração feminina que comandou durante um período na Record.

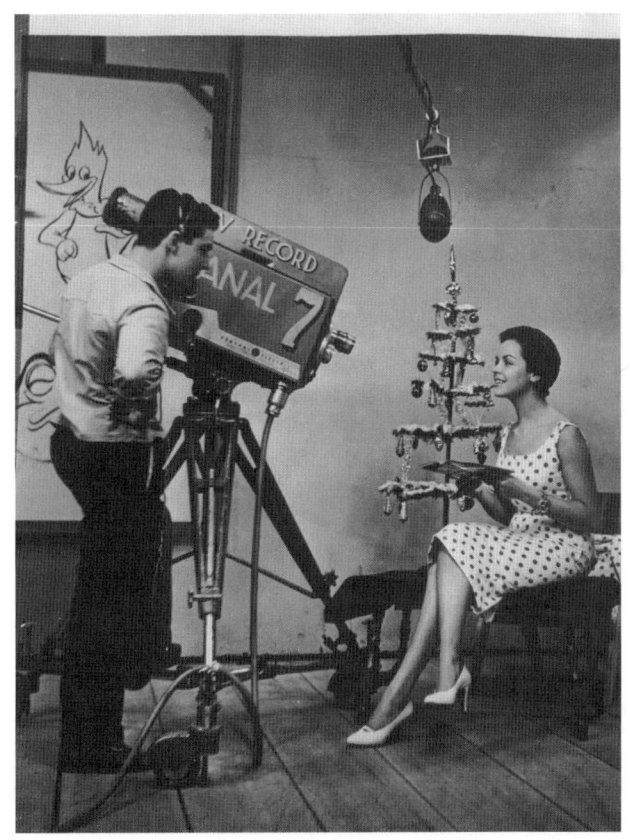

Idalina na TV Record

Clarice Amaral, outra profissional que marcou a época de ouro das garotas-propaganda, também atuou simultaneamente como anunciadora nos intervalos da Record e apresentadora de uma das atrações mais populares dos primeiros anos da televisão brasileira. A *Grande Gincana Kibon*, que entrou no ar no dia 17 de abril de 1955, era uma espécie de show de calouros com *games* e brincadeiras voltado ao público infanto-juvenil que ocupava a faixa das 16 horas dos domingos e era comandado por Clarice e Vicente Leporace. Alguns anos depois, ela foi para a TV Gazeta para comandar o *Programa Clarice Amaral*, atração baseada em boas entrevistas e que, mais tarde, se transformou no *Clarice Amaral em Desfile*, um dos mais prestigiados programas femininos da história da televisão. Meire Nogueira também não ficou restrita aos estúdios comerciais e na TV Tupi comandou o quadro "Três Minutos de Mulher" no jornal *Diário na TV*, participou de cinco novelas e apresentou programas, entre eles o *Almoço com as Estrelas* (primeira fase) e o infantil *Meire, Meire Queridinha*, que ficou quatro anos no ar e foi criado por Cassiano Gabus Mendes, inspirado no título de uma peça a que ele assistiu na Broadway, *Mary Mary*. Anos mais tarde, no SBT ela apresentou com Moacyr Franco o *Essas Mulheres Maravilhosas*, com J. Silvestre o *Você Faz o Show* e o *Show da Tarde*. Ela também passou pela Rede TV com o *A Casa é Sua* e pela Rede Vida. "Isso tudo veio da garota-propaganda. Tudo o que fiz! Se eu não tivesse sido anunciadora, eu não teria entrado nesse mundo pelo qual eu sou apaixonada até hoje", conclui Meire Nogueira.

Com a profissionalização da televisão, a chegada de novas emissoras, competição mais acirrada entre os canais, expansão da publicidade brasileira e, principalmente, a produção em videoteipe, os anúncios ao vivo começaram a perder espaço nos intervalos dos programas, até desaparecerem completamente entre 1963 e 1964 de cidades como São Paulo, Rio de Janeiro e Belo Horizonte. Nessa época, a Lince Filmes já havia melhorado seu processo de produção com a criação de algumas peças publicitárias, e o custo para gravar em película ou videoteipe era bem menor e podia ser diluído com a exibição da mesma propaganda em várias emissoras de diversas cidades. Além disso, os empresários perceberam que era um investimento interessante, pela possibilidade de não haver erros de slogans ou imprevistos com os produtos exibidos. Para eles, acabariam as piadas e brincadeiras maldosas pelas falhas que entravam no ar no caro intervalo das emissoras. "Os produtos evoluíram, o público também, e a publicidade começou a contar histórias", destaca Lula Vieira. Algumas garotas-propaganda continuaram a aparecer nesse material gravado, mas aos poucos foram perdendo espaço para as atrizes que eram protagonistas ou interpretavam papéis de destaque nas novelas e seriados que dominaram a grade de praticamente todos os canais. As agências de publicidade também estavam atentas a novos talentos e buscavam gente jovem para dar uma cara nova aos intervalos, principalmente às suas campanhas. É nesse contexto que começa a carreira de Regina Duarte, que já atuava nos palcos em Campinas e não perdeu a oportunidade de ampliar seu mundo e realizar sonhos por meio do anúncio de produtos e serviços. Primeiro foram fotos para o outdoor do Lingote da Kibon, que lhe renderam um cachê quase três vezes maior que o salário de seu pai. Depois, os filmes para o xampu Halo, sabonete Lux e o creme dental Kolynos, que colocou no ar uma campanha baseada em histórias que envolviam o telespectador. Ainda como garota-propaganda, Regina Duarte anunciou as geladeiras Frigidaire, uma revolução nos intervalos comerciais ao criar interação entre uma mulher de verdade e uma animação. Ali estava o eletrodoméstico que "todo mundo quer", destacava o slogan que fechava o filme. Foi graças a essa propaganda que o diretor Walter Avancini a convidou para *A Deusa Vencida*, novela de Ivani Ribeiro na TV Excelsior. A partir dos anos 1970, principalmente em função da criação e implantação do padrão Globo de qualidade, a publicidade na televisão ganhou outra dimensão e as grandes campanhas passaram a contar com artistas consagrados e atores que se especializaram nesse tipo de atuação.

De certa forma, a figura da garota-propaganda foi revivida mais recentemente, a partir de 2002, com a contratação de Adriana Colin pelo *Domingão do Faustão*, da TV Globo, como apresentadora comercial do programa. Desde muito cedo desfilando e participando de concursos de beleza, Adriana foi eleita Miss São Paulo em 1989 e foi segunda colocada no Miss Brasil, vencido por Flávia Cavalcante. Só depois disso e de fazer trabalhos com o mago da fotografia Luiz Tripolli é que entrou para a televisão.

Primeiro no elenco do *Veja o Gordo*, do SBT, depois estreou como apresentadora no *A Grande Jogada*, com Osmar Santos, na TV Manchete, num momento em que vários profissionais já torciam o nariz para o "merchandising". A maioria, principalmente jornalistas, entendia que não devia fazer esse tipo de trabalho porque poderia haver um comprometimento da imagem, tarefa que Adriana aceitou muito bem e sempre fez com enorme naturalidade. Após nova passagem no SBT, com o *Fantasia*, e outras experiências esportivas no SporTV e na Record, ao lado de Wanderley Nogueira, ela ingressou na TV Globo, em 2002, para fazer a promoção "Show de Gols", durante a Copa do Mundo. Dali foi um pulo para o *Domingão*, em que ficou até dezembro de 2009, encarregando-se das mensagens comerciais do programa. Adriana até hoje é agradecida a Fausto Silva "pela oportunidade de realizar um trabalho de categoria e pela sua generosidade de ceder durante sete anos um honroso espaço ao seu lado, quando na verdade poderia ser absolutamente ocupado somente por ele. Toda a minha gratidão!", diz.

Em substituição a Adriana, Talitha Morete desempenhou essas funções durante um ano, até ser substituída por Claudia Swarowsky. Também modelo, Claudia fez seu primeiro comercial em 1996 para os calçados Dakota e, em seguida, várias campanhas publicitárias para diversas marcas, como Havaianas, ao lado de Luciano Huck, Motorola, com Guga, O Boticário, adoçante Zero-Cal, Taiff, Grendene, C&A e Antarctica, entre outras. Em 2011, teve "a maior e melhor experiência que poderia imaginar, no âmbito da televisão", ao ser encarregada de fazer, ao vivo, toda a parte de merchandising, estreando com "as pernas balançando", como recorda, na mesma semana em que foi contratada. Ficou até o fim de 2013, deixando a função da mesma maneira que Adriana Colin, agradecendo a oportunidade oferecida e a enorme exposição da sua imagem, todos os domingos, durante quase três anos consecutivos. Do começo de 2014 até os dias atuais, o *Domingão* tem se utilizado das repórteres do programa e das próprias bailarinas para auxiliar o apresentador Fausto Silva nas mensagens comerciais. Atualmente, atrações de auditório, femininos e revistas eletrônicas recorrem ao merchandising, uma ação muito semelhante à que as garotas-propaganda realizavam nos primórdios da televisão, para engordar os cofres das emissoras e, fundamentalmente, o bolso dos apresentadores, que já estabelecem em contrato quanto receberão em cada ação comercial e a quantidade que a emissora é obrigada a vender para compor seus salários. Em muitos casos, a entrada via publicidade supera em mais de 100% o valor básico da remuneração como funcionário da TV.

A história das garotas-propaganda não é feita somente de vitórias comerciais, bons salários, carreiras que se desdobraram em outras atividades ou momentos engraçados no vídeo e atrás das câmeras. Muitas não seguiram na televisão porque perderam o ponto exato de deixar a fase do improviso ao vivo para ingressar num veículo que estava em transformação e adotava um caminho mais profissional, que exigia uma outra postura e comportamento. Há também as tragédias, as histórias tristes.

Era 14 de setembro de 1972. Wilma Chandler, uma das primeiras anunciadoras da Record na década de 1960 e apresentadora de programas, já estava havia algum tempo ligada ao departamento de dramaturgia da emissora, em que atuou em *Tilim, Quarenta Anos Depois* e *O Príncipe e o Mendigo*. Ela morreu tragicamente ao cair no fosso do elevador do prédio onde morava. Naquele dia, apressada entre os afazeres domésticos e o trabalho na televisão, ela saiu de seu apartamento e, ao entrar no elevador, lembrou que havia deixado um pacote na sala. De forma muito espontânea, deixou a bolsa no piso do equipamento e entrou rapidamente em seu imóvel. Coisa de alguns segundos, mas tempo suficiente para alguém em um andar superior apertar o botão e o elevador subir. O problema é que a porta não fechou e, sem notar, a atriz de 34 anos de idade despencou, morrendo na hora. Foi uma tragédia. Em poucos minutos, a notícia chegou aos estúdios e à administração da Record, uma vez que seu marido, Salvador Tredice, era, na época, *cameraman* e estava no ar. Muitos saíram para ajudá-lo, entre eles Nilton Travesso, que nunca mais esqueceu o drama daquele dia. "O Tredice estava em choque e eu desci no fosso para tirar a Wilma dali para que seus dois filhos não presenciassem aquela cena horrível. Subi com ela em meus braços", conta com a voz embargada. As crianças estudavam num colégio próximo do edifício e não demorariam para encontrar a mãe morta. O trágico acidente levou as autoridades a aumentarem a fiscalização nos elevadores dos prédios de São Paulo.

Nossos comerciais, por favor!

Na televisão brasileira nada ficou tão marcado, na chamada de um comercial, como a célebre frase do apresentador Flávio Cavalcanti. O seu inconfundível "nossos comerciais, por favor!", com o braço direito levantado, mão fechada e apenas o indicador apontado para o alto, determinava o seu estilo contundente. Sempre foi muito importante, decisiva até, a participação comercial para o crescimento da TV como um todo, algo que só veio a acontecer, ano após ano e desde o seu nascimento, graças ao trabalho e determinação de um conjunto de profissionais que tornaram factível escrever essa história e estabelecer essa indispensável conexão. Já há algum tempo se tornou impossível a criação de uma marca qualquer sem a participação ativa da TV, ainda mais em um país com as dimensões do nosso. Assim como sempre foi absolutamente imprescindível a necessidade de boas negociações comerciais para a própria sobrevivência da televisão.

Fernando Severino, ou José Fernando Severino, português de Coimbra, foi quem montou uma equipe e organizou o necessário setor de vendas de espaços publicitários na TV Tupi, em São Paulo, imediatamente após a sua inauguração. E acabou sendo ele, convidado por Assis Chateaubriand e

Flávio Cavalcanti

depois de acumular experiências outras em sua vida até chegar ao campo publicitário, o primeiro, último e único diretor comercial da emissora, até o seu fechamento, em 18 de julho de 1980. Como grande e inicial desafio, Severino se viu obrigado a convencer as agências da época, e o próprio mercado em geral, a se servir de um veículo que acabava de chegar e ao qual ainda um número de pessoas muito reduzido tinha acesso. O rádio, os jornais e as grandes revistas, principalmente *O Cruzeiro* e *Manchete*, eram os alvos preferidos dos anunciantes da época. Foi um começo difícil, desalentador em algumas ocasiões, mas o sucesso que a televisão alcançava em outros países demonstrava que essa era uma etapa que, mais dia, menos dia, seria superada. O problema era trabalhar com a incerteza do quando.

Outra grande dificuldade desse começo foi formar pessoas que pudessem se habilitar às diversas funções na TV. Não é exagero afirmar que Severino transformou o seu departamento em uma escola. José Carlos Missiroli, ou Carlinhos Missiroli, como o meio se acostumou a chamá-lo, chegou à Tupi em 1962 para trabalhar como *cameraman*, função que ele também foi obrigado a aprender meio que por imposição. Foi lá, fazendo câmera no "ao vivo", que ele começou a travar conhecimento com o pessoal de agência e com os próprios clientes, que naquela época tinham o hábito de assistir aos seus comerciais ou reclames no estúdio. Dali para se integrar à equipe de Fernando Severino foi um pulo e uma descoberta daquilo que realmente teria prazer em fazer. A televisão, em seu começo, em todos os setores, incluindo o comercial, só funcionava porque todo mundo era obrigado a vestir a camisa. A operação sempre foi muito cara, a começar pelos equipamentos produzidos em sua grande maioria fora do Brasil. Em meio a essa e outras tantas dificuldades, Missiroli conta que calcular o custo de um programa, ou do próprio segundo de um comercial, era uma tarefa impossível. "A gente fazia as coisas assim, mais ou menos. A televisão tinha uma folha de pagamento, e tinha também outras despesas, como luz, impostos etc., então se calculava o preço de acordo com as necessidades de faturamento. Era interessante porque, às vezes, ou na grande maioria delas, a conta não fechava. Ou ficava no vermelho. Ou no azul", conta.

Naquele começo a medição de audiência também era precária, porque não havia uma noção do número de aparelhos de televisão em cada cidade, muito menos do número de telespectadores. E quem possuía um, tinha por hábito receber os televizinhos, formando plateias, em muitos casos, de 18 até 20 pessoas. Foi nessa época, meados dos anos 1950, mas muito mais intensamente a partir do começo dos anos 1960, que a imagem da TV começou a se propagar para as cidades mais próximas de São Paulo. Essa propagação acontecia por meio de retransmissores colocados no alto de uma sequência de torres, a um preço muito próximo do absurdo. Missiroli conta uma história interessante sobre isso: "Uma vez, eu lá, lendo o patrimônio da TV Tupi de São Paulo, verifiquei que constavam lá vários jumentos. E por que jumentos? Porque os técnicos, para fazer a manutenção das torres, tinham que subir com equipamento e válvulas muito pesadas. Então alugavam esses jumentos dos seus donos".

O custo da televisão passou a ser conhecido por influência da TV Globo e pela sua maneira extremamente profissional de tocar o negócio televisão. O seu departamento comercial sempre foi informado do custo de um capítulo de novela e de todos os produtos do entretenimento e mesmo do jornalismo. Com base nisso, se sabia exatamente por quanto cada um devia ser vendido no mercado. A Globo teve a iniciativa de fazer esses setores, absolutamente independentes em suas origens e funções, conviverem mais harmoniosamente. A cobrança feita na base da necessidade foi se modificando em todas as televisões, no momento em que o preço dos comerciais passou a ser calculado com base no GRP – Gross Rating Points, ou pontos de audiência bruta, uma expressão americana criada para designar o somatório das audiências das inserções de uma programação de TV. O departamento comercial da TV Globo define o GRP como "um indicador do tamanho do esforço de comunicação de determinada programação. Ele dá dimensão daquilo que em marketing se chama de pressão de comunicação, ou seja, a intensidade com a qual o anunciante está se comunicando com o público utilizando aquela programação. Isso permite comparar programações diferentes".

A veiculação de ações com 15 segundos de duração ou múltiplos de 15 só veio a acontecer muito tempo depois, no comecinho da década de 1970. Antes, existiam comerciais com os tempos mais diversos, 13, 17, 28, 42 ou qualquer outra coisa diferente disso – "afinar tudo isso, no momento de fazer o roteiro, era uma verdadeira loucura", afirma Henrique Casciato, ex-diretor comercial do SBT e com passagem pela operação da TV Globo, em São Paulo. A Operação Comercial – OPEC – é até hoje um trabalho desgastante nas grandes redes, porque há a necessidade de fazer roteiro para o Brasil inteiro. Além do Net, como é chamada a exibição nacional, há o material local gerado e recebido de outras praças, além do merchandising. Não bastasse isso, no recebimento dos filmes que entrarão nos breaks comerciais ainda há uma parte física (fitas) e outra digital. Mecanizar essas diversas situações chega a ser uma missão desafiadora.

Todos reconhecem que se deve à TV Globo, e aos homens que estiveram à frente da sua direção, a normatização da operação e a criação das normas de comercialização. Foi só por meio do trabalho desses diretores que a relação das emissoras com o mercado veio a se tornar absolutamente profissional. E um trabalho que se deve muito às figuras de Joe Wallach, executivo de finanças norte-americano que trouxe boa parte desse modelo do seu país, onde trabalhou na Time-Life, do superintendente de comercialização, José Ulisses Arce – homem muito próximo de Walter Clark –, além de Dionísio Poli, um italiano que chegou ao Brasil para trabalhar numa fábrica de meias em São Paulo e que depois de outras experiências, inclusive na loja de roupas Ducal, recebeu convite de Luiz Eduardo Borghetti para assumir a direção comercial da TV Globo. Como consta no Memória Globo, projeto da emissora que, por meio de depoimentos e entrevistas, visa imortalizar parte de sua história, Dionísio Poli "foi responsável, também, pela contratação e formação de toda uma geração que, anos mais tarde, comandaria a área comercial da Globo. Nomes como Ricardo Scalamandré, José Luiz Franchini foram recrutados à porta da faculdade e começaram a trabalhar na empresa como assistentes. Outro contratado por Dionísio Poli, este com mais experiência, foi Octávio Florisbal, que depois veio a assumir a direção geral da Rede Globo. Florisbal foi o primeiro diretor do departamento de marketing da emissora, criado por Poli. Era um setor que até então não existia e foi criado para atender os interesses comuns do comercial com a programação, além de divulgar os diferenciais da emissora ao mercado externo, em especial às agências e principais anunciantes, como o próprio Florisbal admite: 'Foi um trabalho que deu muito certo. O setor de vendas e o de conteúdo passaram a ter um melhor entendimento, falar a mesma linguagem e se ajudarem mutuamente'.

Depois de oito anos na função, Octávio Florisbal foi convidado para assumir a superintendência comercial no lugar de Antonio Athayde, isso em pleno Plano Collor, até chegar, em 2002, a diretor-geral, com o impedimento de Marluce Dias da Silva", que foi obrigada a se afastar porque fazia um tratamento nos Estados Unidos.

Até hoje a TV Globo faz questão de fazer valer vários desses métodos criados no passado, tanto em respeito ao anunciante, como ao seu telespectador. O break, por exemplo, no *Jornal Nacional*, não pode ter um comercial de 15 segundos nem de 1 minuto, a não ser que exista uma reserva antecipada, para que isso não provoque nenhum desequilíbrio.

Essa foi apenas uma das medidas que levou o Brasil – TV e agências – a ser um dos mercados mais sofisticados do mundo, porque nada se faz na base do "eu acho". Tudo é definido por meio de análises e pesquisas, ferramentas que se tornaram fundamentais para os profissionais de mídia. Uma evolução, TV e mercado, que foi se tornando a cada ano mais intensa.

Logo no início da década de 2000, Florisbal passou o comando comercial da Globo para Willy Haas, que até o fechamento da edição deste livro, em 2017, ainda era funcionário da empresa. De acordo com ele, se hoje a Globo opera em bases sólidas, é porque "muito foi feito, experimentado, arriscado, criado mesmo". A qualidade imposta pela Globo em suas produções sempre foi acompanhada pelo alto padrão de trabalho das agências e anunciantes. Criou-se aí uma relação de reciprocidade das mais interessantes e harmoniosas, de que o mercado, como um todo, acabou tirando proveito. O chamado "modelo brasileiro", que consagrou a conectividade comercial entre anunciantes, agências full service e veículos, foi decisivo para o fortalecimento da publicidade em nosso país. Algo que também se tornou possível graças à penetração da TV no Brasil. Hoje, a televisão está presente em 97% dos domicílios e fala com todos os públicos, de todas as regiões do país.

Marcelo Mainardi, da Band, entende que a penetração da TV, pelos seus aparelhos próprios e os outros meios agora conhecidos, deve levar todas as emissoras a dobrarem as suas preocupações com o atendimento ao público. Isso, segundo ele, deve ser feito de forma universal, fazendo prevalecer sempre o bom conteúdo. "Se eu tenho um *MasterChef*, bom pra caramba, ele tem que estar no celular, ele tem que fazer parte de tudo isso. Ele tem que estar presente no Twitter, tem que ter promoção, para que a gente continue sendo falado na semana inteira. E não morra no dia seguinte da apresentação. O bom conteúdo é importante para a TV e para quem anuncia nela. É preciso estar atento a isso o tempo todo", explica.

Mainardi também entende que a TV aberta no Brasil para sempre será fundamental para o público e anunciantes em geral. Não há nada que possa, em qualquer outro tempo ou lugar, substituir aquilo que os canais convencionais têm como produtos de primeira necessidade: o futebol, a novela e o noticiário.

E, entre outras colocações, nada como se servir de mais uma de Mainardi para fechar este capítulo:

"O departamento comercial de todas as TVs é sempre visto do lado de fora, como um simples coadjuvante de toda essa máquina. Mas dentro das emissoras o seu papel é de protagonista. O seu desempenho é que torna possível todo o funcionamento da máquina."

Um relógio de pulso e Festa da Uva nos marcos da televisão

"Só tinha equipamento, não tinha pessoal." É dessa forma curta e direta que Luiz Carlos Miele, um dos produtores culturais mais importantes do país, relembra os primeiros momentos da TV Continental, a terceira emissora a surgir no Rio de Janeiro, no Canal 9, e a que se orgulhava de ter o maior estúdio do Brasil, com impressionantes 15 metros de largura por 28 de comprimento, algo muito maior do que as instalações da TV Tupi e da TV Rio e que possibilitava a construção de grandes cenários, maior recuo das câmeras e uma iluminação mais adequada. O local contava até com uma piscina, utilizada em muitos programas, inclusive no show inaugural. A boa estrutura era consequência da fusão da Organização Rubens Berardo, proprietária das rádios Continental e Metropolitana, com a Companhia Cinematográfica Flama, que rodava seus filmes nas instalações da Rua das Laranjeiras, 291.

Assim como as demais emissoras, a TV Continental passou por um período de testes, com transmissões de alguns pontos da cidade para um público restrito a fim de avaliar a intensidade do sinal e treinar a equipe técnica e os primeiros profissionais. No dia 13 de maio de 1959, entrou no ar, direto do Maracanã, a partida Brasil x Inglaterra, narrada por Waldir Amaral, locutor popular no rádio que recebeu muitas críticas por descrever os lances do jogo com atraso em relação à imagem. Além de não estar com a narração adequada para o novo veículo de comunicação, o teste exigiu muita habilidade da equipe técnica, afinal, durante vinte minutos apenas uma, das quatro câmeras, funcionou corretamente.

Para atender às necessidades da estreia, os proprietários da TV Continental, o deputado Rubens Berardo e seus irmãos Carlos e Murilo, contrataram o diretor e produtor Dermival Costa Lima, que atuava na TV Paulista, para organizar a estação. Uma equipe completa, com profissionais que operavam atrás das câmeras, atores e cantores, desembarcou no Rio de Janeiro para colocar no ar um show inaugural e uma grade capaz de atrair o telespectador. "Nós viemos de São Paulo para fazer todos os programas", destaca Miele, que, além de produzir e escrever os roteiros, passou a dirigir algumas das atrações exibidas pela emissora. No dia 30 de junho entrava oficialmente no ar a "Recreio dos Bandeirantes", apelido que a TV ganhou na imprensa e entre o público por contar em seu cast com um número elevado de artistas paulistas. Naquela noite, muitos convidados especiais, entre eles Juscelino Kubitschek, acompanharam os discursos dos proprietários e a bênção aos estúdios. Logo depois, às 19h, foi exibido o show "Um Amigo em Cada Rua", título extraído do slogan da campanha do deputado federal Rubens Berardo, que tinha como ponto de partida as músicas que falavam sobre os bairros cariocas. Hebe Camargo, Walter Forster, Paulo Monte, Paulo Goulart, Francisco Milani, Elizeth Cardoso, Vera Lúcia, Dóris Monteiro, Beyla Genauer, Silvio Cesar, Terezinha Amayo e Mario Brasini são alguns dos artistas que apareceram no programa que marcava o início da história de uma emissora de TV que chegou a incomodar a TV Tupi e alcançar a primeira colocação em audiência. Haroldo Costa, um dos nomes importantes do samba do Rio de Janeiro, ator e autor de diversos livros, foi um dos primeiros contratados da TV Continental e recebeu a missão de criar o show inaugural, junto com a produtora Edna Savaget. "Foi uma única apresentação, com todo o cast que atuaria nos diversos programas da grade", conta o ator, produtor e diretor. A ousadia ficou para a participação do balé aquático do Fluminense, de Eloá Dias, que fez uma coreografia especial na piscina do estúdio, mostrando ao telespectador que a nova emissora tinha algo que as duas concorrentes não possuíam. Após a grande repercussão da estreia nos jornais e entre o público, nas noites seguintes foram exibidas adaptações teatrais, entre elas *Orfeu da Conceição* – com direção de Antonino Seabra e com a atriz Terezinha Amayo no papel de Eurídice e o próprio Haroldo como o protagonista Orfeu –, o humorístico *Da Pelada ao Pelé* – com a vedete Nancy Montez e alguns dos mais populares jogadores de futebol do Rio de Janeiro – e o show *OVC na ORB*, com os cantores e artistas da TV Paulista. Dentro dessa programação especial de estreia, no primeiro domingo de atividades da TV Continental foi transmitida a premiação "Melhores Pela Nova", da revista *TV Programas*, que reconheceu o trabalho dos profissionais da televisão carioca. No dia 6 de julho, para encerrar as comemorações de estreia, direto do Maracanãzinho entrou no ar o "Essa Noite de Vitória", com disputas de boxe, esporte muito popular naquela época, luta livre e judô.

As grandes estrelas da TV Paulista que tinham programas semanais na Continental contribuíram para colocar, em pouco tempo, a emissora em posição de destaque num mercado que já mostrava uma competição mais agressiva. A TV Rio tinha como arma os humoristas consagrados e a TV Tupi atacava com os teleteatros e musicais. Diante disso, foi desenvolvida uma programação variada, com o feminino *Estamos em Casa*, comandado por Edna Savaget e Heleida Casé, *Violão do Bonfá* e *Festa da Mocidade*. Coube a Nicette Bruno e Paulo Goulart estrelarem o seriado *Dona Jandira em Busca da Felicidade*, que retratava situações domésticas em seus episódios, com foco no cotidiano de uma família de classe média. "O Chiaroni pegava os assuntos da semana e colocava no roteiro. A Dona Jandira era uma figura muito curiosa, porque queria resolver todas as coisas, mas acabava se atrapalhando", relembra Nicette Bruno, que fez muito sucesso com essa produção também em Curitiba. Ao final de cada história, a atriz Antonia Marzullo, avó de Marília Pêra e que interpretava a empregada da família, virava-se para a câmera e dizia o bordão "Aprendeu, Dona Jandira?", que caiu nas graças do telespectador e se transformou numa espécie de gíria da época. Durante a temporada na TV Continental, Nicette Bruno engravidou, e, para manter o programa no ar, o produtor resolveu que Dona Jandira também iria esperar um filho. "O público acompanhou toda a gestação e, no último episódio, às vésperas de Beth Goulart nascer, muitas pessoas foram à Rua das Laranjeiras levar presentinhos para minha filha", conta com saudade a atriz, que interpretou personagens inesquecíveis nas inúmeras novelas, minisséries e seriados de que participou no decorrer de sua carreira. *Dona Jandira em Busca da Felicidade* era exibida às quartas-feiras, mesma noite em que Hebe Camargo apresentava seu programa e Walter Forster comandava *O Marido Certo e o Marido Errado*, uma das atrações do teleteatro da emissora em horário nobre.

Também nessa fase inicial, Jô Soares comandou um *talk show* na TV Continental. "Era o *Entrevistas Absurdas*, que eu escrevia, e onde entrevistava personagens fictícios", lembra o apresentador, que já mostrava toda a sua versatilidade para a criação e interpretação das mais diferentes figuras e com um texto de qualidade, mas com pegada popular. No jornalismo, a emissora contava com nomes fortes, como Mário del Río, Carlos Pallut e Heron Domingues, e ousou com as transmissões ao vivo de eventos, entre eles o Carnaval, com seus blocos e cordões.

Com praticamente um ano no ar, a TV Continental atingiu seu ápice ao apostar em musicais com artistas consagrados, muitos que viviam na ponte aérea e se apresentavam também em São Paulo. Na grade apareciam os programas *Elizeth, a Magnífica, Agostinho Espetacular, Música de Saudade, Cantinho da Saudade, Ivon Curi é Assim e Agnaldo e as Garotas*, atração comandada por Agnaldo Rayol praticamente derivada de um show do cantor no Copacabana Palace, que contava com a participação de várias estrelas, entre elas Odete Lara, as Irmãs Marinho e a vedete Elisabeth Gasper. "Era inspirado no Rio de Janeiro porque era a volta dos grandes espetáculos musicais ao vivo no Golden Room, do Copacabana", explica o cantor Agnaldo Rayol, que durante anos atuou na televisão com atrações semanais em emissoras de diversas cidades, como São Paulo, Rio de Janeiro e Porto Alegre. Hebe Camargo também participava da programação da TV Continental e atingiu uma audiência interessante com *Hebe Comanda o Espetáculo* e *O Mundo é das Mulheres*. Mas a grande sensação da emissora foi *Figura de Francisco José*, programa exibido aos sábados à noite e comandado pelo cantor português Francisco José, que tornou-se líder absoluto de audiência, colocando em desespero, principalmente, os diretores da TV Tupi. As partidas de futebol transmitidas ao vivo aos domingos também colocaram a emissora em vários momentos em primeiro lugar.

A dramaturgia da TV Continental era composta por praticamente quatro segmentos, baseados em teleteatros e seriados escritos especialmente para a televisão. Histórias completas foram apresentadas ao vivo no *Teatro de Ontem, Teledrama Continental, Teleteatro das Quartas e Isto é Estória*. No elenco, se revezando em vários papéis, estavam atores como Jardel Mello, José Miziara, Nicette Bruno, Paulo Goulart, Dirceu de Matos, Francisco Milani, Walter Alves, Joana Fomm, Roberto Maya, entre outros. Nos primeiros anos da emissora, assim como nas concorrentes, muitas produções da dramaturgia eram realizadas pelas companhias teatrais do Rio de Janeiro e outras que viajavam pelo país para trabalhos nos palcos e aproveitavam a ocasião para conseguir um cachê a mais na televisão.

Parte dos técnicos e produtores da TV Paulista que chegaram para inaugurar a TV Continental permaneceu no Rio de Janeiro para atender às necessidades da programação e produzir as diversas atrações diárias. Cada um se virou como pôde e, para não comprometer o salário, muitos passaram a dividir apartamentos no mesmo bairro onde estavam os estúdios da emissora. "Nós morávamos em um grupo grande e num quarto cabiam seis pessoas", relata Luiz Carlos Miele. "Era como se fosse um quartel, com três beliches enfileirados. A vantagem era que no Exército havia café da manhã e no nosso apartamento não", completa com certo humor. Todos viviam com poucos recursos e permaneciam muitas horas na televisão, revezando-se em todas as funções de bastidores e diante das câmeras, e, apesar das longas jornadas e da dedicação ao trabalho, ainda precisavam administrar o constante atraso de salários. "Chegou num ponto que ninguém recebia", exclama Miele. "Mas a gente se empenhava em fazer o melhor artisticamente", completa Haroldo Costa. Essa incerteza em relação ao ordenado fez com que muitos artistas, produtores, técnicos e diretores não recusassem propostas das emissoras concorrentes, principalmente quando a TV Excelsior chegou ao Rio de Janeiro.

Apesar das instabilidades financeiras, a TV Continental teve o período em que incomodou as concorrentes, a ponto de a TV Tupi do Rio de Janeiro contratar a peso de ouro o diretor artístico Costa Lima. A emissora entrou para a história da televisão brasileira por ser o canal que realizou a primeira gravação em videoteipe, algo que revolucionou esse veículo de comunicação, possibilitou muitos avanços artísticos, qualificou a produção e trouxe a velocidade industrial para algo que já estava no cotidiano das pessoas. A primeira imagem da nova tecnologia foi o relógio de pulso de Luiz Carlos Miele. "Naquela época, eu era assistente do Geraldo Casé em *Uma Noite de Gala* e fomos gravar em frente ao Copacabana Palace", recorda-se. "Eu estava cuidando da produção e o Geraldo disse: Miele, bota o seu relógio na frente da câmera", conta com orgulho. À noite, todos aguardavam com ansiedade a primeira gravação feita em videoteipe. De repente, aparece na tela o relógio de Miele, lá na praia de Copacabana, e o locutor diz:

"Neste momento, inaugura-se no Rio de Janeiro o videoteipe".

Talvez naquela noite poucos tenham percebido quanto a nova tecnologia mudaria a história da televisão brasileira e o processo criativo dos profissionais do veículo. Após seu auge, em 1960, já sem muitas estrelas e, principalmente, sem Costa Lima, a TV Continental entrou em declínio a partir do golpe militar e sofreu por alguns anos a falta de investimentos e anunciantes. Em 1970 foi despejada, depois passou para o comando da Ordem Religiosa dos Capuchinhos do Rio de Janeiro e dois anos depois teve a concessão cassada pelo então Departamento Nacional de Telecomunicações – Dentel, substituído em 1995 pela Agência Nacional de Telecomunicações, Anatel, o primeiro órgão regulamentador instalado no Brasil.

Os anos 1960 definiram muito do que somos hoje como sociedade, cultura, economia, política, ciência e, principalmente, em termos de comportamento. Muito do que aconteceu nesse período ainda encontra eco mais de cinquenta anos depois. Um pouquinho antes, sinais já estavam sendo dados de que uma grande mudança estava por vir. Em 1959, os Estados Unidos davam início às ações que culminariam no embargo que deixou a ilha de Cuba, então liderada por Fidel e Guevara, muito mais isolada, terminando com a farra dos gastos dos milionários americanos nos cassinos embalados por grandes orquestras e muito champanhe; a Nouvelle Vague dava novo fôlego ao cinema francês e logo passa a ditar os caminhos da Sétima Arte no mundo todo. O jazz se encaminhava para outros patamares como arte e estilo de vida e, claro, mercado. Por aqui, a Bossa Nova dava seus primeiros acordes, num embate ideológico-musical com o início da ascensão do rock and roll. Em novembro do mesmo ano, morria o maestro Heitor Villa-Lobos, homem que mostrou o Brasil para o Brasil e para o mundo com sua música.

Foi em meio a esse clima, nessa aura de mudanças, que a chegada de uma nova década tornou-se motivo de entusiasmo. Afinal, a primeira geração pós-Segunda Guerra estava entrando na juventude e, logo ali adiante, seriam os adultos que comandariam o novo mundo. E foi nessa onda que a televisão chegou ao Rio Grande do Sul. Ela apenas engatinhava no centro do país quando as primeiras imagens passaram a ser transmitidas em Porto Alegre, em 1959. Mas essa história, na realidade, tem um pontapé inicial um pouco antes. Como é impossível imaginar a televisão no Brasil sem as mãos, a audácia, a visão e o dinheiro de Assis Chateaubriand, não eram de espantar as mirabolantes ações de marketing para promover a nova maravilha no país e, claro, atrair investidores, futuros anunciantes e traçar ações de expansão de seus tentáculos no ramo da comunicação. Assim, em 1955, o doutor mandou que fossem instalados cerca de 50 aparelhos de televisão em plena Praça da Alfândega, no centro histórico de Porto Alegre, e no Clube do Comércio, em frente à praça. Um pequeno estúdio foi montado para aquela que foi a primeira transmissão de um programa de televisão na capital gaúcha, mesmo que em circuito fechado. Ali se apresentaram, entre outros, o folclorista Paixão Cortes – que serviu de modelo para a estátua do Laçador, que está na entrada de Porto Alegre, próximo ao aeroporto Salgado Filho – e o conjunto vocal Farroupilha, acompanhado pela Grande Orquestra da PRH-2, do maestro Tasso Bangel.

Walmor Bergesch, autor do livro *Os Televisionários*, estava no grupo chamado de "Os Dezesseis do Rio", os 16 profissionais, muitos vindos do rádio, que foram ao Rio de Janeiro "aprender" a fazer televisão, ainda em 1959. O curso de imersão, concebido por José de Almeida Castro, homem de total confiança de Chateaubriand e então diretor-geral da TV Tupi no Rio, mostrou aos inexperientes alunos os conceitos básicos do novo ramo, segredos de enquadramento, planos, dinâmica das câmeras. Além de Walmor, o grupo ainda contava com Enio Rockenbach, que acabou sendo a primeira voz ouvida na televisão gaúcha, Athayde de Carvalho, Érico Kramer, Nelson Cardoso, Sérgio Reis, Jorge Teixeira, Renê Martins, Gilson Nunes Rosa, Ângelo Moraes, Antônio Vidal de Negreiros, Santo Ventura, Neide Marques, João Carlos Paiva, Jorge Silva e Danúbio Fernandes.

O dia 20 de dezembro de 1959 tem um sabor especial na história da comunicação do Rio Grande do Sul. Embalado pela ideia de uma unificação do país em torno da televisão, o grupo Diários Associados inaugurava em Porto Alegre a TV Piratini, que passou a ocupar o Canal 5. A direção do canal ficou a cargo do comunicador gaúcho Sérgio Reis, que, anos mais tarde, a partir de 1979, estaria à frente da TV Guaíba. Os estúdios da TV Piratini foram instalados no alto do cobiçado Morro Santa Teresa, no bairro Menino Deus, com vista privilegiada e perfeito para um grande alcance das transmissões.

Às 17h, começou a ser escrita a primeira página da televisão no estado, com as transmissões da TV Piratini com direito a externa com o jantar oficial de gala no Clube do Comércio, que contou com a presença de Chateaubriand e autoridades, como o então governador do estado, Leonel Brizola. No mesmo dia, o Departamento de Cinema e Reportagem, sob a orientação de Maurício Dantas, fazia seu primeiro trabalho: a cobertura, em filme de 16 mm, de um incêndio no centro de Porto Alegre, que iria abastecer o primeiro noticiário naquela mesma noite. A grade da emissora recém-inaugurada era dividida entre a teledramaturgia ao vivo, o jornalismo, já dirigido por Sérgio Reis, e variedades, com shows locais e alguns trazidos diretamente das emissoras do Rio e de São Paulo, além de algumas séries e filmes americanos, como os enlatados *Jim das Selvas, Bonanza, Papai Sabe Tudo, Terceira Dimensão* e *Interpol Chamando*. O primeiro rosto a aparecer na TV Piratini atuando, no teleteatro *Piratini – Razão de um Nome*, foi do então jovem Antônio Augusto Fagundes, atualmente bastante conhecido no estado como historiador e por ter apresentado por mais de trinta anos o programa *Galpão Crioulo*, na RBS TV.

Entre os outros programas que fizeram parte dessa primeira fase da Piratini estavam *Gladys e seus Bichinhos*, que era dirigido por Walmor Bergesch; *Circo do Carequinha*, que contava com a participação de estrelas do centro do país; *Este Mundo Curioso, As Aventuras de Tom Sawyer* e *Enquanto Roda o Disco*, comandado pelo saudoso radialista Glênio Reis – falecido em 2014, entre seus muitos feitos estava o de ser um dos primeiros apoiadores de Elis Regina –; o jornalístico *Diário de Notícias na TV* e *As Grandes Reportagens de David Nasser*, com base nas matérias de Nasser para a revista *O Cruzeiro*. Sinônimo de credibilidade que já vinha do rádio desde os anos 1940, o *Repórter Esso* ainda fulgura como uma das marcas do jornalismo televisivo. O programa, sob o comando de Elmar Hugo, foi transmitido pela TV Piratini de segunda a sábado, sempre às 20h, de 2 de janeiro de 1960 a 31 de dezembro de 1965, quando o noticiário foi extinto em todo o país. No início era alimentado com notícias internacionais, mas, aos poucos, o material local também foi ganhando destaque no noticiário, com a ampliação e qualificação de equipes de reportagem. Um dos nomes que passaram pelo *Repórter Esso* é Celestino Valenzuela, que ficou mais conhecido por seu bordão arrastado "Queeeee lance!", nas narrações de futebol. O estilista Rui Spohr, colunista do jornal *Correio do Povo*, em Porto Alegre, tinha um quadro sobre moda num programa de variedades apresentado por Célia Ribeiro, o primeiro dedicado ao público feminino e que, mais tarde, influenciaria vários programas do gênero nas emissoras que se instalariam no estado. Artistas do eixo Rio-São Paulo também participavam dos teleteatros, musicais e humorísticos locais. Por três anos a Piratini reinou sozinha na casa dos gaúchos com uma programação de altíssima qualidade e com uma dramaturgia de primeira linha, revelando nomes como Lilian Lemmertz, Paulo José, Glória Menezes, Mariza Fernanda e o galã Gudy Edmunds. A cantora Elis Regina é outra que iniciou sua maravilhosa carreira na televisão. Ainda adolescente, cantou, em 1961, na montagem de *Os Dez Mandamentos*, dirigida por Nelson Vaccari, numa das primeiras produções no Rio Grande do Sul a fazer uso do videoteipe. A Piratini, que operava no canal 5 em Porto Alegre, foi extinta em 18 de julho de 1980, após o cancelamento da concessão da Rede Tupi, em São Paulo. A faixa passou então a ser ocupada, a partir de 26 de outubro de 1981, pela TVS, do empresário Silvio Santos, depois transformada em SBT, que segue até hoje com suas transmissões nacionais e programação local.

Ainda no início dos anos 1960, a ideia de uma nova emissora no Rio Grande do Sul já se desenhava, com base em nomes como Maurício Sirotsky Sobrinho, Jayme Sirotsky, Arnaldo Ballvé, Nestor Rizzo e Frederico Arnaldo Ballvé, todos ligados à Rádio Gaúcha. Ao final de 1962, o projeto de instalação da TV Gaúcha, nas proximidades da TV Piratini – onde se encontra até hoje, agora como RBS TV –, estava bastante adiantado. E foi em 29 de dezembro daquele ano que o Canal 12 deu início às suas atividades, "com uma programação voltada para a sociedade gaúcha, comandada por gaúchos e a serviço do Rio Grande do Sul", como bradava em seu discurso o diretor-presidente Maurício Sirotsky Sobrinho na inauguração, em oposição ao caráter mais nacional da Piratini, que era afiliada da TV Tupi. A inauguração contou com a presença do então presidente da República, João Goulart, ainda sob os efeitos da resistência da Legalidade, um ano antes, que quase lhe custou o cargo, e do governador Leonel Brizola, entre outras autoridades locais.

A programação inicial da TV Gaúcha teve por base programas de rádio de sucesso, como o *GR Show*, comandado pelo radialista Glênio Reis, e o *Show do Gordo*, do simpático Ivan Castro. O próprio Maurício Sirotsky também tinha seu programa de auditório. O jornalismo passou a ser o forte da emissora, com programas como o *Show de Notícias*, em 1963, dirigido pelo jornalista Lauro Schirmer e que contou com nomes como Carlos Bastos, um dos ícones da cobertura do episódio da Legalidade, em 1961; Ivette Brandalise, que hoje ainda apresenta o programa de entrevistas *Primeira Pessoa*, na TVE; os já falecidos Mendes Ribeiro e Sérgio Jockyman; e o deputado constituinte Ibsen Pinheiro.

Agnaldo Rayol, que nos anos 1960 já era um dos principais nomes do mundo do entretenimento brasileiro, com atuação na música, no cinema e na televisão, foi uma das estrelas nacionais a comandar um programa semanal na TV Gaúcha e na rádio ligada ao grupo. "Eram os dois no mesmo dia. Saía de um programa e ia para o outro, tudo ao vivo", relembra o cantor, que no dia seguinte voltava para São Paulo. A atração reunia cantores e esquetes, contava com a presença de plateia no auditório e tinha um casal de locutores para fazer as propagandas dos anunciantes. Agnaldo Rayol guarda boas lembranças dessa intensa época, principalmente do dia em que descobriu que sua locutora era uma grande promessa musical. Na coxia, um dos produtores puxou o cantor de lado para contar como estava impressionado com o talento da garota.

"Sabe essa locutora que faz os comerciais da rádio? Ela canta muito bem!"

"E qual estilo ela canta?", indagou Agnaldo Rayol.

"De vez em quando a gente pede para ela cantar aqui", disse o produtor, com tom provocante.

Curioso, Rayol organizou a orquestra e pediu à jovem que cantasse alguma coisa. Ela escolheu uma música americana e em poucos segundos deixou todos de queixo caído, porque era simplesmente excepcional. "Era a Elis Regina. A Elis foi a minha locutora de programas de rádio que eu fazia em Porto Alegre", relembra o cantor, com muito orgulho. Alguns dias depois, Rayol resolveu aconselhar a menina.

"Você canta muito bem! Não estou desmerecendo sua terra, mas precisa ir para o eixo Rio-São Paulo", disse a ela.

O cantor continuou com seus programas na TV e no rádio de Porto Alegre e, algum tempo depois dessa conversa, percebeu que a jovem cantora meio encabulada que usava óculos não estava mais em sua equipe. Em 1965, ele a encontra novamente, mas numa situação muito diferente, durante o 1º Festival de Música Popular Brasileira, promovido pela TV Excelsior. Elis Regina conquistou o primeiro lugar com "Arrastão", vencendo a consagrada Elizete Cardoso, que defendeu "Canção do Amor que Não Vem". Sua história mudava ali.

A TV Gaúcha chegou a ser vendida, dois anos depois, a um grupo financeiro ligado à TV Excelsior, mas, em 1968, voltou às mãos de seus idealizadores. A TV Globo, inaugurada em 1965, ainda não tinha uma retransmissora no Rio Grande do Sul e a Gaúcha só se filiou à emissora de Roberto Marinho em 1967. A Gaúcha fazia uso de programas de várias emissoras do centro do país, inclusive a Globo, e também produzia especiais para veiculação, como o programa *Brasil 66*, com Bibi Ferreira, que ia ao ar nacionalmente pela TV Excelsior. O autor Walmor Bergesch lembra, em seu livro *Os Televisionários*, um dos grandes momentos do programa que era gravado em Porto Alegre: devido a uma ponte aérea forçada por um problema técnico na aeronave que fazia um voo entre Estados Unidos e Argentina, Bibi recebeu nos estúdios da TV Gaúcha os atores Anthony Perkins e Janet Leigh, estrelas do filme *Psicose*, de Alfred Hitchcock, além de Karl Malden, que estavam indo a Buenos Aires para participar de um festival de cinema, em 1966.

Anúncio do programa de Bibi Ferreira

Em 11 de junho de 1972, a emissora sofreu um revés por conta de um incêndio que destruiu praticamente tudo na sede do Morro Santa Teresa. Assim que souberam do incêndio, funcionários se deslocaram para a TV Gaúcha para ajudar no que pudessem. Os estúdios foram improvisados num galpão e, no dia seguinte, a emissora já estava no ar, com o *Jornal do Almoço* – que fez sua estreia naquele mesmo ano –, noticiando os detalhes do ocorrido. Em 1983, a TV Gaúcha e as outras emissoras do grupo no interior do Rio Grande do Sul e também de Santa Catarina receberam o nome de RBS TV, que segue até hoje.

Com o aval e a estrutura montada pelos freis capuchinhos, e com equipamentos já capazes de transmitir em cores, em 1969 nascia a TV Difusora, que passaria a ocupar o Canal 10. A concessão para a emissora havia sido dada à Ordem dos Frades Capuchinhos ainda em 1961 e a emissora entrou em funcionamento em 10 de outubro de 1969, sob a coordenação de Salimen Júnior e de Walmor Bergesch, numa dissidência da TV Gaúcha que não agradou em nada a direção da emissora na época. A mascote da emissora, um leão, ganhou a simpatia do público, assim como a Piratini havia ganho com o seu indiozinho. A programação da Difusora começava, geralmente, com um conselho de cinco minutos de um padre capuchinho, numa espécie de "bênção matinal", e seguia com séries infantis e juvenis, como *A Feiticeira* e *Os Monkees*. Mas o grande feito da Difusora, e que entrou para a história da televisão no Brasil, aconteceu em 19 de fevereiro de 1972. Saiu dela a primeira transmissão de TV em cores, da abertura da Festa da Uva, realizada em Caxias do Sul, e já no dia seguinte transmitia a primeira partida de futebol em cores do país, com o jogo entre Grêmio e Caxias, que entrou em cadeia regional e para algumas praças do país. A implementação das transmissões em cores no Brasil havia sido autorizada e regulamentada pelo Ministério das Comunicações dois anos antes e, desde então, as emissoras já recebiam imagens coloridas de outros países para veiculação. Entre elas, as dos jogos da Copa do Mundo no México, em 1970. Outro grande momento da Difusora foi o seu noticiário do meio-dia, na realidade, a partir das 11h30, seguindo até as 14h30, concorrendo diretamente com o já estabelecido *Jornal do Almoço*, da Gaúcha. Era o *Porto Visão*, que entrou no ar em 10 de outubro de 1974 e que tinha em seu quadro nomes como Fernando Vieira, hoje o nome por trás do sucesso da Festa Nacional da Música e que, no noticiário, apresentava as novidades do mundo jovem, principalmente musical. Fazia concorrência direta com o *Transasom*, apresentado pelo cabeludo Pedrinho Sirotsky na TV Gaúcha. O *Porto Visão* ainda tinha o revolucionário e já falecido professor Roberto Valfredo Bicca Pimentel, ou simplesmente Tatata Pimentel, considerado o primeiro homossexual assumido na televisão do Rio Grande do Sul, que contava o que estava acontecendo no mundo "high society" portoalegrense. Décadas depois, faria o mesmo, e com grande sucesso, com o seu *Gente da Noite*, na TV Com, Canal 36, outro braço televisivo do Grupo RBS. O noticiário "incendiava" logo depois, com a entrada de José Antônio Daudt, assassinado em 1988, de forma até hoje não esclarecida. Daudt, em pleno regime de exceção, e longe de uma abertura, cobrava das autoridades gaúchas transparência e moral com o uso do dinheiro público. Esmurrava a mesa aos gritos, sob os olhares atônitos dos colegas de bancada. Para amenizar o clima, na sequência vinha o humorista Renato Pereira, e o futebol, a grenalização (referência ao embate ideológico entre Grêmio e Internacional), ficava a cargo de Lauro Quadros e Larry Pinto de Faria. As notícias e o comentário político estavam também em boas mãos, com Sérgio Jockyman, Sérgio Schueler, José Fontella, Magda Beatriz e o professor Clóvis Duarte. O final da atração era preenchido por entrevistas voltadas ao público feminino, comandadas pela grande dama da televisão gaúcha Tânia Carvalho, que também passou pela TV Com. À noite, o canal marcava presença com notícias com o *Câmera 10*, que teve, em sua bancada, nomes como a hoje senadora Ana Amélia Lemos e a ex-Miss Universo Ieda Maria Vargas. Em 1979, a Rede Bandeirantes passou a ser responsável por 30% da programação da emissora, por meio de um acordo com os capuchinhos. E, no dia 30 de junho de 1980, a TV Difusora foi comprada pelo Grupo Bandeirantes, que mantém o canal até hoje.

O encerramento das atividades da TV Piratini em Porto Alegre deixou uma lacuna num importante segmento da comunicação, o da produção cultural. E foi esse espaço que a TVE passou a ocupar. Nos mesmos moldes do que se deu em São Paulo com a TV Cultura, inaugurada em 1960 pelos Diários Associados e reestruturada nove anos depois com a parceria com a

Fundação Padre Anchieta, o Rio Grande do Sul inaugurou oficialmente a sua TV Educativa, a TVE, em 29 de março de 1974, ocupando o Canal 7. Mas o projeto da emissora pública datava de 1968 e uma parceria entre o governo do estado do Rio Grande do Sul e a Pontifícia Universidade Católica do Rio Grande do Sul (PUC/RS) possibilitou as primeiras produções de dentro da Faculdade de Comunicação Social, a Famecos, com as transmissões ainda em preto e branco, o que durou até o início dos anos 1980. Assim como a TV Gaúcha, a TVE sofreu com um incêndio, em 1981, e durante seis meses a emissora trabalhou com uma unidade móvel para se manter no ar. Com uma programação já bem estruturada, se fazia extremamente necessário que a TVE tivesse uma sede própria. O destino fez com que ela se transferisse justamente para o imponente prédio que outrora fora da TV Piratini, e lá se encontra até hoje. Quando José Antônio Daudt assumiu sua programação, em 1980, conseguiu reunir um grupo de jornalistas consagrados, como Tânia Carvalho e o saudoso Tatata Pimentel, para um café da manhã ao vivo, em que discutiam os assuntos que estavam em pauta nas ruas e jornais da cidade. A transmissão ainda era em preto e branco. No ano seguinte, foi criada a Fundação Televisão Educativa do Rio Grande do Sul, autarquia vinculada à Secretaria de Educação do Estado. Em comemoração aos 150 anos da Revolução Farroupilha, marco na história da formação do Rio Grande do Sul, a autarquia mudou seu nome para Fundação Televisão Educativa Piratini.

Um dos marcos da programação da TVE, então sob a direção do jornalista Cândido Norberto, e ainda sob a ditadura militar, foi o *Pra Começo de Conversa*, inicialmente apresentado por Cunha Júnior, que depois foi para a TV Cultura de São Paulo, e posteriormente pelo escritor Eduardo "Peninha" Bueno. Esse programa foi o primeiro a dar espaço para as bandas de rock gaúchas, sendo sucedido pelo *Radar*. Apresentado diariamente, às 19h30, tinha como cenário um quarto de jovem, com discos LP e pôsteres de Jim Morrison, Janis Joplin e outros estampando as paredes. O apresentador e os convidados sentavam-se em uma cama de solteiro ornamentada por uma guitarra. Cândido Norberto também tinha seu programa diário, um longo comentário de quase 15 minutos, antes do *Pra Começo de Conversa*, em que respondia a cartas dos telespectadores e falava sobre os assuntos da atualidade.

Em 1989, a fundação inaugurou a FM Cultura – 107,7 MHz, com sua programação de alta qualidade, que se mantém até hoje, com ênfase na produção cultural local. Entre 1990 e 1991, a emissora passa por uma nova reestruturação organizacional. Já desvinculada da Secretaria da Educação, ganha o nome de Fundação Rádio e Televisão Educativa, agora ligada à Secretaria de Estado da Cultura, e é firmado o acordo com a Fundação Padre Anchieta de São Paulo – TV Cultura, o que permitiu a ampliação da programação. Em 1995, nova mudança de nome, agora chamada de Fundação Cultural Piratini – Rádio e Televisão, e em 2011 a emissora firma convênio com a Empresa Brasil de Comunicação (EBC) para troca de conteúdo. O sinal da TVE chega, hoje, a mais de 6,5 milhões de telespectadores no Rio Grande do Sul, por meio das suas 40 antenas repetidoras e sua geradora, localizada em Porto Alegre. Na grade, programas de destaque, como o *Primeira Pessoa*, comandado pela jornalista Ivette Brandalise, o *Estação Cultura* e o *Frente a Frente*.

Música: presença marcante na primeira década da TV

Com uma programação claramente inspirada no rádio, com muitos profissionais que vieram desse veículo de comunicação e com as dificuldades provenientes da falta de recursos financeiros e tecnológicos, era mais do que natural que os grandes astros da música ocupassem espaço de destaque na grade de programação das emissoras dos anos 1950 e 1960. Os diretores artísticos da Tupi, Record, TV Paulista, Continental, TV Rio, Itacolomi, Gaúcha, entre outras pioneiras, não pensaram duas vezes ao contratar os mais populares cantores para comandar programas semanais em que a música era o principal elemento para atrair o telespectador. As estrelas assinavam com as emissoras e participavam não somente de seus programas próprios, mas de outros horários, potencializando a audiência, contaminando positivamente as mais diferentes faixas da grade e, principalmente, diluindo os custos dos altos salários. Era, sem dúvida, um bom negócio para todos os envolvidos.

O Brasil atravessava um período de intensa produção cultural, e o rádio, anos antes, havia exposto para a massa o trabalho de muita gente talentosa. O público desejava estar próximo de seus ídolos, havia fã-clubes, disputas entre as estrelas e uma mídia impressa que alimentava esse negócio e lucrava muito com as estrelas da época. As cantoras disputavam as capas das revistas porque era muito importante para sua carreira um destaque, por exemplo, na *Revista do Rádio*. Além da projeção, aparecer nessa publicação era sinônimo de prestígio e de mais trabalho e, por consequência, mais faturamento. Portanto, contar com esses artistas em seu casting com relativa exclusividade (os contratos eram regionais, possibilitando ao profissional vínculos diferentes em outras cidades) era uma atitude certeira dos diretores das emissoras de televisão, que ficavam atentos a todo novo talento que pudesse surgir entre os convidados dos próprios programas ou que se apresentavam em casas noturnas, bares e até restaurantes.

Foi dessa maneira, graças ao olhar afiado e certeiro de Cassiano Gabus Mendes, que Agnaldo Rayol assinou seu primeiro contrato com a TV Tupi. Depois de passar parte da infância e adolescência no Rio Grande do Norte, o cantor voltou para o Rio de Janeiro, onde começou a participar de programas de rádio e das caravanas das Emissoras Associadas, mas foi por meio do *Festival de Vozes*, uma atração da TV Tupi do Rio, que ele recebeu o convite para integrar uma das edições do *Coca-Cola Para Milhões*, dirigido por Ribeiro Filho em São Paulo. Era dia 12 de outubro de 1957. A plateia no estúdio foi ao delírio com sua interpretação de "Laura", um dos grandes sucessos da época. O apresentador chamou o intervalo comercial e o jovem cantor ficou num dos cantos do palco aguardando para voltar com "Faz de Conta", versão de "Make Believe". Um toque em seu ombro quebrou a concentração.

– Quando você acabar de cantar a segunda música, por favor, eu quero falar com você em minha sala – disse um jovem engravatado.

– Tudo bem, falaremos, mas qual o seu nome? – indagou Agnaldo, que, naquele momento, estava mais preocupado com a segunda música que apresentaria no programa.

– Sou Cassiano Gabus Mendes, o diretor artístico aqui da Tupi, e gostaria de falar com você sobre o futuro. Espero você em minha sala!

Nervoso, ao descobrir que o homem mais poderoso da Tupi desejava falar com ele, Agnaldo Rayol voltou ao palco, interpretou a versão de "Make Believe", foi muito aplaudido e ouviu do apresentador que muito em breve voltaria ao "Coca-Cola Para Milhões". O cantor saiu do estúdio e foi conduzido por produtores até a sala de Cassiano, que, sem enrolar, cumprimentar, apontar uma cadeira ou oferecer um cafezinho, foi direto ao assunto:

– Você gostaria de ter um programa de televisão seu? – perguntou num tom baixo de voz. E, sem dar tempo para Agnaldo pensar muito ou devolver com alguma pergunta, emendou:

– Eu produzo, escrevo, dirijo e faço tudo. Eu quero lançar você na televisão!

E foi assim que Agnaldo Rayol começou na televisão, com *Sonhos Musicais*, em que o próprio Cassiano Gabus Mendes fazia a voz que narrava o sonho embalado pela música de um jovem com as mais belas mulheres da época.

Muitas outras carreiras de apresentadores e de grandes cantores foram iniciadas por meio do olhar de alguém que estava na coxia na hora certa durante um programa de calouros, show de talentos ou disputas musicais. Meses antes de se tornar pai pela primeira vez, Raul Gil, então com 21 anos de idade, cedeu às insistências de um amigo de trabalho para ir até a Rádio Record se apresentar no programa *O Clube Abre às Cinco*, conduzido por Sonia Ribeiro, a mulher de Blota Júnior, um dos principais comunicadores deste país. Depois de conversar com o produtor indicado pelo amigo, Raul entrou no estúdio e cantou "Esmagando Rosas", um bolero de Francisco Alves que levou a plateia simplesmente ao delírio. Impressionados, os produtores correram até a sala de Armando Rosas, diretor do programa *Alegria dos Bairros*, que era transmitido de vários pontos da cidade e contava com números musicais de artistas consagrados e jovens talentos. Diante dos bons comentários, ele pediu àquele garoto de apenas 21 anos de idade que integrasse a próxima edição, mas sem a garantia de pisar no palco. A apresentação só aconteceria se alguém falhasse ou não chegasse a tempo. No dia marcado, seguindo as orientações, Raul Gil foi até o Largo São Francisco, região central de São Paulo, ponto de partida do ônibus que levaria o elenco para o show daquele dia. Ao se aproximar do veículo, percebeu que só chegaria ao *Alegria dos Bairros* depois de enfrentar alguns obstáculos.

– Aonde você pensa que vai? Pode descer imediatamente deste ônibus – disse o condutor do veículo.

– Eu vou me apresentar hoje – respondeu Raul Gil.

– Não, não, não! Você não pode ir aqui. Você não é artista!

O motorista do veículo encerrou o assunto, fechou a porta dianteira e iniciou viagem.

Como conquistar um espaço no *Alegria dos Bairros* e, quem sabe, entrar para o elenco fixo do programa se não foi possível entrar no ônibus com os outros artistas? Raul Gil não pensou duas vezes: contou o dinheiro que tinha no bolso e pegou um táxi para seguir a equipe que faria a apresentação em Utinga, bairro de Santo André, na região metropolitana de São Paulo. Lá, precisou torcer para que sobrasse um espaço e vibrou quando, pouco antes de o programa terminar, Carlos Gonzaga, a grande estrela do *Alegria dos Bairros*, se atrasou. Raul acompanhava o trabalho de Geraldo Blota atentamente de uma das saídas do palco e viu quando, durante um número musical, se aproximou do produtor para questioná-lo num tom baixo de voz:

– Mirabelli, quem vai agora? Cadê o Carlos Gonzaga?

– O Carlos Gonzaga ainda não chegou. Meus Deus, faltam apenas vinte minutos! – disse o produtor, aflito.

Roberto Amaral, Isaurinha Garcia, Dircinha Costa e Neide Fraga aguardavam atrás do palco o chamado para o número final, que reuniria todos os artistas que haviam passado pelo *Alegria dos Bairros* daquela manhã, mas o produtor resolveu chamar o jovem cantor que estava louco por uma chance.

– Está ensaiado?, questionou Mirabelli.

Raul balançou a cabeça, indicando que havia passado uma música com o regional.

Em fração de segundos, sua atenção estava toda no palco, onde Geraldo Blota comandava o programa e começava a falar após mais um número musical.

– Bem... vamos continuando aqui com o *Alegria dos Bairros*, aguardando o Mosca Branca (apelido de Carlos Gonzaga). Enquanto ele não chega, eu vou trazer para vocês um jovem que está começando. Eu não conheço, mas se vocês gostarem vamos aplaudir muito...

Raul Gil em começo de carreira

Raul Gil cantou uma música mexicana, foi aplaudido em pé e no final recebeu o convite para regressar em outro dia. Saiu dali correndo, porque sua filha havia acabado de nascer. Alguns dias depois, estava contratado pela Record por cinco mil réis por mês, valor inferior ao seu salário na Santa Fé, uma empresa de transportes que cuidou da mudança de todas as repartições públicas federais do Rio de Janeiro para Brasília, mas algo que possibilitaria a realização de seu sonho e o início de uma carreira de sucesso. O fato é que, com sua habilidade em fazer várias vozes e muitas imitações, ele se transformou num dos principais assuntos nos bastidores da Record, até ser chamado por Irineu de Souza Francisco, marido de Nair Belo e produtor do programa *O Melhor dos Três*, uma disputa entre artistas de gêneros diferentes por meio de voto do telespectador por telefone. Com suas imitações, fez grande sucesso, levou o troféu da noite e alguns dias depois foi chamado para participar do semanal de Hebe Camargo. Ele pisou no palco com todos os trejeitos de Mazzaropi e não economizou nas piadas.

– Ô Hebe, o menino entrou correndo na casa e perguntou para a mãe quem havia dado o casaco de pele. Foi o pai? Então, a mãe disse: olha, garoto, se eu fosse esperar seu pai, eu não tinha nem você.

Sua participação naquela noite terminou com Hebe Camargo às gargalhadas e mais um convite para outro programa, agora o *Grande Show União*, o maior da época, como reconhecem os telespectadores, artistas e produtores, e que colocou a Record em vários momentos na liderança.

Anos antes, em 1953, entrara no ar o *Grandes Espetáculos União*, comandado por Blota Júnior e Sandra Amaral e que tinha na música seu principal elemento para atrair o telespectador. Como muitos profissionais da rádio do doutor Paulo Machado de Carvalho migraram para a televisão e passaram a roteirizar os programas, era intensa a presença das grandes estrelas que faziam sucesso nos auditórios das ondas curtas e médias. "A Record trazia naquela época todos os cantores do Rio de Janeiro. Marlene e Emilinha Borba, as cantoras do rádio e Nelson Gonçalves, todos eles começaram a participar da nossa programação", explica Nilton Travesso, que produziu e dirigiu muitos dos programas musicais da década de 1950. Entre outros, levaram a sua assinatura o semanal de Dorival Caymmi, o programa de Inezita Barroso, *Noturno*, com Nora Ney e Jorge Goulart, e *Première*, em que os grandes espetáculos da Broadway eram montados com o elenco da emissora. "Eu conseguia a trilha sonora, trazia para São Paulo e fazia o texto completo", conta Travesso. Entre as peças que foram adaptadas por aqui destacam-se *West Side Story, Carrossel* e *Sete Noivas para Sete Irmãos*, muitas com o corpo de balé do Theatro Municipal. Aliás, foi numa dessas montagens que Nilton Travesso conheceu Marilu Torres, uma das principais bailarinas da companhia, com quem veio a se casar alguns anos depois e que permanece ao seu lado até os dias atuais.

Com grande elenco e sempre de olho nos novos talentos, a TV Tupi também exibiu bons musicais nas duas primeiras décadas de atividades da televisão brasileira. O *Clube dos Artistas*, apresentado por Airton e Lolita Rodrigues, no ar todas às quartas-feiras, às 20h, era uma grande sensação junto ao público e chegava à tela por meio do sacrifício e do jeitinho de muita gente, afinal, era gerado apenas com uma câmera, uma vez que as outras duas, com certa frequência, eram deslocadas para o estádio do Pacaembu para a transmissão das partidas de futebol. Outro responsável por boas audiências era o *História e Música*, uma criação de Cassiano Gabus Mendes que entrou no ar em 1956. A TV Paulista também apostou em vários musicais e trouxe para o Brasil importantes estrelas, entre elas Edith Piaf. "No auditório da Rua Sebastião Pereira aconteciam todas as noites programas com grandes orquestras e por onde desfilavam os maestros mais importantes do país", relembra Moacyr Franco, que, na emissora, integrou o programa de Manoel de Nóbrega.

Já na TV Tupi Rio, é inegável a importância do *Um Instante, Maestro*, que aportou na televisão em 1956 depois de grande sucesso no rádio. O programa era comandado por Flávio Cavalcanti, que quebrava discos e fazia duras críticas aos lançamentos musicais. Ele também foi responsável pelo início da carreira de muita gente importante que participou das disputas entre calouros. *Um Instante, Maestro* ficou no ar por muitos anos e depois se transformou em quadro no semanal do apresentador. No mesmo ano, também na TV Tupi do Rio, estreou *Rancho Alegre*, programa de auditório com grande quantidade de música comandado por Chacrinha. Dois anos depois, surgiria a *Discoteca do Chacrinha*, atração de imensa repercussão junto ao público, grande apelo popular e responsável por elevados índices de audiência. O *Ritmos S. Simon*, com o respaldo comercial das Lojas S. Simon e sob o comando de Waldir Calmon, estreou em 1952 na TV Tupi Rio, depois migrou para a TV Rio e ficou no ar por pouco mais de dez anos. O sucesso era tão grande que a loja patrocinadora mandava prensar discos-brindes com os cantores que ali se apresentavam para presentear seus clientes mais fiéis e que ultrapassassem certo valor em compras.

Em 1958, a Record e a TV Rio iniciaram a produção do *Show 713*, que unia os prefixos das emissoras porque era exibido simultaneamente em

Rancho Alegre com Geny Prado, Mazzaropi e João Restiffe

São Paulo e no Rio de Janeiro. O programa tinha duas horas de duração, era ao vivo, exibido no período da tarde, e dividia a tela ao meio para mostrar o que acontecia nos estúdios paulista e carioca. "Misturávamos notícias, variedades, tudo o que era importante e música com direito a orquestra ao vivo nas duas cidades", recorda Nilton Travesso. Ousado e caro, *Show 713* ficou na grade até 1962, quando os comandos da Record e da TV Rio chegaram à conclusão de que o melhor seria cada uma desenvolver a sua grade vespertina e apostar numa linguagem mais direcionada ao telespectador de cada cidade. *Noite de Gala*, outro grande sucesso da TV Rio, é considerado por muitos o mais importante desse gênero durante os anos 1950 no Rio de Janeiro. "Era o maior programa da televisão carioca, o mais caro, que tinha as melhores contratações internacionais e muito jornalismo", ressalta Luiz Carlos Miele, que atuou como produtor de vários programas musicais nas emissoras pelas quais passou. *Noite de Gala* era apresentado por Murilo Nery e contava com a participação do jornalista Sérgio Porto, o Stanislaw Ponte Preta, que, sempre de costas para o público, fazia crônicas bem-humoradas e comentava as suas musas, as famosas e desejadas "Certinhas do Lalau".

Na década de 1950, a música funcionava muito bem na televisão, levava a plateia para os auditórios dos programas, gerava fãs-clubes e atraía muitos anunciantes, afinal, nada melhor para uma empresa do que associar sua marca a artistas de sucesso e desejados pela multidão. Os bons números e os resultados comerciais levaram a TV Tupi do Rio de Janeiro a investir em nomes internacionais para apresentações especiais durante a programação da emissora. Foi lá, em 1959, que Marlene Dietrich fez sua primeira aparição na televisão brasileira. A diva cantou alguns de seus sucessos da época, entre eles "Falling in Love Again" e "The Boys in the Backroom", e respondeu a questões sobre sua carreira, vida, participação na guerra e seu olhar da América, elaboradas por Jaci Campos, um dos diretores do canal, mas que naquela noite funcionou como uma espécie de apresentador, já que sua missão era anunciar a estrela internacional e realizar uma pequena e interessante entrevista. Quem estava na plateia da TV Tupi Rio, nas antigas instalações do Cassino da Urca, não esquece o momento em que a clara cortina do cenário se abriu e apareceu a cantora. Bastou um "hello" para levar todo o abarrotado auditório ao delírio e também as centenas de pessoas que não conseguiram entrar e acompanharam tudo do lado de fora. No bloco final do especial, a estrela recebeu um buquê de flores coloridas, agradeceu, cantou, despediu-se do público e saiu do palco sob muitos aplausos. A multidão que a aguardava diante da emissora obrigou a polícia a montar um esquema diferente para que Marlene Dietrich pudesse voltar a seu hotel, mas, acostumada a situações dessa intensidade, a estrela optou por subir para o segundo andar do prédio e, por meio de um terraço que ligava a TV Tupi a outro edifício, fugir da confusão por uma rua paralela. Quem poderia imaginar uma diva internacional, com um dos seus belos e ousados vestidos, pulando de um terraço para o outro, sorrateiramente, só para sair da confusão de seus fãs? Histórias que até parecem de filmes de cinema, mas que aconteceram realmente na televisão brasileira.

Nasce uma estrela

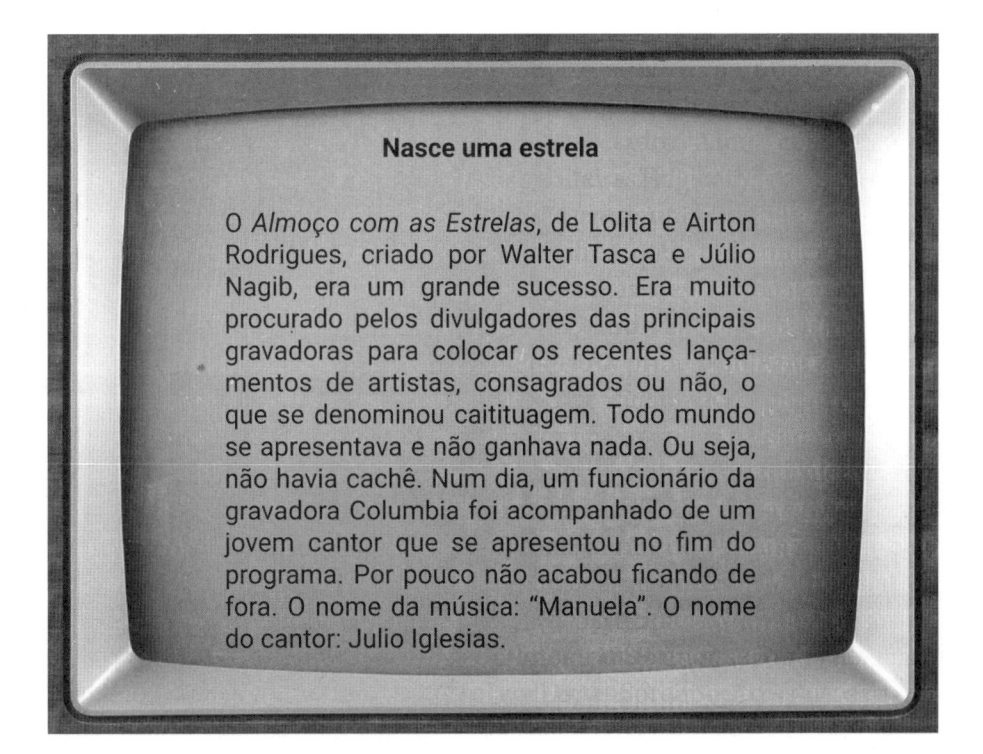

O *Almoço com as Estrelas*, de Lolita e Airton Rodrigues, criado por Walter Tasca e Júlio Nagib, era um grande sucesso. Era muito procurado pelos divulgadores das principais gravadoras para colocar os recentes lançamentos de artistas, consagrados ou não, o que se denominou caitituagem. Todo mundo se apresentava e não ganhava nada. Ou seja, não havia cachê. Num dia, um funcionário da gravadora Columbia foi acompanhado de um jovem cantor que se apresentou no fim do programa. Por pouco não acabou ficando de fora. O nome da música: "Manuela". O nome do cantor: Julio Iglesias.

A TV aposta nos programas voltados para as mulheres

Numa época em que poucas mulheres trabalhavam fora de casa e em que o mundo tinha outro ritmo, os diretores das primeiras emissoras de televisão não pensaram duas vezes ao investir no público feminino para os programas que ocupariam a grade vespertina. Não era preciso ir muito longe, afinal, bastava olhar na própria residência para observar que era justamente no período da tarde que a mulher encontrava um tempo só para ela, depois de cuidar dos afazeres domésticos, dos filhos e da refeição da família, já que nas décadas de 1950 e 1960 era muito comum os maridos almoçarem em casa, porque não trabalhavam muito longe de onde moravam, principalmente os mais ricos, que podiam comprar os caros aparelhos de televisão. Assim, com a certeza da plateia garantida, surgiram as primeiras revistas femininas na TV, comandadas por apresentadoras com opinião e que já faziam parte do cotidiano das telespectadoras, porque muitas atuavam como garotas-propaganda e, por isso, eram referência de credibilidade.

O primeiro programa voltado exclusivamente para as mulheres e exibido no período da tarde surgiu na televisão brasileira no início da década de 1950, na TV Tupi. O *Revista Feminina* foi comandado por Lolita Rios e levava ao telespectador um conteúdo que mesclava entrevistas, prestação de serviço, dicas para o dia a dia, alguns musicais, artesanato e culinária, quadro apresentado por Ofélia Anunciato, a primeira culinarista da televisão brasileira e que permaneceu muitos anos no ar como uma referência nesse setor. Temas polêmicos e os tabus da época ficavam fora da discussão, afinal nem tudo podia ser abordado numa sociedade ainda conservadora e em que as garotas eram educadas para se preocuparem com a família, deixando de lado, muitas vezes, seus desejos, prazeres e sonhos. "Naquela época, a mulher não era notícia, não estava na política e não aparecia publicamente", ressalta Meire Nogueira para exemplificar a dificuldade que os produtores enfrentavam no dia a dia para construir a pauta desses programas. "O entrevistado não podia faltar e era difícil encontrá-lo, porque nem todo mundo tinha telefone", conta Silvio Alimari, atual superintendente de programação da TV Gazeta e que nos anos 1950 e 1960 atuou em diversas produções na TV Tupi, Excelsior e Bandeirantes. Além de trabalhar como propagandista nos intervalos comerciais da TV Tupi, Meire Nogueira também participava de telejornais e revistas eletrônicas da emissora.

Em 1958, ao lado de Homero Silva, ela comandava um programa que entrava no ar logo depois da hora do almoço e tinha a mulher como público-alvo e a informação como base de conteúdo. "Um dia, o Cassiano Gabus Mendes entrou correndo no estúdio e me disse para informar que o Brasil havia ganhado a Copa do Mundo na Suécia", recorda Meire Nogueira, que interrompeu o que o parceiro estava falando no ar para comemorar com o público a grande vitória. "O Cassiano ficava com o rádio ligado na sala dele ouvindo tudo e, quando um grande fato acontecia, nos avisava lá embaixo", completa. Meire Nogueira comandou muitas atrações dedicadas ao público feminino, entre elas *Alegria de Viver* e *A Casa é sua*.

Outro programa desse gênero que se destacou nos primeiros anos da televisão brasileira foi *No Mundo Feminino*, com Maria de Lourdes Lebert e Elizabeth Darcy, mãe do locutor Silvio Luiz, e considerada uma das mais importantes garotas-propaganda do país. Na TV Paulista, ela era a anunciadora oficial da Walita, Mappin, Bombril e Philips e, por isso, nada mais natural do que ser escalada para comandar programas femininos na emissora, já que possuía grande credibilidade entre as telespectadoras e sua presença poderia atrair mais público, principalmente aquelas donas de casa que acompanhavam diariamente suas dicas de consumo nos intervalos comerciais dos principais programas. Elizabeth Darcy ganhou diversos prêmios, entre eles o Troféu Tupiniquim como melhor propagandista e o de "A Mais Elegante da TV".

Em 1955, a TV Paulista colocou no ar *O Mundo é das Mulheres*, uma atração semanal exibida à noite, dirigida por Walter Forster e comandada por Hebe Camargo, que, com mais quatro apresentadoras convidadas, entrevistava um homem de grande evidência em sua área de atuação. A pauta era bem diversificada, os convidados podiam ser empresários, políticos, atletas ou artistas e, no último bloco, alguns minutos antes do encerramento, o convidado precisava reconhecer que, realmente, o mundo era das mulheres, que avançavam em seus direitos e conquistas a cada dia. Branca Ribeiro, Cacilda Lanuza, Vida Alves e Wilma Bentivegna eram as apresentadoras em São Paulo mais frequentes ao lado de Hebe Camargo, que uma vez por semana viajava ao Rio de Janeiro para comandar *O Mundo é das Mulheres* na TV Continental, que alcançava excelentes índices com esse programa. "Importantes temas foram discutidos ao vivo, provocando quem estava em casa a fazer reflexões sobre alguns tabus", conta Nilton Travesso, que já via sinais claros de que Hebe Camargo se transformaria na maior apresentadora da história da televisão brasileira. "Ela não fugia das polêmicas", completa o diretor, "e as mulheres se viam representadas nela".

Wilma Bentivegna e Hebe Camargo na TV Paulista

Quatro anos depois, em 1959, a TV Paulista colocou no ar o *Clube do Lar*, programa feminino apresentado pela atriz Regina Macedo, mãe de Luiz Carlos Miele, e que mesclava quadros de prestação de serviço, informação, entrevistas com artistas, culinária e artesanato, além de dicas que poderiam ajudar a mulher nos seus afazeres do dia a dia, principalmente no cuidado com a família. "Para quem só ficava em casa, era o entretenimento que permitia que elas tivessem assuntos para conversar com os maridos à noite", explica Marinês Rodrigues, superintendente artística da TV Gazeta, emissora que tem boa parte de sua grade dedicada aos programas informativos voltados ao público feminino, entre eles o *Mulheres*, que completou 35 anos no ar em setembro de 2015, tornando-se a atração desse gênero com mais tempo de exibição. "E tudo foi evoluindo ao longo do tempo, em função do reposicionamento da própria mulher dentro da sociedade. Hoje ela não precisa mais acessar informação só para ter assunto com o marido, mas tem as questões dela, os caminhos profissionais e até a sexualidade. O importante é que aquilo que a gente exiba represente o momento do telespectador, ou seja, exatamente o que ele precisa ter naquela época", completa Marinês Rodrigues. Com o fim do *Clube do Lar*, Regina Macedo dedicou-se à teledramaturgia e participou de diversas novelas, sempre com algum papel de destaque – entre elas, *Eu Amo Esse Homem* e *A Defensora*, exibidas pela TV Paulista, *A Grande Mentira* e *Nina*, na TV Globo, e *Os Imigrantes*, grande sucesso da TV Bandeirantes criado pelo autor Benedito Ruy Barbosa nos anos 1980.

Clarice Amaral, uma das mais famosas garotas-propaganda da televisão brasileira e que conquistou o público ao comandar ao lado de Vicente Leporace o dominical *Gincana Kibon*, é o nome mais importante da história dos programas femininos diários. Como apresentadora e produtora do *Clarice Amaral em Desfile*, por dez anos na TV Gazeta – SP, ela determinou a fórmula moderna de atrações desse gênero e conseguiu sempre estar à frente do tempo e das mudanças de comportamento da mulher, alterando o conteúdo de seu programa, propondo o novo e tirando a telespectadora do lugar-comum. *Clarice Amaral em Desfile* foi o primeiro programa colorido da TV Gazeta e, no início dos anos 1970, as lojas especializadas faziam questão de estampar em seus anúncios em jornais e revistas que possuíam o aparelho capaz de mostrar em cores a atração diária preferida da mulher de São Paulo. No início, ela ocupava uma hora da grade a partir das 18h e concorria diretamente com as primeiras faixas de novelas da Tupi, que conquistavam boa audiência e aqueciam o público para o horário nobre. Como Clarice Amaral gerou muita repercussão e abocanhou um pouco dos índices da dramaturgia da concorrente, o programa ganhou mais tempo no ar e foi transferido para o miolo da tarde. Alguns meses depois, já ocupava toda a grade vespertina. "Começou a dar certo esse sistema de merchandising no corpo do programa e, aí, se esticou para três, quatro e até cinco horas", recorda Silvio Alimari, que na época era um dos responsáveis pela direção do diário. "Os programas femininos daquela época eram personalizados. Era a opinião que valia, e por isso levavam o nome das apresentadoras", explica o atual superintendente de programação da TV Gazeta. Clarice Amaral só exibia em seu programa o que ela mesma aprovava, dos assuntos das pautas com os entrevistados às roupas do Mappin, o grande magazine da época e forte anunciante da emissora. "Até na culinária", recorda-se Silvio Alimari. Na reunião com a equipe, ela escolhia o prato e sabia exatamente quem era o melhor cozinheiro daquele tipo de receita. E determinava com a autoridade de quem sabia muito bem se comunicar com o público: "Você não vai fazer qualquer macarrão. Vai fazer um espaguete, não um ravióli", dizia ela ao convidado. Mesmo com muito sucesso e responsável por um bom faturamento, o *Clarice Amaral em Desfile* deixou de ser produzido no início dos anos 1980 e foi substituído pelo *Mulheres em Desfile*, comandado por Ione Borges e Claudete Troiano, que ampliaram um pouco a fórmula estabelecida pelo programa anterior e acrescentaram mais prestação de serviço, para atender uma mulher que começava a ganhar espaço no mercado de trabalho, a cobrar seus direitos e a compreender a vida além dos limites da casa, das obrigações com a família e dos sonhos e prazeres silenciosos. "Em um primeiro momento minha reação foi de recusa. Travei e pedi um prazo para pensar", recorda Ione Borges, que seguiu o conselho de Fernando Luiz Vieira de Mello, jornalista que, além de comandar a rádio Jovem Pan, era diretor de marketing do Mappin, onde a então modelo trabalhava, inclusive com participações nos desfiles do programa de Clarice Amaral.

"Quer virar dondoca e pendurar seu diploma de jornalismo na parede?", indagou Vieira de Mello, tirando Ione da zona de conforto.

A intenção da TV Gazeta era inovar no segmento feminino e, para isso, apostou em duas apresentadoras no comando do *Mulheres em Desfile*. A direção da emissora resolveu convidar uma repórter que já havia passado por alguns programas da casa, tinha grande facilidade com o improviso e que naquela época estava ligada ao jornalismo e esportes no rádio. "Como o Silvio Alimari me conhecia, sabia que formaria uma boa dupla com a Ione", revela Claudete Troiano. Convite aceito, no dia 22 de setembro de 1980, as duas jovens apresentadoras davam o primeiro boa-tarde ao público e iniciavam uma parceria que durou 15 anos, com muita prestação de serviço, entrevistas e registro das mudanças do comportamento feminino. "O mundo está em constante transição e nos anos 1980 a mulher já demonstrava isso, querendo saber mais, inclusive, sobre a sexualidade", afirma Ione. "Aí tivemos a mulher ingressando no mercado de trabalho e o programa ficou mais jornalístico. Um tempo depois, percebemos que quem estava em casa também queria artesanato e culinária", completa Claudete. O fato é que o programa se adaptou a todas as transformações de comportamento e tendências de comunicação, reciclando quadros, modernizando formatos e resgatando algumas temáticas. Como revistas impressas com suas diferentes editorias, as atrações vespertinas voltadas ao público feminino possuem um leque bem amplo de informações e muitas possibilidades de conteúdo, inclusive com quadros sobre a vida de artistas e celebridades.

O programa *Mulheres em Desfile* sempre foi transmitido ao vivo e, apesar de todo o profissionalismo da equipe que atuava atrás das câmeras e dos cuidados para que nada desse errado, era sujeito a muitos imprevistos, que precisavam ser contornados para que o telespectador não os percebesse ou pelo menos não notasse detalhes do que estava acontecendo. E um pouco de tudo ocorreu no estúdio principal da TV Gazeta. Certa vez, coube a Claudete Troiano entrevistar três lutadores brasileiros de sumô que haviam se destacado em competições internacionais de lutas. Tudo corria tranquilamente naquela tarde, não havia atrasos provocados por alguma entrevista esticada além do tempo previsto e a pauta com os atletas entraria logo depois do intervalo comercial. Durante o break, ela foi apresentada aos entrevistados, pegou a ficha com anotações e algumas sugestões de perguntas, checou os dados com a produção, bebeu um gole de água e se posicionou na poltrona que ficava na parte principal do cenário do programa, que reproduzia uma sala de estar de uma ampla casa.

"Trinta segundos para voltar ao ar! Atenção, todos em seus lugares", gritou um dos coordenadores do estúdio.

"Posicionem os convidados no sofá central", ordenou o diretor do programa.

Um dos assistentes de produção levou os três atletas até o sofá que acomodava quatro pessoas e explicou que a conversa deveria ser o mais natural possível, que eles poderiam, inclusive, interromper a apresentadora para complementar informações e que havia copos com água ao lado caso a garganta secasse. No monitor de retorno posicionado diante do cenário apareceu a vinheta de volta do programa e Claudete se concentrou para fazer uma boa introdução da conversa que aconteceria a partir daquele momento. De repente, todos perceberam um barulho de madeira se rompendo. O sofá não aguentou o peso dos três lutadores, uma parte dele afundou e, com o movimento, o móvel tombou para trás. Gargalhada no estúdio. "Quando eu me virei, só vi as pernas para o alto balançando e eles tentando voltar à posição inicial, mas sem nenhum resultado positivo. A Ione ria e eu belisquei minha perna tão forte para sentir dor e não prestar atenção no que acontecia ao meu lado", diverte-se Claudete Troiano. A câmera fechou praticamente em close na apresentadora para que as equipes de produção e de contrarregra entrassem no estúdio para desvirar o sofá, tirar os convidados daquela situação embaraçosa, arrumar o móvel e deixar o cenário completo. Claudete Troiano abordou outro assunto enquanto acontecia uma verdadeira operação de guerra que envolvia todos os funcionários ligados ao vespertino, e, com o sinal positivo do diretor, iniciou, finalmente, a entrevista com os lutadores de sumô. "Colocaram tijolinhos embaixo do sofá para ele não voltar a cair e prosseguimos com o programa", completa. "Apresentar ao vivo é um desafio constante. É pura adrenalina. É convidado que atrasa, lâmpada que estoura, gente que escorrega ou tropeça em cabos", reforça Ione Borges, que acredita que jogo de cintura, bom humor e espontaneidade são características vitais para quem sonha em comandar um programa na televisão. "E com tudo isso, com tanta coisa que pode dar errado, ainda assim, mil vezes ao vivo", conclui com a sabedoria de quem durante trinta anos esteve à frente de atrações exibidas pela manhã, à tarde e na faixa nobre da grade.

Em 1996, Claudete Troiano passou a comandar o *Pra Você*, uma revista eletrônica matinal voltada ao público feminino, também pela TV Gazeta, e Ione Borges seguiu na apresentação do *Mulheres*, que ganhou novos colaboradores, mais quadros de entretenimento e prestação de serviço. Três anos depois, foi a vez de Ione ir para o horário nobre, com uma atração voltada a toda a família. O tradicional programa feminino passou então por alguns ajustes em sua linha editorial e teve nos anos seguintes em seu comando Márcia Goldschmidt, Leão Lobo, Christina Rocha e Clodovil. Em 2002, depois de uma passagem pela Rede Mulher e pela Record, em que esteve à frente do *Note e Anote*, Cátia Fonseca assumiu o comando do *Mulheres*, imprimindo ao programa mais ritmo e muita naturalidade. "Eu queria montar meu próprio negócio e nem pensava em seguir na televisão. A Gazeta insistiu, aceitei o projeto e fechei a padaria, porque aquilo era de me enlouquecer", explica Cátia, que deixa bem claro: "Não adianta, eu gosto disso mesmo".

Assim como todas as apresentadoras que atuaram ao vivo na televisão, Cátia Fonseca foi desenvolvendo ao longo de sua carreira muita habilidade com o improviso e com o jogo de cintura nas mais diferentes situações que surgem no seu dia a dia dentro do estúdio durante as quatro horas de duração do *Mulheres*. Boa parte dessa versatilidade diante das câmeras surgiu durante sua experiência na Rede Mulher, uma pequena emissora quase sem nenhuma estrutura que dedicava sua programação ao público feminino. "A gente não tinha teleprompter, muito menos dinheiro para comprar cartolina para escrever o roteiro. Então, tinha que memorizar os 'merchans' para não aborrecer o cliente", conta. Além disso, a restrita equipe de produção era obrigada a pensar em absolutamente tudo, do liquidificador que seria utilizado no quadro de culinária às flores para o vaso do cenário. E era muito comum a mistura do bolo vazar da batedeira, o forno não funcionar corretamente e o convidado se atrasar. Para quem passou por tudo isso, qualquer imprevisto no programa é mais um momento que deve ser enfrentado com humor e compartilhado com o telespectador. "Você sabe a hora que começa e termina, mas o que vai acontecer no miolo não tem como controlar. Eu gosto dessa adrenalina do ao vivo", diz Cátia Fonseca, que já esteve várias vezes nos vídeos do "Top Five", do humorístico CQC, que fazia um ranking das situações mais engraçadas da semana exibidas pela televisão. "Eu curto quando as pessoas satirizam com inteligência", ressalta.

Certa tarde, às vésperas da Páscoa, o programa *Mulheres* levou ao ar uma série de dicas de artesanato para deixar a casa mais bonita nas comemorações da data ou para quem pretendia vender umas lembrancinhas e, assim, ganhar um dinheiro extra com a ocasião. "Esse tipo de prestação de serviço funciona muito bem", destaca a apresentadora, uma vez que são várias as telespectadoras que reforçam o caixa familiar com pequenos trabalhos que exigem habilidade manual. A proposta apresentada pelo programa era um suporte para ovos de galinha pintados à mão, uma tradição da Europa que simboliza o renascimento de Jesus e a importância da vida. O referido objeto possuía três andares e, no intermediário, os produtores resolveram colocar alguns pintinhos, além de filhotes de coelho na bancada.

"Cátia, está maravilhosa a mesa para o artesanato. Vai ser sucesso porque tem bichos de verdade e quem quiser pode fazer o mesmo em casa para as crianças", contou empolgado um dos assistentes de produção no camarim da apresentadora, minutos antes de o programa começar.

"Menino, na hora que começar a esquentar por causa das luzes, esses bichinhos vão ficar atormentados e não vão parar de se mexer", advertiu a apresentadora.

"Fique tranquila, tudo vai dar certo!"

O *Mulheres* entrou no ar, Cátia Fonseca fez o editorial, chamou as principais atrações, conduziu o primeiro quadro e, nesse tempo todo, os pintinhos e os coelhos já estavam na bancada em que a especialista ensinaria a técnica para deixar o almoço de Páscoa muito bem decorado. Um produtor cuidava dos animais para garantir a integridade deles. O tempo passou e, mesmo com o ar-condicionado a todo o vapor, o estúdio começou a esquentar por causa da forte iluminação que é exigida para a imagem ficar a mais bonita possível. Depois de uma ação de merchandising, Cátia cruzou o cenário, sentou-se no sofá e iniciou uma das entrevistas programadas para aquela tarde. O quadro seguinte seria o de artesanato, mas, no meio da conversa, uma intensa movimentação no estúdio chamou a atenção da apresentadora. Os pintinhos haviam fugido, pularam da bancada e saíram correndo pelo estúdio. Os produtores, assistentes técnicos e até quem esperava para entrar no ar na sequência, como as modelos impecavelmente penteadas e maquiadas, se uniram para pegar os ariscos filhotes, mas ninguém conseguia, porque eles corriam em todas as direções. Diante da confusão instalada no estúdio, Cátia pediu licença para a convidada e foi ajudar a pegar os pintinhos fugitivos. Tudo ao vivo. Tudo muito engraçado!

"Gente, pintinho não se pega assim", disse Cátia, jogando-se no chão para imobilizar o animal. Depois, conseguiu fisgar mais alguns e controlar a inusitada situação.

A engraçada caçada foi transmitida ao vivo e entrou para o "Top Five" do CQC na semana seguinte. É claro que a frase "é assim que se pega um pintinho" virou piada e ela foi obrigada a ouvi-la por muito tempo. "Depois, eu achei engraçado e ficou ótima a brincadeira do Marcelo Tas", completa.

A naturalidade das apresentadoras é algo fundamental nos programas femininos transmitidos ao vivo e um elemento que sempre esteve presente no decorrer desses 67 anos de televisão no Brasil. Saber sair das saias justas ou das gafes, algumas provocadas até pela falta de informação ou esquecimento de quem está diante das câmeras, pode ser decisivo para a carreira de muita gente, principalmente nos dias atuais, em que sempre há alguém gravando o que a TV exibe e a repercussão na internet é imediata. Um bom exemplo é o que aconteceu no dia 14 de setembro de 2011, com Claudete Troiano no comando de mais uma edição do *Manhã Gazeta*. Durante o quadro com o colunista Marcelo Bandeira, foi exibida uma notícia sobre a vitória da angolana Leila Lopes no concurso Miss Universo e a apresentadora lembrou-se da atriz de mesmo nome que ganhou destaque nacional com seu trabalho em *Renascer*, novela de Benedito Ruy Barbosa exibida em 1993, como a professora Lu.

"Um beijo pra você, Leila Lopes. Por onde será que anda a Leila Lopes, a atriz?", indagou ao vivo a seu colaborador.

"Ela faleceu", respondeu Marcelo Bandeira meio sem jeito.

"É mesmo? Não fiquei nem sabendo", completou a apresentadora.

A atriz Leila Lopes havia morrido dois anos antes da gafe de Claudete, que na época estava no exterior, em férias. A apresentadora reagiu no vídeo como muitas pessoas anônimas em suas conversas em casa ou no trabalho quando questionam por um amigo que não veem há muito tempo e descobrem que ele faleceu, mas, na era da internet, em que tudo vira piada e se alastra rapidamente, esse trecho do *Pra Você* caiu nas redes sociais e viralizou, atingindo em tempo recorde mais de três milhões de visualizações.

***

Nas duas faces de Eva
A bela e a fera
Um certo sorriso
De quem nada quer...

Sexo frágil
Não foge à luta
E nem só de cama
Vive a mulher...

Por isso não provoque
É cor de rosa choque...

Era dia 7 de abril de 1980 quando os telespectadores de São Paulo, Rio de Janeiro e Juiz de Fora ouviram a música que Rita Lee e Roberto de Carvalho fizeram especialmente para a abertura de um novo programa matinal da Rede Globo. A vinheta mostrava lindas modelos vestidas de uniforme branco trabalhando numa central técnica e em várias áreas de bastidores de uma emissora de televisão ao som de "Cor de Rosa Choque", uma encomenda do diretor Nilton Travesso para o projeto que abriu em São Paulo um centro de produção de entretenimento da Globo, a pedido de Boni. O tema do programa se transformou num verdadeiro hino da transformação feminina e em uma das canções mais executadas até os dias atuais nos shows de Rita Lee. Mas, por pouco, essa história não foi bem diferente.

Algumas semanas antes da estreia, depois de ter equipe montada, pilotos gravados, linha editorial aprovada e vinhetas prontas, Nilton Travesso percebeu que o *TV Mulher* necessitava de uma trilha marcante, algo que gerasse no público um reconhecimento imediato e que, com apenas algumas notas, remetesse ao programa. Como a proposta era de um conteúdo moderno, o diretor-geral do projeto pensou em Rita Lee, uma artista que sempre esteve à frente de seu tempo, muito admirada pelas mulheres e autora de vários sucessos. Com um bom grau de intimidade, numa certa tarde, ele pegou um carro da Globo e foi até o apartamento da roqueira para fazer a proposta da música para a abertura do novo programa. Com a agenda lotada de shows no Brasil e na Europa, ela pediu desculpas e disse que não poderia assumir essa responsabilidade, mas Travesso pediu a ela que, pelo menos, ouvisse detalhes do projeto. Mudaram de assunto, conversaram sobre outras coisas e ele voltou para a redação com a certeza de que algo sairia daquele encontro. Alguns dias depois, toca o telefone na mesa de Nilton e, do outro lado da linha, Rita Lee perguntou o que ele achava de uns versos que escrevera no avião durante o voo para Londres. A abertura estava ali. Surgia mais do que uma vinheta – um sucesso musical que atravessou décadas e advertia o homem para não provocar porque é cor de rosa choque, "nas duas faces de Eva, a bela e a fera, num certo sorriso de quem nada quer".

Em abril de 1980, entrava no ar o *TV Mulher*, a primeira atração voltada ao público feminino com um olhar moderno sobre esse universo e que colocava as mulheres definitivamente no centro das pautas como agentes da transformação de comportamento, e não apenas como pessoas que precisavam de informações para ter o que conversar com o marido. A nova fórmula conquistou as telespectadoras das três cidades (São Paulo, Rio de Janeiro e Juiz de Fora) e, em pouco tempo, a Globo viu a audiência e o faturamento aumentarem no horário, sendo obrigada a ampliar, um ano depois, para três horas e meia a duração do diário comandado por Marília Gabriela, Ney Gonçalves Dias e César Filho, com participações de Ala Szerman, Xênia Bier, Marta Suplicy, Eduardo Mascarenhas e Clodovil Hernandes em quadros de até cinco minutos sobre beleza, direitos sociais, sexualidade, família e moda, além de entrevistas especiais com atores, cantores, empresários e personalidades de destaque, como Elis Regina, a primeira a sentar-se no sofá do matinal e responder às perguntas de Marília Gabriela no quadro "Ponto de Encontro", que, depois de um tempo, ganhou vida própria e se transformou em programa, com maior duração, na parte final da manhã. Ao longo dos seis anos em que esteve no ar, o *TV Mulher* contou com Amália Rocha, Irene Ravache e Esther Góes em sua condução. "Foi realmente um grande impacto, porque nunca tinha sido feito algo tão importante e unindo pessoas tão interessantes. Você andava nas ruas e nos paravam para repercutir as pautas da semana", conta Marilu Torres, responsável por grandes reportagens de turismo, cultura e culinária. "A primeira viagem foi para Comandatuba, na Bahia, e um verdadeiro aprendizado do que mostrar ao telespectador. Escrevíamos ali as passagens e a produção da reportagem era feita praticamente no local", recorda-se. Com o decorrer do tempo, todas as externas sobre turismo eram elaboradas com muita antecedência e com planejamento de todos os detalhes, incluindo uma pesquisa de possíveis entrevistados.

O programa tinha como fio condutor o comportamento da nova mulher e, nesse sentido, todos os produtores, jornalistas e redatores buscavam pautas que mostrassem essas mudanças que ocorriam na sociedade e quais seriam seus impactos nas gerações futuras. Um dos quadros era sobre o cotidiano de profissões que começavam a ganhar elementos femininos, e a personagem do episódio de estreia foi uma policial militar. Marilu Torres foi destacada para acompanhar 24 horas dessa mulher, desde suas atividades em casa com a família, antes do trabalho, passando pelos desafios do dia até seu retorno, no fim do expediente. "Havia uma certa dose de conservadorismo naquela época, mas as pessoas assistiam porque elas se ressentem de ver boas histórias, e com isso contribuímos para abrir um pouco a mentalidade dessas telespectadoras", explica Marilu Torres, que, nesse quadro, entrevistou, entre outras personalidades, Tomie Ohtake e Tizuka Yamasaki. "Eu procurava profissões bem diferentes, justamente para elas assistirem e se entusiasmarem com as mudanças", completa. "A equipe era formada por 80% de mulheres, então era muito fácil encontrar as melhores pautas e o caminho certo para abordar os assuntos", diz César Filho, um dos apresentadores do feminino, que trocou um telejornal na TV Cultura, no qual estava havia três meses, pelo desafio de uma nova atração na Globo.

No início de 1980, depois de passar pelo rádio e pela TV Record, César Filho apresentava o *Sinopse*, um telejornal que entrava no ar por volta da meia-noite e que não tinha muita audiência. Certo dia, ele recebeu o recado para que entrasse em contato com um diretor que estava interessado em contratá-lo para fazer a locução de uma propaganda para um lançamento da Volkswagen. "Mas não era verdade. Era uma pessoa da TV Globo que tinha me ligado para marcar uma reunião com Nilton Travesso", lembra. Para não complicá-lo na TV Cultura, preservar o novo programa e não levantar suspeitas, ao deixar o recado com a telefonista da emissora, o profissional inventou a campanha publicitária como mensagem a ser entregue, afinal, numa época em que não existiam celular, e-mail e as centrais de bipes, os *pagers* utilizados por poucos médicos, locutores, jornalistas e profissionais que faziam plantões para receber alertas, era absolutamente comum uma agência de propaganda ligar nas emissoras de TV e rádio atrás de locutores.

Alguns dias depois, ele estava contratado para apresentar as principais notícias do dia ao lado de Amália Rocha, outra jovem jornalista que ingressava no ousado projeto da Globo, que conseguiu dar às manhãs na televisão a mesma importância comercial do horário nobre, com suas novelas, linha de shows e grandes estrelas.

Após cinco meses no comando do *TV Mulher*, César Filho foi convidado para também integrar o *Fantástico*, revista eletrônica produzida e gerada do Rio de Janeiro, o que possibilitou ampliar a cobertura do entretenimento do diário matinal. Às sextas-feiras, logo após a reunião com toda a equipe do feminino, ele embarcava para a sede da Globo e, ao chegar lá, já se envolvia com algumas reportagens nos bastidores da teledramaturgia da emissora ou com os shows e espetáculos que aconteciam na noite carioca. "O *TV Mulher* tinha uma equipe no Rio de Janeiro e, então, pegávamos a câmera e íamos para os estúdios da novela. Eu encontrava a Myrian Rios, a Sandra Bréa, todas as grandes estrelas, e fazia entrevistas, reportagens que eram exibidas no decorrer da próxima semana", conta o apresentador, que atualmente comanda o *Hoje em Dia*, programa da TV Record que segue uma linha muito semelhante àquela dos programas feitos no passado, com a mistura de entretenimento, jornalismo factual, alguns quadros de comportamento e *realities*, formato que chegou ao Brasil em meados dos anos 1990 e que ganhou popularidade com *Casa dos Artistas* e *Big Brother Brasil*.

Como o *TV Mulher* era ao vivo e, portanto, sujeito a imprevistos, algumas gafes e acidentes entraram para a história, como o dia em que a mesa utilizada por Ney Gonçalves Dias desmontou no ar após um comentário mais entusiasmado do apresentador sobre o comportamento de algumas pessoas no elevador. Ao esticar a perna, ele empurrou um dos suportes do móvel. Sem perder o raciocínio ou parar sua fala, resolveu arrumar sustentação para evitar o pior, mas não conseguiu. Em fração de segundos, com audiência em alta, para todo o Brasil, a mesa balançou e caiu, levando o apresentador. O diretor de TV foi rápido: mudou de câmera e soltou o intervalo comercial para que o cenário fosse refeito e tudo resolvido no estúdio, onde todos estavam às gargalhadas com a inusitada cena. Em outra ocasião, ele deixou cair café quente em sua camisa, chamou o break e trocou de figurino rapidamente para dar prosseguimento ao programa. Em 1982, foi a vez do costureiro Clodovil Hernandes, que comandava o quadro de moda do matinal da Globo, surpreender quem estava em casa ao abandonar o programa ao vivo após um desentendimento com Marília Gabriela. Quem vivia nos bastidores do *TV Mulher* naquela época garante que os dois não se entendiam muito bem e que Clodovil tinha uma certa dose de ciúme pelo fato de a jornalista ser a apresentadora principal do programa e, por isso, responsável por chamar todos os quadros, inclusive o seu, que, com o agravamento da relação dos dois, passou a entrar direto na vinheta, sem nenhuma participação de Marília Gabriela.

A intenção da equipe do *TV Mulher* não era surpreender as telespectadoras com as falhas, gafes, imprevistos ou desentendimentos no ar, mas com as pautas inusitadas e que de alguma forma saíssem da abordagem tradicional do jornalismo televisivo. Por isso, todos os produtores buscavam algo diferente para fazer durante as reportagens ou algum elemento que desse um ar inovador a temas abordados anteriormente, ou entrevistas com artistas que frequentavam outros programas ou apareciam em revistas e jornais. Era preciso ir além e mostrar o que poucos sabiam dos convidados, como o que aconteceu com o ator italiano Ugo Tognazzi em sua visita a São Paulo para divulgar o filme que estava lançando. Um dos mais populares artistas da Europa, famoso no mundo inteiro por interpretar um dos protagonistas de *Gaiola das Loucas* e respeitado pelos inúmeros prêmios conquistados, ele recebeu a jornalista Marilu Torres no hotel em que estava hospedado para contar detalhes de seu mais recente longa-metragem, fazer um retrospecto de sua carreira e, a pedido do *TV Mulher*, cozinhar um *penne all'arrabbiata*, um de seus pratos preferidos. Enquanto preparava a massa, contou várias histórias engraçadas. "Foi um sucesso enorme e as pessoas não paravam de ligar na Globo para anotar a receita. Tivemos que deixar a relação dos ingredientes e o modo de preparo com as telefonistas, que não davam conta de tantos pedidos", lembra Marilu.

Para encerrar a reportagem, Marilu Torres experimentou o *penne all'arrabbiata* preparado por Ugo Tognazzi. Só não sabia que o prato era muito apimentado. Assim que a câmera foi desligada, um copo de água suavizou o paladar, mas o ardido da pimenta valeu pelo telefone que não parava de tocar na redação do *TV Mulher* com pessoas desejando a receita da massa feita pelo grande astro italiano.

Como o programa sempre foi transmitido ao vivo de segunda à sexta-feira em todas as versões e tempo de duração, os apresentadores precisavam estar prontos para substituições em função de algum impedimento de um dos integrantes da equipe, mesmo que não tivesse familiaridade com o quadro que estaria descoberto. Depois que Marília Gabriela deixou o *TV Mulher* para seguir carreira na TV Bandeirantes, Irene Ravache assumiu o "Ponto de Encontro", um momento em que grandes artistas eram entrevistados pela atriz para falar sobre suas carreiras, trabalhos, espetáculos e pensamentos. Certo dia, com uma forte virose, Irene não pôde comparecer ao trabalho e coube a César Filho entrevistar Paulo Autran, um dos mais importantes atores do teatro brasileiro, que naturalmente impunha respeito. "Eu era garoto, um jovem profissional de televisão, e fiquei completamente nervoso", relembra o apresentador, que, ao iniciar a entrevista, contou ao público o motivo pelo qual Irene Ravache não estava naquela edição do "Ponto de Encontro" e revelou a todos quanto para ele aquele era um momento diferente, difícil e especial. No final do bate-papo, a surpresa de um ator generoso, que viu o surgimento de grandes profissionais das artes:

– Tá vendo, foi tudo muito bem – disse Paulo Autran olhando para César Filho.

Em seguida, Autran mudou de câmera e, falando olho no olho com quem estava em casa, emendou:

– E nem parece que ele é tão jovem assim e tão inexperiente. Até brincamos e foi ótimo!

Estava aí a aprovação para César Filho comandar muitas outras entrevistas no *TV Mulher* e nos programas que conduziu nas emissoras em que trabalhou, como a que realizou com Cazuza, em 1985, alguns dias depois de sua saída no auge da banda Barão Vermelho. "Ele foi muito sincero, como eu nunca tinha visto. Foi divertido e a gente nem parecia estar na televisão. Ele contou coisas que normalmente não falava para ninguém", completa o apresentador.

O *TV Mulher* permaneceu no ar até 1986 e somente a partir de seu terceiro ano é que se transformou numa atração obrigatória para todas as emissoras e afiliadas da Rede Globo. Em algumas praças, apresentadores locais comandavam blocos regionais com notícias e reportagens direcionadas especialmente para essas cidades, uma forma de aproximar as telespectadoras. O feminino matinal que revolucionou esse gênero televisivo foi substituído pelo *Xou da Xuxa*, infantil que ocupou praticamente toda a manhã global, inclusive o espaço do "Balão Mágico", com uma jovem apresentadora que foi tirada a peso de ouro da TV Manchete. Xuxa Meneghel se transformaria na Rainha dos Baixinhos, com um programa que marcou a história da televisão brasileira.

***

Um ano depois de entrar no ar, a TV Manchete resolveu ampliar sua grade e investiu no segmento feminino para o início da tarde, puxando a abertura das transmissões para as 11h da manhã, um bom acréscimo à programação, que, nos meses iniciais, começava às 15h com as sessões de desenho e o *Clube da Criança*, o primeiro infantil sob o comando de Xuxa Meneghel, até então apenas uma modelo famosa atraída pelos holofotes da televisão. Voltado às mulheres e com uma pauta bem variada, que contava com quadros de prestação de serviço, comportamento, cultura e entrevistas, surgia o *Manchete Shopping Show*, com Clodovil Hernandes como um dos apresentadores e, obviamente, responsável pelo módulo de moda, em que, além de dar dicas às telespectadoras, desenhava vestidos para quem mandava cartas com pedidos para ocasiões especiais, um elemento que fez muito sucesso durante sua passagem pela TV Globo. O resultado foi considerado positivo e, um ano depois, estreava o *De Mulher para Mulher*, com o famoso costureiro em seu casting e que tinha como missão esquentar o horário para o *Manchete Shopping Show*. Polêmico e sempre no foco dos holofotes, seria mais do que natural que Clodovil ganhasse um programa só seu para falar com as mulheres e emitir as mais contundentes opiniões, inclusive sobre temas políticos. *Clô Para os Íntimos* estreou em 1986 e terminou em 1988, quando o apresentador foi demitido pelo próprio Adolpho Bloch, dono da TV Manchete, que não gostou quando o costureiro chamou a Assembleia Constituinte de "Prostituinte".

Com a saída de Clodovil Hernandes, estreia na TV Manchete o *Mulher 87*, concebido por Nilton Travesso, que deixou a Globo após o término do *TV Mulher* e levou para a nova emissora os mesmos princípios editoriais e muitos dos colaboradores e comentaristas do programa matinal que conduziu na concorrente por seis anos. Com patrocínio nacional dos cosméticos L' Arc en Ciel e do leite Molico, o novo feminino tinha a apresentação de Celene Araújo, jornalista que durante muitos anos apresentou os telejornais da Globo em São Paulo, e quadros com a advogada Zulaiê Cobra Ribeiro, a sexóloga Marta Suplicy e Xênia Bier, três das mais famosas mulheres da televisão naquela época e responsáveis pelas audiências mais elevadas do programa, gerado direto de uma casa no bairro do Pacaembu, região nobre da zona central de São Paulo. O projeto foi considerado ousado tecnicamente por não ser gerado de um estúdio tradicional, com cenários que imitassem uma residência, mas sim de um imóvel que possibilitava mostrar ao telespectador o que estava acontecendo do lado de fora. Ao assistir ao vespertino da TV Manchete, a pessoa tinha as mesmas sensações da realidade, afinal era possível observar pelas janelas se o dia estava ensolarado ou chuvoso, além do movimento nas ruas e calçadas. Três anos depois, mesmo com o sucesso do programa, Celene

Araújo foi transferida para o jornalismo da TV Manchete e Astrid Fontenelle, uma jovem apresentadora que despontava no *TV Mix*, da TV Gazeta, foi contratada para comandar o *Mulher 90*, mas saiu logo depois para integrar o primeiro time de apresentadores da MTV. Coube a Xênia Bier seguir à frente do programa até o seu final, decretado pelo alto comando da emissora quando a apresentadora anunciou que estava aderindo à greve dos funcionários da TV Manchete, que lutavam pela regularização de seus pagamentos, atrasados havia vários meses em função de mais uma das várias crises financeiras pelas quais passou a empresa de Adolpho Bloch em sua trajetória.

Dois anos depois, em janeiro de 1992, a TV Manchete resolveu apostar novamente no gênero feminino para o início de suas tardes, mas com um toque de revista eletrônica de entretenimento e variedades. Entrava no ar o *Almanaque*, ancorado por César Filho e Tânia Rodrigues, com Jussara Freire num quadro de gastronomia, Ala Szerman com estilo de vida e Wilson Cunha com dicas de filmes nos cinemas, para locação – algo muito comum nos anos 1990 –, e na própria emissora. Um ano depois, o programa foi transferido para a faixa da manhã e Rosana Hermann, que até então era responsável pela produção e direção, assumiu a apresentação do diário feminino, que ficou no ar por mais algum tempo. Com problemas de audiência e, principalmente, com dificuldades para administrar as finanças da empresa, os diretores da TV Manchete testaram vários formatos em todas as faixas da grade, numa tentativa de atrair o público, engordar os índices e vender melhor seus espaços comerciais. Com isso, os femininos nunca tiveram vida muito longa e, no primeiro sinal de cansaço do telespectador ou queda de anunciantes, eram retirados do ar.

Entretanto, como o formato possibilita múltiplas formas de propaganda, dos clássicos 30 segundos no intervalo, passando pelo merchandising com as apresentadoras, até conteúdo patrocinado, os departamentos comerciais sempre defendem a criação de atrações voltadas às mulheres. Dessa forma, em 1997, estreou o *Mulher de Hoje*, inicialmente apresentado por Beth Russo, mas que teve Claudete Troiano por mais tempo em seu comando. O programa seguia a velha fórmula de atrações voltadas às donas de casa, acrescentando um pouco de jornalismo a quadros de moda, comportamento, entrevistas, fofocas, culinária e artesanato, esses dois últimos os que mais atraíam verbas publicitárias, que não podiam ser desprezadas durante o agravamento da crise que levou a TV Manchete a encerrar suas atividades, em fevereiro de 1999. "Eram 30 'merchans' por dia num programa de quase quatro horas. E o sindicato na porta xingando e os clientes querendo mais.

Era o jeito que tinha para conseguir pagar os funcionários com o dinheiro que entrava", recorda Claudete Troiano, que foi obrigada a ouvir de muitos funcionários que só restavam na grade ela e os desenhos japoneses. O *Mulher de Hoje* foi encerrado pouco antes da agonia pública da emissora, que não conseguiu honrar suas obrigações, afundada em dívidas trabalhistas, com clientes e fornecedores.

***

Enquanto na TV Manchete os projetos ligados ao segmento feminino oscilaram e não tiveram continuidade, sendo substituídos de tempo em tempo, a Record conseguiu na década de 1990 manter no ar um dos mais ousados projetos nessa área, o *Note e Anote*, que estreou sob o comando da atriz Jussara Freire, recém-saída do sucesso estrondoso de *Pantanal*, e teve o seu auge com Ana Maria Braga, que aceitou o desafio de substituir Beth Russo e Nanci Gil e se tornar sócia da emissora em todas as ações comerciais veiculadas nas sete horas de duração do programa. "Eu estava desempregada. Tinha acabado de ser demitida da Editora Abril. A Jussara Marques me ligou e disse que a Record estava em busca de uma apresentadora para um programa matinal. Fui lá e topei na hora", recorda Ana Maria Braga, que aceitou um salário baixo e apostou na concretização das vendas. Com um espetacular retorno financeiro e fila de anunciantes na porta da emissora, o *Note e Anote* começava às 11h e só terminava às 18h, depois de muitas receitas, dicas de artesanato, algumas reportagens e muita espontaneidade da apresentadora, que, diante de uma estrutura enxuta para a enorme duração do diário feminino, se viu obrigada a se envolver diretamente na produção do programa. "Inovamos em tudo. Na forma de apresentar, na maneira de se comunicar com o público, no tempo de permanência no ar, enfim, tinha um custo baixíssimo, mas conseguiu conquistar seu espaço na grade e no coração dos telespectadores", diz Ana Maria.

Com dez intervalos comerciais diários lotados e reconhecido em 1993 como o programa ao vivo com maior tempo de duração do mundo, a produção do *Note e Anote* se viu obrigada a buscar um grande número de parceiros de conteúdo, principalmente para culinária, artesanato e discussão de temas de comportamento. Eram os colaboradores, profissionais reconhecidos em suas áreas, respeitados no mercado e que conseguiam se comunicar bem com a telespectadora, mesmo que em algum momento se atrapalhassem ou ficassem meio tímidos. Ana Maria Braga estava sempre ao lado para fazer

Ana Maria Braga no Note e Anote

a ponte com o público e administrar as gafes que surgiam naturalmente, afinal o programa era transmitido ao vivo. "No começo, todos os desafios. Imagine a pia que não tinha água encanada nem saída para o esgoto", ressalta a apresentadora, que reconhece quanto todo mundo da produção trabalhou e suou para deixar o cenário o mais real possível e conquistar os culinaristas, entre eles, Palmirinha, que seis anos depois ganhou programa próprio na TV Gazeta.

A mais conhecida e popular das colaboradoras do *Note e Anote* entrou para o programa graças ao olhar atento de uma das produtoras do feminino da Record, que, ao parar para assistir a mais uma entrevista de Silvia Poppovic na concorrente TV Bandeirantes, gostou da história de uma mulher simples que vivia da venda de salgadinhos para sustentar sua família. Pauta aprovada com Ana Maria Braga, ela foi atrás de um telefone de contato daquela cozinheira e conseguiu chegar até uma de suas filhas, a única com telefone em casa, que anotava as encomendas para sua mãe. Só que naquela manhã tratava-se de um convite para ir a outro programa de televisão. "Eu não sabia o que era o *Note e Anote* porque não tinha tempo para assistir televisão. Depois que aceitei, assisti ao programa alguns dias para saber como era e o que encontraria pela frente", conta Palmirinha, como carinhosamente era chamada por Ana Maria Braga, que, logo após a entrevista com a culinarista, a convidou para que toda segunda-feira estivesse no programa com uma receita para o dia a dia. "Era tudo muito simples e bonito e a Ana me ajudava nas perguntas e chamava a atenção no ar quando eu errava alguma coisa. Ela foi uma professora, aprendi a me comunicar com ela", diz Palmirinha, que, como os demais colaboradores, viu suas encomendas aumentarem com a exposição de seus trabalhos no feminino da Record.

Para dar conta das sete horas diárias do *Note e Anote* e também atrair o público infantil e assim evitar a fuga da telespectadora quando os filhos retornassem da escola no meio da tarde, Ana Maria Braga apostou, em março de 1997, na interação com um boneco, o famoso Louro José, um carismático papagaio de espuma que fala sobre tudo, sempre com a língua solta e que desafia a apresentadora com suas piadas. Diante da grande aceitação popular, o Louro José, interpretado pelo ator Tom Veiga, virou brinquedo e ajudou a reforçar os rendimentos da apresentadora.

Em 1999, depois de seis longos anos no comando do *Note e Anote*, de mais um programa em horário nobre e considerada a principal estrela da Record, Ana Maria Braga rompeu contrato com a emissora, alegando prejuízos financeiros e de imagem em função de uma parceria para a venda de fitas de vídeo com as principais receitas do programa. Alguns meses depois, ela anunciava oficialmente sua contratação pela Rede Globo para o comando de um programa feminino no período da tarde. Os sinais de que a apresentadora poderia mudar de emissora apareceram um bom tempo antes, durante a abertura da terceira temporada do humorístico *Sai de Baixo*, quando o episódio foi transmitido ao vivo e contou com vários convidados e artistas na plateia. Ana Maria Braga não apareceu no vídeo, mas sentou-se ao lado de Marluce Dias, a então diretora-geral da Globo e a maior articuladora da contratação da estrela da concorrente.

Ana Maria Braga rompeu seu contrato numa sexta-feira, assim que terminou de apresentar o programa. Ela subiu à sala da vice-presidência da Record e relatou os argumentos que a impediam de continuar na empresa, entre eles o conflito artístico com o responsável pela programação, José

Paulo Vallone, além dos problemas de entrega das fitas VHS com suas receitas. Mesmo com a saída da estrela que transformou o *Note e Anote* num grande sucesso comercial, o alto comando da emissora resolveu manter o programa no ar e, durante o fim de semana, contratou Cátia Fonseca, que assumiu a atração já na segunda-feira, sendo obrigada a se adaptar ao novo estilo no ar, completar a equipe, uma vez que alguns nomes da produção haviam saído junto com Ana Maria, e administrar as pressões por audiência e cobrança de faturamento, que naturalmente caíram com a troca das apresentadoras. Ela permaneceu à frente do diário feminino por um ano, quando foi substituída por Claudete Troiano, que chegou à Record com a missão de popularizar o feminino e melhorar seus índices. Um dos elementos utilizados foi o noticiário sobre artistas e celebridades, sempre com uma dose, mesmo que suave, de veneno. "O pessoal adora uma fofoca. É um quadro que dá boa média, mas é uma audiência vazia, porque não acrescenta nada à vida das pessoas", destaca a apresentadora, que, assim que assumiu o comando do programa, foi atrás de novos colaboradores, entre eles um bonito jovem empresário do setor de sorvetes, que de imediato fez sucesso entre as telespectadoras. "O Edu Guedes é cria minha", fala com orgulho, "eu fiz a cabeça dele para seguir na televisão", completa. Ela também levou para o vídeo o médico Roberto Figueiredo, que apelidou como "Dr. Bactéria", e o veterinário Alexandre Rossi, o "Dr. Pet", que depois ganhou quadros nas várias atrações da Record e até programa próprio nos canais de televisão por assinatura.

Em 2002, com o fim da linha infantil na Record, o *Note e Anote* foi transferido para o período da manhã e ganhou mais participações do jornalismo. O resultado foi praticamente imediato e o feminino chegou a conquistar a liderança em vários momentos, ultrapassando a Globo e os desenhos do SBT. No entanto, deixou de ser exibido em agosto de 2005, sendo substituído pelo *Hoje em Dia*, uma revista eletrônica que continuava de olho nas mulheres que ficavam em casa no período da manhã, mas que flertava com os homens para engordar a sua audiência. Ana Hickmann, Britto Júnior e Edu Guedes iniciaram a trajetória de um programa que incomodou a Globo em muitas manhãs e que permanece no ar há mais de dez anos, alternando fases com mais jornalismo e entretenimento, com artistas pendurados a mais de 20 metros de altura em passarelas sustentadas por guindastes e descobrindo belezas regionais em comunidades pobres. Foi praticamente uma renovação num tradicional formato da televisão brasileira, sem deixar de lado toda a força comercial desse gênero. "O objetivo é sempre o mesmo. É prestação de serviço e informação, mas agora com mais ritmo e um compromisso maior com a audiência", diz César Filho, que ingressou no time do *Hoje em Dia* em janeiro de 2015, liderando a terceira formação de apresentadores do programa, ao lado de Ana Hickmann, Renata Alves e Ticiane Pinheiro.

***

Depois do sucesso do *TV Mulher*, a Globo passou longos 13 anos sem investir no segmento feminino, dedicando a grade matinal para as crianças e a vespertina para telejornais, reprises de novelas, filmes e seriados. Mas, diante do sucesso estrondoso – financeiro e de audiência – do *Note e Anote*, atração da concorrente que começava a crescer, e de olho nas possibilidades de maior faturamento, no dia 18 de outubro de 1999, às 13h40, uma emocionada Ana Maria Braga estreava na Globo o *Mais Você*, projeto que atendia a uma demanda comercial direcionada às mulheres que estavam diante da televisão no início da tarde.

"Primeiro, agradecendo a Deus pelo aprendizado e paciência que eu tive durante esse tempo que eu fiquei morrendo de saudade de vocês", disse Ana Maria na abertura da primeira edição do *Mais Você*.

A nova apresentadora da Globo agradeceu aos familiares, aos fã--clubes, à equipe que a ajudou a preparar o novo programa da emissora e aos velhos amigos que a impulsionaram para aceitar os grandes e novos desafios. Depois, levantou-se da bancada e mostrou ao telespectador cada detalhe de seu novo cenário, composto por uma ampla cozinha para suas receitas, com direito a ímãs barulhentos na geladeira e uma bancada por baixo da qual se podia passar para chamar os cachorros quando a receita fosse absolutamente deliciosa. Elementos que muitos consideravam cafonas e que não combinariam com o padrão global, mas que foram aceitos por quem estava em casa. No final desse *tour* pelo ambiente, Ana Maria mostrou o espaço reservado ao "Louro José", personagem que também brilhou no programa *Note e Anote*. "Como toda chegada, tive um tempo para me adaptar a eles e eles a mim", conta a apresentadora, que, em março de 2001, foi transferida para o período da manhã, depois de muitos estudos sobre o horário ideal para ela, que, no início de sua trajetória na Globo, enfrentou muitas oscilações de audiência e a pressão para subir os índices aos antigos patamares do horário. "Chegar no formato ideal, no horário certo, acertar a equipe, de uma forma geral, foi um processo demorado, de muita dedicação, mas sempre com muito respeito", destaca a apresentadora, que, ao entrar no ar após um telejornal, o *Bom Dia Brasil*, é obrigada "a driblar a dança de interesses na pauta todos os dias", com a troca de uma parcela significativa do público. Com mais de 16 anos no ar, o *Mais Você* está entre os principais faturamentos da Globo, porque tem ações específicas para seu segmento, além de Ana Maria ser uma excelente garota-propaganda, que sabe como poucos vender os mais variados produtos, sempre graças à sua credibilidade e naturalidade.

Transmitido prioritariamente ao vivo, com edições gravadas em alguns períodos de férias, o *Mais Você* também coleciona seus momentos de gafes ou de cenas inusitadas, como o dia em que Ana Maria Braga foi atropelada por um carro guiado por um sistema de inteligência criado por uma universidade de São Paulo. Ao chegar perto da porta do passageiro para dar prosseguimento à entrevista com os especialistas nesse sistema, o veículo se movimentou bruscamente, atingindo a apresentadora. O telespectador acompanhou tudo pela TV e o Louro José foi obrigado a assumir o comando do matinal enquanto Ana se recuperava do susto. Em outra ocasião, a cadeira que a apresentadora usava quebrou e ela caiu ao vivo, estatelando-se no chão. Ninguém esquece também a manhã em que ela, sentada de maneira informal no chão enquanto abordava com seus convidados os cuidados com animais de estimação, virou o alvo do xixi de um cachorro, que, sem cerimônia, ergueu a pata e urinou diante das câmeras. Ela já trocou nomes de entrevistados, de artistas que apareciam nos vídeos, derramou a receita que estava preparando, quebrou copos e pratos e caiu na gargalhada ao ver Renato Aragão bater a testa na porta de vidro de seu cenário. "O programa é ao vivo. É pura adrenalina, e os tropeços, erros e incidentes acontecem no dia a dia da vida real. Encaro com muita naturalidade e tento passar isso para o telespectador, que já me conhece e sabe que não escondo nada deles", diz Ana, revelando a receita para nunca ficar numa saia justa diante das câmeras. Para Ana Maria, o programa ao vivo não é nada mais do que duas horas de seu dia.

***

A TV Bandeirantes também investiu no segmento feminino em sua programação, principalmente em sua fase inicial, quando essas atrações foram mais duradouras, geravam muita repercussão sobre o telespectador, atingiam bons índices de audiência e representavam importante peso no faturamento geral da empresa. Em 1968, depois de passar pelo jornalismo da TV Tupi e pelas novelas da TV Cultura, a carismática Xênia Bier, que não se intimidava diante dos temas mais difíceis, dos tabus e polêmicas, aceitou o convite da emissora que surgia em São Paulo para comandar o *Xênia e Você*, diário voltado às mulheres que apostava na abordagem de grandes assuntos de comportamento, pautas variadas, como astrologia e estilo de vida, e entretenimento. Considerada uma das mais influentes e importantes apresentadoras da televisão brasileira, Xênia Bier permaneceu na TV Bandeirantes até receber o chamado para integrar o *TV Mulher*, na Globo, em 1983. Para ocupar o espaço deixado com o fim do programa, a direção da emissora contratou Baby Garroux para comandar *Ela*, atração que seguiu a clássica fórmula das revistas femininas, com diversos quadros, e, um ano depois, passou a apresentação para Helô Pinheiro, a eterna "Garota de Ipanema". Com a descontinuidade do *Ela*, a Band investiu para sua faixa matinal no *Dia Dia* – que permanece no ar até os dias atuais –, trocou várias vezes de formato e apresentadores, flertou com linguagens mais modernas, deixou a grade em alguns períodos, mas tem na culinária o elemento que garante sua presença na emissora, por ser capaz de atrair anunciantes de olho no público segmentado. Nos últimos meses de 1996, sob nova direção artística, a Band apostou novamente no público feminino e deu mais espaço a Silvia Poppovic na grade vespertina. Cinco anos depois, criou o *Melhor da Tarde*, sob o comando de Astrid Fontenelle, recém-saída da jovem MTV, com um bloco local e outro transmitido direto dos estúdios centrais da emissora, no bairro do Morumbi, zona oeste de São Paulo, para todo o Brasil. Porém, por mais que ela e sua produção se esforçassem, raramente o programa ia além de 1 ou 2 pontos na audiência. E, quando ultrapassava e alcançava registros de 4 ou 5, sempre vinha um telefonema do diretor Celso Tavares com a mesma história: "Onde foi que nós erramos?". Em 2005, de olho numa linguagem mais popular e bem-humorada, a emissora convocou Leonor Corrêa para a apresentação do feminino. Sempre de forma divertida, a jornalista e diretora compara esse gênero às longas maratonas. "É muito chão, é muito longo. Você dorme e acorda e é o mesmo dia. É muito espaço e pouca produção, obrigando a longas jornadas e a muita criatividade", explica.

Com uma história profissional que oscilou com atividades atrás e na frente das câmeras, Leonor Corrêa iniciou sua carreira na televisão numa pequena emissora da região de Campinas, a TV Princesa, de propriedade de Blota Júnior, amigo de seus pais e que, no nascimento dela, mandou um cartão brincando com o futuro político e com a certeza de que teria o voto para o Senado daquela menina. O canal regional não tinha muita estrutura, retransmitia parte da programação da Record e investia em algumas atrações locais. Meses depois, Leonor já estava na EPTV, que, mais tarde, se transformou em afiliada da Rede Globo. Só que, naquela época, havia um programa com o nada original título *Mulher*, com Valéria Monteiro no comando, até então desconhecida do grande público. Quando ela foi para o Rio de Janeiro, Leonor assumiu o papel de apresentadora e teve que enfrentar todo tipo de obstáculo, inclusive os cachorros do vizinho. "O muro era baixo e havia muitos animais no quintal. Bastava o programa entrar no ar para eles começarem a latir sem parar. Em muitas entrevistas, o telespectador percebia aquele barulho todo", conta ela, rindo.

Além do investimento no *Melhor da Tarde*, 2001 ficou marcado pela contratação de Olga Bongiovanni para o *Dia Dia*, que teve seu tempo ampliado no período da manhã para receber a apresentadora, que fazia um sucesso estrondoso em Santa Catarina com programas que misturavam entretenimento e jornalismo e era muito respeitada por suas opiniões fortes sobre os mais variados temas, inclusive as questões políticas. Em sua estreia, não houve como esconder a emoção e um certo nervosismo: "Não tem como o coração não sair pela boca, a transpiração aumentar, a perna ficar bamba. Você tem que falar para o país todo. É muita responsabilidade", diz. Além disso, a estrutura para colocar o feminino no ar era muito maior do que aquela com a qual ela estava acostumada, com cuidados de produção e elaboração de um texto para as quatro horas de programa. "Eu nunca fui uma profissional de teleprompter. Quando cheguei na Band, tinha tudo escrito, até o bom-dia. Eu falei que eles estavam loucos, que não sabia trabalhar daquele jeito e que só precisava do tema e do nome do entrevistado", conta. Em pouco tempo, com toda a experiência de improviso adquirida no período em que atuou no rádio, Olga conquistou a confiança dos diretores da emissora e o carinho do público, que diariamente mandava mensagens repercutindo os assuntos abordados pela apresentadora, que passou quatro anos na Band e depois foi para a Rede TV, em que, por mais cinco anos, esteve à frente de um feminino diário. Após passar pela TV Aparecida e pela TV Gazeta, Olga Bongiovanni voltou para Santa Catarina, onde atua no rádio e na televisão. Na constante busca por audiência e faturamento, e com o objetivo de fazer a grade vespertina repercutir junto ao telespectador, em 2005 a Band colocou no ar o *Pra Valer*, com Claudete Troiano, que acabara de sair da Record. Dois anos depois, o programa foi substituído pelo *Atualíssima*, com Patrícia Maldonado e Leão Lobo, a garantia de um tom mais popular, com suas fofocas bem-humoradas.

Em seus quase cinquenta anos de história, apesar de todas as oscilações e interrupções no segmento feminino em função da mudança de planos ou de problemas com audiência e faturamento, a Band teve um dos mais duradouros programas voltados à mulher: *A Cozinha Maravilhosa de Ofélia*, com a culinarista Ofélia Anunciato, a mais respeitada nesse segmento e que deixou sua marca na televisão brasileira por ser genuína, direta com seu público e possuidora de uma credibilidade inquestionável, a ponto de bater recordes de vendas de livros (um deles está entre os 13 mais lidos do mundo) e revistas com suas receitas. Sua trajetória televisiva começou no dia 11 de fevereiro de 1958, na TV Santos, retransmissora da TV Paulista, com uma receita de "Tênder à Califórnia", a primeira da televisão brasileira.

Em 1958, o tênder não era uma carne produzida no Brasil e, por isso, era praticamente desconhecida do grande público. Victor Costa, que viajava muito a Buenos Aires, cidade onde o prato era bem mais popular, resolveu trazer a iguaria para sua nova contratada ensinar a preparar na televisão. Foi um grande sucesso, e todo mundo queria a receita da novidade que Ofélia havia ensinado em seu programa. A partir daí, sua audiência estava garantida nas emissoras pelas quais passou, entre elas a TV Tupi, que a contratou seis meses após estrear na concorrente e incomodar em seu horário. *Zeloni, Forno e Fogão*, na TV Tupi na década de 1970, e *À Moda da Casa*, com Etty Fraser na TV Record nos anos 1980, são outros dois bons exemplos de atrações que fizeram sucesso com batedeiras, liquidificadores, fornos, receitas e conversas de cozinha pela televisão.

Quando todo mundo acreditava que as receitas de doces e salgados na televisão estavam restritas a pequenos quadros dentro de programas femininos, surgiu o *TV Culinária*, na TV Gazeta de São Paulo, num formato muito semelhante ao de *A Cozinha Maravilhosa de Ofélia*, com Palmirinha Onofre, a colaboradora de Ana Maria Braga que chamou a atenção por sua naturalidade no *Note e Anote*. Na emissora paulistana, ela chegou inicialmente para participar do *Mulheres* e do *Pra Você*, mas, como conquistou o público, ganhou uma atração só sua para ensinar às "amiguinhas", forma carinhosa com que tratava as telespectadoras, os mais diferentes pratos, recheados de muitas dicas práticas e histórias. "Foi tudo muito rápido e com uma liberdade grande. Eu comecei a contar a minha vida, a chorar emocionada, a rir com a equipe e a brincar com os câmeras do meu horário", conta a culinarista, que, em pouco tempo, se transformou numa das principais apresentadoras do canal, em que permaneceu por 11 anos. Seu programa, que inicialmente tinha 20 minutos de duração, passou em pouco tempo para meia hora e, logo depois, para 50 minutos, com o objetivo de acomodar as sete ações de merchandising de produtos ligados a cozinha e ao dia a dia da dona de casa.

Prioritariamente ao vivo, e com uma apresentadora tão espontânea, era natural que alguns momentos engraçados surgissem no *TV Culinária*, como Palmirinha responder no ar às orientações que a diretora passava pelo ponto eletrônico, algo normal para acertar o enquadramento da câmera ou acelerar uma receita para se adequar ao curto tempo do programa. "Quando entrava ali, eu esquecia que estava na TV, porque era como se fosse a minha casa, a minha cozinha, sem roteiros", conta a apresentadora. Diante dessa naturalidade, a direção da emissora optou por colocar um produtor entre a bancada do cenário e a câmera para repassar as ordens de quem estava no comando no *switcher*. Mas, mesmo com todos os cuidados da equipe de produção, ali no vídeo o que valia era o jeitinho de Palmirinha para sair de qualquer imprevisto, até mesmo quando a receita desandava e parecia que tudo daria errado.

Palmirinha na TV Gazeta

Certo dia, ela resolveu ensinar suas amiguinhas a fazer uma calda de caramelo para ser usada em bolos, sobremesas e sorvetes. Algo muito simples, que requer pouco trabalho, mas muita atenção e respeito aos procedimentos. Palmirinha acendeu o fogo, separou a panela, colocou o açúcar, misturou a água e explicou à telespectadora que, para obter o ponto, não deve mexer nessa mistura com colher, nem mesmo com utensílio de madeira. Dica passada, ela pediu à sua assistente que ficasse de olho no fogão e se dirigiu para o outro lado do cenário para mais um merchandising.

O problema é que a garota resolveu colocar a colher na calda para que não empelotasse e ela acabou formando bolhas duras, para desespero de todos que estavam no cenário. Ao voltar, um minuto e meio depois, Palmirinha percebeu que nos bastidores algumas pessoas demonstravam preocupação com o que estava acontecendo ali. Um deles era o jornalista Chico Lang, que acompanhava a receita no estúdio enquanto esperava para iniciar o jornal esportivo, que seria apresentado logo em seguida. Quando viu o estrago, desafiou a apresentadora a salvar a calda. "Coloquei um pouco mais de água, comecei a mexer, levei ao fogo e deu tudo certo. Ele começou a bater palmas e expliquei às telespectadoras como proceder quando o caramelo desanda, porque não dá para desperdiçar", conta com orgulho Palmirinha, que, em agosto de 2010, decidiu não renovar com a TV Gazeta e, alguns meses depois, ingressou no elenco do Bem Simples, canal do grupo Fox dedicado ao público feminino. Num primeiro momento, a culinarista não acreditou muito no novo projeto, afinal nem todas as telespectadoras, ou amiguinhas, como gostava de chamá-las, poderiam assinar esse tipo de serviço, mas foi convencida por meio das pesquisas que identificavam sua plateia. "Eu tinha acabado de comprar um apartamento e não queria depender de minhas filhas", diz ela, revelando o motivo da decisão. A primeira temporada foi gravada em estúdios em Porto Alegre, capital do Rio Grande do Sul, com direito a especial de fim de ano em Buenos Aires, e fez muito sucesso, com grande repercussão na mídia especializada e entre o público. Depois, ela gravou mais duas temporadas em São Paulo e incluiu entrevistas com artistas que admirava enquanto cozinhava suas mais práticas receitas.

A espontaneidade que marcou sua trajetória pelos programas de culinária da televisão levou Palmirinha a ser admirada por um público muito amplo, bem além das mulheres interessadas em receitas para incrementar seu dia a dia. Jovens admiram a culinarista que se transformou em apresentadora de TV e a adotaram como a vovó preferida. São emoções e relações que somente a televisão é capaz de proporcionar, ao aproximar pessoas que jamais se encontrariam no cotidiano da vida real.

Em seus 67 anos, a televisão mudou muito e os programas femininos foram obrigados a se adaptar à realidade da telespectadora. "Hoje tudo é mais rápido, porque a internet coloca em segundos o mundo em sua mão e a televisão precisa seguir isso. Atualmente, os programas são para a família, porque há muitos homens em casa pela manhã ou à tarde", explica Cátia Fonseca, que, todos os dias, por pouco mais de quatro horas, conversa com muitas pessoas sobre os mais variados assuntos, como se estivesse na casa de quem está do outro lado da TV. "Quando o público percebe que aquele ídolo é igual a ele, permite que o comunicador se aproxime", diz ela, revelando o segredo para que um gênero de programa resista por muito tempo num veículo de comunicação que deseja o novo a todo momento e que não tem muita paciência com o que está estabelecido. Mesmo com todas as mudanças que o mundo moderno impõe, pelo visto, os programas femininos permanecerão no ar, mesmo que desenhados para também atender jovens, crianças, homens e idosos. E, atentos aos dias atuais, obrigatoriamente precisam dialogar com as novas tecnologias e plataformas e fazer muitas coisas acontecerem nas redes sociais, nem que seja rir de suas próprias falhas no Twitter, Facebook ou outros canais em que a televisão é assunto frequente.

Como pode o peixe vivo viver fora da água fria – a televisão se alastra pelo Brasil

O ano de 1960 começou com todas as atenções voltadas aos últimos preparativos para a inauguração da nova capital do Brasil. Projetada pelo urbanista Lúcio Costa e pelo arquiteto Oscar Niemeyer, Brasília foi erguida no Planalto Central em tempo recorde para atender a uma das promessas de campanha de Juscelino Kubitschek, a interiorização da capital federal, onde estariam os representantes e funcionários dos três poderes, como previsto na Constituição brasileira. Naqueles dias, as emissoras de rádio e TV noticiavam a grande movimentação nas estradas que ligavam a região Sudeste à nova cidade, principalmente de caminhões que trafegavam lotados de móveis e documentos das repartições públicas do Rio de Janeiro, além de informar detalhes de como estava a construção do Distrito Federal.

O tema dividia opiniões de jornalistas e do público, e não eram poucos os que criticavam o gasto exagerado com algo que poderia ser deixado para outro momento. Os programas de entretenimento com as grandes estrelas da época abriam espaço para algo novo, a Música Popular Brasileira – MPB –, e a Bossa Nova, de Carlos Lyra, um estilo musical que havia conquistado os mais jovens e intelectuais e que aos poucos caía no gosto popular. Esse clima de transformação e a proximidade de algo novo fazia o país ferver em todos os sentidos, da cultura à política, das artes ao comportamento, da juventude à maturidade.

Brasília foi inaugurada no dia 21 de abril de 1960, e, junto com ela, as emissoras TV Brasília, o Canal 6 pertencente às Emissoras Associadas, e a TV Alvorada, Canal 8, dos mesmos proprietários da TV Rio, que a essa altura já estava com a grade estabelecida no Rio de Janeiro e com boa influência sobre os governantes. Aquela quinta-feira foi longa e cheia de compromissos oficiais, festas e de curiosidade por parte dos 142 mil habitantes que iniciavam a história da nova capital federal. Pela manhã, Juscelino acompanhou o toque da alvorada do Batalhão de Guardas e hasteou a Bandeira Nacional em frente ao Palácio do Planalto, a sede do governo. Mais tarde, junto ao vice-presidente João Goulart, foi ao Congresso Nacional para ser recebido pelos deputados federais, senadores e funcionários, além de ministros, presidentes e representantes de outras nações que vieram para as solenidades. Em seguida, inaugurou o Monumento Comemorativo com seu busto feito de mármore. E para o povo disse que ali surgia um novo país.

"Deste Planalto Central, Brasília estende aos quatro ventos as estradas da definitiva integração nacional: Belém, Fortaleza, Porto Alegre, dentro em breve o Acre. E por onde passam as rodovias vão nascendo os povoados, vão ressuscitando as cidades mortas, vai circulando, vigorosa, a seiva do crescimento nacional. Brasileiros! Daqui, do centro da Pátria, levo o meu pensamento a vossos lares e vos dirijo a minha saudação. Explicai a vossos filhos o que está sendo feito agora. É sobretudo para eles que se ergue esta cidade síntese, prenúncio de uma revolução fecunda em prosperidade. Eles é que nos hão de julgar amanhã."

Provisoriamente instalada num apartamento na Super Quadra 104 até que os estúdios e a sede da emissora ficassem prontos no Setor de Rádio e TV da capital federal, a TV Alvorada iniciou sua programação na quinta-feira agitada de 21 de abril de 1960 com um espetáculo comandado por Dedé Santana e Ana Rosa, artistas que aportaram na cidade com o circo de suas famílias atrás das oportunidades que poderiam surgir na nova cidade.

"Eu fui o primeiro a aparecer na tela com um DKW Vemag, carro nacional que Juscelino queria divulgar e símbolo da época", conta o ator que, anos mais tarde, se consagrou no humorístico *Os Trapalhões*. "A estrutura da emissora era precária, não havia uma grade definida e poucos eram os artistas", completa a atriz Ana Rosa, que, nos anos 1980, entrou para o *Guinness Book* como a profissional que mais participou de novelas no Brasil. Muitos contratados da TV Rio, além de alguns cantores de sucesso na época, foram chamados pelos diretores da emissora para participarem do show inaugural, que não teve tanta repercussão, afinal, jornais, rádios, revistas e agências de notícias estavam com o foco das reportagens para as festividades da capital federal e toda a movimentação do então presidente Juscelino Kubitschek, ministros de Estado e autoridades do mundo inteiro que visitaram Brasília.

Nos dias que se seguiram, a TV Alvorada foi desenvolvendo uma grade de programação restrita a três ou quatro horas, sempre no período da noite, com teleteatros e musicais. Dedé Santana, Ana Rosa e outros artistas da companhia de circo passaram a atuar nas diversas atrações da emissora, principalmente nas que exigiam dramaturgia. "Como nós tínhamos vasta experiência do teatro tradicional onde apresentávamos peças completas, o diretor artístico da TV nos chamou para fazer um teleteatro a cada semana", conta Ana Rosa, que via nessa exposição uma forma a mais de atrair público para os espetáculos no picadeiro instalado num dos setores de Brasília. No elenco dos programas de TV, incluindo também os shows de variedades e humorísticos, estavam todos os integrantes da companhia do circo, entre eles a mãe, a sogra e o cunhado da atriz. "A gente montava cenário, criava o guarda-roupa, pensava no roteiro. Fazia de tudo", diz Dedé Santana, pioneiro na televisão em Brasília, que, naqueles dias de 1960, ficou muito chateado ao não ter seu nome na placa com todos os artistas e produtores que estiveram no show inaugural da emissora. "Colocaram pessoas que não fizeram nada e que só chegaram para a festa", desabafa. Na época, ele chegou a falar para alguns amigos que nunca mais faria televisão, por causa da ingratidão em relação a seu trabalho, mas, para sorte do telespectador, nunca cumpriu essa promessa e realizou programas expressivos que entraram para a história da televisão brasileira.

A TV Alvorada seguiu nas instalações provisórias por mais cinco anos, quando o governo militar pressionou os dirigentes da emissora a devolverem o imóvel que utilizavam de forma inadequada, antes de começar a operar definitivamente no espaço estabelecido no projeto inicial. Ainda na década de 1960, operou em cadeia com as Emissoras Unidas e por três anos foi afiliada da TV Excelsior, exibindo para a região Centro-Oeste programas com as grandes estrelas, entre elas Bibi Ferreira, e as novelas com os astros mais desejados pelo público e líderes de audiência. Depois, integrou a Rede de Emissoras Independentes, com a Record e TV Rio, foi vendida para o grupo que controlava a Rádio Capital e, em 1989, incorporada pela TV Record, já em sua atual gestão comandada por Edir Macedo.

Também no dia 21 de abril de 1960, entrou no ar mais uma emissora dos Diários Associados, de Assis Chateaubriand, ampliando seu império de veículos de comunicação. A TV Brasília iniciou suas operações em tempo recorde, afinal os diretores e a equipe técnica tiveram apenas 120 dias para montar toda a estrutura, incluindo equipamentos, estúdios e instalações administrativas, mesmo sem a autorização do governo e a liberação da concessão, o que aconteceu muitos anos depois, após pressão e influências políticas em três governos diferentes (Jânio Quadros, João Goulart e Castelo Branco). Os planos do grupo previam apenas a instalação de um jornal, o *Correio Braziliense*, para acompanhar toda a movimentação na nova sede do governo do país e ser o primeiro impresso da região, um símbolo de credibilidade. No entanto, para o empresário nada era impossível e todos os recursos financeiros foram reunidos para viabilização de mais uma ordem que não deveria ser contestada.

Durante quatro meses, vários operários e técnicos dos Diários Associados criaram um corredor de torres de micro-ondas, sistema capaz de enviar imagens a grandes distâncias, instaladas entre Brasília e Rio de Janeiro, interligando também Belo Horizonte e São Paulo, para a troca de conteúdo com a TV Brasília e a transmissão ao vivo da inauguração da capital federal. Um trabalho que foi muito além do desgaste físico de todos os envolvidos nas operações no meio das matas e que exigiu estratégia para mantê-los em atividade. Acampamentos foram erguidos e desmontados e aviões lançavam nos campos os alimentos que seriam consumidos pela equipe por alguns dias. Além disso, muitos equipamentos, como câmeras e aparelhos que possibilitavam a exibição de slides comerciais, foram transferidos das TVs Tupi paulista e carioca e desviados da estação de Pernambuco, que estava sendo preparada para sua inauguração alguns meses depois.

O que parecia impossível se tornou realidade. Naquela quinta-feira agitada no Planalto Central, uma recepção reuniu Chateaubriand, executivos da nova emissora e das estações de São Paulo e Rio de Janeiro, artistas consagrados, políticos e empresários, além da madrinha do novo canal. Foi a forma encontrada por Chatô para prestigiar os homens mais poderosos que poderiam se transformar em patrocinadores de suas empresas por meio da escolha de suas esposas para um papel de destaque, com direito a notas em jornais e revistas. Sheila Pannel, uma linda loira casada com um dos mais importantes banqueiros de Londres, batizou o canal e fez todo o cerimonial na nova capital do Brasil. Diferente de outras emissoras dos Diários Associados, a TV Brasília não teve um grande show de abertura, mas dedicou seu primeiro dia de atividades para a transmissão ao vivo da inauguração da capital federal e de reportagens sobre o dia de Juscelino Kubitschek, imagens e material que chegaram a São Paulo, Rio de Janeiro e Belo Horizonte por meio da infraestrutura de micro-ondas que uniu cidades distantes mais de 2 mil quilômetros, uma ousadia para a época, marco nas comunicações da América Latina e um fato raro no mundo. Para manter o sinal no ar e evitar ao máximo as falhas, aviões da Vasp e da FAB sobrevoavam esse corredor de torres de micro-ondas, funcionando como uma espécie de retransmissoras. Na prática, as aeronaves rebatiam o sinal gerado no Distrito Federal para os equipamentos espalhados até as três capitais.

Diferentemente de outras inaugurações que ganharam muitas notícias nas rádios dos Diários Associados e longos textos em jornais e revistas dedicadas aos acontecimentos artísticos, a chegada da TV Brasília rendeu uma pequena nota, com direito a uma foto do momento em que a madrinha Sheila Pannel cortava a fita inaugural, na primeira edição do *Correio Braziliense*. A notícia, com o título "Inaugurada a TV Brasília, a primeira do Planalto Central", tinha apenas 36 linhas divididas em três colunas, e estava abaixo de um longo editorial sobre o compromisso do novo jornal em servir o Brasil. Do lado direito, com um espaço maior, detalhes da estrutura do impresso de Assis Chateaubriand, e no topo da página a manchete principal, "Brasil, Capital Brasília". Em seus primeiros anos de atividades, a emissora ligada à TV Tupi exibiu alguns programas regionais e muitas atrações das grandes estrelas de São Paulo e Rio de Janeiro, novelas, musicais e humorísticos produzidos bem longe dali. Em julho de 1980, mesmo com a morte financeira da Rede Tupi e do fim de seu prestígio político, a TV Brasília conseguiu sobreviver à cassação de concessão promovida pelo regime militar. Seu sinal permaneceu no ar, enquanto as TVs Tupi de São Paulo, Rio de Janeiro, Porto Alegre, Belo Horizonte, Recife, Belém e Fortaleza foram desligadas, encerrando histórias regionais da televisão brasileira.

A terceira emissora a operar em Brasília só iniciou suas transmissões oficiais no dia 4 de junho, mas realizou testes de imagem e som durante a inauguração da nova capital federal. Ligada à Rádio Nacional, cuja sede administrativa ficava no Rio de Janeiro, os detalhes do primeiro show ao vivo, o que marcaria a estreia do novo canal, foram definidos durante uma reunião com Paulo Tapajós, Nestor de Holanda e Paulo Netto, o então responsável pela direção musical da mais importante frequência de rádio do país na época. Ficou definido que o roteiro e o texto do espetáculo seriam de responsabilidade de Lourival Marques e a apresentação de César de Alencar, um dos nomes mais fortes da comunicação brasileira, responsável por inúmeros sucessos musicais e uma das maiores audiências do rádio brasileiro. A TV Nacional entrou no ar pontualmente às 20h e mostrou a chegada do presidente Juscelino Kubitschek, vários ministros, representantes do governo e empresários, que participaram de uma rápida cerimônia e depois assistiram ao "Show da Inauguração", planejado nos mínimos detalhes. Sob a regência do maestro Radamés Gnattali, a orquestra completa da rádio executa o Hino Nacional e, em seguida, num cenário instalado na parte externa da emissora, é interpretada a música "Peixe Vivo", a preferida do presidente JK e a melhor forma de agradá-lo. Para mexer ainda mais com suas emoções e divulgar sua política de expansão da economia, cinco carros Simca Chambord – os primeiros automóveis de luxo produzidos no Brasil, com a instalação de uma fábrica da montadora francesa em São Bernardo do Campo, conhecidos como "rabo de peixe" – completavam o cenário do programa.

No dia seguinte ao da inauguração, entrou no ar o humorístico *Dedé e Dino*, com Dedé Santana e seu irmão, que ainda estavam em Brasília com o circo da família e já tinham a experiência das primeiras atrações da TV Alvorada. "Era um programa que misturava um pouco de tudo, com muito humor e até teatro sério", recorda o ator. "Acho que pouca gente assistiu, afinal ninguém tinha televisão", completa. Dedé Santana ficou em Brasília até janeiro do ano seguinte, revezando-se entre o circo e a televisão, quando teve que partir para São Paulo atrás de tratamento para seu filho, diagnosticado com leucemia. Outros programas que marcaram os primeiros tempos de atividades da TV Nacional foram *Encontro Musical Bossa Nova*, com o violonista Dilermando Reis, *Pelos Caminhos da Música* e *Programa Wanderley Mattos*, uma atração de auditório voltada para toda a família, mas que conquistava as crianças por meio de vários quadros. Assim como nas concorrentes, a grade de algumas noites era preenchida por teleteatros com artistas da região e com o elenco de algumas companhias teatrais ou circenses que passavam pela capital federal. Com o fortalecimento da TV Excelsior no eixo Rio-São Paulo e a implantação de seu projeto de rede para todo o país, a TV Nacional, em 1963, passou a retransmitir os programas e novelas da emissora de Mário Wallace Simonsen, diminuindo muito sua produção local. Em 1967, tornou-se afiliada da Rede Globo, que, ao conseguir uma concessão própria em Brasília, desfez o contrato com a emissora. Depois, atuou de forma independente, associou-se à TV Educativa, à Bandeirantes, à Manchete e, em 2007, foi extinta para dar espaço para a recém-criada TV Brasil Capital.

A partir dos anos 1970, com a consolidação das grandes redes nacionais de televisão, em que a programação produzida em São Paulo ou no Rio de Janeiro era exibida em todo o país – com pequenas exceções para atrações locais em faixas não consideradas estratégicas ou dedicadas ao noticiário regional –, as emissoras de Brasília são importante apoio para a produção dos principais telejornais. Afinal, os repórteres acompanham de perto as ações dos representantes dos três poderes e todos os desdobramentos das decisões do governo federal, incluindo as questões políticas, econômicas e o jogo do poder. "O grande desafio de trabalhar em Brasília foi e ainda é traduzir, em no máximo um minuto e meio, as notícias do Congresso, do Executivo e do Judiciário de forma que todos possam compreender de que forma aqueles fatos afetam o dia a dia do cidadão", explica Ana Terra, jornalista gaúcha que chegou à capital do país em 1982 para fazer a cobertura das notícias locais para a TV Globo. Em pouco tempo, já estava na pequena equipe de profissionais autorizados a gravar e entrar no *Jornal Nacional* ou outros telejornais transmitidos em rede. No início dos anos 1980, poucas eram as mulheres que conduziam reportagens, principalmente de assuntos políticos. "Era muito engraçado o comportamento dos entrevistados, a maioria homens. Eles se dirigiam ao cinegrafista, naquela conversa de praxe, antes da entrevista. Quando chegava a hora de gravar, a cara de espanto era inevitável. A repórter era eu e, além do mais, jovem", recorda com humor.

No início dos anos 1980, apesar dos muitos avanços tecnológicos, se comparados com os das primeiras décadas da televisão e da introdução do videoteipe, as reportagens externas eram captadas em filmes, que precisavam ser revelados e custavam muito caro. Por isso, a equipe saía em campo com um número limitado de material e o repórter não podia errar a passagem, o texto em que ele aparece no vídeo unindo dois pontos do tema abordado. "Tínhamos de acertar de primeira, por isso a gente treinava o que ia falar como se fosse ao vivo, porque era proibido errar, caso contrário o filme acabava e a matéria ficava incompleta", destaca Ana Terra, que, por questões de custo, não podia utilizar material colorido em todas as suas externas, somente nas superespeciais. Certa vez, ela foi destacada para fazer uma reportagem sobre as flores do cerrado. Tudo em preto e branco. "Um desastre", conclui. Quando a fita de vídeo finalmente chegou à redação de Brasília e, com isso, os repórteres poderiam errar ou captar tudo o que desejavam para suas matérias, principalmente imagens para ilustrar, a empolgação foi tanta que os editores começaram a limitar o tempo de gravação, sob pena de não conseguirem ver todo o material. Já para os noticiários locais, a facilidade do videoteipe chegou mais tarde. "A prioridade dos equipamentos era sempre para a rede e os melhores estavam nas redações do Rio e de São Paulo. Por isso, o jornalismo local penava para fazer suas matérias", explica Gilnei Rampazzo, que durante muitos anos foi o chefe da cobertura nacional da Globo em Brasília.

Distante 1.661 quilômetros do Planalto Central, Recife também iniciou o ano de 1960 com a ansiedade pela chegada do novo veículo de comunicação, a televisão que mostraria a imagem das estrelas populares do rádio e os artistas consagrados das várias companhias teatrais em atividade na capital pernambucana, que disputavam o prestígio do Prêmio Samuel todos os anos no Teatro Santa Isabel. Assim como em outras cidades, Assis Chateaubriand usou toda a estrutura de sua emissora de rádio e impressos para potencializar a inauguração de mais uma emissora de televisão, gerando curiosidade entre as pessoas e levando o comércio a disponibilizar para a venda os primeiros aparelhos de TV. A criação da TV Rádio Clube de Pernambuco fazia parte de um importante projeto de crescimento e expansão da nova mídia dos Diários Associados, afinal seria a primeira emissora a transmitir na região Nordeste, com a possibilidade de as imagens serem captadas em outros estados, como Rio Grande do Norte e Alagoas.

Nos primeiros meses de 1960, engenheiros e técnicos transformavam o auditório da Rádio Clube de Pernambuco na estrutura que atenderia a emissora, com salas para as produções e três estúdios, sendo um grande para a teledramaturgia e variedades, um médio para o jornalismo e outro menor para as ações comerciais. Nilton Paes e Péricles Leal, que já atuavam na Tupi desde sua origem e com treinamentos nos Estados Unidos, desembarcaram em Recife com a missão de selecionar e preparar a equipe de profissionais que atuariam nos bastidores, em setores ligados à produção e à parte técnica, como engenheiros de som, iluminadores, cenógrafos, câmeras e diretores. Eles ensinaram a importância de um bom roteiro e o cumprimento de todas as marcações planejadas pelos produtores para que o trabalho fluísse da melhor maneira e os erros fossem minimizados, principalmente com as transmissões ao vivo. Enquanto isso, a equipe que preparava a instalação da TV Jornal do Commercio, o Canal 2, corria com a fase final da construção do edifício, considerado o mais moderno e bem equipado da época em todo o Brasil – superando inclusive as emissoras de São Paulo e Rio de Janeiro, que recebiam grandes verbas publicitárias –, planejado para reunir no mesmo espaço todas as produções, redação jornalística, salas administrativas, camarins e três estúdios, sendo um grande, com auditório para até 250 pessoas. A emissora contratou vários profissionais do eixo Rio-São Paulo para produzir e gerar as primeiras atrações do canal e ensinar jovens talentos de Pernambuco atraídos pela novidade que chegava ao estado.

As duas emissoras corriam contra o tempo, e Assis Chateaubriand deu a ordem para que a nova TV dos Diários Associados fosse a pioneira no Nordeste. O comando da TV Rádio Clube de Pernambuco determinou que a estreia acontecesse em vinte dias e que, se necessário, realizassem ajustes depois. Com prazo apertado, os profissionais colocaram a TV no ar em 4 de junho, com quase uma hora de atraso, por causa de um curto-circuito em um dos componentes do potente transmissor. Assim como na inauguração da TV Tupi em São Paulo, em 1950, o improviso e o jeitinho brasileiro foram necessários para que aquela tarde de sábado não terminasse com muita gente frustrada, entre profissionais, executivos e telespectadores, que assistiram ao show de estreia por meio de aparelhos instalados em alguns dos mais populares pontos comerciais de Recife. O manual da RCA Victor previa, para casos como esse, um procedimento que poderia levar até três horas, mas um dos técnicos brasileiros responsáveis pela instalação do equipamento de 8 metros de extensão e 20 painéis de controle, Nelson Bonfante, resolveu seguir seu faro apurado. Pelo cheiro de queimado, ele soube exatamente qual componente havia pifado com o curto-circuito, mas, para fazer o reparo pulando as etapas previstas no documento, precisava tirar da sala um engenheiro americano destacado pela RCA para supervisionar os testes e o início das operações. Então, Mr. Ball foi chamado para tomar um refresco em outra sala enquanto os funcionários da TV Rádio Clube de Pernambuco executavam o longo processo de verificação. Para sua surpresa, o sinal foi restabelecido em pouco tempo, e somente no final do dia o americano soube exatamente como os brasileiros resolvem alguns problemas e imprevistos.

O diretor-geral dos Diários Associados no Brasil, João Calmon, o superintendente dos Diários Associados no Brasil, Manuel Antônio Braune, o diretor das Emissoras Associadas de Televisão, José Almeida de Castro, o diretor-presidente do *Diário de Pernambuco*, Antiógenes Chaves, e o jurista

Justo de Morais, nomeado paraninfo da TV Rádio Clube, foram alguns dos que discursaram durante a solenidade de inauguração da emissora, que contou com empresários e artistas como convidados. O primeiro programa exibido foi o *Festa Popular*, com as mais diversas manifestações culturais de Pernambuco, seguido pelo *Salve, Ó Terra dos Altos Coqueiros*, com roteiro do jornalista Severino Barbos e que prestava uma bela homenagem aos heróis que lutaram nos Montes Guararapes. Os grandes cantores e artistas que faziam sucesso no rádio de Recife, entre eles Nádia Maria, Salomé Parísio, Creusa Cunha e Gordurinha, participaram do *Vozes de Pernambuco*. Depois, entrou no ar o *Saudades de Recife*, o grupo folclórico da Varig e um show gravado da cantora americana Lena Horne, um dos grandes sucessos da época. A primeira grade terminou com uma transmissão ao vivo direto do Clube Internacional de Recife, onde acontecia uma festa que reunia toda a equipe da nova emissora, incluindo alguns artistas de São Paulo e Rio de Janeiro especialmente convidados para a ocasião. No dia seguinte, entraram no ar o *Disneylândia*, um infantil comandado por Heloísa Helena, *Vozes da Taba*, *Grande Show* e o primeiro teleteatro, a peça *Coração Delator*, dirigido por Nelson Cardoso.

Apesar de sua inauguração oficial só acontecer duas semanas depois, no dia 18 de junho de 1960, uma programação experimental foi exibida a partir do dia 2, para mostrar ao recifense que a TV Jornal do Commercio não havia ficado para trás, mas que se preparava com mais cautela para fazer a diferença no estado. No sábado, entraram no ar o *Cineminha Kibon*, com desenhos animados para as crianças, um musical com Doris Darnell, o programa *Barzinho dos Artistas*, com números de Maria das Graças, Jussara Lopes e Sônia Carvana, *Sociedade em Desfile*, apresentado pelo jornalista José de Souza Alencar, que já escrevia suas colunas sociais, o *Grande Teatro*, com a peça *Trágico à Força*, o *Tele-Esportes*, sob o comando de Barbosa Filho, um musical gravado com João Gilberto, e, para encerrar, um filme no *Cinema Para Todos*. Um teste que mostrou a força do canal que chegava à capital pernambucana.

No dia marcado, sob muita expectativa do público e com um evento de gala que reuniu artistas, empresários locais e os executivos da nova emissora, entrava oficialmente no ar a TV Jornal do Commercio. O apresentador Luiz Geraldo foi escalado para narrar o editorial de abertura escrito por Alberto Lopes, mas, nervoso com a ocasião, deixou escapar de suas mãos o papel com o texto e foi obrigado a improvisar com base no que já havia lido antes de a câmera ser ligada, numa tentativa de memorizar o conteúdo. Na sequência, entraram no estúdio a apresentadora Ruth Prado e J. Silvestre, que fazia muito sucesso no rádio e na televisão em várias capitais brasileiras, para comandarem um show que contou com nomes importantes, entre eles, Ivon Curi, Luiz Vieira, Trio Irakitan, Carminha Mascarenhas e Dora Lopes. Na plateia, homens e mulheres impecavelmente vestidos, a maioria autoridades e empresários locais. Eles de smoking ou summer; elas com longos usados em festas chiques. No estúdio, todos os câmeras, auxiliares e produtores foram orientados a usar terno e gravata, e quem não seguiu o conselho foi substituído em suas funções. No dia seguinte, domingo, a grade contou com show de humor, transmissão de futebol, desenhos animados, documentário sobre a construção da TV e mais shows musicais.

Já nas primeiras semanas, TV Rádio Clube de Pernambuco e TV Jornal do Commercio desenvolveram suas grades e apostaram em talentos regionais, além do intercâmbio com as emissoras do eixo Rio-São Paulo, principalmente a TV Tupi e a TV Rio, com suas estrelas populares no país inteiro. "Eles começaram a copiar a programação do Sudeste e surgiram os teleteatros semanais com textos de autores nacionais e os clássicos internacionais", recorda-se Arlete Salles, que iniciou sua carreira de atriz na televisão na emissora pernambucana dos Diários Associados, em função dos prêmios que ganhou no teatro. "Eles estavam formando elenco e buscaram muitos profissionais nas companhias que atuavam na cidade", completa Arlete.

Arlete Salles e Albuquerque Pereira

Assim como em outras capitais, os teleteatros, o carro-chefe da programação, eram ao vivo e exigiam, além de muito ensaio, profissionais com capacidade de improviso para driblar os mais diferentes imprevistos que poderiam surgir, inclusive os provocados pelo excesso de calor nos estúdios. Há quem afirme que, em dias de verão, os termômetros alcançavam facilmente os 44 graus. "A televisão pernambucana foi privilegiada por uma gama de intelectuais, como o humorista Barreto Júnior, um dos maiores comediantes deste país, e Ariano Suassuna, que fez teleteatros populares e espetáculos inusitados e brilhantes", ressalta Lúcio Mauro, paraense que estava em Recife quando a televisão chegou ao Nordeste e se transformou num dos pioneiros desse novo veículo de comunicação ao participar dos programas de humor transmitidos ao vivo adaptados do rádio, como *Beco Sem Saída* e *Pensão Paraíso*, atrações populares capazes de atrair a audiência, além da primeira novela diária da TV Rádio Clube de Pernambuco, *O Ruído do Silêncio*, que estreou no dia 18 de junho para abafar a chegada da concorrente. Uma semana depois, no dia 25 de junho, a TV Jornal do Commercio colocou no ar sua novela, *Lili*, produzida e dirigida por Graça Melo. Os folhetins dividiram opinião, conquistaram o telespectador, mas foram alvo de fortes críticas dos intelectuais. As duas emissoras apostaram em telejornais (*Diário de Pernambuco* e *Telejornal do Comércio*), em musicais com grandes orquestras, infantis (*Cata-Vento, Cidade Encantada, Histórias da Tia Benta, No Mundo da Criança*) e programas de auditório, sendo os principais o *Você Faz o Show*, com o polêmico Fernando Castelão, *Noite de Black-Tie*, com Luiz Geraldo e Barbosa Filho, *Bossa 2*, sob comando de José Maria Marques, e *Carrossel na TV*, apresentado por Walter Lins. O ator José Wilker, que brilhou em muitas novelas e séries, além de inúmeros trabalhos no cinema, iniciou sua carreira televisiva no infantil *Histórias da Tia Benta* e, algum tempo depois, conquistou a fama no *Festival de Verão*, um grande show de variedades com vários artistas, entre eles Lúcio Mauro e Arlete Salles, que já estavam casados nessa época e se dividiam entre a TV e o teatro. A TV Rádio Clube de Pernambuco contava também com o reforço de algumas atrações da TV Tupi de São Paulo, como o *Almoço com as Estrelas*, que Lolita Rodrigues comandava ao vivo uma vez por semana, depois de passar por outras cidades brasileiras.

Com a chegada do videoteipe e o conceito de rede nacional, que possibilitava a redução de custos com a exibição de novelas e programas produzidos no eixo Rio-São Paulo, a produção local viu seu espaço reduzido, principalmente na dramaturgia. A solução para muitos artistas foi arrumar as malas e migrar para as sedes das principais emissoras. "Era mais econômico e não precisava de tantos artistas contratados. Aí ficamos encurralados e não teve jeito: partimos para o Rio de Janeiro", recorda Arlete Salles, que pegou a estrada ao lado de seu marido, o ator Lúcio Mauro, de um filho pequeno e de outros atores que seguiam o mesmo caminho. "Em qualquer momento a gente ia se deslocar, porque a grade já estava quase totalmente preenchida com as fitas. Era um processo natural", completa a atriz, que teve as dificuldades iniciais de quem chega numa cidade desconhecida, mas em pouco tempo já estava atuando no grande teatro da TV Tupi e nos shows de humor do Urca, uma forma encontrada para reforçar o orçamento familiar. Em pouco tempo, percebeu que precisava travar outra luta, talvez a mais difícil. Para não ficar limitada a alguns personagens regionais, era fundamental limpar seu sotaque nordestino e encontrar uma forma mais neutra para sua sonoridade. "Fui perdendo a duríssimas penas, mas até hoje eu tenho um pouquinho", revela. "Agora, faz parte do show", diz Arlete. Já Lúcio Mauro foi contratado pela TV Rio, emissora forte em humorísticos, em que atuou com Chico Anysio.

A Rádio Clube de Pernambuco fechou em 1980, junto com outras emissoras dos Diários Associados, que tiveram as concessões cassadas após a forte crise financeira do grupo fundado por Assis Chateaubriand. Já a TV Jornal do Commercio se afiliou à Globo, depois passou para a REI e atualmente integra a rede do SBT.

***

Um verdadeiro presente de cultura para o povo. Foi com essa frase que surgiu, no dia 20 de setembro de 1960, a TV Cultura de São Paulo, mais uma concessão que Assis Chateaubriand recebeu do governo para operar na capital paulista. Sua estreia passou praticamente despercebida, pois não houve nenhum grande evento para marcar sua inauguração, nem show especial, muito menos grandes reportagens ou chamadas nos jornais, revistas e rádios. Uma indiazinha era o símbolo do novo canal dos Diários Associados, que ocupou as antigas instalações da TV Tupi no Edifício Guilherme Guinle, na Rua 7 de Abril, região central da cidade. A TV Cultura também herdou a torre de transmissão instalada no alto do Edifício Altino Arantes e todos os equipamentos da primeira transmissão de televisão no Brasil, que havia ocorrido dez anos antes. Ou seja, a nova emissora iniciava sua história com aparelhos praticamente sucateados, mas com o talento de técnicos, produtores e artistas da TV Tupi, dos quais muitos continuaram com funções nos dois canais, engordando o salário mensal.

Com poucos recursos financeiros e tecnológicos, a TV Cultura desenvolveu uma programação baseada em atrações ao vivo ou em que a criatividade era capaz de vencer os obstáculos. Um bom exemplo dessa fase é *A Marcha do Progresso*, um programa quinzenal realizado em parceria com outras emissoras em que cada uma ficava responsável por um episódio, e, geralmente, aqueles produzidos pela equipe do canal recorriam a documentários e grandes reportagens. Algumas novelas chegaram a ser produzidas, entre elas *Escrava do Silêncio, Amor de Perdição* e *Sangue Rebelde*, assim como programas de variedades e musicais. Mas foi a versão de *O Céu é o Limite*, com Walter George Durst e Túlio de Lemos, e *O Homem do Sapato Branco*, com Jacinto Figueira Júnior, que colocaram a Cultura na briga pela audiência e no foco das agências de publicidade. Ao mesmo tempo, Assis Chateaubriand se aproximava do governo estadual e abria espaço para um projeto ousado de educação a distância por meio da televisão. Surgiram *Curso de Admissão pela TV, Madureza Ginasial* e as aulas de literatura, artes plásticas e música, inclusive com a criação de telepostos, nos quais os interessados poderiam se reunir para assistir aos cursos em um aparelho de televisão.

No dia 28 de abril de 1965, a emissora sofreu um incêndio e perdeu todas as suas instalações. Enquanto construía sua nova sede, operou precariamente em um dos estúdios da TV Tupi. Começava aí um período de grandes turbulências financeiras e aumento de sua dívida, a um patamar que comprometeria o império de comunicação construído por Chateaubriand, que se viu obrigado a vendê-la para o governo de São Paulo. Em setembro de 1967, com a criação da Fundação Padre Anchieta, surgia a TV Cultura 100% comprometida com uma programação educativa e sem fins comerciais, a que existe até os dias atuais e que, de tempo em tempo, se vê obrigada a rever projetos em função do sempre apertado orçamento. Em sua história, excelentes programas foram criados, principalmente na linha infantojuvenil, que veremos nos próximos capítulos.

***

No dia 29 de outubro de 1960, foi a vez de os curitibanos conhecerem o novo veículo de comunicação. Às 19h, direto de um estúdio montado num dos cômodos de um apartamento residencial no Edifício Garcez, no centro da cidade, entrava no ar a TV Paranaense, com o discurso de seu fundador,

Nagib Chede, e de rápidas palavras do arcebispo de Curitiba, Dom Manuel da Silveira d'Elboux, e do prefeito Iberê de Mattos. Sem um grande show inaugural, o primeiro programa exibido foi a série *Susie, Minha Secretária Favorita*, uma produção dos Estados Unidos de grande sucesso no final dos anos 1950, com a atriz Ann Sothern e o ator Don Porter nos papéis principais. As primeiras imagens da televisão no Paraná impressionaram centenas de pessoas, que se reuniram em um dos pontos comerciais onde havia um aparelho de TV instalado para transmitir a inauguração do Canal 12. Uma dessas caixas com imagem estava na frente das Lojas Tarobá, o local que reuniu a maior quantidade de curiosos e o estabelecimento que, nos dias seguintes, comercializou muitas unidades do eletrodoméstico para quem podia pagar o preço elevado da novidade.

A história da TV Paranaense começou alguns meses antes dessa agitada noite em Curitiba, durante uma viagem do empresário Nagib Chede aos Estados Unidos para um tratamento médico. Lá, ele se encantou com a televisão e resolveu investir no veículo em seu estado. Já no Brasil, durante um almoço na sede do Lions Clube, foi apresentado a um jovem de São Paulo que havia trabalhado na TV Paulista, mas trocou de profissão e de cidade para casar com a namorada.

– Disseram que você trabalhou em televisão em São Paulo – disse o empresário ao se aproximar do jovem.

– Fiz parte da equipe que inaugurou a TV Paulista – respondeu Luiz Francfort.

– Então, amanhã uma pessoa vai te procurar para contratá-lo para a equipe que colocará a televisão em funcionamento aqui no Paraná – explicou Nagib.

No dia seguinte, como combinado, Renato Mazanek, diretor da empresa de Nagib Chede que tinha a responsabilidade de viabilizar a TV Paranaense, procurou o jovem paulista e fez a ele uma oferta irrecusável para ingressar na empresa e ajudar a desenvolver tudo o que fosse necessário para a emissora entrar no ar no menor tempo possível. Sua irmã Alzira, que também tinha alguma experiência no veículo, foi contratada para escrever novelas e roteiros de programas e selecionar os primeiros artistas para o elenco do Canal 12. "Nessa fase inicial, os recursos eram poucos e precisávamos contar com a criatividade e com as possibilidades das pessoas", explica a roteirista. Uma das atrizes dos teleteatros semanais trabalhava o dia inteiro no comércio para garantir o sustento da família e, à noite, corria para a TV para viver as mais diferentes personagens. Alzira Francfort lembra que a garota usava sua hora de almoço e pequenos intervalos na loja para ir até a emissora ensaiar um pedaço do texto que seria encenado mais tarde.

Logo em seus primeiros meses, além dos enlatados que eram exibidos durante a semana, a TV Paranaense desenvolveu uma linha de programação que contava com infantis, telejornais, teleteatros, humorísticos e musicais, alguns inspirados em atrações de sucesso em São Paulo, como o programa de Agnaldo Rayol na TV Tupi, em que uma voz misteriosa fazia perguntas que eram respondidas com canções. "Tudo no jeitinho, porque a estrutura era pequena e o estúdio mal comportava um cenário simples", ressalta Alzira Francfort. "Às vezes, para o teatro, era necessário trocar de roupa atrás das câmeras, e não foram poucas as ocasiões em que o elenco levava de casa acessórios para incrementar o figurino", completa.

Ainda sob o impacto da inauguração da primeira emissora de televisão em Curitiba, no dia 19 de dezembro, já próximo das festividades natalinas, os curitibanos assistiram à estreia da TV Paraná, dos jornalistas Adherbal Stresser e seu filho, Ronald Sanson Stresser, ligados aos Diários Associados. Artistas de São Paulo e Rio de Janeiro, empresários e autoridades acompanharam a chegada da nova emissora, que em pouco tempo reuniu profissionais do teatro e do rádio para as suas diversas produções, todas exibidas ao vivo. Ary Fontoura, um dos criadores da Sociedade Paranaense de Teatro, assumiu a direção de dramaturgia do novo canal e, durante quatro anos antes da sua mudança para o Rio de Janeiro, foi responsável por importantes adaptações de textos nacionais e internacionais, além de atrair os artistas mais respeitados da época, como Nicette Bruno e Paulo Goulart, que, no início de 1960, mudaram para Curitiba a convite de Cláudio Corrêa e Castro para atuar no Teatro Guaíra e lecionar no Curso Permanente do Teatro de Comédia do Paraná. Na televisão, eles montaram a série *Dona Jandira em Busca da Felicidade*, programa que havia feito enorme sucesso em São Paulo e no Rio de Janeiro e que também liderou a audiência por lá. "Aproveitamos vários artistas locais, como a Odelair Rodrigues no papel que foi de Antonia Marzullo no Rio e o cenógrafo Juarez Machado, que fez seu primeiro cenário para a gente", recorda Nicette. Bárbara Bruno também participou da série, como a filha dos protagonistas, e, com 7 anos de idade, aprendeu o que era lidar com os imprevistos do ao vivo. "Foi meu primeiro branco em cena", recorda-se com muito humor. "Eu estava no colo do Ary Fontoura e tinha que falar alguma coisa. Esqueci o texto e fiquei olhando para a cara dele", completa. Na hora, o ator corrigiu a cena, mas o branco permanece até hoje para a atriz, que nunca mais lembrou o que precisava falar naquela noite. O sucesso de *Dona Jandira em Busca da Felicidade* foi tão grande em Curitiba que, alguns anos depois, quando outras emissoras foram inauguradas no interior do Paraná, eles viajavam toda semana para Londrina para apresentar a comédia de situações.

Com experiências na TV Record e na TV Tupi, e considerada uma das melhores garotas-propaganda da época, Meire Nogueira foi outra profissional que chegou ao Paraná com a inauguração da televisão. Na verdade, ela regressou à cidade onde passou parte de sua infância e adolescência para coordenar a equipe de meninas que seriam as responsáveis pelos anúncios dos produtos dos patrocinadores da TV Paraná. Além de cuidar das profissionais, ela mexia nos textos e dirigia algumas cenas. "Em terra de cego, quem tem um olho é rei. Como ninguém entendia quase nada de televisão, eu fingia que sabia alguma coisa", ri Meire ao recordar o ano que passou em Curitiba antes de aceitar o convite para voltar a atuar na TV Record. "Demorei para aceitar porque estava brava com eles", completa.

Durante os anos 1960, a televisão avançou no interior do Paraná por meio de emissoras próprias ou de retransmissoras dos sinais da capital, que só recebeu seu terceiro canal, a TV Iguaçu, no dia 27 de dezembro de 1967. O canal 4 chegou com uma estrutura própria moderna, incluindo equipamentos de videoteipe, estúdios com auditório e a vontade de fazer concorrência para a TV Paranaense e a TV Paraná, que até então estavam equilibradas na disputa pela audiência.

***

O dia 19 de novembro de 1960 encerrou longos quatro anos de espera pela inauguração oficial da televisão em Salvador. O povo já nem acreditava que a tão falada TV chegaria ao estado, e para muitos essa história de poder assistir a pessoas dentro de uma caixa que recebia imagens a distância era uma espécie de lenda ou mais uma das promessas de políticos que não seria cumprida. Isso porque, em outubro de 1956, o governador Antônio Balbino fez um discurso sobre o progresso que a Bahia teria com o novo veículo de comunicação e destacou o trabalho de Assis Chateaubriand, que, naquele ano, já estava envolvido com a expansão da TV Tupi para além de São Paulo, Rio de Janeiro e Belo Horizonte. Para aguçar a curiosidade dos soteropolitanos e estimular o comércio a investir na venda de televisores, a Rádio Sociedade comandou dois dias de transmissões experimentais, 8 e 9 de dezembro, que foram acompanhadas por centenas de pessoas diante de alguns aparelhos instalados em pontos estratégicos da capital baiana. Foi um grande sucesso. O público ficou encantado com as imagens ao vivo da missa que acontecia na igreja de Nossa Senhora da Conceição da Praia, que se transformaram no assunto preferido de quem estava lá, de quem perdeu os testes, de quem ouvia as histórias, acrescentando pontos no que realmente havia acontecido ali. Durante quatro anos quase intermináveis, a televisão era algo que vivia no imaginário da população.

 A implantação da TV Itapoan demandou três anos de trabalho, distribuídos entre a construção dos estúdios, instalação do transmissor e da torre, compra de equipamentos e treinamento de profissionais, que num primeiro momento não poderiam estar atuando no rádio, para evitar os vícios de linguagem e o desfalque nos programas de sucesso da Rádio Sociedade. Com o tempo, os diretores da nova emissora perceberam que era melhor buscar radialistas que já estavam acostumados com a comunicação ao vivo. No início de 1960, os jornais e revistas ligados aos Diários Associados fizeram inúmeras reportagens sobre a chegada do novo veículo de comunicação e publicaram anúncios para estimular o soteropolitano a comprar um televisor para assistir a fantásticos shows e a histórias fascinantes. Dentro da estratégia de lançamento, os impressos ampliaram o espaço para as notícias sobre os grandes artistas e os mais populares cantores. Em paralelo, os responsáveis pelo departamento comercial visitavam os grandes empresários, principalmente os donos de comércio e magazines, para convencê-los a patrocinar a programação que seria gerada ao vivo dentro de alguns dias e, com certeza, como aconteceu em São Paulo e Rio de Janeiro, acompanhada por mulheres que ficariam encantadas com as ofertas, novidades da moda e os eletrodomésticos que seriam apresentados por belas garotas-propaganda. A data de estreia se aproximava e as experiências com outras inaugurações no decorrer de 1960, principalmente com a falha técnica em Recife minutos antes de a emissora entrar no ar, fizeram com que as últimas semanas de preparativos fossem marcadas por muitos cuidados com os equipamentos, principalmente o transmissor. A equipe estava certa de que tecnicamente nada aconteceria para atrapalhar a realização de um sonho que entraria para a história do estado.

 Finalmente chegou 19 de novembro, o tão aguardado dia da estreia da televisão na Bahia. Não se falava em outra coisa na cidade. Os jornais estampavam o acontecimento em suas manchetes e dedicaram algumas páginas para reportagens sobre a televisão, analisando, inclusive, quais mudanças o novo veículo de comunicação poderia provocar no comportamento das pessoas. Pontualmente às 17 horas, foi dado início a uma cerimônia na sede da TV Itapoan, na Rua Ferreira Santos, 5, no Bairro da Federação, que atraiu a curiosidade de muitas pessoas, afinal, grandes estrelas nacionais, entre elas Hebe Camargo, Homero Silva, Lolita Rodrigues e Carlos Frias, compareceram ao evento, além do então governador do estado, Juracy Magalhães; o prefeito de Salvador, Heitor Dias; o padrinho da emissora, Inácio Tosta Filho; e o primeiro presidente da emissora, Pedro Ribeiro. Artistas regionais, astros do rádio baiano, empresários e pessoas da alta sociedade da capital também foram convidados para a festa que dava as boas-vindas ao primeiro canal de televisão do estado. Doente, Assis Chateaubriand foi ausência sentida por todos, mas mandou sua mensagem através de Francisco de Paula Azevedo Neto, que a leu para toda a plateia. Tudo corria muito bem, como calculado e ensaiado, e todos os equipamentos funcionavam plenamente dentro das especificações técnicas determinadas nos manuais. Chegou a hora da bênção do cardeal Augusto Álvaro da Silva, como de praxe nas aberturas das emissoras ligadas aos Diários Associados. Então, de repente, para desespero de todos, acabou a energia elétrica, interrompendo a festa e tirando a emissora do ar por vinte minutos. Assim como aconteceu em Pernambuco, o jeitinho brasileiro contornou o imprevisto. Show inaugural no ar e, mais tarde, um jantar no Palácio da Aclamação fecharam o longo 19 de novembro.

Apesar de toda a repercussão com o início das transmissões da TV Itapoan, foram poucas as pessoas que compraram os caros aparelhos de televisão para assistir à programação da nova emissora. Por isso, era muito comum ver os televizinhos aglomerados nos muros ou na janela das salas das casas que possuíam uma TV, ou grupos de pessoas em locais públicos em que havia aparelhos instalados para divulgar a novidade. Uma das estratégias para chamar a atenção foi incluir a cidade na rota das grandes estrelas de São Paulo e Rio de Janeiro com seus programas ao vivo. Assim, era muito comum ver na TV baiana Hebe Camargo, Agnaldo Rayol ou Lolita Rodrigues no comando de alguma atração. Também houve investimento em eventos externos, principalmente no futebol, com a rivalidade entre Bahia e Vitória, e no *Céu ou Inferno*, um show de calouros que caiu nas graças do público e se transformou na maior audiência e faturamento da Itapoan. O programa revelou bons nomes da música, como Gilberto Gil, e ficou marcado pela imagem de uma linda mulher que levava o melhor participante da noite até uma poltrona de onde ele acompanhava as demais apresentações e saboreava um refrigerante Fratelli, o principal anunciante.

Aos poucos, a grade ganhou outras atrações, entre infantis, humorísticos, teleteatros, jornalismo, musicais e shows de variedades, como *Escada para o Sucesso*, outro bom exemplo de programa bem-sucedido, popular e que atraía publicidade.

O *Repórter Esso*, às 20h, para atender às exigências da agência de publicidade que comandava a conta da petrolífera, e o *Telejornal*, às 22h30, foram os primeiros investimentos no jornalismo da TV Itapoan, que, assim como as demais emissoras fora do eixo Rio-São Paulo, possuía poucos recursos técnicos para captar e exibir as reportagens. Exigia dos profissionais muita criatividade e um jeitinho a mais para vencer todas as limitações, como narrar o texto no momento exato em que a imagem era gravada pelo cinegrafista para evitar demoradas edições e ganhar tempo com a revelação do filme.

Durante longos nove anos, a TV Itapoan foi a única emissora de televisão na Bahia e, por isso, era referência absoluta desse veículo de comunicação. No dia 15 de março de 1969, foi inaugurada a TV Aratu, uma retransmissora da TV Globo, que iniciou sua trajetória já dentro do profissionalismo imposto por Boni e Walter Clark, com respeito aos horários de grade e muitas atrações nacionais, como novelas, filmes, musicais e especiais. O jornalismo era sua principal janela regional, mesmo assim com certas limitações técnicas. "Minha câmera era uma 13 CP com quantidade de filme limitada, 400 pés, o que dá em VT uns dez minutos", recorda-se Leila Cordeiro, que iniciou sua carreira na emissora em 1979.

Com a televisão estabelecida em Brasília, Curitiba, Recife e Salvador, o ano de 1960 terminava com a promessa de mais investimentos para ampliar os sinais da TV e levá-la ao interior dos estados e, a partir daí, a todos os cantos do Brasil.

14

Papagaio de smoking, estatuetas e noites de gala! É preciso reconhecer o talento de quem faz a televisão

Uma história bem contada, um bom programa de auditório, as estrelas da música e do humor, os grandes apresentadores e os atores que interpretam os mais variados personagens sempre fascinaram o público, atraíram audiência e investimentos e construíram a história dos veículos de comunicação de massa. O rádio foi o primeiro grande responsável a unificar a cultura brasileira e levar a todos os cantos do país o trabalho de artistas dos mais variados estilos, e, por falar com todo mundo, serviu de pauta para as revistas especializadas, colunistas e reportagens em jornais. Depois, chegou a televisão para unir forças e interligar um Brasil com tantas diversidades, cores e sons regionais, diferentes manifestações e realidades tão distintas. As duas plataformas atraíram muitos profissionais, que, mais do que os de outros setores, se entregaram completamente a um cotidiano com mais sacrifícios do que louvores, de muita dedicação, longas jornadas e, muitas vezes, de pouco reconhecimento por parte de diretores e empresários, mas que se sentiam recompensados quando a crítica e o público aplaudiam seus trabalhos e os premiavam, reconhecendo sua entrega a personagens, canções e à arte. E, numa época em que os salários não eram elevados, ganhar um troféu representava ampliar possibilidades na carreira e de faturamento.

Criado pelo apresentador Blota Júnior no mesmo ano em que a televisão estreou no Brasil, o Troféu Roquette Pinto se transformou rapidamente na principal premiação do rádio e da TV, a mais desejada pelos artistas e a que atraía a curiosidade do público, que torcia por seus ídolos e acompanhava atentamente a cerimônia de entrega das estatuetas, comandada por seu idealizador e sua esposa, Sonia Ribeiro. Ter um Papagaio de Bronze era sinônimo de prestígio e de fazer parte de um grupo seleto, daqueles que eram considerados os melhores em sua área. O troféu foi desenhado por Sylvio de Paula Ramos e teve como referência o Clube dos Papagaios, uma confraria de radialistas que chegou a ter cem sócios. A sorridente ave elegantemente vestida com um smoking falando a um microfone tornou-se um dos símbolos mais marcantes das comunicações no Brasil nas décadas de 1950, 1960 e 1970, nas 26 edições realizadas. Em seus dois primeiros anos foram premiados apenas os profissionais do rádio, mas, em 1952, também foram incluídas as categorias voltadas à televisão, que, algum tempo depois, dominaria completamente a avaliação dos críticos que apontavam quem merecia vencer. "Era o prêmio maior, o mais importante, e com festas maravilhosas", recorda Idalina de Oliveira, que tem em lugar de destaque em sua casa três estatuetas que recebeu como melhor garota-propaganda e atriz.

Em 1952, em sua primeira edição com categorias para a televisão, Lima Duarte ganhou como ator, Lia Aguiar como atriz, Cassiano Gabus Mendes como diretor, Dionísio de Azevedo como produtor e Walter Stuart um prêmio especial. Todos eram profissionais da TV Tupi, que naquele ano só tinha a TV Paulista como concorrente. A partir de 1953, a entrega passou a ser transmitida ao vivo pela TV Record –, emissora recém-inaugurada em que Blota Júnior e Sonia Ribeiro atuavam como apresentadores de programa –, ganhando ares de superprodução, com direito a um grande espetáculo que contava com as maiores estrelas da época numa noite de gala, vestidos maravilhosos e muita badalação e que garantia altos índices de audiência. "O Teatro da Consolação tinha uma passarela linda, e, conforme éramos chamadas, desfilávamos por ela sob aplausos até alcançar o palco", conta Idalina de Oliveira. "Os shows eram maravilhosos, com queima de fogos e cenografia especial. Um ano teve até uma piscina no palco", completa. Os artistas costumavam convidar os familiares e amigos mais próximos para ocupar um dos disputados lugares na plateia e, quando premiados, eram acompanhados por seus padrinhos. "O Roquette Pinto era o Oscar, me perdoe o Troféu Imprensa. Ele tinha um gosto especial porque a gente esperava o ano inteiro e ficava curioso com as indicações", diz Carlos Alberto de Nóbrega, que ganhou seu primeiro papagaio em 1956. "Uma vez o Paulinho Machado de Carvalho ligou para o meu pai para saber o melhor comediante, e ele indicou, é claro, o Golias", continua ele, exemplificando como era importante ter o nome apontado por outro grande profissional da TV.

Idalina recebe o Roquette Pinto de Roberto Carlos

Com o passar do tempo, várias categorias foram incluídas no Troféu Roquette Pinto para atender a todos os segmentos da programação, profissionais que atuavam no vídeo e nos bastidores e contemplar cantores, bandas e grupos musicais. Tudo isso transformava a cerimônia de entrega dos prêmios numa grande festa que era acompanhada por centenas de fãs e ganhava páginas com reportagens em revistas especializadas e nas colunas de jornais, além de repercussão nos programas das emissoras de TV que disputavam o papagaio. "Era algo extremamente popular que potencializava a carreira de muita gente, ajudava na negociação de aumento salarial ou renovação de contrato e aumentava a procura por shows", explica Behring Leiros, um dos integrantes do Trio Maraya, que ganhou como Melhor Conjunto Vocal em 1958, 1960, 1961, 1962 e 1963. Na TV Record, o grupo comandou um programa semanal, *Trio Maraya e Você*, além de participar do *Sucesso Arno*, de Blota Jr., de *Astros do Disco*, com Randal Juliano, *O Fino da Bossa*, com Elis Regina e Jair Rodrigues, e dos especiais mensais desenvolvidos pela emissora.

Em 1960, os organizadores do Roquette Pinto resolveram criar a "Galeria de Ouro", destinada a todos do rádio e da televisão que já haviam conquistado seis premiações, tornando-os *hors-concours* e, portanto, impossibilitando-os de concorrer novamente, abrindo espaço para outros profissionais e artistas. Essa regra foi revogada sete anos depois, porque tirou da competição os que tinham mais destaque nas emissoras, programas, eventos e paradas musicais. Em 1971, a TV Record deixou de promover o prêmio, que retornou oito anos depois com categorias para reconhecer atividades na indústria, publicidade e educação. Aos poucos foi perdendo importância e deixou de ser algo disputado pelos mais atuantes, até ser encerrado definitivamente com o anúncio dos vencedores de 1982. Atualmente, os direitos do prêmio pertencem à Rede Record, que não demonstra sinais de que voltará a produzi-lo no curto prazo.

Em 1955, surgiu o embrião de outra importante premiação para os profissionais de rádio e televisão, que, dois anos depois, se transformou no "Prêmio Tupiniquim", ligado aos veículos dos Diários Associados. O programa *Os Melhores da Semana*, comandado por Heitor de Andrade e Márcia Real na TV Tupi de São Paulo, e depois por Airton Rodrigues e por Carlos Frias na TV Tupi Rio, anunciava os vencedores dos últimos sete dias em várias categorias e levava alguns deles ao palco para apresentações musicais, entrevistas e debates de assuntos variados. No final do ano, os artistas e profissionais com maior número de vitórias recebiam a estatueta, durante uma luxuosa cerimônia transmitida diretamente do Theatro Municipal de São Paulo. "Ganhei meu primeiro prêmio com uma peça de

Paddy Chayefsky chamada *A Canção Sagrada*, um texto lindíssimo", conta Laura Cardoso, que estreou na televisão já com um trabalho reconhecido pela crítica, pelo público e especialistas. "O meu foco sempre foi o meu trabalho. Sempre quis ser a melhor. Nos dez anos iniciais, havia uma vontade de fazer bem, e o primeiro item da lista não era o dinheiro, mas fazer, inventar, discutir e atuar em algo que ficasse na história", completa a atriz, que atuou em inúmeras novelas, minisséries e especiais e é considerada uma das melhores da história da televisão no Brasil.

Agnaldo Rayol na entrega do Troféu Tupiniquim

Em 1960, com a criação do Troféu Imprensa e a presença de Márcio Pauliete, jornalista dos Diários Associados, no corpo de jurados, a direção da TV Tupi decidiu encerrar o Tupiniquim no ano seguinte, para dar espaço e prestígio a uma premiação isenta e que, naquele tempo, não estava ligada a emissoras de televisão e, portanto, tinha olhar e julgamento mais amplos.

A história do Troféu Imprensa, que permanece em atividade até os dias atuais, começou alguns meses antes da primeira reunião de jornalistas e críticos, no dia 27 de dezembro de 1960, na Biblioteca Municipal Mário de Andrade, centro de São Paulo. Plácido Manaia Nunes, que naquela época respondia pela direção geral da revista *São Paulo na TV*, convenceu os proprietários da editora a investirem numa premiação que poderia homenagear o trabalho de profissionais de todos os canais com base na avaliação de um representante de cada publicação especializada em televisão que circulava em São Paulo. Assim, no último mês do ano, quinze repórteres e colunistas escolheram os artistas, técnicos, produtores e programas que mais se destacaram na TV, divididos em trinta categorias, além de menção honrosa a Assis Chateaubriand pelos esforços para a expansão da televisão no país. Maria Thereza Gregori foi apontada como a melhor produtora de televisão, Zaé Jr. como produtor infantil e Manoel Carlos o melhor produtor de TV. Cassiano Gabus Mendes, como não poderia deixar de ser, ganhou como diretor de TV, e Renzo Forzenigo, cenógrafo. O *Repórter Esso* venceu na categoria telejornal, o *TV Brasil 60* como melhor programa, Sammy Davis Jr. a atração musical do ano e a equipe técnica da TV Tupi foi agraciada como a melhor de 1960. Ronald Golias liderou na categoria comediante, Renato Corte Real foi escolhido como melhor humorista e Consuelo Leandro foi apontada como a comediante feminina do ano. Os quinze jurados da primeira edição do Troféu Imprensa apontaram J. Silvestre como o melhor apresentador, Bibi Ferreira como apresentadora, Kalil Filho como melhor apresentador de telejornal, José Carlos de Morais, o Tico-Tico, como repórter de TV e Maurício Loureiro Gama como comentarista político.

As categorias ligadas à dramaturgia sempre foram populares e atraíam a curiosidade dos fãs, afinal, teleteatros e novelas garantiam boa audiência e contavam com as grandes estrelas da época. Na primeira edição do Troféu Imprensa, Júlio Gouveia venceu como melhor novelista infantil, Márcia Real foi escolhida a atriz do ano, Lima Duarte ganhou como melhor ator, Glória Menezes foi a revelação feminina, e Juca Chaves, a masculina. No setor esportivo, Raul Tabajara como melhor locutor, e Ary Silva, comentarista. Plácido Manaia Nunes também teve a preocupação de incluir prêmios para garota-propaganda, categoria em que a vencedora foi Neide Alexandre, balé, em que venceu a companhia de Maria Pia Finocchio, conjunto musical, com o Farroupilha vencendo, e orquestra, em que ganhou o troféu a do maestro

Enrico Simonetti. Morgana foi a cantora que recebeu o primeiro Troféu Imprensa em sua área, e Francisco Egydio ganhou como cantor.

A cerimônia de entrega da premiação aconteceu em 1º de janeiro de 1961, numa noite de muito luxo e glamour, com uma festa no Theatro Municipal de São Paulo que parou a cidade, afinal, motivados por uma intensa divulgação nas revistas e jornais que contavam com representantes no Troféu Imprensa, muitos queriam ver as estrelas da televisão chegarem ao local para receber a estatueta. Artistas, profissionais de bastidores e diretores de programas de todas as emissoras foram convidados para o evento, mas, por discordar dos critérios para a eleição dos melhores em cada categoria, a Record proibiu seus contratados de aparecerem na noite de gala, que brilhou com muita gente da Tupi, Paulista e Cultura.

Diante da grande repercussão da primeira cerimônia e com várias reportagens publicadas nos meses seguintes sobre quem poderia ser indicado nas várias categorias, o Troféu Imprensa se transformou rapidamente numa referência de premiação imparcial e com credibilidade, principalmente a partir do momento em que os indicados apareciam numa reunião realizada na sede do Sindicato dos Jornalistas em São Paulo. Nos anos seguintes, esse esquema se repetiu, sempre com a votação no início de dezembro, muitas notícias para despertar a curiosidade do público e a festa de entrega do troféu no primeiro dia do ano diretamente do Theatro Municipal, com um espetáculo transmitido, nos primeiros 13 anos, pela TV Tupi, e, em algumas ocasiões, em parceria com a TV Paulista e a TV Excelsior. Depois que os direitos foram adquiridos por Silvio Santos, a premiação ganhou as telas das empresas pelas quais o apresentador passou – Globo, Record e SBT.

O espetáculo para a entrega do Troféu Imprensa era uma superprodução, com direito a apresentações musicais acompanhadas por grande orquestra, trechos de coreografias clássicas e modernas e algumas peças que ganharam destaque na televisão no decorrer do ano. Tudo era muito bem ensaiado, afinal uma noite de gala precisava acontecer exatamente como o planejado, mas nem sempre era possível, já que o imprevisto faz parte de qualquer evento ao vivo. Numa dessas ocasiões, a bailarina Maria Pia Finocchio, uma das mais premiadas e respeitadas profissionais da dança brasileira em todos os tempos e referência por sua luta pela profissionalização da categoria, protagonizou um daqueles momentos que a vítima quer esquecer, mas que sempre está na memória de alguém. O encerramento aconteceu com um número em que ela dividiu o palco com outro bailarino, um profissional da mesma companhia e que conhecia muito bem a coreografia tão aguardada.

Depois de alguns movimentos, ela se posicionou como ensaiado, correu em direção ao parceiro e... se espatifou no chão. "Meu bailarino, para variar, tinha bebido. Ele simplesmente virou de costas quando eu saltei e a queda foi tão feia que levantou poeira. A orquestra continuou, e tudo isso com o teatro lotado, com artistas premiados no palco segurando o riso com a cena", relembra Maria Pia, que saiu daquela noite com um galo na cabeça e com todo mundo perguntando se estava tudo bem. "Meu pai era médico e acompanhava na plateia. Na hora ele saiu correndo para me ajudar, porque achou que eu tinha me lesionado gravemente", completa.

Em 1969, o Troféu Imprensa passou por uma reformulação e foi dividido em duas etapas. A primeira seguia os princípios estabelecidos por Plácido Manaia Nunes, com jornalistas das publicações mais importantes da época apontando os destaques de cada categoria. Os quatro mais votados continuavam na competição e precisavam comparecer a uma festa organizada pelo programa de Silvio Santos – que ainda era concessionário da Globo –, em que repórteres e jurados escolhiam os vencedores. Tudo isso com a presença da plateia, que, de certa forma, exercia pressão para garantir que seus ídolos levassem os prêmios. No final, depois de algum suspense, o apresentador anunciava os vencedores do ano. Havia uma grande torcida por parte de todos e os artistas faziam de tudo para serem indicados pelos críticos. "Ganhar um Troféu Imprensa era muito difícil e, por isso, muito respeitado. Eu tenho um", fala Raul Gil cheio de orgulho. Nesse primeiro ano pós-ajustes, novamente, a TV Record proibiu todos os seus artistas de comparecerem ao evento, prejudicando Roberto Carlos, Nilton Travesso e Manuel Carlos, que, apesar de terem vencido, perderam o direito ao prêmio, já que havia uma regra que determinava como obrigatória a presença dos ganhadores, eliminando automaticamente a categoria em caso de ausência. No ano seguinte, a revista *São Paulo na TV* encerrou suas atividades e Plácido Manaia Nunes passou os direitos do Troféu Imprensa para o empresário e apresentador Silvio Santos, mas manteve a garantia de presidir o júri todos os anos e manter o vínculo com o Sindicato dos Jornalistas. Aos poucos, foram incluídos repórteres e críticos de outros estados, aumentando a projeção nacional do prêmio e ampliando as possibilidades para o reconhecimento do talento regional desconhecido dos canais de TV e do público do eixo Rio-São Paulo.

As premiações na TV sempre apresentaram bastidores interessantes, como foi o caso de Regina Duarte no Troféu Imprensa de 1974, que surpreendeu a todos. Escolhida como melhor atriz, ao ser anunciada, ela se dirigiu ao palco, levantou a estatueta e, ao vivo, contestou sua vitória. "Eu agradeço, mas esse Troféu não é meu. Quem merece é a Eva Wilma", que naquele ano interpretou as irmãs gêmeas Ruth e Raquel na novela *Mulheres de Areia*, exibida pela TV Tupi de 26 de março de 1973 a 5 de fevereiro do ano seguinte. Eva lembra que, naquela noite, estava se arrumando para ir a uma festa quando recebeu a notícia da fala de sua companheira de profissão e precisou de alguns longos minutos para se recuperar de uma surpresa tão grande. Na semana seguinte, ela e o marido, John Herbert, foram especialmente ao Rio, onde Regina morava, para entregar um bonito ramo de flores como agradecimento por um gesto tão bonito.

Silvio Santos no Troféu Imprensa

O Troféu Imprensa permaneceu no ar pela Rede Globo até 1975, quando migrou novamente para a TV Tupi. Seguiu com Silvio Santos para a Record e, desde 1981, é atração anual do SBT, em que ao longo do tempo deixou de contar com os jornalistas ligados aos sindicatos estaduais e passou a ter a lista dos finalistas de cada categoria feita com base em questionários preenchidos por repórteres e profissionais do setor em algumas cidades do país. Depois, esses artistas e programas eram submetidos à avaliação de dez jurados convidados, todos de certa forma atuantes na crítica e em reportagens sobre a televisão. Mais recentemente, com a popularização da internet e mídias móveis, os organizadores acrescentaram as indicações por meio de sites e portais e criaram o Troféu Internet, um complemento à premiação tradicional. Com muitas restrições impostas pelas emissoras de TV, principalmente a Globo, o jeito foi fazer a escolha dos vencedores ao vivo e receber alguns premiados de anos anteriores para a entrega das estatuetas, que, por sugestão do próprio Silvio Santos, são semelhantes às do Oscar. "Sempre foi uma dificuldade a liberação de elenco e até hoje você pode ver que às vezes vai alguém da Globo para receber três ou quatro de uma vez", explica Mauro Lissoni, diretor artístico do SBT entre 1999 e 2003. "E, mesmo com autorização, não podiam ser feitas chamadas do programa anunciando a presença dos contratados da concorrente", completa. É o velho raciocínio de que uma emissora pagará um alto salário para seu artista dar audiência na adversária num momento estratégico da disputa por índices, afinal a intenção de todo mundo é conquistar o maior número possível de telespectadores.

Plácido Manaia Nunes, criador do Troféu Imprensa, nascido em 19 de setembro de 1934, veio a falecer em 10 de agosto de 2007. Apesar das alterações que foram necessárias para adequá-lo aos tempos modernos, seu projeto permanece no ar e Silvio Santos já sinalizou a executivos do SBT e a pessoas mais próximas que é seu desejo que a premiação continue sendo organizada por muitos anos.

Desde 1995, o *Domingão do Faustão*, anualmente, também premia os melhores da televisão brasileira, restringindo a sua escolha aos contratados ou aos que realizaram trabalhos na TV Globo na temporada anterior. Os artistas são escolhidos pelos próprios funcionários da emissora e cabe ao público, com três candidatos em cada categoria, apontar o grande vencedor. Até 2007, a premiação sempre acontecia no último domingo do ano, juntamente com a entrega do Troféu Mário Lago. De 2008 a 2013, passou para os meses de março ou abril, por ocasião do lançamento da nova programação, voltando em 2014 a ocorrer em dezembro. É uma disputa que sempre mexe muito com todo o elenco da Globo, por se tratar de um reconhecimento público ao trabalho apresentado.

Em 2001, Mário Lago foi escolhido pelo programa para receber o troféu "Conjunto da Obra", que a partir do ano seguinte recebeu o seu nome e passou a ser entregue às personalidades que mais se destacaram ao longo da carreira, tanto atores como cantores. Laura Cardoso foi a consagrada em 2002. Nos anos seguintes, pela ordem, ganharam Paulo José, Tarcísio Meira e Glória Menezes, Tony Ramos, Lima Duarte, Glória Pires, Gilberto Gil, Antônio Fagundes, Hebe Camargo, Regina Duarte, Roberto Carlos,

Fernanda Montenegro, William Bonner, Susana Vieira, Mauro Mendonça e Rosamaria Murtinho. Todos destacaram em seus discursos a importância do trabalho em equipe num veículo de comunicação em que arte, talento, estratégia e muita dedicação determinam o sucesso de carreiras e de projetos que merecem ser reconhecidos por especialistas e pelo público.

Uma das mais respeitadas premiações das artes e da comunicação do país, o Troféu da Associação Paulista de Críticos de Arte tem sete categorias dedicadas especialmente à televisão, para valorizar os profissionais e produções que fazem a diferença num veículo voltado ao grande público e que, pela pressão da conquista da audiência, dá pouco espaço a programas e produtos qualificados. As raízes da APCA estão na Associação Brasileira de Críticos Teatrais, instituição fundada em 1951, um ano após a inauguração da TV Tupi e, portanto, sem a preocupação de olhar para o que em alguns anos conquistaria definitivamente o brasileiro. Foi somente em 1972 que a Associação Paulista de Críticos de Arte resolveu ampliar sua atuação para arquitetura, artes visuais, cinema, dança, literatura, música, música erudita, música popular, rádio, teatro, teatro infantil e televisão. Glória Pires e Irene Ravache, com quatro vitórias cada uma, são as atrizes que mais estatuetas levaram. Já entre os homens, Tony Ramos lidera com quatro vitórias.

Em 1996, a revista *Contigo!*, especializada na cobertura de televisão e no mundo das celebridades, resolveu resgatar a antiga tradição das publicações direcionadas a esse segmento, entre elas a *Radiolândia* e a *Revista do Rádio*, de apontar os melhores do ano, e organizou seu próprio prêmio, com direito a noite de gala repleta de artistas no Theatro Municipal do Rio de Janeiro.

A televisão evoluiu muito nesses últimos 67 anos e deixou de ser algo feito absolutamente pela paixão para se transformar num mercado atraente, competitivo e com bons salários. Entretanto, nenhuma tecnologia ou pressão dos dias modernos conseguirá tirar da alma dos artistas a vaidade de ganhar um prêmio que reconheça o seu talento. Nessa hora, a emoção falará mais alto que a razão profissional.

A volta dos que não foram

Carlos Alberto Santos, o Piteirinha, foi durante muito tempo diretor dos programas de Ayrton Rodrigues na TV Tupi e sempre considerado como alguém tremendamente mal-humorado. E que amarrava o maior porre depois da segunda dose de qualquer bebida. Osmar Frazão, conhecido compositor, conta que Piteirinha, num almoço, depois de beber bastante, apagou. Para sacaneá-lo, os amigos botaram seu corpo deitado no chão com algumas flores em cima, cercado de velas. Lá pelas tantas, ele acordou. Foi um festival de palavrões, de velas chutadas e flores despedaçadas.

Também estou no Canal 9 – a TV Excelsior chega para impor a televisão moderna

Dia 9 de julho de 1960. Vigésimo oitavo aniversário da Revolução Constitucionalista, dia de grandes eventos em São Paulo, entre eles a inauguração oficial do Canal 9, a TV Excelsior, a primeira emissora de televisão brasileira a se preocupar em cumprir os horários da grade, a criar normas para veiculação de comerciais e a desenvolver o conceito moderno de programação, com estratégias horizontais e verticais para alavancar a audiência de suas atrações e fidelizar e prender o telespectador. Naquele final de tarde de sábado, surgia a TV que colocaria no ar a primeira novela diária, transformando-a no principal produto desse veículo de comunicação, por atrair as maiores verbas publicitárias e se transformar no formato mais apreciado pelo público até os dias atuais, mesmo com períodos de desgaste e grandes críticas.

Quinta emissora a entrar em operação em São Paulo e com dez anos de atraso em relação à pioneira Tupi, a TV Excelsior usou de muita estratégia e de artifícios de marketing para chamar a atenção do telespectador que já estava envolvido com as estrelas dos teleteatros do Canal 4, com os artistas dos shows da Record, com a programação da TV Paulista e com as novidades da TV Cultura. A audiência na cidade estava praticamente acomodada e uma nova empresa no setor poderia não causar nenhum impacto. Por isso, Álvaro de Moya, diretor artístico da emissora, determinou que toda a campanha de lançamento destacasse o Canal 9, para que o público não tivesse dúvidas de onde estaria a nova programação. "Como quando eu estava nos Estados Unidos só se falava do Sputnik, eu resolvi desenhar um mundo e um foguete que dava a volta nele e formava um nove. Era uma coisa moderna, para deixar bem claro que a nova televisão de São Paulo era moderna", conta o primeiro diretor da TV Excelsior. Foi ele também quem insistiu com o empresário José Luís Moura, um dos donos da emissora, para fazer a inauguração no dia 9 de julho, para reforçar a marca, e que convencesse o então governador de São Paulo, Carvalho Pinto, a incluir o evento no calendário oficial das comemorações. Proposta aceita!

Os preparativos para a entrada oficial no ar começaram alguns meses antes, e no dia 11 de junho foi iniciada a transmissão experimental, com pequenas reportagens, documentários cedidos pelos consulados de diversos países e alguns filmes mais populares, como *Pão, Amor e Fantasia*, que começaram a atrair a curiosidade do telespectador e apareciam nas pesquisas de audiência com até 5% de participação, mesmo sem nenhuma grande campanha de divulgação. Enquanto isso, Álvaro de Moya planejava os detalhes da grade com muitos elementos brasileiros, afinal sua intenção era fazer uma televisão em rede nacional e que se diferenciasse das concorrentes, acostumadas a adaptar textos internacionais e a recorrer a características do rádio para suas produções. Outra preocupação era colocar os programas no horário e acabar definitivamente com os atrasos provocados pela montagem e desmontagem de cenários, tão comuns nos dez primeiros anos de atividades da televisão brasileira. "A TV Tupi exibia *slide* e ficava tocando música. Lembro que uma vez cronometrei exatos 40 minutos com a imagem parada. O público até esperava, porque não tinha outra solução. Trabalhávamos de uma maneira totalmente empírica e, de uma certa forma, era uma vantagem, porque não tínhamos recursos, apenas a criatividade", conta o então diretor artístico da TV Excelsior. Nos primeiros dez anos da televisão no Brasil era muito comum entrar numa casa e ver o aparelho televisor ligado com um desenho estático ou com chuvisco e alguém da família à espera do programa. No primeiro sinal de movimento da cena, esse familiar corria, chamava todo mundo e as pessoas iam se atropelando até a sala para se acomodar no sofá e nas poltronas para, finalmente, assistir ao programa que deveria ter começado há algum tempo. Álvaro de Moya queria acabar com isso e recorreu a seu estágio na CBS de Nova York, nos Estados Unidos, para determinar o momento exato da entrada de cada atração do Canal 9. Mas qual a hora certa no Brasil? "Naquela época, no início dos anos 1960, não havia no país uma concepção de horário com precisão, principalmente em relação a segundos", explica. Uma das soluções apontadas pelo diretor técnico da TV Excelsior era usar como base uma rádio de Washington, já que a diferença era de apenas uma hora. "Nós não vamos ter numa emissora nacionalista o horário dos Estados Unidos", advertiu Álvaro de Moya, que, depois de algumas pesquisas, descobriu que o departamento de física da USP, naquela época situado na Rua Maria Antônia, na região central de São Paulo, tinha uma relação oficial com o horário de Greenwich, o marco zero do planeta. A referência era 20h00min00s no relógio para todos os trabalhadores da emissora e, depois, das afiliadas que transmitiam o sinal que partia de São Paulo, sempre após o quinto bipe, numa contagem regressiva para alinhar todas as grades. Essa foi uma das maiores contribuições da Excelsior para a televisão brasileira, pois, a partir daquele momento, os diretores das emissoras resolveram cumprir o horário de seus programas para que o público não fosse espiar o que a concorrente estava fazendo. Talvez seja esse o embrião da famosa guerra pela audiência minuto a minuto.

Com tudo muito bem planejado, finalmente chegou o dia de colocar oficialmente a TV Excelsior no ar. Apesar de o Canal 9 ser inaugurado em plena festividade paulista, o 9 de Julho da Revolução Constitucionalista, artisticamente exibiria um show nacional que agradasse ao grande público. Pontualmente, às 18h, direto do Teatro Paulo Eiró, zona sul da capital, aconteceu a apresentação da Banda da Força Pública de São Paulo, que executou o Hino Nacional e outras canções por quase meia hora. Na sequência, entrou no ar a cerimônia oficial de lançamento do novo prefixo, com discursos de João de Scantimburgo, diretor-presidente da Excelsior e proprietário do jornal *Correio Paulistano*, e do governador de São Paulo, Carvalho Pinto, que praticamente encerrava as comemorações da data. Logo depois, o público acompanhou uma saudação gravada pelo presidente Juscelino Kubitschek e um documentário sobre a importância do 9 de Julho. O "ao vivo" exigiu muitos improvisos e quebrou a regra da pontualidade estabelecida por Álvaro de Moya, porque o local escolhido para a transmissão não tinha infraestrutura adequada para eventos de grande porte. O "Bossa Nove", o show que marcaria o início da nova emissora, estava planejado para às 19h, mas começou quase 30 minutos depois. Com direção de Abelardo

Figueiredo e produção de Manoel Carlos, durante duas horas, o espetáculo reuniu grandes estrelas da época, entre elas Dorival Caymmi e parte de sua família, Agildo Ribeiro, Mazzaropi, João Gilberto, Lúcio Alves, Elizeth Cardoso, Sylvia Telles, Carminha Mascarenhas e Trio Irakitan. Houve também a execução da coreografia do Ballet do Theatro Municipal de São Paulo e, para encerrar a noite, sob regência do maestro Mario Rinaldi, o Concerto Sinfônico com 60 professores interpretando os compositores brasileiros. Estava no ar a emissora nacionalista e moderna que os proprietários Mário Wallace Simonsen, Ortiz Monteiro, José Luiz Moura, João Scantimburgo e Paulo Uchôa de Oliveira tanto desejavam.

Silvinha Telles e João Gilberto em show de inauguração da TV Excelsior, em 1960

No dia seguinte, domingo, 10 de julho, a repercussão da inauguração da TV Excelsior foi relativamente pequena, com algumas notas nos jornais afirmando que esperavam ver algo novo no Canal 9 e, principalmente, a capacidade de resolver as falhas que outras emissoras haviam apresentado em São Paulo nos últimos anos. Nos dias seguintes, a programação era iniciada às 19h com filmes. Depois, entravam programas de entrevistas, um telejornal às 20h30 e uma sessão de filmes para encerrar a grade. Descontente com o resultado da estreia oficial, muito prejudicada pela falta de estrutura do Teatro Paulo Eiró, que jamais comportaria produções de qualidade para uma televisão, Álvaro de Moya aceitou a sugestão de Manoel Carlos e Jaime Barcelos para alugar o Teatro Cultura Artística, na região central, já que a entidade que o mantinha estava prestes a falir, diante de uma situação financeira muito complicada e com uma dívida imensa com a Caixa Econômica Federal, em que havia sido feito o financiamento para a construção da estrutura na Rua Nestor Pestana. O espaço possibilitou a criação de dois estúdios, sendo um deles no auditório maior, de onde foram geradas as principais atrações da emissora. Toda a parte administrativa também foi transferida das salas que ficavam na Rua Frei Caneca, também na região central, para as novas instalações. Era um recomeço e, para tanto, foi marcada a estreia do *Brasil 60* para o dia 31 de julho de 1960, um domingo. Todos teriam que trabalhar em ritmo acelerado.

Um dos maiores sucessos do Canal 9 e referência da história da emissora, o *Brasil 60* surgiu das lembranças de Álvaro de Moya do período em que estagiou nos Estados Unidos. Lá, durante os anos 1950, a grande sensação era o dominical *The Ed Sullivan Show*, uma produção da CBS que apresentava os mais diferentes números artísticos com música, humor, dança e entrevistas e que recebia as grandes estrelas da época, como Elvis Presley, Carmen Miranda e Edith Piaf. A audiência era espetacular e, no dia 9 de fevereiro de 1964, alcançou o recorde absoluto, com 70 milhões de telespectadores durante a participação do grupo The Beatles, índice que só foi superado no país durante a transmissão da chegada do homem à Lua, em 20 de julho de 1969. "Se ele podia fazer um programa a que todos os artistas iam, o mesmo aconteceria por aqui. Então, falei para todos que faria o *The Ed Sullivan Show* só com música brasileira aos domingos à noite", relembra o então diretor artístico da TV Excelsior, que escalou Abelardo Figueiredo para a direção e Manoel Carlos para a produção do grande show. Para a apresentação foi escolhida a atriz Bibi Ferreira, que, poucos dias depois de retornar de uma temporada na Europa, estava em cartaz com uma peça no Rio de Janeiro e aceitou a proposta, que ela acreditava ser para apenas uma semana, feita por um dos executivos da TV Excelsior que foi até a capital fluminense para apresentar a novidade para a artista. A ideia era fazer um programa diferente, sem as influências dos comunicadores do rádio que carregavam nos adjetivos e na sonoridade de algumas sílabas e letras em suas falas. "Você não precisa dizer 'o escritor' Jorge Amado. Diga apenas Jorge Amado. E se entrar o Pelé, não use a expressão 'o grande futebolista'", explicou o diretor a Bibi numa das reuniões antes da estreia. Também ficou determinado que todos os artistas convidados receberiam cachê por suas apresentações, prática comum na BBC de Londres e na Rádio Moscou, da antiga União Soviética, e algo que mexeu com as concorrentes, que remuneravam seus contratados mensalmente, independentemente da quantidade de programas em que apareciam. Além disso, seriam fornecidas passagens aéreas e hospedagem para que chegassem cedo na cidade e comparecessem aos ensaios para que o resultado final fosse o mais profissional possível e sem imprevistos desconcertantes. "Todos chegavam às 16 horas para passar o texto, canções e marcações, mesmo os mais famosos, como Vinicius de Moraes e João Gilberto", recorda Álvaro de Moya.

Bibi Ferreira, na década de 1960

Manoel Carlos, que anos depois se consagrou como um dos principais autores de novelas do Brasil, começou a desenvolver um roteiro para a estreia do *Brasil 60* que misturava a música popular a referências do cinema, teatro e literatura, com participações de Mazzaropi, Grande Otelo, Roberto Freire, Caetano Zamma e Oscarito, que protagonizou o momento alto da noite ao tocar "Tico-Tico no Fubá" no violino com o arco nos dentes. O sucesso foi imediato, a repercussão na imprensa superou todas as expectativas e nos dias seguintes Bibi Ferreira assinava um dos contratos mais bem remunerados da televisão daquela época. E a cada semana o público era surpreendido. "A bola rolava e aparecia o Pelé. De repente, Leonardo Villar cruzava o palco arrastando uma cruz e surgia Anselmo Duarte com a Palma de Ouro. O Quarteto de Cordas tocava Villa-Lobos e Juca Chaves, as suas modinhas. Era o encontro do erudito com o popular, onde tudo era possível", fala com orgulho Álvaro de Moya.

Noite de domingo resolvida com o *Brasil 60*, a direção da TV Excelsior voltou suas atenções para a dramaturgia e criou o *Teatro Nove*, uma faixa para a montagem de textos exclusivamente brasileiros. Como o Teatro Arena, uma das maiores referências da cultura paulistana em 1960, enfrentava um período de dificuldades financeiras, a emissora propôs comprar quatro peças completas para serem exibidas no Canal 9 com o elenco da companhia. Negócio fechado, anunciantes garantidos para todos os espetáculos, ensaios intensos e, horas antes da estreia do projeto, um funcionário da censura apareceu nos escritórios da TV com a proibição de colocar no ar *Eles Não Usam Black-Tie*, obra-prima de Gianfrancesco Guarnieri. Para reverter a situação, Álvaro de Moya primeiro recorreu aos contatos políticos por meio de Saulo Ramos, que, algumas semanas antes, havia deixado um importante cargo no departamento comercial da Excelsior para ser oficial de gabinete do presidente da República, Jânio Quadros. Com a garantia da intervenção do poder de Brasília, o diretor da emissora soltou seu lado ator e fez toda uma encenação de que cancelaria o programa daquela noite, substituindo-o por filmes enlatados. Ele chegou a ponto de argumentar aos censores que seria impossível cortar qualquer palavra do texto porque os atores já o interpretavam fazia muito tempo e dificilmente lembrariam os "ajustes sugeridos". E, com essa mistura de pressão política com encenação, conseguiu levar ao grande público a versão completa de uma das maiores produções teatrais. Nas semanas seguintes entraram no ar as outras peças compradas do Teatro de Arena e, no final desse período, o *Teatro Nove* ocupou definitivamente o seu espaço na grade: segundas-feiras, às 21h.

Para viabilizar o projeto de dramaturgia nacional, a TV Excelsior escalou os diretores Flávio Rangel e Ademar Guerra e contratou os autores teatrais Jorge de Andrade, Gianfrancesco Guarnieri, Benedito Ruy Barbosa e Walter George Durst, que adotou um pseudônimo, e deixou Walther Negrão como reserva para cobrir os titulares diante de algum imprevisto ou na nem sempre frequente quinta segunda-feira do mês. "Eu escrevia os três primeiros atos e deixava guardados esperando o momento certo. Quando eles perderam o fôlego, eu entrei com tudo", recorda Negrão, que chegou a ouvir de um dos diretores da TV Excelsior que o melhor era ele "largar esse negócio de escrever para não relaxar com o serviço na contrarregra", atividade que lhe rendia 15 mil cruzeiros, pouco mais do que o aluguel do pequeno imóvel onde morava com sua mulher. Assim, escrever para a televisão ou o teatro lhe rendia um dinheiro extra para ajudar no orçamento mensal. Curiosamente, alguns anos depois, Negrão foi o responsável por um dos maiores sucessos dos anos 1960, com *Nino, o Italianinho*. Ainda bem que ele não seguiu o conselho, porque se transformou num dos mais importantes autores da teledramaturgia brasileira.

O *Teatro Nove* era um espaço de extrema qualidade e bem diversificado, por reunir autores com estilos diferentes e que adotavam universos distintos para suas histórias. "Guarnieri tinha um olhar mais comunista, gostava da temática da construção, do operário. Roberto Freire apostava numa abordagem mais psicológica dos relacionamentos, Jorge Andrade tinha uma pegada rural, e Lauro César, os temas mais atuais", exemplifica Walther Negrão. Todas as peças eram encenadas ao vivo no auditório maior do Cultura Artística às segundas-feiras, às 21h. Mesmo escritas por autores de teatro, a preocupação era oferecer um produto adequado para o novo veículo de comunicação, inclusive com as marcações para todos os profissionais técnicos envolvidos no programa, como diretores, câmeras, sonoplastas e produtores, além dos cuidados com iluminação, enquadramento da imagem e uma interpretação mais naturalista – afinal o ator não necessitava projetar a voz para atingir a última fileira da plateia, porque os microfones captavam o som, e muito menos exagerar nas expressões e movimentos para ser notado pelo público, porque as câmeras fechavam em close, destacando todos os sentimentos e reações. "A linguagem dramatúrgica da televisão brasileira nasceu ali na TV Excelsior, com o *Teatro Nove*, e começou com força a impor um padrão para as demais emissoras", diz Lauro César Muniz, que escreveu especialmente para essa faixa de dramaturgia as peças *A Bruxa, Bar de Esquina* e *A Estátua*. Até então, TV Tupi, Paulista, Record, Cultura, TV

Rio ou Itacolomi levavam ao ar textos com fortes influências do teatro e do rádio, porque eram meras adaptações.

Manoel Carlos, que durante muito tempo foi o braço direito de Álvaro de Moya no comando artístico da TV Excelsior, ficou responsável por montar o elenco do *Teatro Nove* e, como havia um acordo entre as emissoras de não tirar ninguém do casting das concorrentes, buscou os nomes mais significativos dos palcos em São Paulo que não possuíam vínculos com nenhuma TV. Leonardo Villar, Mauro Mendonça, Cleyde Yáconis, Rosamaria Murtinho e Nathalia Timberg eram fixos do *Teatro Nove* e apareciam todas as semanas nos principais papéis. Para os personagens secundários foram escalados, sempre em esquema de revezamento e diante da possibilidade do profissional, Juca de Oliveira, Fulvio Stefanini, Elísio de Albuquerque, Stênio Garcia e Xandó Batista. Com o sucesso dessa faixa de dramaturgia e o interesse dos patrocinadores, mais um espaço foi aberto na TV Excelsior para a encenação de bons espetáculos. Aos sábados, também às 21h, o destaque era o *Teleteatro Brastemp*, com produção de Bibi Ferreira e direção de Antunes Filho, somente com textos internacionais consagrados pela crítica e, principalmente, pelo público. Foi justamente nessa faixa que Tônia Carrero e Paulo Autran ganharam projeção na televisão com seus papéis na comédia *Essas Mulheres*, apresentada no decorrer de 1962.

Outro programa de sucesso nessa fase inicial da TV Excelsior foi o *Simonetti Show*, com o maestro e pianista Enrico Simonetti e a cantora e atriz Lolita Rodrigues. O semanal, que misturava música e humor e, por isso mesmo, se transformou numa das sensações da temporada, com muitos elogios da crítica, tinha produção e redação de José Bonifácio de Oliveira Sobrinho, o Boni, que deixou a função ao ser chamado para trabalhar numa agência de publicidade, a Lintas. Ele mesmo ficou responsável por encontrar um substituto para seu cargo e, com indicação de um amigo, recebeu numa manhã um jovem talentoso. "Conheci o Boni na cama porque ele estava gripadíssimo", conta Jô Soares, que foi ao encontro do produtor do *Simonetti Show* para mostrar seu repertório. "Mesmo com ele doente, fiz uns números de humor e batemos um longo papo", revela. No final, num rápido telefonema, Boni foi direto: "Simonetti, é esse! Esse serve para escrever na linha do programa com sátiras e paródias", exclamou, determinado.

Jô Soares foi para a TV Excelsior escrever o *Simonetti Show*, em que permaneceu até o final daquela temporada. Muito talentoso, em pouco tempo chamou a atenção de Álvaro de Moya e acabou no comando do *Antologia do Cinema*, um programa que brincava com os grandes filmes dos

Estados Unidos e da Europa ao fazer a dublagem das cenas com histórias absurdas. "Era dificílimo e ao vivo. Não tinha volta. E o texto era o oposto da cena", diverte-se o apresentador. Na tela, por exemplo, aparecia a sequência com a mocinha do Conde de Monte Cristo escoltada por dois homens e na falsa dublagem um deles perguntava por que a barba do outro era mais branca. "Não tinha nada a ver, mas era muito engraçado", conta Jô Soares, que também redigiu o seriado *Show para Dois*, com Cleyde Yáconis e Leonardo Villar como os protagonistas românticos. Depois desses trabalhos, atendendo a um chamado de Nilton Travesso, o humorista foi para a TV Record, onde integrou a Equipe A, responsável pelos principais programas de humor e musicais da emissora.

A grade dos primeiros dois anos da TV Excelsior também incluía programas musicais com importantes cantores e compositores, entre eles Dorival Caymmi, João Gilberto Juca Chaves e Ataulfo Alves. Nesse segmento, além do *Simonetti Show*, destacavam-se o *Show Mantovani*, *Ritmos de Sílvio Mazzuca* e o semanal de Silvio Caldas, sempre às 21h das quartas-feiras. É importante destacar que, desde o início de suas operações, o Canal 9 estabeleceu uma funcional grade horizontal, com atrações do mesmo gênero sempre na mesma faixa de horário. Essa é uma fórmula que existe até os dias atuais nas emissoras brasileiras, para criar um vínculo com o telespectador, que sabe exatamente o tipo de conteúdo a que irá assistir. Há também uma estratégia vertical, em que a grade segue num crescente até chegar ao ponto maior de audiência, no ápice do *prime time*.

Além dos teleteatros e do *Brasil 60*, logo no início de suas operações, a TV Excelsior investiu no jornalismo por meio de programas de debates, talk shows e telejornal na faixa das 20h30, o *Telenotícias*, e um boletim informativo de até dois minutos veiculado a cada meia hora no período da noite. Era o *Ultra Notícias*, que tinha a sua primeira edição pontualmente às 18h30. Em 1961, foram realizados ajustes na estrutura e no conteúdo do *Telenotícias*, que foi transferido para a faixa das 22h, passou a se chamar *Telejornal de São Paulo* e ganhou a participação de alguns colunistas, entre eles Bia Coutinho e Marcelino de Carvalho, para abordar as notícias e eventos da alta sociedade. Assim como acontecia nas concorrentes, os telejornais eram obrigados a vencer as dificuldades técnicas da época com muita criatividade, apostar em algumas reportagens rodadas em filmes de cinema que precisavam ser revelados e contar com bons locutores e comentaristas para analisar os principais fatos do dia. Já o esporte entrou na grade da emissora somente em 1962, com a Copa do Chile, transmitida em *pool* pelas TVs brasileiras um dia após a realização das partidas. Isso porque o jogo era filmado em película 16 mm, em preto e branco, precisava ser revelado e chegava ao Brasil num dos voos que operavam diariamente a rota Santiago-São Paulo. Para se diferenciar das concorrentes e continuar no embalo positivo da vitória da Seleção Brasileira, a TV Excelsior contratou Pelé para comandar um programa ao lado de Pedro Luiz, locutor com grande experiência no improviso e que poderia compensar alguma falta de habilidade do maior jogador do mundo com as câmeras. Algum tempo depois, com o patrocínio da General Motors, as lutas ganharam espaço na programação, sempre muito bem narradas por Pedro Luiz, a maior referência da área naquela época.

No comando artístico da emissora, Álvaro de Moya também incluiu na grade atrações voltadas para as crianças e buscou elementos e profissionais que garantissem a qualidade do conteúdo. Um programa de auditório foi desenvolvido para Nhô Totico, o palhaço Chicharrão comandou um semanal exibido antes do *Brasil 60*, uma espécie de telejornal foi criado para a garotada e animações do canadense Norman McLaren, autor do premiadíssimo *Neighbours*, curta que aborda o combate à violência, tinham espaço de destaque. Beatriz Segall conduzia o *Passatempo*, às segundas e sextas entrava no ar a novela *Ó Titio* e havia também um programa com o humorista Don Rossé Cavaca e Arlete Pacheco, o *Pateo do Collegio*, em que, às vésperas do Natal, resolveram contar para as crianças que Papai Noel não existia e orientá-las a agradecer aos pais pela compra dos presentes. A boa intenção gerou um grande protesto. Durante dias, a TV Excelsior recebeu cartas e telefonemas de telespectadores revoltados com a revelação dos apresentadores.

Considerado sempre um bom atrativo para o público, o humor também foi incluído na grade, principalmente nas atrações mais variadas e voltadas a toda a família. Mazzaropi foi um dos primeiros, com o famoso *Mazzaropiadas*, que fez relativo sucesso e teve boa repercussão entre os artistas e nas colunas especializadas. Havia também o *Grande Circo* e *Vivaldino Mulherengo*, com Amândio Silva Filho e Rosamaria Murtinho, sempre aos sábados, e que foi apontado pela imprensa como o programa com um dos personagens mais engraçados da televisão daquela época. No início de 1962, a TV Excelsior convocou Barbosa Lessa para produzir uma nova atração, que contaria com vários humoristas de São Paulo e Rio de Janeiro e Procópio Ferreira como apresentador. Surgiu o *Humor 62*, marcado por esquetes, quadros e personagens.

Os programas do Canal 9, principalmente o *Brasil 60* e *Simonetti Show*, eram vendidos para emissoras em outros estados, disputando mercado de

TVs regionais com produções da TV Rio e TV Record, que conseguiam um bom capital com esses negócios e, do dia para a noite, perderam força diante do novo concorrente. Aos poucos, começou a circular a informação de que o alto comando da TV Excelsior já preparava o lançamento de uma emissora no Rio de Janeiro, ponto inicial de seu projeto de formação de rede. A construção de um complexo de estúdios para dramaturgia na Vila Guilherme, zona norte de São Paulo, espaço que durante muitos anos atendeu a estrutura do SBT e que atualmente pertence a uma igreja, era o sinal de que a família Simonsen não havia entrado na área das telecomunicações para ser mais uma. A ideia era concentrar novelas e programas de variedades em São Paulo e os musicais e humorísticos no Rio de Janeiro assim que fossem iniciadas as operações na cidade. Os telejornais seriam produções regionais. Em paralelo, dentro do plano de expansão, os empresários negociavam a compra de canais em algumas capitais, entre elas Porto Alegre, Belo Horizonte e Recife. Apesar de todo o investimento e da repercussão do *Brasil 60*, a audiência não deslanchava na capital paulista (segundo relatos da época, a média da emissora era de 1,5%), e mudanças, inclusive na esfera administrativa, foram realizadas nos primeiros meses de 1963. Álvaro de Moya deixou a direção artística e foi substituído por Edson Leite. Junto com ele, também da rádio Bandeirantes, Alberto Saad foi contratado para a direção administrativa. "Eles pegaram a Excelsior lá embaixo, numa posição muito ruim no Ibope, e fizeram uma campanha revolucionária. Em pouco tempo, colocaram o Canal 9 em primeiro lugar", relata Johnny Saad, presidente do Grupo Bandeirantes e que no início dos anos 1960 atuava nas rádios comandadas por sua família. "Eles formaram uma rede grande e poderosa", completa. Com a promessa de investimentos em equipamentos e ampliação das instalações da emissora, que já estava com a produção estrangulada no Teatro Cultura Artística, os dois novos executivos convenceram Mário e Wallace Simonsen a quebrar um acordo entre os donos dos canais de televisão que não permitia a contratação de artistas com vínculos nas concorrentes. Essa era uma forma de achatar os salários e obrigar técnicos, produtores, redatores, jornalistas e artistas a aceitarem todas as regras das empresas, inclusive com longas jornadas de trabalho, poucos direitos e muitas obrigações. Para ganhar espaço e atingir seus objetivos, a TV Excelsior também promoveu a valorização de quem atuava no veículo de comunicação e a disputa dos melhores profissionais. "Foram duas fases. Uma artística, com a priorização da qualidade sob o comando do Álvaro de Moya, em que a audiência não contava muito. Outra, a da popularidade a qualquer custo, comandada por Edson Nunes. Em ambas, houve contribuições importantes para a empresa e, principalmente, para a grade oferecida ao telespectador", explica Boni, o homem responsável pela formação da maior rede de TV do Brasil, a Globo. Surgia a televisão competitiva, industrial, de altos salários e das estrelas populares. A campanha de lançamento da emissora, no início de 1960, ganhava finalmente o seu sentido. "Eu Também Estou no 9" era a frase que estampava os cartazes espelhados por São Paulo e as propagandas nos jornais e revistas que anunciavam a formação de um elenco estrelar e popular. "O fato é que ela não vivia do mercado e gastava o que queria subvencionada por recursos do Wallace Simonsen", completa o dono da TV Vanguarda, uma rede de emissoras no interior de São Paulo.

Com sinal verde para contratar artistas e profissionais de bastidores e a promessa de novos equipamentos, inclusive que possibilitassem a gravação de programas e a transmissão em cores, Edson Leite focou os artistas mais populares e que fizessem o telespectador sintonizar a emissora para encontrá-los. Os valores oferecidos eram muito superiores aos praticados pela Tupi, Record e Paulista, que não conseguiram controlar uma verdadeira debandada para a mais nova emissora de TV de São Paulo. Além de salários superiores, quem recebia o convite ouvia a promessa de muitas melhorias profissionais e de mais respeito nas relações pessoais, fatores difíceis de serem bancados pelas concorrentes, já que era muito comum na época diretor gritar nas reuniões, pelos corredores ou quando alguém pedia aumento que "em qualquer ponto de ônibus tinha fila de gente louca para trabalhar na televisão e que não reclamaria do valor que receberia no final do mês". "Glória e eu fomos chamados para conversar. Era uma emissora que tinha personalidade, que entrou de sola e pegou todos que achava que eram bons", recorda Tarcísio Meira, ator que protagonizou a primeira novela diária, a *2-5499 Ocupado*, ao lado de sua mulher. "A Excelsior tinha muito dinheiro. Colocou na cidade inteira *outdoors* com a foto da gente e a frase 'Glória Menezes está na Excelsior'", explica a atriz que fez a primeira protagonista da teledramaturgia diária brasileira. Os dois estavam meio descontentes com a Tupi, que não reconhecia a dedicação do casal. Nos primeiros meses de contrato, Tarcísio e Glória integraram as equipes dos teleteatros exibidos pelo Canal 9, protagonizaram a série *Eu e Você* e passaram para as novelas assim que o videoteipe possibilitou a gravação e a edição dos capítulos. "O Tito de Miglio insistiu muito para fazer os folhetins, mas nós não queríamos porque considerávamos chato. Mas, por causa do contrato, não tivemos como recusar", conta o ator. Miglio era um diretor, produtor e roteirista de TV argentino que veio ao Brasil para implantar a produção de novelas diárias na TV Excelsior. Na mesma época, assinaram com a Excelsior David Neto, Márcia Real, Lolita Rodrigues e Walter Stuart, todos nomes fortes nos programas do Canal 4.

Naqueles primeiros meses de 1963, a ansiedade era grande entre os profissionais da televisão, afinal todos queriam receber um convite para mudar para a Excelsior. Só o fato de ser lembrado por Edson Leite era um sinal de que se tratava de um artista de talento e que, com seu valor, poderia crescer e ir muito além de pequenas participações nas outras emissoras. O problema é que Tupi, Record e Paulista fizeram de tudo para impedir a saída de algumas pessoas, chegando inclusive a entrar na justiça, alegando desrespeito contratual. A Justiça do Trabalho reconheceu que as trocas eram saudáveis e não poderiam ser impedidas. Um dos casos mais chocantes foi o da humorista Maria Vidal, que acertou sua transferência pessoalmente com Edson Leite, mas, quando notificou a TV Tupi, não teve a liberação assinada por Rui Aranha, diretor da TV de Chateaubriand. Deprimida com a situação, ela saiu do Sumaré sem reclamar muito, foi para casa e se suicidou. Uma cena triste que ganhou destaque nas capas de jornais e revistas especializadas e que serviu de alerta para que alguns dirigentes dos canais de São Paulo evitassem exageros e as posições radicais.

Uma das principais contratações realizadas em 1963 foi a de Moacyr Franco, um dos artistas mais talentosos da época, que transitava muito bem no humor e na música, mas que não era muito bem aproveitado pela Record, onde fazia pequenos papéis nos programas de variedades, principalmente nos humorísticos, e na TV Rio comandava um programa de relativo sucesso. Os executivos do Canal 9 chegaram com muito dinheiro e a garantia da sua realização profissional, uma vez que deixaria de ser quase um figurante para exercer o posto de protagonista de uma atração semanal, um *showman* capaz de atrair muitas pessoas e anunciantes. O *Moacyr Franco Show* estreou no decorrer daquele ano e, como espetáculo popular de televisão, apostou em canções, humor, entrevistas e números especiais. A resposta foi quase imediata e, em pouco tempo, já estava na liderança em seu horário. "A gente tinha média de 52 pontos, picos de 89. Era uma coisa muito doida, numa estação que, até então, poucos conheciam", conta o cantor e apresentador. "Ganhei em um ano seis prêmios Roquette Pinto como melhor programa, orquestra, iluminação, musical e revelação", completa. Em Santos, cidade do litoral de São Paulo, onde a TV Excelsior tinha retransmissora, a audiência do semanal chegava a 77%, um índice que, definitivamente, derrubava as concorrentes. Os bastidores eram extremamente excitantes, uma vez que em menos de uma semana todas as atrações eram criadas, redigidas, ensaiadas e executadas. "Era uma coisa insana. A gente ensaiava o balé no Teatro São Paulo e o programa ia ao ar dias depois, ao vivo, de outro espaço", recorda Moacyr Franco, que era obrigado a improvisar na coxia espaço para ele e o elenco trocarem de roupas para os diversos momentos da atração. Lennie Dale, coreógrafo, dançarino e ator consagrado na música brasileira e responsável por espetáculos inesquecíveis no Beco das Garrafas, reduto da Bossa Nova, era quem assinava a preparação das dançarinas e toda a apresentação corporal do condutor do programa. "A gente fez coisas muito bonitas", recorda-se Moacyr.

Na mesma época, estreou o *Musical Luiz Vieira*, comandado pelo cantor que arrastava centenas de fãs em suas apresentações pelo país. No Canal 9 ele cantava seus sucessos, recebia novos talentos, entrevistava artistas e provocava a plateia. O programa era exibido antes do *Moacyr Franco Show* e fez parte do primeiro teste de transmissão em cores da emissora. "Era uma câmera de dois metros e meio de comprimento conectada a dois monitores do lado de fora do estúdio. Eu assisti ao programa do Luiz Vieira e, em seguida, ele assistiu ao meu", lembra o apresentador. Para a noite do domingo, Edson Leite apostou no "Cancioníssima 63", uma espécie de festival em que todas as semanas eram apresentadas seis músicas e no final de três meses as dez mais populares concorriam a um prêmio. Com a novidade, o *Brasil 63*, comandado por Bibi Ferreira, foi transferido para as noites de segunda-feira. Houve também investimentos no humor, nos esportes e um reforço considerável nas séries importadas, principalmente dos Estados Unidos, entre elas *Flash Gordon* e *Dr. Kildare*. Os teleteatros prosseguiram por algum tempo, e um projeto idealizado por Álvaro de Moya um ano antes teve prosseguimento com José Bonifácio de Oliveira Sobrinho e Walter Durst. "Comecei a contratar o pessoal da Tupi, como o Túlio de Lemos, Rosamaria Murtinho, Mauro Mendonça e todos os nomes que, mais tarde, compuseram o elenco das novelas da TV Excelsior", recorda Boni. Esse gênero deixou de ser produzido assim que o videoteipe possibilitou a criação da telenovela diária, produto que se mostrou mais forte artística e comercialmente junto ao brasileiro. Mas essa é uma história para o próximo capítulo.

Houve também investimentos no jornalismo, com a criação de *A Marcha do Mundo*, com apresentação de Kalil Filho, tirado a peso de ouro da TV Tupi, em que comandava o *Repórter Esso*. Esse telejornal chamou muita atenção pelos recursos que utilizava para ilustrar as notícias. O cenário era formado basicamente por quatro telas, nas quais entravam as imagens dos filmes com os fatos narrados, e o apresentador conduzia o programa o tempo todo em pé, postura que acabava acentuando o discurso político, muito afinado com o governo federal. Em outubro de 1963, entrou no ar em São Paulo um telejornal criado no Rio de Janeiro e que fez muito sucesso. O *Show de Notícias* também recorria a muito material gravado, imagens estáticas dos acontecimentos e entrevistas realizadas em externas em que o apresentador refazia ao vivo as perguntas para os entrevistados. O desafio era soltar a fita no exato momento da interrogação, para tudo parecer estar acontecendo em tempo real.

Enquanto Mário Simonsen comemorava os resultados financeiros do Canal 9 em São Paulo e Edson Leite colhia o retorno da audiência de sua grade popular, inclusive com os folhetins hispânicos, o braço de comunicação da família Simonsen ampliava seus domínios e chegava ao Rio de Janeiro, capital fundamental para o projeto de formação de rede nacional como as que existiam nos Estados Unidos e que, além de disputarem o público com uma grade de entretenimento para a massa, arrecadavam milhões de dólares em publicidade e vendas de conteúdo. A TV Excelsior Rio de Janeiro entrou no ar no dia 1º de setembro de 1963, ainda sob o impacto de sua política agressiva de contratar os melhores artistas e profissionais de bastidores. Muita gente deixou a TV Tupi e a TV Rio, as duas que disputavam o telespectador na capital fluminense, e, para segurar algumas estrelas, os diretores das emissoras resolveram abrir o cofre e elevaram os salários para cobrir a oferta da nova concorrente, que, em alguns casos, multiplicou por 6 os vencimentos mensais. "Eles chegaram contratando todos e, do dia para a noite, as TVs ficaram sem programas e artistas", conta Fernanda Montenegro, pioneira da televisão carioca. Com essa estratégia de guerra, a TV Excelsior reuniu os mais populares da época, entre eles Walter D'Ávila, Castrinho, Jorge Loredo e Zezé Gonzaga. A inauguração da grade aconteceu com *O Rio é o Show*, comandado pela atriz Maria Fernanda e com participações de Jorge Ben, Eliana Pittman, Os Cariocas, Sílvio César e Miltinho. O programa durou pouco mais de três horas e foi transmitido em cores, apesar de quase ninguém ter um aparelho televisor adaptado para receber o sinal com a nova tecnologia, o que deu muito trabalho aos técnicos com as oscilações que irritavam quem estava em casa. O projeto de uma programação 100% colorida foi abortado em função dos custos de equipamentos e de certa pressão do comércio, que tinha nos estoques muitos televisores em preto e branco. Entrevistas, quadros de humor, música e reportagens gravadas em videoteipe sobre as estrelas contratadas pelo Canal 2 fizeram aquela noite. Nos dias seguintes, o público assistiu a shows musicais, humorísticos, jornalismo, seriados e filmes importados, além do *Moacyr Franco Show*, *Brasil 63* e teleteatros gravados em São Paulo. Os jornais e revistas especializadas publicaram muitas reportagens sobre a nova emissora que chegava ao Rio de Janeiro cheia de promessas e disposta a ser a maior audiência.

O humor foi um dos carros-chefe da TV Excelsior Rio em seus primeiros anos de atividades, já que esse gênero era muito apreciado pelo carioca e garantia bons índices nas emissoras concorrentes. "O mais famoso era o *Times Square*, que misturava esquetes humorísticos com música", dispara Castrinho, que no Canal 2 também participou de *Vovô Deville*, *Nordeste da Peste*, *Clube de Brotos* e *Calouros no Chuveiro*. "Eu só não fiz culinária, porque naquela época isso era coisa só de mulher, de cozinheira de casa", conta o ator, que integrou o *Tvendo e Aprendendo*, uma espécie de revista eletrônica direcionada ao público feminino. Às segundas-feiras, gerado diretamente do cinema Astória, espaço adaptado para a emissora produzir sua linha de shows, entrava no ar *A Cidade se Diverte*, dirigido por Daniel Filho e Wilton Franco, com textos de Max Nunes e que contava no elenco com muitos artistas distribuídos em diversos quadros. Foi nesse programa que surgiu o embrião de *Os Trapalhões*, atração que permaneceu no ar por muitos anos na televisão brasileira, entre Excelsior, Record e Globo. "O Wilton entrou no estúdio e disse que ia fazer uma história de humor com o Dedé e o Didi. Era um quadro no *A Cidade se Diverte*. Aí, ele botou o Renato Aragão, Ted Boy Marino, Ivon Curi e Wanderley Cardoso. Ficaram os quatro e eu era praticamente o quinto Trapalhão. Eu entrava em cena para salvar a situação", recorda Dedé Santana, que algum tempo depois também foi escalado para atuar no *Show do Riso*, em São Paulo, com "Maloca e Bonitão". "O meu personagem era meio bobão, tipo Pluto, que fazia tudo errado e no final dava certo", conta. O Bonitão era interpretado por Ondino Sant'Anna. Com o fim da TV Excelsior, Renato, Dedé e os demais integrantes de *Os Adoráveis Trapalhões* foram contratados pela TV Record, que não aceitou o nome do antigo programa por acreditar que já estava desgastado. "Botaram essa merda de *Os Insociáveis*", reclama Dedé.

A fim de conquistar em pouco tempo o grande público no Rio de Janeiro, a TV Excelsior não mediu esforços para contratar dois populares artistas do humor. Dercy Gonçalves e Chico Anysio chegaram à emissora podendo praticamente tudo e com os salários mais altos da televisão brasileira naquela época, apesar de a atriz dizer que não tinha visto muito entusiasmo dos diretores da emissora durante a negociação de seu contrato. Inicialmente, ela integrou a equipe de *Vovô Deville*, em que interpretou personagens como Cleópatra, Lucrécia e Julieta, mas, com o sucesso, ganhou sua atração própria, o *Dercy Beaucoup*, em que levava ao telespectador as comédias de seu repertório. Líder de audiência em seu horário e com um estilo forte e marcante, não demorou muito para ser um dos alvos preferidos da censura, com orientações inclusive para controlar seus gestos, considerados ofensivos por quem determinava o que podia ou não ser exibido pelas emissoras de TV. Sem o foco das câmeras em suas mãos, ela explorou toda a sua versatilidade no tom de voz e nas expressões faciais e se manteve no topo do ranking das atrações mais assistidas no Rio de Janeiro. A grande dama da comédia brasileira permaneceu na Excelsior até 1964, quando percebeu os problemas financeiros e políticos da emissora e aceitou o convite de José Bonifácio Oliveira Sobrinho, o Boni, e Walter Clark para comandar um programa na TV Rio, que dava uma guinada em seu projeto e reunia forças e elementos para combater o crescimento da TV da família Simonsen.

Entretanto, a principal atração da linha de humor era o *Chico Anysio Show*, com seus vários personagens e muitas histórias. A possibilidade de gravar o programa em videoteipe ampliou a quantidade de esquetes e deu uma liberdade incrível de criação. "O Chico tinha muito talento e era de um grande brilhantismo", ressalta Lúcio Mauro, que esteve ao seu lado em vários projetos na televisão. O problema é que, apesar do alto salário, da liberdade inquestionável para levar ao ar o que desejava, a exibição em VT em São Paulo e em outros estados, o humorista percebeu que seu trabalho não repercutia entre o grande público carioca, porque no início de suas atividades no Rio de Janeiro a TV Excelsior não tinha bons equipamentos para irradiar o sinal, já que havia comprado da TV Tupi uma estrutura antiga, com equipamentos sucateados e antena mal localizada. Chico Anysio não permaneceu muito tempo na emissora e regressou à TV Rio, da qual tinha saído recentemente. Logo depois do desligamento do artista, a fim de evitar outros arrependimentos, o alto comando da emissora investiu pesado para transferir a antena para o alto do Morro do Sumaré, também conhecido como o Teto da TV do Rio de Janeiro. Em casa, o telespectador percebeu que a imagem melhorou e começou a se envolver com a programação, que em pouco tempo já incomodava as concorrentes com vitórias consecutivas.

O jornalismo também se destacou na TV Excelsior do Rio e reuniu importantes nomes da área, entre eles Sérgio Porto, conhecido como

Stanislaw Ponte Preta, Luiz Jatobá, Betty Faria, Odete Lara, Geraldo Borges e Annik Malvil, que se revezavam entre a apresentação e os comentários do *Show de Notícias*, telejornal que atingiu grandes índices de audiência ao apostar numa fórmula que saía do convencional e recorria a muita imagem para ilustrar as reportagens, textos mais curtos e um posicionamento político muito claro, o que incomodou uma ala mais conservadora do país e, mais tarde, contribuiu decididamente com o fechamento da primeira rede nacional de televisão do Brasil.

"Eu criei uma infraestrutura na TV Excelsior que qualquer pessoa que chegasse lá era só tocar que funcionava", diz Álvaro de Moya para explicar a expansão da emissora em São Paulo e no Rio de Janeiro, que dividia entre as duas cidades suas centrais de produção e distribuía por meio das fitas de videoteipe um conteúdo de qualidade e grande apelo popular, que só fazia aumentar a audiência da rede nacional. Com a grade horizontal (programas de gênero semelhante sempre nas mesmas faixas de horário) funcionando plenamente e a vertical já adotada para potencializar a estratégia de liderança, a ordem era avançar para o resto do país e ter em seu casting os melhores artistas e profissionais técnicos. "Eu fui para a Rua Nestor Pestana, centro de São Paulo, e pedi uma chance para trabalhar na televisão", relata Roberto Manzoni, conhecido como Magrão, atual diretor do *Domingo Legal*. Recém-formado em eletrotécnica, ele foi orientado por amigos a procurar na Excelsior de São Paulo por José Pedro Crispi, chefe de operações do Canal 9, que não pôde atendê-lo. Entretanto, Magrão sabia que todos os funcionários costumavam almoçar no restaurante que ficava bem na frente da sede da emissora. Malandro, convenceu o porteiro da empresa a mostrar quem era Crispi entre os que estavam às mesas do estabelecimento. Decidido, atravessou a rua e se apresentou ao diretor técnico. Em poucos minutos, conseguiu marcar um teste. "Você foi bem, mas não há uma vaga. Quando surgir eu chamo. Tem algum telefone para contato?", indagou o diretor técnico da emissora. Magrão lembrou o número da quitanda que ficava próximo de sua casa e que poderia transmitir o recado caso surgisse a tão desejada vaga. "Ninguém tinha telefone naquela época. Nunca mais esqueci o 63-1410", conta. Não demorou muito para ser chamado para fazer estágio no departamento de videoteipe da TV Excelsior, ligado principalmente às novelas. "Antigamente, o VT era a válvula e não ficava numa das salas da TV, mas sim em um ônibus ou caminhão. Quando entrei naquele equipamento, pensei que era uma nave espacial", completa Magrão, exemplificando a sensação de seu primeiro contato profissional com a televisão.

Quem também teve muita determinação para entrar na TV Excelsior foi a apresentadora Claudete Troiano, que com apenas 7 anos de idade foi com uma prima assistir do auditório ao *Show do Meio Dia*, um programa de variedades transmitido ao vivo e que fazia um relativo sucesso. A paixão da pequena garota pela televisão foi imediata. "Naquela confusão, eu fugi dela por alguns minutos e descobri onde poderia fazer uma ficha para trabalhar na TV", conta. A menina passou, de tempo em tempo, às vezes com algum familiar e, já crescida, sozinha, a ir à emissora para ver se surgia uma oportunidade de trabalho, mesmo que algo pequeno. "Minha mãe me colocava no ônibus, dizia onde eu precisava descer e pedia para alguém me avisar que chegou o ponto. Lá, atravessava uma passarela e esperava pessoas para cruzar a rua com um pouco mais de segurança", recorda-se. Dois anos após quase diariamente aparecer na sede da TV Excelsior, um diretor resolveu escalar a garota para uma cena importante na novela *Vidas Cruzadas*, escrita por Ivani Ribeiro, dirigida por Walter Avancini e com Carlos Zara no papel principal. As únicas exigências eram que soubesse nadar e que fosse no dia da gravação acompanhada por um familiar. "É claro que sei nadar", respondeu imediatamente, apesar de nunca ter frequentado aulas de natação. No dia da cena, Claudete Troiano, junto com seu irmão, chegou pontualmente ao setor de transportes para ingressar no ônibus que levaria todos os envolvidos com a sequência até a represa no bairro de Interlagos, zona sul de São Paulo. Foi nesse dia que conheceu Valentino Guzzo, que muitos chegaram a acreditar que era seu pai. "Ele me adotou artisticamente", ressalta. No set de gravação, explicaram a cena.

– Você vai de barquinho até o meio da represa e finge que está desesperada – disse um dos produtores.

– Aí, cai na água e começa a gritar pedindo socorro – completou outro profissional que atuava atrás das câmeras.

– Fique tranquila que um cachorro pastor-alemão vai até você para socorrê-la e trazê-la até a margem, onde estará nosso herói – terminou o produtor.

A cena começou a ser gravada, Claudete Troiano caiu na água, o cachorro nadou até o local e no final apareceu Carlos Zara para pegar a assustada menina e levá-la até um lugar mais seguro. *Close* no herói e mais um capítulo pronto para ser editado. "Como não sabia nadar, não contei nada em casa", revela a apresentadora. Depois dessa estreia molhada, ela fez figuração em outros folhetins e programas da linha de shows, entre eles *Os Adoráveis Trapalhões*, no qual foi a companheira dos humoristas. "Eu fui a primeira garotinha dos Trapalhões", fala com orgulho. Depois, ela se transferiu para a recém-

-inaugurada TV Bandeirantes, onde comandou o *Tic Tac*, uma atração infantil com direito a foguetinho para sua chegada no palco e meninas vestidas como soldadinhos de chumbo. "Um dia, quando minha filha era pequena, viu uma foto desse período e disse que eu era a Xuxa", ri ao lembrar os cinco anos à frente de um programa diário voltado para as crianças.

O cantor Agnaldo Rayol, que já tinha passado pela TV Tupi e TV Rio, não resistiu a um chamado da TV Excelsior e estreou como ator de novelas em *Mãe*, uma adaptação de Ciro Bassini para um grande sucesso do rádio escrito pelo poeta Giuseppe Artidoro Ghiaroni, um dos principais redatores da Rádio Nacional. Essa versão inaugurou a faixa das 19h30 para teledramaturgia. O convite surgiu com a indicação de Lolita Rodrigues, a mocinha da história que fazia par romântico com Tarcísio Meira. "Nos 11 últimos capítulos eles precisavam de um ator jovem que fizesse o filho da protagonista. Tarcísio e Lolita foram meus pais na ficção", conta Agnaldo Rayol com humor. Depois dessa produção, ele foi o protagonista de *Caminho das Estrelas*, em que interpreta um jovem cantor que luta pela fama e que em um belo dia perde a voz. No elenco estavam Arlete Montenegro, a mocinha da trama, e Procópio Ferreira, que vivia o pai da jovem. As gravações eram realizadas nos Estúdios Vera Cruz, em São Bernardo do Campo, na Grande São Paulo, e todos os dias Agnaldo Rayol dava carona ao grande nome do teatro. Era muito comum que Procópio o convidasse para jantar, uma oportunidade que tinha para ouvir muitas histórias da cultura brasileira e para cantar com Bibi Ferreira, a estrela maior da TV Excelsior. Como a promessa de Edson Leite de que um dia Agnaldo teria um programa musical só seu nunca foi cumprida, ele não recusou um convite da Record para comandar o *Corte Real Show*, um dos líderes de audiência da emissora da família Carvalho. "Fui até o último capítulo, assinei com o Canal 7 para fazer o programa e nunca imaginei que seria um sucesso monstruoso", esclarece.

A TV Excelsior, tanto no Rio de Janeiro quanto em São Paulo, reuniu os mais importantes comunicadores do país na época, como Flávio Cavalcanti, Chico Anysio, Moacyr Franco, Bibi Ferreira, Dercy Gonçalves, Chacrinha e Haroldo de Andrade, todos responsáveis por elevados índices de audiência e bom faturamento. Entretanto, as novelas eram as mais fortes da grade e lideravam nos números do Ibope e do departamento comercial. Com os semanais *Dois na Bossa* e *O Brasil Canta no Rio*, produções da equipe carioca, foram lançados grandes cantores, como Elis Regina e Gilberto Gil, que, algum tempo depois, foram absorvidos pela Record com sua linha de shows dos mais variados estilos musicais. Em São Paulo, para concorrer com a Jovem

Guarda, a emissora também tinha sua aposta no segmento, com Eduardo Araújo no comando do programa *O Bom*, líder de audiência em sua faixa.

Em função da posição política abertamente declarada, com o golpe militar de 1964 o foco da censura ficou mais direcionado para a TV Excelsior. Aos poucos, os telejornais perderam o tom crítico em seus comentários e se restringiram a dar as notícias sem muito aprofundamento. Os humorísticos, com a punição do órgão regulatório, deixaram de exibir quadros e até os textos de novelas foram cortados e suavizados. Mesmo assim, era muito comum o telespectador ver durante a exibição de um programa os famosos bonequinhos símbolos da emissora com a boca e os ouvidos tapados e a palavra "censurado" em destaque. O aperto político gerou dificuldades financeiras ao grupo de Mário Simonsen, que fechou naquele ano o jornal *A Nação* e determinou ajustes administrativos na TV Excelsior a fim de viabilizar o caixa, reduzir os custos e colocar em dia o pagamento de muitos artistas e profissionais que atuavam nos bastidores. "Não se sabia gerir direito, administrar uma televisão", diz Silvio Alimari, atual superintendente de programação da TV Gazeta, mas que nos anos 1960 atuava como produtor no Canal 9. Com o agravamento da crise e sem receber salários em dia, atores, cantores e apresentadores acabaram aceitando convites de outras emissoras e muitos regressaram à Tupi e à Record ou partiram para a recém-inaugurada TV Globo. Saída para uns, entrada para outros. Foi o caso de José Vasconcellos, que, em 1967, prestes a estrear o *Mundo Alegre de José Vasconcellos*, nova atração na emissora, desistiu do projeto. Os diretores da TV Excelsior começaram a buscar um substituto e lembraram-se do empresário Marbin Ramondini, agenciador de vários artistas e esportistas, entre eles Juca Chaves, Pelé e Edith Veiga. A oportunidade surgia para Raul Gil, que foi indicado por seu representante comercial.

– Eu vou fazer o programa com você. Vamos aproveitar o cenário e a estrutura – disse Péricles do Amaral, um dos produtores do semanal destinado a José Vasconcellos.

– Vamos fazer como a Hebe. Um sofá no centro do palco, uma porta num dos lados e você vai até lá receber os convidados – emendou um diretor que estava presente na primeira reunião.

– Aí, eles vão sentando, você conversa, conta suas piadas, faz imitações – complementou Péricles do Amaral.

Alguns dias depois, Raul Gil iniciava sua trajetória como animador de auditório na televisão com o *Raul Grill Room Show*, transmitido direto do Teatro Cultura Artística, na Rua Nestor Pestana. O programa reunia muita gente interessante, cantores e grupos musicais que estavam iniciando carreira, como

Vanusa. "Eu comecei a crescer muito. Todo domingo a gente concorria com a Hebe Camargo. Ela dava 20 pontos, e a gente, 16", recorda o apresentador, que, alguns anos depois, descobriu que a comissão de seu empresário era altíssima, algo impraticável nos dias atuais. "Ele fez um contrato em que eu ganhava Cr$ 1 milhão. Era um dinheiro que eu nunca tinha visto na vida. Só que o Ramondini fez um documento de Cr$ 2,5 milhões e ficava com um milhão e meio", revela. Raul Gil resolveu então aceitar a proposta da TV Bandeirantes, feita por meio do diretor Gilberto Martins, para assumir uma atração semanal às quintas-feiras à noite, em horário nobre, com a participação da orquestra do maestro Chiquinho de Morais, um dos mais importantes nomes da música brasileira, com passagens por quase todas as emissoras, responsável pela direção artística de espetáculos de estrelas da MPB, autor de arranjos marcantes, entre eles de "Banho de Lua" e "Estúpido Cupido", e condutor dos músicos que acompanhavam Roberto Carlos. Como foi chamado porque fazia sucesso, Raul resolveu apostar alto e pediu Cr$ 4 milhões de salário mensal. "É o que eles vão me oferecer para renovar o contrato", falou rapidamente. Gilberto Martins ouviu o valor, pensou, fez seus cálculos mentais e disparou: "Você me convenceu. Vou pagar os 4 milhões".

Raul Gil e seu auditório

O marketing agressivo da TV Excelsior não se dava apenas com a contratação de grandes estrelas e dos melhores profissionais que atuavam nos bastidores, mas também por meio de campanhas sociais que aproximavam os artistas do público e criavam uma imagem positiva do Canal 9. O elenco foi reunido algumas vezes para falar no vídeo sobre a importância da vacinação contra doenças comuns em crianças, algo que, como aconteceu, poderia diminuir o número de mortes. Além disso, os artistas atendiam as ligações telefônicas dos telespectadores para responder às mais diferentes questões sobre o tema. Outra ação de grande impacto foi a Noite de Vigília, em novembro de 1963, quando todos os artistas foram para o Teatro Cultura Artística para um programa especial, uma espécie de embrião de Criança Esperança ou Teleton, para arrecadar fundos para a Cruzada Pró-Infância. O evento levou uma multidão ao local, que doava roupas, mantimentos ou pagava uma pequena taxa para entrar no estúdio e ficar pertinho dos artistas. O projeto "Faça uma Criança Sorrir" começou no programa de Moacyr Franco e travou a região central de São Paulo. Esse mesmo formato foi adotado no Rio de Janeiro e nas emissoras próprias e afiliadas que formavam a rede nacional. Os artistas eram obrigados a viajar para comparecer a esses eventos regionais. Em Recife a situação não foi muito diferente da registrada na capital paulista. Assim que a notícia da chegada dos artistas, entre eles o casal das novelas Tarcísio Meira e Glória Menezes, se espalhou pela cidade, uma multidão compareceu ao aeroporto para acompanhar o desembarque das estrelas. Apesar da segurança, as pessoas invadiram a pista, levantaram os atores em seus braços e, aos berros, os levaram até o meio da pista. "Era uma loucura", diz Tarcísio Meira, que se viu totalmente exposto e sem nenhuma proteção. "Chegaram a quebrar a escada do avião, que ficou impossibilitado de seguir viagem", completa Glória. De repente, com instinto de proteção, o ator olhou firmemente para alguns homens, apontou e disparou:

– Você, você e você. Me ajudem. Protejam minha esposa, que ela está grávida! A responsabilidade é de vocês enquanto eu converso com os nossos fãs.

– Eu sou o Antônio, seu Tarcísio. Pode deixar comigo que nada vai acontecer com ela – respondeu um jovem que também tinha ido ao aeroporto para ver o casal chegar.

Algum tempo depois, a situação foi controlada e os artistas conseguiram sair do aeroporto em direção ao hotel e, mais tarde, à emissora. A campanha ocorreu dentro do previsto, foi um grande sucesso e ajudou a fazer um marketing interessante para a TV Excelsior em Recife. Semanas depois, já em São Paulo, Glória Menezes descobriu que realmente estava grávida. Seria premonição de pai?

O fato é que a televisão de Mário Simonsen teve uma história curta, mas intensa, com produções de extrema qualidade em sua fase inicial e de grande popularidade a partir de seu terceiro ano de atividades. A TV Excelsior criou a telenovela diária, foi a primeira a cumprir pontualmente o horário de suas atrações, estabeleceu limites para os intervalos comerciais, valorizou profissionalmente os artistas, elevou às alturas os salários das estrelas, criou *jingles* para as vinhetas entre os programas e teve os mais conhecidos apresentadores. Agonizou em público numa mistura de má administração financeira, exageros artísticos e perseguição política. Detalhes que você acompanhará logo mais, em mais um capítulo de uma grande novela.

Começa a era da novela, o principal produto da televisão brasileira

O principal produto da televisão brasileira, tanto em repercussão quanto em audiência e faturamento, ganhou seu formato definitivo em 1963, logo após Edson Leite assumir a direção artística da TV Excelsior e constatar que os melhores índices eram registrados nas faixas ocupadas por dramaturgia. Se os teleteatros semanais garantiam a presença do público, por que não colocar no ar, sempre no mesmo horário, uma história dividida em capítulos? Esse era um formato que ele conhecia muito bem, afinal, a telenovela diária já existia na Argentina, país que visitava com certa frequência para rever os amigos e familiares de sua esposa. "Com isso, ele trouxe muitos textos para o Brasil e acertou em cheio no gosto do telespectador", diz Reynaldo Boury, atual diretor de dramaturgia do SBT e responsável pelo comando de grandes sucessos na Globo e na Tupi. "Esses folhetins levaram a TV brasileira a ter uma cara própria", completa. Para Lauro César Muniz, um dos mais consagrados autores de novelas do país e que lá no Canal 9 escreveu alguns teleteatros, foi a partir desse gênero que definitivamente se criou um padrão de linguagem e elementos que identificassem nossas produções em qualquer parte do mundo. "Não há nenhuma indicação de que nós tenhamos importado coisas da televisão americana, e muito menos europeia", explica o dramaturgo. "Em pouco tempo, superamos em qualidade os mexicanos e argentinos", completa.

A primeira telenovela diária, a *2-5499 Ocupado*, baseada no original de Alberto Migré, estreou no dia 22 de julho de 1963, com Tarcísio Meira e Glória Menezes nos papéis centrais e Lolita Rodrigues como antagonista. O patrocínio era da Colgate-Palmolive, que já sustentava os folhetins em outros países e acabou se transformando na maior incentivadora para o gênero ser produzido em São Paulo. O texto era de Dulce Santucci e a direção de Tito de Miglio, que tentavam dar um ar mais brasileiro a um formato carregado pelo dramalhão latino. A história de uma detenta que diariamente recebe ligações de um homem que está apaixonado por sua voz e que, por saber que ele é muito poderoso, não pode revelar sua condição e muito menos que vive num presídio conquistou rapidamente o telespectador e de imediato apontou para os diretores da Excelsior que esse era um produto que ainda teria muito a crescer e renderia excelentes lucros para a emissora. "Ali começou o sucesso das novelas, porque todo mundo se deu conta da força de uma boa história ser apresentada todas as noites", diz Lolita Rodrigues. "Foi um sucesso tão grande que eu fiquei até atônito com essa coisa", resume Tarcísio Meira em uma frase o impacto do novo produto sobre o público.

Para viabilizar a produção dos 42 capítulos de *2-5499 Ocupado*, a direção da TV Excelsior optou por gravar a maioria das cenas em externas, recorrendo a um presídio de verdade, a Casa de Detenção de São Paulo, e em algumas ruas da capital paulista. Os estúdios adaptados no Teatro Cultura Artística não comportavam mais uma produção, principalmente uma telenovela que exigia diversidade de cenários. Os episódios diários sempre terminavam com um forte gancho para garantir a volta do telespectador no dia seguinte, o que gerou grande envolvimento de quem assistia em casa e boa repercussão nas revistas e colunas especializadas dos principais jornais. "Passamos a existir como personagens", destaca Glória Menezes, a mocinha sofredora porque fora presa injustamente e que, por isso, não podia amar em plenitude. "Uma vez, o Tarcísio foi fazer um baile num clube e eu não pude acompanhá-lo. Quando ele chegou lá, percebeu que as pessoas falavam bem baixinho 'coitada, ela não está com ele porque está presa lá na cadeia' com muito dó, por ele não estar ao lado da mulher amada", recorda-se rindo.

"As pessoas se viam nas personagens, se realizavam através delas, torciam e, quando elas conseguiam alguma coisa, era uma vitória", pondera Tarcísio.

Assim que colocou um ponto final em *2-5499 Ocupado*, em setembro de 1963, Dulce Santucci iniciou a adaptação de *Aqueles que Dizem Amar-se*, com Lolita Rodrigues e Carlos Zara como protagonistas e Neuza Amaral e Lídia Costa em papéis de grande destaque. A novela foi exibida no mesmo horário da anterior e também alcançou boa repercussão, reforçando um projeto que já mostrava a viabilidade econômica, uma vez que a Colgate-Palmolive de um lado e a Gessy Lever do outro assumiram a produção dos folhetins, contratando autores, diretores e atores, deixando para a televisão a responsabilidade da infraestrutura técnica, como estúdios, câmeras e ilhas de edição, além da exibição. "Na mesma emissora, a trama das sete era da Colgate e a das sete e meia, da Gessy. Elas rivalizavam muito dentro de um canal só, mas era uma briga boa. O Walter Avancini fazia as novelas da Colgate e eu as novelas da Gessy", explica Reynaldo Boury. Por isso, era muito comum um ator emendar até quatro produções, em função do contrato assinado com as agências de publicidade. No dia 10 de dezembro, entrou no ar *Corações em Conflito*, com a assinatura de Ivani Ribeiro, que já fazia enorme sucesso com suas radionovelas, e direção de Tito di Miglio. "Ivani foi a melhor de todas", diz Álvaro de Moya, uma vez que ela foi a primeira a colocar elementos e tramas nacionais nos dramalhões do horário noturno. Em fevereiro, estreou *As Solteiras*, baseada nos textos originais de Alberto Migré, com Lídia Costa, Neuza Amaral, Flora Geny, Arlete Montenegro e Armando Bógus. Como todas essas produções já eram gravadas em videoteipe, a TV Excelsior passou a distribuir os capítulos para suas emissoras próprias e afiliadas e, para isso, contou com a estrutura da Panair, empresa aérea dos mesmos donos da emissora. Assim, primeiro o episódio era exibido em São Paulo, depois no Rio de Janeiro, Belo Horizonte, Recife e demais cidades, num vaivém de fitas pelos ares do Brasil. "As latas com as imagens andavam de tipoia nas mãos das pessoas. Era algo precioso, porque não tinha satélite, muito menos torre de micro-ondas", explica Glória Menezes. O esquema raramente falhava, afinal ninguém era louco de atrasar um voo com produto tão importante do chefe.

Com o crescimento da audiência das novelas, o alto comando da TV Excelsior resolveu investir na ampliação da estrutura em São Paulo e autorizou a construção de modernos estúdios num terreno no bairro da Vila Guilherme, zona norte de São Paulo, onde, anos depois, o SBT produziu boa parte de sua programação, entre atrações de auditório, infantis, musicais, jornalismo e dramaturgia. Naquele início, com o Teatro Cultura Artística completamente tomado com os programas ao vivo e telejornais, as novelas eram gravadas sempre após a meia-noite, quando a emissora saía do ar e os estúdios ficavam ociosos. Os trabalhos se arrastavam até as 9 da manhã, quando chegavam as equipes que necessitavam ensaiar o que iriam apresentar ao vivo no decorrer da grade. Enquanto o projeto não saía do papel, a emissora da família Simonsen alugou os estúdios da Cia. Cinematográfica Vera Cruz, em São Bernardo do Campo, viabilizando a criação de mais um horário destinado à teledramaturgia diária. Em março de 1964, Ivani Ribeiro assinou a adaptação de *Ambição*, o primeiro sucesso estrondoso do Canal 9. Lolita Rodrigues, Tarcísio Meira, Mauro Mendonça e Arlete Montenegro estavam nos papéis principais e viram suas rotinas se transformarem. Afinal, o envolvimento do público foi tamanho que diariamente chegavam aos escritórios da TV Excelsior inúmeras cartas com os mais diferentes relatos de telespectadores, incluindo ameaças à vilã e alimentos e ofertas de emprego ao personagem de Turíbio Ruiz, que, no meio da história, foi demitido e não tinha como sustentar sua família. Mas, mesmo com tanta repercussão nas publicações especializadas e altos índices de audiência, ninguém imaginava o que estava reservado para o último capítulo da novela, que contou com a participação dos telespectadores na figuração do casamento dos protagonistas. A cena foi gravada na Igreja da Consolação, na região central de São Paulo, e se transformou num grande evento da cidade. "Uma multidão compareceu à gravação. O trânsito parou na região e até a polícia foi chamada para conter as pessoas", recorda Lolita Rodrigues. "Foi uma loucura na Praça Roosevelt. A igreja lotada, com pessoas em pé nas naves", diz Glória Menezes, que se lembra dos vários objetos que foram quebrados por quem subia em local proibido, inclusive na sacristia, para não perder nenhum detalhe da cena. "Imediatamente, o Carlos Manga, responsável pela direção artística no Rio de Janeiro, pediu uma outra novela comigo e o Tarcísio nos papéis principais", revela Lolita Rodrigues, que viveu mais uma mocinha em *Mãe*, a partir de julho de 1964, ainda com os efeitos da grande repercussão de *Ambição*.

Depois do sucesso da quinta novela diária da TV Excelsior, Ivani Ribeiro assinou *A Moça que Veio de Longe*, baseada no texto de Abel Santa Cruz. A história girava em torno do romance proibido da empregada doméstica Maria Aparecida com Raul, o filho de seu patrão, e arrebatou o telespectador, que, nas semanas finais de exibição, pressionou a autora por meio de cartas e telefonemas para garantir que o casal principal, interpretado pelos estreantes em TV Rosamaria Murtinho e Hélio Souto, terminasse junto, vencendo todo o preconceito da época. Segundo especialistas em teledramaturgia, foi com essa produção que Ivani Ribeiro provou aos diretores de todas as emissoras e das agências de publicidade que o melhor caminho para a teledramaturgia era apostar em tramas originais ou incluir muitos elementos nacionais, praticamente rompendo com os textos que chegavam da Argentina ou de Cuba. A autora acrescentou episódios, ampliou a quantidade de personagens, mudou desfechos e entregou ao público a história que ele desejava. Estava implantada uma característica fundamental para o sucesso de uma novela: transformá-la numa obra aberta, sujeita a alterações com base na reação de quem a acompanhava. "Era difícil a novela dela não dar audiência, porque Ivani sabia como poucos fazer ganchos maravilhosos e que despertavam nossa curiosidade", conta a atriz Vera Nunes, que integrou muitas das produções assinadas pela autora. "Ela sempre tinha um papel para mim", completa.

Empolgada com toda a repercussão de suas novelas, com as audiências elevadas, com a aceitação do mercado publicitário e com a diluição de custos de produção, no dia 25 de julho de 1964, a TV Excelsior organizou a "Grande Noite de Autógrafos" no Ginásio do Ibirapuera e levou todo o elenco de *A Moça que Veio de Longe* para receber os milhares de fãs que foram ao local. A emissora aproveitou o evento para lançar seu próximo folhetim, *A Outra Face de Anita*. Para o Rio de Janeiro, a estratégia também foi ousada. Em vez de exibir o último capítulo gravado nos estúdios de São Paulo, o episódio com as emoções finais foi transmitido ao vivo como parte do programa *A Cidade se Diverte*, uma das maiores audiências cariocas. Tudo foi muito bem ensaiado para o ápice da novela, mas, na hora, a orquestra responsável pela sonorização errou a deixa e demorou para iniciar a música que embalaria o beijo apaixonado entre Maria Aparecida e Raul. Rosamaria Murtinho e Hélio Souto foram obrigados a segurar a cena por mais de um minuto, um escândalo para uma época em que, na vida real, poucos eram os que demonstravam carinho em público.

Já com dois horários dedicados às telenovelas e com a concorrência competindo no mesmo gênero, a TV Excelsior começou a avançar na ideia de criar mais uma faixa para a teledramaturgia, estendendo o gênero até a parte mais nobre da noite e alternando com telejornais, uma estrutura que se mostra eficiente até os dias atuais, principalmente na grade da Rede Globo. No dia 28 de julho de 1964, entrou no ar uma história que prometia polêmica ao mostrar uma jovem que seduzia um homem casado, mantinha um caso com ele e trazia uma série de complicações para sua família. Flora Geny interpretou Anita, Fulvio Stefanini deu vida ao Dr. Artur, o homem que traía a mulher, e Walter Avancini fez Otávio, o vilão que chantageava a garota. Armando Bógus e Nívea Maria também integravam o elenco em papéis de destaque.

Como naquela época as agências de publicidade e as grandes empresas ligadas a produtos para cuidados pessoais ficaram responsáveis pelos artistas e autores da teledramaturgia diária, além de ser comum um ator emendar uma novela na outra, os intérpretes não podiam participar dos folhetins patrocinados pelo concorrente, ainda que exibidos na mesma emissora. Com isso, fortes amizades foram surgindo num ambiente extremamente competitivo e que em breve ganharia mais profissionais, em função da censura que inviabilizaria a produção de muitas peças teatrais. Com o aperto político, definitivamente a televisão se mostra um ambiente muito mais tranquilo para garantir um salário mensal. Foi mais ou menos nessa época que os atores Fulvio Stefanini e Walter Avancini, velhos companheiros de dramaturgia, resolveram selar um acordo que durou muitos anos. Um indicaria o outro para trabalhos importantes, mantendo assim sempre a empregabilidade.

– Olha, você fala bem de mim e eu de você – propôs Avancini ao amigo.

– Se alguém pedir uma sugestão de diretor, indico você – comprometeu-se Stefanini.

– Aí eu falo que o ator ideal para o papel é você – completou Avancini.

E assim seguiu o combinado entre os amigos. "Não sei se tenho influência nisso, mas alguns meses depois ele já estava dirigindo novelas para a Colgate-Palmolive, tanto na TV Excelsior quanto na Tupi", revela Fulvio Stefanini. *Melodia Fatal*, que estreou no dia 27 de outubro daquele ano, foi a primeira sob o comando de Avancini e já contava com o amigo no elenco. Na sequência vieram *A Indomável* e *Vidas Cruzadas*. Walter Avancini, que morreu em setembro de 2001, foi um dos principais diretores da teledramaturgia brasileira, sendo responsável por grandes sucessos de novelas e minisséries que trouxeram alguma inovação. Entre elas, *A Deusa Vencida, Selva de Pedra, O Rebu, Gabriela, Saramandaia, Morte e Vida Severina, Grande Sertão: Veredas* e *Xica da Silva*. "O Avancini tinha lá seus problemas, um sujeito extremamente difícil. Era de temperamento muito forte, mas não se pode negar que ele foi um gênio. O gênio da televisão", explica o amigo. "Ele tinha facilidade em mexer com a imagem e com as emoções e tinha um bom gosto nato", completa Stefanini.

Com praticamente dois anos de produção de teledramaturgia diária, poucos eram os galãs – atores bonitos, populares e desejados pelas mulheres – para os papéis principais. Francisco Cuoco, Cláudio Marzo, Fulvio Stefanini, Tarcísio Meira e Carlos Zara praticamente se revezavam na função de mocinhos e, em algumas vezes, nos papéis de vilões, quando estes pediam um intérprete bonito, sedutor e elegante. "Uma vez, o Avancini me chamou de lado e disse que eu não era um ator para fazer um beberrão ou um homem rústico e, por isso, tinha me tirado o protagonista de *A Deusa Vencida*. Para ele, eu era um ator para papéis urbanos", relembra Tarcísio Meira, que tem entre seus personagens mais marcantes homens do campo, muitos deles mais ríspidos, como Dom Jerônimo Taveira, de *A Muralha*. João Coragem, de *Irmãos Coragem*, e Capitão Rodrigo Cambará, de *O Tempo e o Vento*, são outros exemplos de homens fortes interpretados por Tarcísio com perfis que passavam bem longe dos centros urbanos.

A Deusa Vencida, com texto de Ivani Ribeiro e direção de Walter Avancini, estreou no dia 1º de julho de 1965 após uma intensa campanha de lançamento que anunciava a superprodução da TV Excelsior. Pela primeira vez na televisão brasileira, uma novela teria direito a trilha sonora exclusiva, figurinos elaborados para cada personagem e os cenários construídos com riqueza de detalhes para reproduzir a cidade de São Paulo de 1895. A ordem era não poupar esforços para impressionar o público e atender aos anseios dos anunciantes por folhetins de maior qualidade para agregar valor a seus produtos. "Foi muito bonita a novela, e o protagonista ficou com o Edson França", relembra Tarcísio Meira com certa mágoa por não ter sido o escolhido para o papel. Na época, chegaram a afirmar que os dois atores não se davam muito bem nos bastidores da emissora, o que nunca foi confirmado por nenhum deles. *A Deusa Vencida* marcou a estreia de Regina Duarte como atriz na TV, uma aposta do diretor que a via nos comerciais e resolveu dar uma oportunidade a uma das mais belas garotas-propaganda dos anos 1960. Determinada e disciplinada, ela aproveitou o primeiro trabalho em teledramaturgia para aprender tudo que envolvia a produção de uma novela, incluindo maquiagem, fotografia, ângulos de câmeras e tempo de interpretação. Ali já se sabia que a jovem que vinha de Campinas, interior de São Paulo, prometia ser uma das melhores profissionais da área, dando vida a personagens que entraram para a história da nossa teledramaturgia. Regina Duarte entrou para a lista das grandes estrelas da TV Excelsior, participou de mais nove novelas e só deixou a emissora quando suas portas foram fechadas. *A Deusa Vencida* não foi sucesso apenas na capital paulista, mas em todas as cidades em que foi exibida, e estampou a todos os diretores uma dura realidade do Canal 9: os índices da linha de shows e humorísticos começavam a cair, num sinal de desgaste e mudança de comportamento do telespectador, mas os números das novelas subiam a cada noite, apontando a preferência de quem estava em casa.

Também em 1965, estreou na TV Excelsior *A Grande Viagem*, mais um texto de Ivani Ribeiro de grande repercussão, principalmente porque apostou no suspense policial ao colocar todas as personagens presas numa ilha onde havia um grande tesouro escondido. O mistério fez a audiência disparar e a história passou a ser acompanhada pelas revistas e colunas especializadas de jornais, que, às vésperas da exibição do último capítulo, publicaram o final da novela, com requintes de detalhes. A autora não pensou duas vezes e mandou convocar todo o elenco para regravar um novo desfecho para a trama e, assim, surpreendeu quem estava em casa, que não esperava as cenas que entraram no ar. A novata Regina Duarte estava no elenco.

O ano de 1966 começou com a promessa de boas produções na teledramaturgia da TV Excelsior, que, a essa altura, já possuía know-how de todo o processo e uma ideia mais industrial de produção de conteúdo em audiovisual. Os responsáveis por essa área na emissora desenvolveram um esquema funcional para gravar três novelas simultâneas com seis capítulos semanais de 25 minutos. Às segundas e terças-feiras, eram gravados todos os episódios da novela exibida na primeira faixa. Às quartas e quintas, o estúdio era ocupado pelo elenco e produção do folhetim do meio e, às sextas e sábados, eram registradas as cenas da história do terceiro horário. Tudo era muito organizado, com jornadas de 12 horas para elenco e técnicos, pré-produção cenográfica e esquema de transporte até São Bernardo do Campo. A ordem era para que tudo funcionasse sem imprevistos, num setor considerado estratégico na disputa com as concorrentes Record e Tupi e responsável pelo principal faturamento da empresa. Os profissionais da agência Lintas, que representava a Colgate-Palmolive, e da McCann Erickson, dona da conta da Kolynos, acompanhavam muito de perto todo esse processo, pagavam os artistas e autores e chegavam a determinar mudanças no texto, cenário ou figurinos. No meio da década de 1960, novela já era um produto importante nas grades das emissoras e para as estratégias de marketing das grandes empresas patrocinadoras, que reservavam muitos milhões de dólares para o programa que exibiria suas marcas. Portanto, o público precisava se ver naquelas histórias para se identificar com o que desejavam vender nos mercados e nos grandes magazines. "O país assistindo um drama na televisão e tendo as mesmas opiniões nas mais diferentes regiões. Isso criou laços fortes no Brasil. As pessoas talvez não tenham se dado conta de quão importante foi o surgimento da novela", diz Tarcísio Meira.

Em julho de 1966, Lauro César Muniz iniciou na TV Excelsior sua carreira de autor de telenovelas diárias, depois de inúmeros sucessos para o teatro e o cinema. Ele inaugurou a faixa das 20h com *Ninguém Crê em Mim*, um texto contemporâneo baseado no mito grego de Electra. "Eu fui muito pretensioso e peguei a história da mulher que volta para vingar a morte do pai assassinado pela madrasta", recorda o escritor, que só aceitou fazer um folhetim depois de certa insistência de Dionísio Azevedo. Alguns meses antes, os dois estavam no set de filmagens da versão para o cinema de *Santo Milagroso*, com direção de Oswaldo Massaini. Como autor, Lauro tinha aquela famosa cadeira com nome gravado nas costas do móvel para que pudesse acompanhar os trabalhos e, eventualmente, levar alguma informação importante ao elenco. Foi num dos intervalos que começou a conversa que determinou um passo importante em sua trajetória na arte de contar histórias em capítulos na televisão.

– Lauro, você é um cara capaz de contar histórias com começo, meio e fim sem se perder – disse Dionísio Azevedo.

– É fundamental para o teatro e o cinema – respondeu Lauro César Muniz.

– Então, você pode fazer isso na televisão e escrever uma telenovela – completou o ator e diretor.

– Nem pensar. Estou bem no teatro e não entendo nada de televisão – respondeu Lauro, disposto a colocar um ponto final na conversa.

Lauro César Muniz lembrou ao amigo que nem aparelho de televisão possuía, porque havia acabado de se desquitar e o caro equipamento ficara com a ex-mulher. Mas, com jeitinho, Dionísio Azevedo conseguiu a promessa de que o autor compraria uma nova TV para dar uma olhada "nessa coisa chamada novela". E ele começou a assistir às histórias de Ivani Ribeiro e *Redenção*, de Raimundo Lopes. Alguns meses depois, mesmo sem patrocinador no horário, estreou *Ninguém Crê em Mim*, com Flora Geny, Altair Lima, Raul Cortez, Débora Duarte, Paulo Figueiredo e Renato Borghi. A direção dos 70 capítulos, é claro, ficou sob a responsabilidade de Dionísio Azevedo. "A gente colocou como um teste para ver se o horário funcionaria. A novela não foi muito bem, mas eu contribuí com algo muito importante: eu fazia um diálogo menos bombástico, menos radionovela, mais realista", fala o dramaturgo com orgulho. O texto mais coloquial e bem diferente do que era praticado até então na televisão conquistou a crítica especializada e Lauro César Muniz ganhou, naquele ano, o Troféu Imprensa como melhor autor. O resultado gerou muita polêmica. "O Avancini achou que era injusto e dizia que a Ivani Ribeiro investia mais tempo na arte de escrever", recorda.

Discussões à parte, o fato é que 1966 foi marcado pela estreia de um dos maiores sucessos da teledramaturgia brasileira. *Redenção* entrou no ar no dia 16 de maio e só colocou um ponto final na história do jovem médico que chega a uma cidade do interior e desperta a paixão em três mulheres 24 meses depois, no dia 2 de maio de 1968. Foram exibidos 596 capítulos, todos com audiência elevada, e qualquer notícia sobre o fim do folhetim gerava inúmeras críticas na imprensa e uma quantidade quase incontável de cartas de telespectadores. Por isso, o autor Raimundo Lopes desenvolveu artimanhas para renovar sua novela de tempo em tempo, uma vez que o projeto inicial previa 100 capítulos, quantidade de episódios superior à que se praticava na época. Uma das soluções foi criar personagens para participações especiais de atores populares, entre eles Procópio Ferreira, Geórgia Gomide e Fernanda Montenegro, que ficavam no ar por algumas semanas, até que desaparecessem da história. O autor só não conseguiu matar a fofoqueira Dona Marocas, que durante algumas noites ficou entre a vida e a morte, mas, sob pressão do telespectador, ganhou força total na história ao se submeter ao primeiro transplante de coração de uma novela. O que era ficção virou realidade alguns anos depois.

Estar atento à reação do telespectador foi fundamental para o escritor transformar *Redenção* em sucesso, além, é claro, de incluir cada vez mais temáticas brasileiras e situações que eram imediatamente relacionadas ao cotidiano de quem estava em casa assistindo à novela. "Ela representa a sua vida e a de quem você conhece. Por isso, o telespectador torce para um personagem ou para outro", diz Reynaldo Boury, que dirigiu parte de *Redenção*, para explicar por que o público durante dois anos não desgrudou da novela que tinha Francisco Cuoco, astro exclusivo da Gessy Lever, como protagonista.

Redenção ainda é a novela mais longa da história da televisão brasileira, superando a versão de 2013 de *Chiquititas*, com 545 capítulos, *Os Imigrantes*, com 459 episódios, *Rebelde*, com 410, e *O Machão*, com 371. Nessa comparação não entram produções realizadas em temporadas, como *Malhação* e a primeira adaptação de *Chiquititas*. O sucesso de Raimundo Lopes exigiu a construção da primeira cidade cenográfica, erguida em São Bernardo do Campo, que reproduzia as ruas principais, com direito a casas, igreja, comércio e prefeitura, de um vilarejo no interior do país, o que garantiu mais realidade ao que estava no papel. Essa cenografia especial é um elemento importante na nossa produção de teledramaturgia e que, por muitos anos, diferenciou o que é feito por aqui. Outros grandes realizadores de novelas, como os mexicanos da Televisa, demoraram para explorar as cenas externas e criar cidades cenográficas, preferindo concentrar seus folhetins nos ambientes montados em estúdios, sem muito compromisso com a naturalidade.

Com as novelas como prioridade da empresa, a direção da TV Excelsior acelerou a construção do já citado novo centro de produção, no bairro da Vila Guilherme, zona norte de São Paulo, e no início de agosto de 1967 finalmente inaugurou o espaço, que abrigava quatro grandes estúdios para teledramaturgia e outros menores para programas de variedades e jornalismo. Os sucessos se repetiam no ar, e Ivani Ribeiro praticamente emendava um texto no outro, além das tramas que assinava para a TV Tupi em função de seu contrato com uma agência de publicidade. "Ela produzia como poucos, num ritmo de dar inveja", conta a atriz Vera Nunes, que integrou o elenco de *Os Fantoches*, na faixa das 19h30, inspirada na obra de Agatha Christie e que tinha como protagonista o milionário Aníbal, que, prestes a morrer, resolve alugar um hotel e reunir todas as pessoas que conviveram com ele para lhes dar recompensas, parte da herança ou punições. Dina Sfat fez um dos papéis principais e contracenou com Nicette Bruno, Paulo Goulart, Regina Duarte, Mauro Mendonça, entre outros. Nesse mesmo ano, já contratado pelo patrocinador do horário, Lauro César Muniz assinou a adaptação de *O Morro dos Ventos Uivantes*, novela que conseguiu um bom resultado de audiência e muita repercussão na mídia. "Essa deu certo", fala com orgulho o autor, que colocou muitos elementos brasileiros na história e apostou na densidade dos relacionamentos, um deles entre irmãos de criação. "A mocinha era a Irina Greco, e a Maria Estela fazia uma personagem que eu gostava e para quem torcia muito", conta Bárbara Bruno, atriz que, no final dos anos 1960, nem imaginava que se casaria com o escritor dessa novela. Os bons resultados em audiência e as verbas publicitárias que entravam com as novelas não afastavam a crise financeira da TV Excelsior, que constantemente atrasava os salários dos funcionários, inclusive das grandes estrelas. Por isso, era praticamente impossível convencê-los a permanecer no Canal 9 diante dos convites que surgiam da TV Tupi, Record e, agora, da novata TV Globo, que começava a operar no Rio de Janeiro com uma política muito parecida com a que a emissora da família Simonsen praticava quando chegou ao mercado: os artistas foram contratados a peso de ouro com vínculos de longa duração, garantias de trabalho e intervalos para descanso de imagem, algo muito diferente do que acontecia havia alguns anos tanto na Excelsior quanto na Tupi, com uma novela emendada na outra, sem direito a longas férias. Tarcísio Meira e Glória Menezes, os protagonistas da primeira produção diária do gênero, aceitaram a proposta da nova emissora e, em seguida, muitos outros trilharam o mesmo caminho. "Aí o Boni nos levou", pontua o ator, "porque a Globo era uma emissora pobrinha, tinha um equipamento fajutinho, mas ele tinha muita vontade de acertar e isso nos convenceu", completa Tarcísio. Para garantir a continuidade de um projeto que atendia muito bem os patrocinadores Colgate-Palmolive e Gessy Lever, as agências Lintas e McCann resolveram ampliar o número de artistas contratados, assegurando assim que outras estrelas não deixassem a emissora e que houvesse um elenco suficiente para três histórias por dia. Além disso, era cada vez maior a pressão sobre as equipes de produtores e autores para que os maiores sucessos fossem esticados ao máximo para prender o telespectador em sua faixa de exibição e, assim, evitar uma queda de audiência, o maior risco na troca das histórias.

No ano seguinte, em 1968, começou o declínio da TV Excelsior, a maior de todas as crises, com um componente político a mais e que levou ao fim da emissora. Mesmo assim, as novelas ainda tinham um peso importante na grade, apesar de um espaço cada vez maior para os telejornais e programas de entrevistas, que eram formatos mais baratos, além dos musicais, que agradavam aos mais jovens. Ivani Ribeiro começou o ano com *O Terceiro Pecado* e Teixeira Filho assinou *O Direito dos Filhos*. O autor também escreveu para o Canal 9 a trama infantojuvenil *A Pequena Órfã*, que em poucas semanas se transformou numa das maiores audiências, liderando na faixa das 18h30 e puxando para mais cedo a força da teledramaturgia. Foi nessa produção que Glória Pires, então com 5 anos de idade, estreou na televisão, com uma participação nos capítulos iniciais. Mas, sem dúvida nenhuma, o grande destaque do ano ficou para *A Muralha*, uma impressionante adaptação do romance de Dinah Silveira, que caprichou na reconstituição de época, com requintes na cenografia e nos figurinos. No elenco estavam nomes fortes da época, como Fernanda Montenegro, Mauro Mendonça, Gianfrancesco Guarnieri, Nicette Bruno e Nathalia Timberg, que ajudaram a atrair o telespectador.

Praticamente agonizando em público, mesmo com a entrada de novos sócios, no início de 1969, os diretores da TV Excelsior concentraram todos os

A Muralha, com Arlete Montenegro

esforços e atenções na teledramaturgia diária, numa estratégia para garantir audiência e atrair novos anunciantes e, com recursos da publicidade, além dos investimentos injetados pelos empresários Octavio Frias de Oliveira e Carlos Caldeira Filho, proprietários dos jornais *Folha de S. Paulo* e *Folha da Tarde*, quitar todas as dívidas com fornecedores e colocar em dia os salários. Vicente Sesso, contratado pela Colgate, assinou *Sangue do Meu Sangue*, que ficou no ar pouco mais de um ano, até fevereiro de 1970. "Foi o maior sucesso e ganhei todos os prêmios", fala com orgulho o autor. "Era um dramalhão danado baseado na história do Brasil. Eu cheguei a desenhar o mapa da cidade do Rio de Janeiro do final do Segundo Império", conta. A riqueza de detalhes impressionou o público e garantiu boas críticas das colunas especializadas nos jornais e revistas e também atraiu o interesse da concorrência, uma vez que, antes de a novela terminar, a Globo fez uma proposta muito interessante ao escritor.

Nessa reta final da TV Excelsior, aconteceu o que ninguém esperava – uma história de Ivani Ribeiro não atingiu a meta de audiência. Foi um dos raros fracassos da dramaturga. *Os Estranhos* era uma ficção científica com direito a extraterrestres em missão especial para ajudar os humanos, e atores com pele amarelada e pontos brilhantes no rosto. "Era uma novela interessante e com muitos recursos, mas que pouca gente entendeu", explica Vera Nunes. A atriz lembra que, sempre que podia, Gianfrancesco Guarnieri, que também dirigia algumas tramas, tinha o costume de· acompanhar o trabalho dos amigos de elenco para conferir como montavam suas personagens e cenas. "Ele gostava de ver uma das velhinhas que eu fazia e sempre estava em meu cenário", recorda. Apesar da pouca repercussão, Ivani Ribeiro não se abateu e em seguida colocou no ar *A Menina do Veleiro Azul* e, logo depois, *Dez Vidas*, que abordou a vida de Tiradentes e a Inconfidência Mineira. Para nada dar errado, com uma novela que falava de um herói pouco apreciado pelos generais do poder e, portanto, sujeita a censura e inúmeras interferências, foi escalado um grande elenco, com Cláudio Corrêa e Castro, Stênio Garcia, Nathalia Timberg, Carlos Zara e Regina Duarte, que abandonou a emissora, descontente com os salários atrasados, para, poucos dias depois, assinar com a Globo, em que se transformou num dos principais rostos. Em seu lugar, às pressas, assumiu a atriz Leila Diniz. Nos capítulos finais, poucos eram os atores que permaneciam atuando. A maioria deixou de lado temporariamente o amor à arte para buscar um trabalho que honrasse o salário no fim do mês, uma vez que muitos já estavam atolados em dívidas, até mesmo com aluguéis.

Já não havia mais o que fazer. A TV Excelsior caminhava para a morte, mesmo com o esforço de técnicos e artistas para manter no ar *Mais Forte que o Ódio*, novela escrita por Marcos Rey, que foi exibida em junho de 1970, alguns meses antes de a emissora sair definitivamente do ar, no dia 30 de setembro. "Com o fechamento do Canal 9 e a dificuldade de se fazer teatro por causa da censura, a Tupi abocanhou essa turma toda", diz Bárbara Bruno, que participou de muitas produções realizadas no Sumaré, na emissora de Assis Chateaubriand. Produtores, técnicos, assistentes e cenógrafos ligados à teledramaturgia também foram absorvidos por outras emissoras, principalmente Globo, Bandeirantes e TV Gazeta, que praticamente iniciavam suas atividades e investimentos em São Paulo.

Tupi e Record também se rendem à popularidade e à força comercial das novelas

Enquanto a TV Excelsior tinha a liderança nos horários em que eram exibidas as novelas diárias, a Tupi, principalmente, e a Record precisavam contra-atacar e evitar que a concorrente atraísse todas as atenções das agências dos grandes anunciantes, sendo os dois principais (Colgate-Palmolive e Gessy Lever) entusiastas da dramaturgia feita em capítulos exibidos de segunda a sexta-feira. Não havia outro caminho a não ser investir no gênero e atender às indicações dos publicitários.

No caso da Tupi, que na década anterior fora pioneira com o TV de Vanguarda, teleteatros e seriados semanais ao vivo, mais do que ir atrás da Excelsior, produzir sua primeira novela era reconhecer que a emissora havia deixado passar a oportunidade de também ser a primeira nesse gênero de programa que tanto agradou ao brasileiro. Antes de incentivar o Canal 9 a colocar no ar as adaptações das histórias da Argentina e do México, os responsáveis pela Colgate-Palmolive se reuniram com Cassiano Gabus Mendes, então diretor artístico da Tupi, para propor a produção dos grandes sucessos assinados por Abel Santa Cruz, Alberto Migré, Nenê Castellar, entre outros. Era só gravar nos estúdios da TV, porque as agências pagariam os adaptadores e diretores, distribuiriam os textos de acordo com o horário e o público desejado para suas campanhas e os anunciantes bancariam o investimento necessário para viabilizar a novela. "A Colgate-Palmolive contratou Benedito Ruy Barbosa, Walter George Durst e Ivani Ribeiro para viabilizar o projeto", destaca o escritor e diretor Álvaro de Moya. "Eu era *script editor* exclusivo deles e supervisionei novelas para a Tupi, Record e Excelsior", completa Benedito Ruy Barbosa, um dos principais autores da história da teledramaturgia brasileira. A resposta "vamos estudar", do jovem diretor Cassiano, levou os executivos da agência que representava a Colgate-Palmolive a procurar Edson Leite, na Excelsior. Casado com uma argentina, ele já sabia da força das novelas e resolveu não perder o bom negócio que batia à sua porta.

A TV Tupi só estreou sua primeira novela quase oito meses depois da exibição do capítulo inicial de *2-5499 Ocupado* e praticamente junto com a quinta produção da TV Excelsior. *Alma Cigana*, que estreou no dia 2 de março de 1964 na faixa das 20h, também contou com a adaptação de Ivani Ribeiro, que na mesma época assinava *Ambição* para o Canal 9, uma hora antes, às 19h. Nos primeiros anos da teledramaturgia diária, era muito comum um autor concorrer consigo mesmo, uma vez que não possuía vínculos com as emissoras, mas com as agências, que tratavam isso como mais uma forma de atrair consumidores para as marcas e indústrias que representavam.

Alma Cigana lançou Ana Rosa para a teledramaturgia, uma jovem com larga experiência no circo e nos palcos. "O Cassiano estava com a sinopse nas mãos, escalando o elenco, e eu havia participado na Tupi do *Almoço com as Estrelas* e do *Clube dos Artistas*, divulgando as peças do teatro de revista que eu realizava. O Luis Gustavo também foi aos programas e lembrou de minha imagem quando falaram para ele sobre a novela", conta Ana Rosa. Seu tipo físico combinava perfeitamente com o perfil das gêmeas protagonistas: a recatada freirinha Estela e a sensual cigana Esmeralda. "E, para contribuir, eu dançava flamenco, algo que acrescentou muito a uma das personagens", completa.

Além da atriz, também eram do elenco Marisa Sanches, Aída Mar, Maria Cecília Camargo, Rolando Boldrin, Marcos Plonka e Amilton Fernandes, que deu vida ao Capitão Fernando, personagem que nos capítulos iniciais se apaixona pela prima Estela, mas é dado como morto durante a guerra. Meses depois ele retorna à cidade e descobre que sua amada foi para o convento, mas que existe uma mulher muito parecida com ela, e extremamente sensual. A história de uma paixão quase impossível conquistou o telespectador e colocou a Tupi, aos poucos, na briga com a Excelsior. Segundo relatórios da época e depoimentos de quem atuou nos bastidores desse folhetim, *Alma Cigana* tirou a emissora dos 2% de audiência e a colocou no confortável patamar dos 55%. "Com isso, Ivani Ribeiro foi obrigada a esticar o texto e levou a novela até o dia 8 de maio de 1964, quando, no último capítulo, as duas protagonistas finalmente se encontraram", relembra Ana Rosa. A cena exigiu muita criatividade e dedicação de todo mundo, principalmente dos responsáveis pela edição, afinal, seriam eles que colocariam cara a cara mulheres tão diferentes interpretadas pela mesma atriz. No dia da gravação, num cenário com menos luz para facilitar os cortes e as emendas, Ana Rosa registrou primeiro todas as falas de uma das personagens, depois trocou o figurino, inverteu o lado, retocou a maquiagem e concluiu com o texto da outra. O resultado final superou todas as expectativas e foi um dos assuntos mais comentados pelos colunistas e jornalistas especializados em televisão. Entre o público, nem é preciso dizer, já que uma novela bem escrita, com histórias fortes, até mesmo impossíveis, é capaz de mexer com as pessoas, a ponto de o público mandar cartas para a emissora, sugerir desfechos e se dividir na torcida por Estela e Esmeralda.

Após a boa estreia da Tupi na teledramaturgia diária com *Alma Cigana*, a emissora exibiu na sequência, na faixa das 20h, mais duas adaptações de Ivani Ribeiro para os textos de Manuel Muñoz Rico. *A Gata* contou no elenco com Lima Duarte, Vida Alves e Geórgia Gomide, atriz desejada pela Excelsior para seus folhetins, e *Se o Mar Cantasse*, com a revelação Ana Rosa e Henrique Martins nos papéis principais e Elias Gleizer, Luis Gustavo e Rolando Boldrin em personagens de destaque. Diante dos resultados positivos de audiência e do interesse dos patrocinadores, a direção da emissora resolveu abrir um segundo horário para novelas, às 18h30, com *O Segredo de Laura*, um drama escrito por Vida Alves que colocou pai e filha num duelo para saber quem era o responsável pela morte da matriarca da família após a queda de uma escada. No último capítulo, depois de muitos momentos de suspense, de dupla personalidade e indicações sobre o assassino, o público descobriu que tudo não havia passado de um acidente, visto por ângulos diferentes. A repercussão na imprensa e entre o público foi satisfatória e a Tupi resolveu testar mais uma vez essa faixa. Então, em seguida, entrou no ar *Quem Casa com Maria?*, com Ana Rosa, Débora Duarte, Vera Campos e Sérgio Galvão nos papéis principais. A trama, escrita por Lúcia Lambertini – que até então estava muito envolvida com programas da linha infantojuvenil –, era mais suave, justamente para evitar problemas com a censura, mas não agradou muito ao telespectador. Após sua conclusão, esse horário deixou de ser destinado para as tramas diárias e os esforços ficaram concentrados no horário nobre.

Para diluir custos e potencializar a audiência em outras capitais, as novelas gravadas em São Paulo também eram exibidas no Rio de Janeiro, Belo Horizonte, Recife, Salvador e Porto Alegre, no esquema de distribuição das fitas por meio dos voos que interligavam essas cidades. É claro que a operação, a única possível numa época em que ainda não havia transmissão via satélite e o serviço de micro-ondas era precário e caro, fazia com que o mesmo capítulo fosse exibido em dias diferentes nos pontos mais distantes do país. Apesar de concentrar os gastos com teledramaturgia em São Paulo, a Tupi do Rio autorizou Janete Clair a escrever sua primeira novela para televisão para ser exibida apenas ao público carioca. *O Acusador*, versão de *Inocente Pecadora*, um dos sucessos da autora no rádio, estreou em setembro, com três capítulos por semana gravados sem interrupções, emendando uma cena na outra, como se fosse ao vivo, porque não havia recursos para a edição. Essa produção foi praticamente uma resposta ao investimento da TV Rio em teledramaturgia, uma vez que suas grandes estrelas foram todas contratadas pela TV Excelsior enquanto a emissora vivia sua política agressiva de expansão nas duas principais cidades do país. "Da noite para o dia, a TV Rio ficou sem programação. Aí, propusemos as novelas de Nelson Rodrigues, que foram aceitas pela direção", recorda-se Fernanda Montenegro, que, ao lado de Sérgio Britto, Ítalo Rossi e Marilena de Carvalho, protagonizou *Sonho de Amor*, texto inspirado nos personagens principais do livro *O Tronco do Ipê*, de José de Alencar. Esse folhetim foi exibido também pela TV Record em São Paulo, que começara a incluir o gênero em sua grade com *João Pão*, uma novela de poucos capítulos em que o protagonista era um garoto carente que andava pela cidade com um pão debaixo do braço.

Janete Clair em foto de 1947

De olho no crescimento da audiência das concorrentes e do interesse dos anunciantes no gênero que o brasileiro começava a sinalizar como preferido, a emissora comandada pela família Machado de Carvalho também ingressou na produção de novelas diárias, no início de 1964. Depois de *João Pão* e *Sonho de Amor*, entrou no ar *Renúncia*, de Roberto Freire e Walther Negrão, baseada no sucesso que Oduvaldo Vianna escreveu para o rádio e uma encomenda de Boni, responsável numa agência de publicidade pelos folhetins exibidos em algumas emissoras e que havia comprado quatro histórias, sendo duas de Oduvaldo e as outras duas de Francisco Inácio do Amaral Gurgel, escritor com passagens por rádios de São Paulo. "Eu escrevia uma coluna sobre televisão no *Última Hora* e surgiu a oportunidade de aumentar os rendimentos com essa novela", recorda-se o autor, que recebeu em casa vários pacotes com scripts feitos para o rádio para transformá-los na novela da Record.

– Boni, como é que não tem uma sinopse dessa história de *Renúncia*? – indagou Walther Negrão numa ligação telefônica. – Como eu faço?

– Vou dar o telefone do Oduvaldo no Rio de Janeiro e ele te passa essa sinopse – orientou Boni.

Algumas horas depois, Walther Negrão completou a ligação para o Rio de Janeiro e, com jeitinho e muito respeito a um dos autores mais consagrados e populares do rádio e do teatro, pediu o resumo da história da novela, já que os scripts somavam mais de 400 capítulos.

– Ah, meu filho! Eu vendi esse monte de papel velho para aquele Bonifácio. E eu vou saber como é essa história? – disparou com sinceridade Oduvaldo Vianna.

– Tudo bem, vou ler tudo – disse Negrão, meio sem jeito.

– Olha, filho, você vai fazendo do seu jeito, dá uma lida e vai empurrando com a barriga – concluiu Vianna do outro lado da linha.

Walther Negrão não teve alternativa e passou a ler todos os capítulos feitos para o rádio para adaptá-los para a televisão, e não foram raras as vezes em que um bloco com quatro ou mais episódios originais se transformou em material suficiente para apenas uma noite. *Renúncia* estreou no dia 14 de julho de 1964 com Irina Greco como protagonista e o galã Francisco Cuoco, um dos homens mais bonitos da época na televisão, no principal papel masculino. A novela entrou no ar depois de uma intensa campanha publicitária que levou o nome do novo folhetim aos muros da cidade, como se fosse uma provocação política. Mas não pense que o único problema do autor era a falta de uma sinopse, o que poderia facilitar muito o seu trabalho. "Quando eu cheguei ao capítulo 10, levei um susto. O Cuoco fazia o filho da Terezinha, que queimava parte de seu rosto e era obrigada a usar um véu. Até aí, tudo bem. O pior é que ele, depois de se salvar de um naufrágio, caía de um penhasco e ficava totalmente deformado, a ponto de não ser reconhecido pela própria mãe", conta Negrão, entre risos. "No rádio, tudo bem, mas na TV não dava, não prendia ninguém", completa. A solução encontrada por ele e Roberto Freire foi colocar o garçom do navio, que era interpretado por Ademir Rocha, um jovem ator também bonito, para viver uma linda história de amor com a protagonista, Ângela. "E o Cuoco, coitado, o galã do momento e o maior salário do elenco, aparecia de tempo em tempo", diz Walther Negrão.

Apesar de a televisão brasileira já ter avançado muito nessa época, com mais de dez anos de atividades, o improviso ainda era algo muito comum, não somente no vídeo, como nos bastidores das emissoras. A caracterização de Francisco Cuoco para o deformado Miguel Borges é um bom exemplo disso. O maquiador Bené Costa resolveu caprichar e garantiu a todos que usaria o padrão americano para criar as cicatrizes no rosto do ator. "Ele tinha um gel, uma espécie de silicone, que trouxe dos Estados Unidos", revela Walther Negrão. Ele fez o molde, colocou o material no rosto do ator e a gravação durou o dia inteiro. "Na hora de tirar a máscara, nada! Tentaram de tudo que é solvente, até acetona. Com isso, a pele ficou em carne viva, toda avermelhada", relembra o autor. "O gel foi comprado nos anos 1940, nunca tinha sido usado e, por isso, estava vencido", completa. Francisco Cuoco, que também estava em cartaz em São Paulo com a peça *Boeing Boeing*, foi obrigado a pisar no palco durante várias semanas sem nenhuma maquiagem, a fim de cuidar do grave estado de sua pele. Durante um bom período, o personagem Miguel nem apareceu na novela da Record.

Em julho de 1964, estreou na TV Rio mais uma novela de Nelson Rodrigues. Com direção de Fernando Torres e Sérgio Britto, *O Desconhecido* contava no elenco com Jece Valadão, Nathalia Timberg, Mario Basini, entre outros. Essa produção também foi exibida pela Record na capital paulista, entre agosto e setembro, com relativa repercussão na mídia e entre os telespectadores. Boni, então diretor artístico da TV Rio, queria mais para sua teledramaturgia, que passou a ter mais destaque na grade da emissora em função da saída recente de muitas estrelas. Enquanto o executivo pensava num caminho melhor, os textos de Nelson Rodrigues continuavam em evidência, assim como as histórias realizadas em São Paulo pela equipe da Record.

Banzo foi a segunda novela que Walther Negrão escreveu com base em originais do rádio, comprados na época em que Boni ainda estava numa agência publicitária em São Paulo. A trama era ambientada no século XIX e tinha como triângulo amoroso um jovem que se vê obrigado a dirigir uma fazenda com escravos, uma garota idealista que faz de tudo para acabar com a violência contra os negros e uma mulata que não mede esforços para encantar o homem que acabara de assumir o comando do local. O folhetim foi dirigido por Nilton Travesso e Silnei Siqueira e teve Randal Juliano no principal papel masculino. Maria Helena Dias interpretou a doce Cândida e Daisy Paiva a sensual Durvalina. No elenco também estava Francisco Cuoco, o grande nome da época e presença obrigatória com a indicação dos patrocinadores.

A Record continuou com seus investimentos em teledramaturgia diária e, no dia 7 de dezembro de 1964, estreou *Prisioneiro de um Sonho*, um texto de Roberto Freire, que também assumiu a direção, ao lado de Randal Juliano. A novela inaugurou a faixa das 19h30, colocou no ar Eva Wilma e John Herbert, o casal que fez muito sucesso com o emblemático *Alô, Doçura*, e ousou ao dar à atriz um papel triplo: Laura, Sandra e Silvia. As três personagens interpretadas pela mesma atriz apareciam em diversas cenas com longos diálogos, o que exigiu muito trabalho da equipe que atuava nos bastidores, como diretores, produtores e editores. "Como ela vai contracenar com ela mesma? Essa era uma indagação que fizemos por um bom tempo", conta Nilton Travesso, um dos profissionais ligados à dramaturgia da Record. A solução foi encontrada depois de algumas reuniões e testes. "Primeiro, a gente gravava todas as falas de uma personagem no cenário e metade do estúdio apagado, para ficar um preto na imagem. Depois, Eva se trocava, mudava de lado e gravava as reações da outra personagem", explica o diretor. O trabalho terminava na edição, quando era substituída a parte sem luz pelo trecho do diálogo. "E no vídeo ficava perfeito, ou quase", completa Travesso. Eva Wilma não esconde de ninguém que, muitas vezes, para dar ritmo às gravações, não havia troca total do figurino. "Fechavam em close e eu só colocava um adereço no cabelo ou no pescoço", revela. A grande diferença mesmo estava no tom da interpretação, sempre impecável, afinal, tratava-se de uma das maiores atrizes do país. Mas, mesmo com boa audiência em sua faixa e com bom retorno comercial, as revistas e colunas especializadas em televisão davam maior destaque a outra novela que estreou no mesmo dia e se transformou no segundo grande marco da teledramaturgia brasileira, já que o primeiro é *2-5499 Ocupado*, que inaugurou a produção em capítulos diários.

Depois de uma grande operação de José Bonifácio de Oliveira Sobrinho, o Boni, para comprar os direitos do texto de Félix Caignet, que contou inclusive com a já citada participação de Dercy Gonçalves – que levou uma pasta cheia de dinheiro para o autor dos originais –, *O Direito de Nascer* estreou no dia 7 de dezembro, às 21h30, por meio de uma curiosa parceria entre emissoras. A TV Rio, ligada à Record, se uniu à TV Tupi de São Paulo para a produção

Alô, Doçura: Eva Wilma e John Herbert na capa da revista Intervalo

de uma história que já havia feito sucesso no rádio e em várias emissoras de televisão na América Latina. O canal carioca não tinha condições nem estrutura de assumir um projeto tão grande como o planejado e, por isso, o único caminho era apostar numa produção externa. O projeto foi levado a São Paulo, para Cassiano Gabus Mendes, que abriu mão de exibi-la através da Tupi Rio, mas garantiu sua distribuição para outras sete emissoras de Assis Chateaubriand nas principais capitais do país. Boni desejava um produto capaz de ajudar na reconquista da liderança na capital fluminense, onde a TV Excelsior dominava com suas novelas, musicais e humorísticos, e por isso aceitou as imposições. "*O Direito de Nascer* sozinho colocou a TV Rio de volta no primeiro lugar", fala o grande nome da televisão brasileira.

Nathalia Timberg monopolizou as atenções do público ao dar vida a Maria Helena, filha do homem mais rico e poderoso de Cuba que engravida do filho do maior inimigo de seu pai. Para piorar a situação, o relacionamento acaba quando o jovem propõe um aborto porque não quer assumir a criança. Ao descobrir a gravidez, Dom Rafael manda a filha e sua empregada Dolores para uma fazenda distante, onde, quando o bebê nasce, dá ordens a um funcionário para matá-lo. É a empregada, negra, quem salva o garoto e foge. *O Direito de Nascer* dispara em audiência no Rio e em São Paulo conforme aumenta o sofrimento da heroína. Maria Helena é abandonada às vésperas de um casamento armado por seu pai ao revelar seu passado a seu noivo; é deixada sozinha na porta de um convento e condenada a viver longe de todos que ama, principalmente de seu filho. A novela se transforma em fenômeno após uma passagem de dez anos, quando o garoto Albertinho tem que enfrentar o preconceito de uma sociedade que não aceita uma mãe negra para um garoto branco. Mais tarde, o telespectador vai ao delírio quando Jorge Luís, o homem que não aceitou se casar com a protagonista, encontra o adolescente e Dolores e resolve bancar seus estudos até ele se formar em medicina e se transformar num dos profissionais mais respeitados de Havana. É ele que, sem saber de nada, cuidará do avô que um dia pensou em tirar a sua vida. "*O Direito de Nascer* trazia um melodrama bem arrastado, mas mostrou o poder de uma novela junto ao público", diz Claudino Mayer, especialista em teoria da comunicação e telenovelas.

São muitas as curiosidades sobre *O Direito de Nascer*, sendo a mais conhecida o fenômeno em que se transformou a exibição do último capítulo ao vivo direto do Ginásio do Ibirapuera, em São Paulo, no dia 13 de agosto de 1965. Naquela sexta-feira, a cidade parou, primeiro com um desfile dos artistas em carros por algumas avenidas, e, depois, durante a encenação do desfecho para uma plateia imensa. No dia seguinte, foi a vez do Rio de Janeiro. Um Maracanãzinho lotado com fãs histéricos que gritavam os nomes das personagens e disputavam a tapa a oportunidade de um autógrafo com as estrelas comprovou que a novela foi um grande marco na história da televisão brasileira. "A consagração", pontua Boni, o homem que resolveu investir na trama e consolidou definitivamente a telenovela como o principal produto da indústria de entretenimento para a TV em nosso país. Alguns dias depois, foi a vez de a TV Itacolomi promover uma grande festa de encerramento no Ginásio do Mineirão, também com a presença de telespectadores enlouquecidos para saber qual mãe seria a escolhida de Albertinho: a mãe negra, que cuidou dele durante toda a vida, ou a biológica, que foi condenada a viver com a dor de acreditar que seu filho foi tirado de seus braços por uma mulher que traiu sua confiança. Aliás, esse era um dos motes das revistas, que aumentaram suas vendas com toda a expectativa em relação ao desfecho da novela que parou o país. Quem viveu naquela época recorda-se de que era muito comum amigos e familiares de quem morava em outros estados que exibiam os capítulos dias depois receberem telefonemas de gente curiosa com o que ia acontecer na história. "Meus irmãos assistiam à novela no Rio Grande do Norte pelo sinal da TV Rádio Clube de Pernambuco, em Recife. A imagem não era muito boa, mas o suficiente para prender todo mundo na casa onde tinha aparelho de TV. Eles me ligavam para saber o que ia acontecer", conta Behring Leiros, músico do Trio Maraya, que morava em São Paulo. "Eu brincava com eles que aquela era uma informação valiosa", recorda-se rindo.

O Direito de Nascer: encerramento no Ginásio do Ibirapuera

Mas, apesar de todos os indícios de que aquele poderia ser um projeto de sucesso, um importante ator recusou-se a atuar nessa produção. Quando

Cassiano Gabus Mendes começou a escalar o elenco para *O Direito de Nascer*, Luis Gustavo foi chamado para viver Albertinho Limonta, mas pediu para trocar de novela e acabou em *Tereza*, que foi exibida a partir de janeiro. "Eu achei que era mais uma novela mexicana, aquela 'cucaracha' da vida com mais de 200 capítulos, longa demais, e pedi para inverter com o Amilton Fernandes, que iria fazer o médico Mário na história que Walter George Durst estava preparando para as 20h", conta o ator. "Um erro da minha parte, porque foi um grande sucesso", completa. Assim que terminou a *Tereza*, Luis Gustavo fez uma participação especial como Osvaldo, irmão do protagonista.

O Direito de Nascer foi sucesso absoluto e, por isso, os autores Thalma de Oliveira e Teixeira Filho levaram a história por oito meses, um período bem superior ao que se praticava na época, algo entre dois e três meses, o equivalente a 40 ou 50 capítulos, em média. A parceria entre a TV Rio e TV Tupi, entre José Bonifácio de Oliveira Sobrinho e Cassiano Gabus Mendes, dois dos mais importantes nomes da trajetória do principal veículo de comunicação do país, atingiu 282 episódios. Em 1978, a TV Tupi colocou no ar um *remake* da trama idealizada por Félix Caignet, com Eva Wilma no papel de Maria Helena e Carlos Augusto Strazzer como seu filho, Albertinho. A emissora atingiu bons índices de audiência e relativa repercussão na mídia especializada, mas ficou longe do que aconteceu em 1965. Trinta e sete anos depois da exibição da primeira versão para televisão da novela que definitivamente desenvolveu no brasileiro o gosto por folhetins, o SBT, depois de quase quatro anos com as fitas na gaveta, estreou em 2001 mais uma leitura desse clássico, gravada de forma independente pela JPO, produtora de José Paulo Vallone. A direção recebeu a assinatura de Roberto Talma e no elenco estavam Guilhermina Guinle, Jorge Pontual e Dhu Moraes como protagonistas e Angelina Muniz, Ester Góes, Vera Zimmermann, Antônio Petrin, Geórgia Gomide e Tânia Bondezan em papéis de destaque. Até mesmo pelo fato de ter ficado guardada por muito tempo, aliado ao crescimento da Record no horário nobre, a terceira versão passou sem ser percebida por muitos telespectadores.

A liderança absoluta conquistada por *O Direito de Nascer* em São Paulo, Rio de Janeiro, Belo Horizonte, Recife e Porto Alegre desestabilizou a TV Excelsior, que vinha com bons índices em suas novelas, e levou a direção da TV Tupi a ter a certeza de que esse seria o gênero que durante muitos anos dominaria o cenário da televisão no Brasil. Ainda em 1965, a emissora apresentou, entre outras, *Estrada do Pecado*, *O Cara Sujo* e *A Outra*, que marcou o início da carreira consagrada de Tony Ramos em folhetins diários, que meses antes havia entrado para a Tupi no casting de *Novos em Foco*, um programa criado, produzido e escrito por Ribeiro Filho com base em notícias do dia dramatizadas por artistas desconhecidos do grande público, mas que já atuavam no circo ou no teatro amador. "Ele pegava o que estava no jornal daquela manhã, ia para a máquina de escrever e criava uma pequena situação", recorda-se Tony Ramos. *Novos em Foco* era exibido às segundas, quartas e sextas, ao vivo, às 17h.

Antonio de Carvalho Barbosa Ramos estava com 15 anos de idade quando, ao chegar da escola, sentou-se ao lado da avó na sala e se deparou na televisão com o programa realizado por Ribeiro Filho e teve certeza de que era aquilo que gostaria de fazer para o resto da vida.

– Poxa vida, vó, eu vou lá! É isso que eu quero pra mim! – exclamou o jovem, após a conclusão de uma cena importante do programa.

– Não, senhor! Só vai depois de falar com sua mãe. Ela vai ter que autorizar – a avó advertiu imediatamente, para não assumir a responsabilidade sozinha de algo que poderia desagradar sua filha.

– Olha lá, vó. Eles querem jovens atores conhecidos ou desconhecidos. É a minha chance. Eu estou fazendo teatro amador na escola. É isso que eu quero, tenho certeza – falou Tony Ramos com veemência.

Alguns dias depois, já com informações sobre como chegar à TV Tupi e quem procurar para realizar o teste, o garoto Antonio saiu do bairro do Brás, na zona leste de São Paulo, e foi até o Sumaré, região naquela época distante do centro e que abrigava a cidade do rádio, como era conhecida a estrutura com estúdios da emissora de TV e rádio de Assis Chateaubriand. Foram necessários três ônibus e uma boa caminhada para ficar bem próximo da sua grande oportunidade. "Fui atendido por um assistente do Ribeiro que, já de início, me jogou um balde de água fria ao dizer que eu era menor de idade e só poderia trabalhar com autorização dos pais", recorda Tony Ramos. Mas, com um 'vamos ver', o funcionário que o recebeu passou-lhe um texto que deveria ser decorado para ser apresentado ao vivo na quarta-feira, dois dias depois. A lição de casa foi feita, ele acabou incluído no projeto e, passado algum tempo, eis que entra no estúdio o diretor artístico do Canal 4. Cassiano Gabus Mendes cochichou alguma coisa no ouvido de Ribeiro Filho.

– Mas o menino está só começando – disse o criador do *Novos em Foco*.

– Não faz mal. Eu acho que vou precisar de um tipo como o dele para uma novela que o Walter Durst está adaptando com o Walmor Chagas e a Geórgia Gomide – interrompeu Cassiano Gabus Mendes.

– Ele é menor de idade – explicou Ribeiro Filho.

– Manda ele fazer o teste lá. Ele vai ser filho da Vida Alves e do Juca de Oliveira – Cassiano concluiu a conversa.

Alguns dias depois, Tony Ramos voltou aos estúdios para fazer o teste para integrar a novela *A Outra* e concorreu com jovens atores que já tinham atuado em produções da emissora e conheciam muito bem os diretores. Ele foi aprovado por Geraldo Vietri, responsável pela direção desse trabalho. "Entrei em acordo com minha mãe, me matricularam no curso noturno do Colégio Estadual Basílio Machado, na Vila Mariana, e comecei a trabalhar com a autorização de meus pais, que já estavam separados. Desde o dia 29 de junho de 1964, data do registro na minha carteira do trabalhador menor, nunca mais parei", fala com orgulho um dos atores mais populares, queridos e premiados deste país. "Não houve um ano em que eu não emendasse no mesmo horário uma novela", pontua. *A Outra* ficou três meses no ar e na sequência Tony Ramos foi escalado para *O Amor Tem Cara de Mulher*, uma novela do próprio Cassiano Gabus Mendes com Vida Alves, Cleyde Yáconis, Eva Wilma, Aracy Balabanian, Luis Gustavo, Ana Rosa e Dina Sfat. Ou seja, ele não precisou de muito tempo para integrar o primeiro time do elenco da TV Tupi.

Em agosto de 1965, os mesmos autores que adaptaram *O Direito de Nascer* ficaram responsáveis pela versão brasileira de outro texto de Félix Caignet que ocuparia o horário do grande sucesso. *O Preço de uma Vida* estreou no dia 16 de agosto em São Paulo, com Sérgio Cardoso e Nívea Maria nos papéis centrais e Amilton Fernandes, Geórgia Gomide e Meire Nogueira em personagens de destaque. Assim como em outras novelas, as fitas seguiam para emissoras próprias da Tupi em Belo Horizonte, Recife, Porto Alegre, Salvador e outras capitais, incluindo o Rio de Janeiro, uma vez que a parceria com a TV Rio não prosseguiu após a conclusão de *O Direito de Nascer*. Já no dia 13 de setembro, na faixa das 19h30, entrou no ar *Fatalidade*, de Oduvaldo Vianna, com Eva Wilma e John Herbert como protagonistas. A direção da TV Tupi fez uma interessante campanha de lançamento, com anúncios nas principais revistas e jornais com a foto dos atores e a frase "Casal doçura enfrenta Fatalidade", numa tentativa de tirar o público da TV Excelsior, imbatível nesse horário com sua consolidada teledramaturgia. Eva e John regressavam à emissora a peso de ouro, em que se consagraram com *Alô, Doçura*. No elenco também estavam Marcos Plonka, Rolando Boldrin e Laura Cardoso, uma das atrizes preferidas dos autores da época e que também emendava uma novela na outra, sem intervalos maiores para férias. "Todo trabalho pra mim é uma coisa sagrada, e, independente de ser papel grande ou pequeno, eu não fazia qualquer coisa", relata a atriz, que alguns anos antes havia participado da primeira experiência com videoteipe na TV Tupi, uma montagem de *Hamlet* para o *TV de Vanguarda*, em que estavam Fernando Baleroni, Régis Cardoso, Percy Aires e Cláudio Marzo. "A gente levou 48 horas sem sair da emissora para gravar esse episódio do *Vanguarda* porque era uma experiência nova e todos estávamos aprendendo", recorda-se. "Procurávamos fazer da melhor forma. Procurávamos acertar, porque havia muita vontade de se criar alguma coisa que ficasse para outras gerações", completa Laura. *Fatalidade* terminou em 27 de novembro e dois dias depois Eva Wilma e John Herbert já estavam no ar na mesma faixa das 19h30 com *Ana Maria, Meu Amor*, que, apesar de todos os esforços, não atingiu a meta de derrubar a TV Excelsior, levando a TV Tupi a desistir desse horário para teledramaturgia com capítulos diários.

De um lado havia o sucesso de *O Direito de Nascer* na TV Tupi e do outro uma grade de dramaturgia consolidada do Canal 9. Restou à TV Record buscar um caminho alternativo para suas novelas, uma vez que *Somos Todos Irmãos*, adaptação assinada por Walther Negrão, não alcançou a audiência desejada e acabou retirada do ar, com a desculpa de que a propaganda política obrigatória das eleições daquele ano diminuiu muito o espaço artístico da emissora. Em fevereiro de 1965, a direção do Canal 7 decidiu segmentar sua teledramaturgia, e, já que possuía muitos comediantes entre seus contratados, investiu em humor. A primeira produção desse gênero foi *Quatro Homens Juntos*, às 20h30, que reuniu, entre outros, Ronald Golias, Zilda Cardoso, Adoniran Barbosa, José Vasconcellos e Simplício. Os resultados foram modestos. *Comédia Carioca* marcou a rápida passagem do casal Eva Wilma e John Herbert pela emissora da família Machado de Carvalho e teve mais repercussão na TV Rio. Em julho, foi a vez de *Ceará Contra 007*, com Jô Soares numa sensacional paródia de James Bond, com Ronald Golias, Consuelo Leandro, Roni Rios, Ary Toledo e Renato Corte Real. Em setembro, entrou no ar *Quem Bate*, uma sátira ao seriado *Combate*, que contava no elenco com Otelo Zeloni, Carlos Alberto de Nóbrega, Renato Corte Real, Pimentinha, entre outros. Em dezembro, estreou a última produção desse gênero no Canal 7. *Mãos ao Ar*, que satirizava os filmes de faroeste, não conseguiu empolgar a audiência nem os anunciantes e não gerou muita repercussão, mesmo tendo Ronald Golias, Jô Soares, Manuel de Nóbrega e Carmem Verônica no elenco. No final desse período, a TV Record optou por interromper provisoriamente a produção de novelas, voltando ao gênero, de forma bem discreta, somente em 1968.

Em 1965, a Excelsior dominava a audiência em São Paulo e no Rio de Janeiro, a Tupi brigava para reconquistar a liderança na média geral – e chegava a ultrapassar a concorrente durante muitos programas – e a TV Rio era extremamente forte na competição na capital fluminense. A Record se mantinha no páreo graças ao humor e aos primeiros musicais. A TV Paulista não tinha a mesma força e, por isso, suas novelas não repercutiam como as da concorrente. O mesmo acontecia com a recém-inaugurada TV Globo, que havia comprado o Canal 5 de São Paulo e, por isso, produzia em parceria com a emissora paulistana. *Ilusões Perdidas*, a primeira novela exibida pela empresa de Roberto Marinho, estreou no dia 26 de abril, foi gravada em São Paulo e teve Leila Diniz como a grande vilã, Reginaldo Faria como protagonista, Norma Blum como a mocinha e Emiliano Queiroz num dos papéis de destaque. O ator já havia participado de outros folhetins da TV Paulista, como *Eu Amo Esse Homem*, que foi tirado do ar pela censura após a exibição de 30 capítulos. "Era uma história ousada, já que meu personagem era apaixonado pela mãe", recorda o ator.

Uma jovem atriz de 22 anos de idade com a elegância das bailarinas e uma disciplina de dar inveja a qualquer veterano da televisão faria sua estreia em teledramaturgia na novela que inaugurou a faixa das 19h na Globo. Marília Pêra deu vida à protagonista de *Rosinha do Sobrado*, uma garota paralítica que passa o dia à janela de sua casa e desperta uma paixão platônica no médico interpretado por Gracindo Júnior. O folhetim de Moysés Weltman terminou em outubro e foi substituído por *A Moreninha*, primeira versão para a televisão do romance de Joaquim Manuel de Macedo, com 35 capítulos. Marília permaneceu no vídeo como a mocinha da história, emendando um trabalho no outro, assim como Renato Machado, que só foi para o jornalismo da emissora algum tempo depois. A atriz fecharia o ano com mais uma mocinha, também às 7 da noite, pela TV Paulista, em São Paulo, e às 13h30 pela Globo, no Rio de Janeiro, faixa com forte presença do público feminino e uma aposta inicial inédita da emissora para dramaturgia. *Padre Tião* foi protagonizada por Ítalo Rossi e conseguiu uma pequena repercussão, mas considerada interessante para uma emissora que iniciava suas operações na capital fluminense e tentava se reerguer na audiência paulistana. A faixa das 13h também foi ocupada por *Marina*, com curtíssima duração, de apenas 15 capítulos.

Outras três produções da parceria TV Globo/TV Paulista mereceram destaque no decorrer de 1965. Glória Magadan, que vinha de sete supervisões de folhetins, sendo seis na TV Tupi e uma na Excelsior, assinou sua primeira novela na emissora e estreou em setembro *Paixão de Outono*, um drama que ocupou a faixa das 21h30 e contou no elenco com Yara Lins, Reginaldo Faria, Walter Forster, Leila Diniz e Irene Ravache. Esse folhetim foi substituído em dezembro por outro texto cubano. *Um Rosto de Mulher* contou com Cláudio Marzo, Leila Diniz e Míriam Pires em papéis de destaque e Nathalia Timberg como protagonista. Nessa época, a atriz apresentava o *Tele Globo*, principal telejornal da empresa de Roberto Marinho, e resolveu deixar o jornalismo depois de ser convencida pelos diretores de que seria um grande desafio em sua carreira de intérprete. Antes, no dia 8 de novembro, às 20h, gravada em São Paulo, entrou no ar *O Ébrio*, uma novela de José e Heloísa Castellar baseada na obra de Vicente Celestino, que fez uma participação especial no primeiro capítulo. A canção que deu o título a esse folhetim já havia inspirado, alguns anos antes, um filme e se transformou naturalmente num dos temas da produção.

No ano seguinte, a Globo continuou a apostar nos dramalhões mexicanos e cubanos para seu principal horário de teledramaturgia, um elemento que se mostrava eficiente na briga pela audiência no Rio de Janeiro. Já os paulistanos apreciavam as novelas da Excelsior e da Tupi, emissoras que possuíam no elenco artistas mais populares e que atuavam havia mais tempo nos folhetins diários. No dia 15 de março, entrou no ar mais uma adaptação de Glória Magadan. *Eu Compro Essa Mulher*, que a autora dizia ser livremente inspirada em *O Conde de Monte Cristo*, era na verdade uma versão de uma radionovela da mexicana Olga Ruilópez. Carlos Alberto e Yoná Magalhães interpretaram o casal principal e levaram, para delírio dos fãs e das revistas especializadas, o relacionamento para a vida real. Na sequência, a partir do dia 18 de julho, foi exibida *O Sheik de Agadir*, também com a assinatura de Magadan, com direito a sequestro de uma princesa francesa, sofrimento no deserto, uma vilã capaz das maiores atrocidades, agente estrangulador e guerra entre Alemanha e França. "A história era muito parada, lembrava um teatro na televisão, e não tinha nada que remetesse à cultura brasileira", diz o professor Claudino Mayer, especialista em telenovelas. Yoná Magalhães emendou as duas novelas e interpretou Janette Legrand, jovem da realeza francesa que acaba nas mãos do xeique.

Enquanto na Excelsior *Redenção* era sucesso absoluto na faixa das 19h e *Ninguém Crê em Mim*, de Lauro César Muniz, trazia uma linguagem mais coloquial, a Tupi apostou, entre outras, em *Calúnia, A Injúria* e *Somos Todos Irmãos*, primeira novela de Benedito Ruy Barbosa que, até aquele momento, era responsável pela revisão de scripts na Colgate-Palmolive e assumiu a

Marieta Severo em O Sheik de Agadir, sua primeira novela, em 1966

supervisão de *Eu Compro Essa Mulher*. "A Glória foi contratada pela Globo e eu fiquei sozinho na agência dando as cartas na teledramaturgia. Eu comecei a mostrar para eles que era importante investir em histórias nacionais", revela o autor.

Apesar dos números modestos, Magadan era um dos nomes mais prestigiados quando o tema era novela e, por isso, sua opinião valia muito na recém-inaugurada TV Globo, que havia adotado como estratégia de marketing o slogan "Cada vez mais perto de você". Em 1967, a autora emplacou na faixa das 21h30 *A Rainha Louca*, a partir de fevereiro, e *O Homem Proibido*, em dezembro, emendando uma na outra. Ela inaugurou, também em fevereiro, o horário das 20h com *A Sombra de Rebecca* e supervisionou

Anastácia, a Mulher Sem Destino, escrita por Emiliano Queiroz. "Eu tinha feito umas adaptações para um programa exibido aos domingos e a Glória me chamou para unir três romances que, misturados, dariam uma boa história", relembra o ator. A novela era ambientada na Rússia e a protagonista era uma garota pobre que ignorava ser filha caçula do czar Nicolau III, e, ao descobrir seu passado, se vê obrigada a se refugiar numa ilha para ninguém descobrir sua verdadeira identidade. Leila Diniz era a atriz principal de uma trama de época que exigiu um grande investimento e um elenco numeroso. O pouco retorno não compensava o sacrifício e o autor estava nitidamente perdido entre todos os personagens e tramas. Sobrecarregada com a faixa das 21h30 e com os projetos seguintes, Glória Magadan não tinha tempo para orientar o responsável pelo texto. "Ela me deixou sozinho, sem saber como continuar aquilo, e o Boni, que havia chegado fazia pouco tempo na Globo, me socorreu colocando uma consagrada novelista de rádio no comando", completa Emiliano. Essa foi a estreia de Janete Clair na Globo, que chegou para promover um verdadeiro terremoto num fracasso e, algum tempo depois, na teledramaturgia brasileira. A autora não pensou duas vezes e, com um abalo de terra jamais sentido numa ilha, matou quase todos os personagens de uma vez só, sepultando a história. Continuaram Leila Diniz (protagonista Anastácia), que ganhou mais uma personagem, Henrique Martins, Ênio Santos e Míriam Pires. Assim que terminou *Anastácia, A Mulher Sem Destino*, Janete Clair escreveu *Sangue e Areia*, baseada no romance de Vicente Blasco Ibáñez.

"Foi nossa primeira novela na Globo", diz com orgulho Tarcísio Meira, intérprete do toureiro Juan Galhardo em *Sangue e Areia*. Glória Menezes deu vida a Doña Sol, mocinha que chegou a arrancar um dos olhos como prova de amor. Disposta a conquistar definitivamente o público carioca na faixa das 20h, a Globo não mediu esforços e mandou o diretor Daniel Filho e o protagonista até o México para gravarem várias cenas externas em arenas a fim de garantir maior veracidade às sequências de touradas. "Nós tínhamos levado pouco dinheiro. Só o caminhão de externas custava US$ 50 mil. Deu para comprar a roupa de toureiro que usei depois nos estúdios no Brasil", lembra Tarcísio Meira. Um dos diretores da emissora mexicana que alugaria os equipamentos e auxiliaria nas gravações resolveu vender, então, algumas imagens com um toureiro que lembrava o tipo físico do ator. "Ele era bem magrinho e até vestiu o mesmo figurino", ri Glória Menezes. Essas imagens foram mescladas com outras realizadas no Rio de Janeiro e, inicialmente, se transformaram na vinheta de abertura, que terminava com uma rosa branca caindo e uma gota de sangue pingando sobre ela. Depois, foram inseridas nos capítulos com as cenas das touradas. "Na varanda do restaurante da Globo, no Jardim Botânico, montaram uma arena cenográfica com direito a arquibancada e muita areia", recorda a atriz. "E quando a gente ia gravar dava para ver várias pessoas nas janelas dos prédios ao lado observando tudo", completa. "E o touro era uma bicicleta camuflada com chifres no lugar do guidão empurrada pelo ator Fernando José, que ajudava como contrarregra", ressalta Tarcísio. Meio que no improviso e cheias do jeitinho brasileiro, essas sequências convenceram o telespectador e reforçaram a imagem de galã do protagonista. "Um dia, ao chegar em meu sítio em Porto Feliz, o leiteiro da cidade, um homem forte e alto, veio dizer que eu era um toureiro de verdade porque me via com muita habilidade na televisão", conta o ator, que tentou explicar a ele que existiam alguns truques para facilitar o desenrolar da história. Mas, antes de terminar sua fala, Tarcísio foi interrompido:

– Ocê é toureiro, hein? Vou levar ocê na minha fazenda que lá tem um touro que eu quero ver", disparou o leiteiro.

– Mas... – Tarcísio tentou falar.

– Se ocê consegue toreá aquele bichão na tevê, ocê não vai ter medo do meu tourinho – terminou o homem.

Tarcísio não apareceu no sítio nem sabe o tamanho do animal, mas voltou para o Rio de Janeiro com a certeza de que estava fazendo uma boa interpretação.

Além de marcar a chegada à Globo do casal que protagonizou a primeira novela diária na televisão brasileira e, portanto, o mais popular da época, *Sangue e Areia* também revelou uma outra profissional que se tornaria referência na teledramaturgia brasileira. Com apenas 22 anos, Arlete Salles abraçava a oportunidade de fazer algo diferente, já que não via mais caminhos no segmento humorístico da TV Rio. "Soube que a TV Globo estava produzindo dramaturgia e era o que eu realmente desejava fazer. Era o meu ideal de trabalho, o meu ideal de atriz. Fui lá, fiz o teste e estreei", conta Arlete, que não hesitou ao interpretar Mercedes, uma mulher de 45 anos, o dobro de sua idade, o que exigia muita caracterização e maquiagem mais carregada. "Valeu tudo. E não parei mais de fazer o que eu realmente sabia fazer", orgulha-se.

Apesar de todos os exageros no texto e de vários problemas, entre eles a morte do ator Amilton Fernandes num acidente automobilístico que tirou o vilão da história, *Sangue e Areia* chegou a ofuscar *O Homem Proibido*, novela que a titular Glória Magadan conduzia às 21h30, gerando muito desconforto nos bastidores, com acusações de falta de profissionalismo de alguns produtores e de pouco envolvimento de Daniel Filho na trama da autora cubana. Era apenas um sinal de que as coisas estavam para mudar na emissora e na forma de fazer novelas no Brasil. Em São Paulo, a Tupi permaneceu em 1967 na briga com a TV Excelsior com várias produções, entre elas *A Intrusa, Meu Filho, Minha Vida, Presídio de Mulheres* e *Éramos Seis*, novela de Pola Civelli baseada no romance de Maria José Dupré com Cleyde Yáconis no papel emblemático de Dona Lola e Tony Ramos como um de seus filhos.

A essa altura, a novela já era algo consolidado na preferência do público, e, no início de 1968, mesmo com todo o sucesso de seus musicais dos mais variados estilos, a Record voltou a investir na teledramaturgia diária por meio de três textos. Benedito Ruy Barbosa escreveu *A Última Testemunha*, com direção de Walter Avancini, que, conforme o acordo que havia feito fazia muitos anos, levou Fulvio Stefanini para essa história, protagonizada por Susana Vieira, Agnaldo Rayol e Lolita Rodrigues. "A TV Excelsior estava com grandes dificuldades para honrar os salários e, por isso, muitos atores trocaram a emissora pelo projeto de retomada da Record", lembra Stefanini. O remake de *As Professorinhas*, trama exibida sem nenhuma repercussão pela TV Cultura alguns anos antes, ocupou a faixa das 18h, e *Ana*, que contava a vida de uma jovem abandonada pelo marido e que passa a dividir o cotidiano com outra mulher, ocupou a das 19h30. O público paulistano não aceitou muito a ousadia, mas a trama registrou bons índices na TV Rio. Já a Globo enfrentou um ano tumultuado em seus bastidores, com direito a reclamações de atores contra Glória Magadan, uma ardente paixão da autora por um de seus intérpretes e ciúme pelo crescimento de Janete Clair.

Em fevereiro, estreou *O Santo Mestiço* na faixa das 19h, com Sérgio Cardoso interpretando os três papéis principais. No meio da novela ele protestou contra o que considerava péssima qualidade do texto, levando o alto comando da Globo a tirar Glória Magadan do cargo de diretora do núcleo de dramaturgia. A situação da autora se complicou mesmo durante *A Gata de Vison*, quando o protagonista Tarcísio Meira, insatisfeito com os rumos de seu herói, foi a Boni pedir a morte de sua personagem para não ter que abandonar o folhetim no meio. Descobriu-se que Magadan vivia um ardente caso de amor com o ator Geraldo Del Rey, o vilão do folhetim, e, em função dessa paixão, passou a dar mais espaço a ele, diminuindo drasticamente a importância do mocinho. Com a saída de Tarcísio, Yoná Magalhães, que interpretava seu par romântico, passou a viver, de um dia para o outro, a irmã gêmea da mocinha, até então interpretada por ela. Produzida em São Paulo, entrou no ar no dia 5 de junho *A Grande Mentira*, novela que, em função do sucesso, alcançou 341 capítulos e teve Myrian Pérsia e Cláudio Marzo como casal romântico e Neuza Amaral e Eloísa Mafalda com personagens emblemáticas. *Passo dos Ventos*, de Janete Clair, reuniu Glória Menezes e Carlos Alberto como casal romântico e gerou polêmica ao apostar num namoro inter-racial, algo que não foi muito aceito pelos mais conservadores, principalmente em São Paulo.

Enquanto isso, a direção da TV Tupi administrou a boa fase de sua dramaturgia com nove produções, sendo uma delas *Antônio Maria*, de Geraldo Vietri e Walther Negrão, que, sem saber, já preparavam o terreno para mais um grande momento da história da televisão brasileira. Exibida às 19h, a novela apostou em elementos nacionais e contou a saga de um português que veio tentar a sorte no Brasil, consegue um bom emprego e se vê no meio de um triângulo amoroso. No decorrer da história, descobre-se que o protagonista era milionário em sua terra natal e havia fugido de sua madrasta, apaixonada por ele. A trama agradou em cheio aos imigrantes que por aqui aportaram e muitas famílias se identificaram com o que viam na televisão, tanto que em menos de três meses *Antônio Maria* se transformou em sucesso absoluto de audiência. "O Vietri estava no capítulo 30 e não aguentava mais, afinal, escrevia, produzia, dirigia e, à noite, ainda rodava o mimeógrafo para fazer a cópia do texto para todos os atores. Aí, ele me chamou para ajudar", conta Walther Negrão, que inicialmente não apareceu como autor da novela porque Cassiano Gabus Mendes, o diretor artístico da Tupi, estava bravo com ele em função de umas críticas pesadas que havia publicado em sua coluna no jornal *Última Hora*. "Ele não deixou me contratar, não destinou verba para isso e eu fiz escondido, sem assinar, mas o Vietri tirou do bolso dele para honrar meu salário", destaca.

Antônio Maria foi um grande sucesso de audiência, a ponto de transformar o ator Sérgio Cardoso, o protagonista, em símbolo da comunidade portuguesa em São Paulo e em outras cidades. Ele e Geraldo Vietri receberam a comenda de Oficial da Ordem do Infante D. Henrique, que lhes garantia tratamento de estadistas quando estivessem em Portugal. A novela começou a mostrar aos executivos da televisão que a era dos dramalhões mexicanos e cubanos estava no fim e que poderíamos fazer uma teledramaturgia com mais qualidade, propriedade e alinhada ao público de uma cultura muito diferente da de outros países da América Latina.

Diante dos sucessos de 1968, ano em que Cassiano Gabus Mendes retornou à Tupi, após uma rápida passagem pela TV Excelsior com a missão de colocar a emissora em seu antigo patamar de audiência e restabelecer um clima positivo em seus bastidores, o grande diretor foi até seu bar, na Alameda Lorena, zona sul de São Paulo, para relaxar um pouco e conversar com os amigos. Como de costume, seu cunhado, o ator Luis Gustavo, estava no local com suas divertidas histórias. De repente, num daqueles momentos em que nosso olhar busca alguém aleatoriamente que chame a atenção, os dois repararam num rapaz que entrou no estabelecimento vestindo um alinhado e moderno paletó e que, ao chegar perto da mesa mais cheia, beijou a mão da aniversariante, lhe deu flores, roubou um gole do copo de um dos amigos da moça, acendeu um cigarro e se transformou no centro de tudo o que estava acontecendo ali. Qual era o seu nome? De onde vinha?

– Puta merda! – exclamou Cassiano Gabus Mendes. – Isso dá uma novela!
– Eu quero ser ele! – disse Luis Gustavo.

E começa aí a grande revolução da telenovela brasileira. Emoções para os próximos capítulos!

Hoje só amanhã

No começo da TV Globo, quando parte de suas novelas ainda era produzida em São Paulo, tudo funcionava à custa de sacrifício, ao contrário da grande estrutura à disposição da teledramaturgia atual. *A Grande Mentira*, de Hedy Maia, entre tantas outras, foi inteiramente feita no palco da antiga TV Paulista, onde também eram apresentados programas como Chacrinha e Silvio Santos. Cenários e gravações só podiam acontecer depois deles, o que levava a equipe a varar madrugadas. *A Grande Mentira* teve Myriam Pérsia, Cláudio Marzo, Edney Giovenazzi e Maria Pompeu nos principais papéis e direção de Fábio Sabag e Marlos Andreucci.

Globo, aquela que virou a terceira emissora de televisão do mundo

"Aí veio a TV Globo, em abril de 1965, que levou um ano fazendo uma programação muito em silêncio, porque na hora que pusesse no ar seria o estouro da boiada. Entrou e não aconteceu nada, porque ninguém conhecia aquelas pessoas." É dessa forma que Fernanda Montenegro, que naquela época já se dividia entre São Paulo, Rio de Janeiro e Porto Alegre nas TVs Rio e Excelsior e nos palcos teatrais, relembra a chegada da emissora que, algum tempo depois, transformaria a televisão brasileira ao determinar um padrão de qualidade e consolidar definitivamente o conceito de rede nacional, além de reunir o elenco mais importante do país, monopolizar a audiência e puxar para seus produtos praticamente 70% da verba publicitária do Brasil.

Para o telespectador carioca, a história da Globo começou às 10h45 do dia 26 de abril de 1965, com o *Uni Duni Tê*, um programa infantil apresentado pela professora Fernanda Barbosa Teixeira, a Tia Fernanda, que todas as manhãs entrava em sua sala de aula para propor alguns temas, histórias e muitas brincadeiras. Mas a trajetória da emissora de TV da família Marinho, que já comandava a Rádio Globo e o jornal *O Globo*, começou a ser desenhada muito antes, inclusive com direito a reviravoltas e jogos políticos. Em 1951, depois de Assis Chateaubriand inaugurar a primeira emissora de TV no Brasil, os diretores da Rádio Globo solicitaram aos representantes do governo Eurico Gaspar Dutra a concessão de um canal para operar no Rio de Janeiro. O pedido ficou engavetado por longos seis anos, porque Getúlio Vargas, que assumiu a presidência em seguida, revogou a autorização, que só saiu definitivamente em 1957, já na gestão de Juscelino Kubitschek. Com a certeza de que a operação do Canal 4 se iniciaria em breve, Roberto Marinho começou a levantar todos os recursos para viabilizar a estrutura da nova aventura empresarial e assinou um acordo com a Time-Life, grupo de comunicação dos Estados Unidos que injetou nela Cr$ 300 milhões, algo próximo a US$ 6 milhões. "Naquele tempo era proibido você fazer uma associação com uma empresa estrangeira, o que gerou muita discussão política", explica Octacílio Pereira, que, entre outros cargos, foi diretor administrativo da emissora e um dos nomes mais fortes de sua área comercial. "Esse dinheiro financiou a construção do prédio e a compra dos transmissores, das câmeras e de outros equipamentos necessários", completa o executivo.

Toda essa movimentação mexeu com o mercado que já estava estabelecido e a entrada de uma emissora com grande aporte financeiro colocou os principais grupos de comunicação do país em estado de alerta. Os Diários Associados, por meio de seus jornais e da TV Tupi, iniciaram uma verdadeira campanha contra a sociedade que se desenhava e passaram a denunciar a irregularidade. "Os programas jornalísticos da emissora davam um espaço grande para o tema", recorda Ney Gonçalves Dias, que em meados da década de 1960 era um dos apresentadores do Canal 4 de São Paulo. Com tanta pressão e jogo político, afinal de contas Assis Chateaubriand tinha forte influência sobre parlamentares de Brasília, no início de 1965 foi instalada a CPI da TV Globo, com base no artigo 160 da Constituição, que proibia capital estrangeiro na gestão ou propriedade dos veículos de comunicação. Essa discussão no Congresso Nacional se arrastou por dois anos e terminou com um parecer positivo do consultor-geral da República. Para Adroaldo Mesquita da Costa, não havia uma sociedade entre as duas empresas, apenas um empréstimo, que seria quitado com o tempo. Em 1971, oficialmente o acordo com a Time-Life foi encerrado. A Globo já estava em operação, com bons resultados e o conceito de network, algo que funcionava muito bem nos Estados Unidos e garantia custos mais baixos e lucros mais elevados.

Se por um lado a discussão política sobre a legalidade da empresa colocava a Globo num ambiente quente, sua programação não funcionou como o desejado nos anos iniciais de atividades, passando quase que despercebida. "O primeiro ano foi um desastre", pontua o ex-diretor Octacílio Pereira. "Ela começou em último lugar", ressalta o ator Lafayette Galvão, intérprete do protagonista da minissérie *Rua da Matriz*, que teve seu capítulo de estreia exibido às 18h30 do dia 26 de abril de 1965. Ele vivia um mecânico que morava e trabalhava na Rua da Matriz e, ao lado de amigos e familiares, tinha que enfrentar as situações mais difíceis, emocionantes e felizes de seu cotidiano, muito parecido com a realidade de quem estava em casa. Na sequência, na faixa das 19h30, *Ilusões Perdidas*, uma produção da TV Paulista, que já havia sido comprada por Roberto Marinho, foi a primeira novela exibida pela Globo e contou com Reginaldo Faria, Leila Diniz, Emiliano Queiroz, Míriam Pires, Norma Blum e Osmar Prado em seus papéis principais. Ainda em horário nobre, o *Tele Globo* era o principal telejornal da emissora, e surgia com a credibilidade do jornal impresso comandado pelo grupo. Mas, apesar de todo o investimento e planejamento, os resultados foram muito fracos e o novo canal não chegou nem a incomodar as concorrentes que já estavam estabelecidas no Rio de Janeiro.

"Todo mundo estava tateando e os cargos administrativos eram mal ocupados porque estavam sob o comando de indicações", diz Lafayette Galvão. Sem o resultado esperado e pressionado pelos investidores da Time-Life, Roberto Marinho resolveu dar um passo importante em sua empresa, profissionalizando-a. "Naquela época, todas as emissoras eram muito familiares. O dono passava e pegava o dinheiro no caixa, levando embora a folha de pagamento. A Globo mudou isso, graças à visão do doutor Marinho", conta Adilson Pontes Malta, um dos responsáveis pela construção do Projac e homem de confiança de Boni na área técnica para a garantia do padrão de qualidade imposto pelo diretor-geral. O fato é que, no final de 1965, Walter Clark, um jovem promissor com 29 anos de idade, experiência em publicidade e excelente desempenho na líder TV Rio, foi contratado com poderes absolutos e, por isso, se reportaria somente ao dono da empresa, que, a partir daquele momento, não teria nenhuma função administrativa, muito menos questionaria ordens e decisões. "Nessa época, o Dr. Roberto não tinha sala na Globo, porque ele encarou aquilo como uma indústria e cobrava dos diretores responsáveis", revela Luís Carlos Miele.

Estava implantada uma nova forma de conduzir a televisão no Brasil, com metas, orçamentos e espaços comerciais com regras e funções muito bem estabelecidas. "O Clark era um executivo da maior qualidade e também teve a competência e a capacidade de colocar os homens certos nos lugares corretos, como o Boni na programação, José Ulisses Arce na superintendência comercial e Armando Nogueira no jornalismo", pondera José Carlos Missiroli. "Walter já havia definido o conceito de grade na TV Rio no início dos anos 60, mas o levou à perfeição na Globo, estabelecendo um padrão brasileiro", afirma Gabriel Priolli, biógrafo de Walter Clark, que acredita ser o maior feito do executivo a criação de uma disciplina na parte comercial da TV, com tempos rígidos e regras para atender melhor cada anunciante. Para colocar seu plano em ação e atingir a liderança dentro do tempo prometido, Walter Clark promoveu inúmeras demissões nos cargos administrativos, avaliando objetivamente cada profissional e deixando na empresa somente os que entendiam do negócio ou estavam dispostos a fazer diferente.

Com poucos meses na direção geral do Canal 4 do Rio de Janeiro, Clark tomou uma das decisões mais ousadas e a que começou a virar a história da Globo. Em janeiro de 1966, a capital fluminense foi atingida por um grande temporal, o mais forte registrado até aquele ano, e ficou literalmente embaixo d'água, com vários pontos de alagamento e deslizamentos, com mais de 20 mil desabrigados e cem mortes registradas pelas autoridades e pelo Corpo de Bombeiros. Diante do caos, a emissora cortou sua programação e instalou câmeras em alguns pontos da cidade para realizar, apesar de todas as deficiências e limitações técnicas da época, a maior cobertura jornalística da tragédia que atingiu a cidade. Transformou-se também no ponto central de arrecadação de alimentos, medicamentos, roupas e produtos de higiene pessoal, mostrando que era possível uma pequena TV mobilizar as pessoas pelo bem da comunidade, e, com isso, ganhou a simpatia do público carioca, que passou a assistir com mais frequência à sua programação. Aos poucos, a audiência foi subindo, e atrações como *Grande Resenha Facit*, uma mesa-redonda esportiva, *Show da Noite* e *Aquele Abraço* começaram a fazer certo sucesso, assim como as novelas adaptadas de textos consagrados de Cuba, Argentina e México, como *O Ébrio, Um Rosto de Mulher* e *O Sheik de Agadir*. A contratação de José Bonifácio de Oliveira Sobrinho, em 1976, para cuidar de toda a programação e parte artística acelerou o plano de expansão traçado por Walter Clark alguns meses antes e possibilitou a ampliação do elenco, corpo de direção, produtores e escritores, além da compra de emissoras em outros estados, como São Paulo e Minas Gerais, num embrião de uma rede nacional. "Não havia mais segunda chance para nós. Tínhamos passado por quase todas as emissoras e só nos restava acertar. Não podíamos desistir. Era suportar tudo e tocar para a frente", recorda Boni. A Time-Life, por meio de Joe Wallach, designado no contrato assinado por Roberto Marinho para cuidar das contas e finanças da nova emissora, percebeu o tamanho do mercado que se desenhava no Brasil e estimulou uma postura mais agressiva de conquista de público para o Canal 4 se estabelecer como a primeira grande rede nacional. Era preciso reunir as maiores estrelas, desenvolver atrações populares, fidelizar a plateia com faixas de horários bem definidas e diluir os custos por meio de uma produção capaz de faturar em vários estados. O executivo americano tinha forte influência sobre os proprietários (principalmente entre os investidores dos Estados Unidos) e foi uma peça muito importante nesse processo de crescimento, abrindo portas para viabilizar as ideias que surgiam para a grade. "O objetivo era a liderança, e prometemos que faríamos isso em cinco anos, mas conseguimos em apenas três", fala Boni, cheio de orgulho. "Com a saída do Walter Clark, a TV Rio já havia começado a cair e a centralização do conteúdo só facilitou para a Globo", pontua Fernanda Montenegro.

Com grande experiência em outras emissoras de TV, entre elas a Tupi e a TV Rio, e também em agências de publicidade que produziam novelas com base na demanda de anunciantes como Colgate-Palmolive e Gessy Lever, além do que vivenciou nos estágios em emissoras norte-americanas, Boni começou a montar uma grade popular que seguisse o conceito de network, que, naquela época, já era realidade em outros países, principalmente nos Estados Unidos. O período em que coordenou campanhas publicitárias exibidas nacionalmente, além do *Repórter Esso*, foi um fator determinante para o desenvolvimento do padrão de qualidade capaz de identificar a Globo em qualquer estado, independente da afiliada que exibisse novelas ou programas produzidos no Rio de Janeiro ou em São Paulo. "Ele era extremamente rígido na criação, no profissionalismo. Foi um período de muita firmeza e cobrança", recorda Adilson Pontes Malta. "E, com o avanço do videoteipe, exigiu que toda a programação fosse gravada, para que tudo saísse perfeito", pontua Ney Gonçalves Dias. "Até o jornal tinha uma parte feita dez minutos antes para não correr o risco", destaca.

Desde o início, Boni ficou conhecido por distribuir quase que diariamente memorandos com ordens, regras e correções que deveriam ser realizadas, inclusive sobre figurinos, até mesmo para o jornalismo, em que eram proibidos exageros e adereços que desviassem a atenção da notícia, sempre à frente de tudo, em primeiro plano. O jornalista Edwaldo Pacote foi durante muitos anos assessor da direção de programação e, ainda na máquina de escrever, redigia os "manuais" que costumeiramente eram distribuídos em diversos setores da TV Globo. Os documentos, verdadeiras aulas de fazer televisão, traziam dados preciosos e certeiros, como revelam os dois exemplos que Pacote, antes de falecer, em 2009, forneceu aos autores desta obra:

2 de abril de 1987

De: José Bonifácio de Oliveira Sobrinho (VPC)
Para: Daniel Filho

A tela da televisão é pequena (hoje, para a grande maioria dos brasileiros continua sendo). A transmissão e recepção estão sujeitas a variações constantes de qualidade, dependendo de local, antena e até do televisor. Em casa, o espectador está cercado por telefone, crianças etc. Assim, o veículo exige uma linguagem especial que pode ser resumida na simplificação da imagem para que a leitura seja clara, direta e livre de elementos perturbadores. Do ponto de vista da composição visual – cenários, móveis e objetos de cenas e roupas –, existem padrões internacionais estabelecidos e que conseguimos aplicar na Globo por muitos anos. Como eles parecem estar esquecidos, é bom rememorá-los:

1) Cenários

A – Contrastes fortes são rigorosamente proibidos em qualquer caso. Cores básicas claras e tons "pastel" são fundamentais.
B – Não se admitem listras verticais, paredes florais ou desenhadas.
C – Divisões horizontais de pintura só são aceitas com réguas divisórias. Entre paredes e pisos, usar rodapés ou outros detalhes de acabamento.

2) Mobiliário

A – Devem ser evitados móveis de madeiras escuras.
B – Devem ser evitados estofados estampados, especialmente os

"florais" ou listrados. Quando forem absolutamente necessários, não poderão ser berrantes ou contrastados, preferindo-se os "ton-sur-ton".

C – Evitar o excesso de móveis em cena.

3) Objetos de cena

A – Evitar o uso exagerado de objetos de cena, preferindo-se somente o essencial.

B – Ao caracterizar ambientes e classes sociais, evitar elementos óbvios como "pinguins", "São Jorge", cortinas de contas e outros penduricalhos.

4) Roupas

A – Devem ser evitados o uso de xadrez e listrados, dando-se preferência a cores lisas, mesmo nos vestuários de classes sociais "C" e "D".

B – Evitar o uso de estampados de forma geral e, quando necessário em alguma produção, evitar que vários personagens usem esse tipo de vestuário na mesma cena.

5) Geral

A – Mesmo em produções de época ou regionais, as roupas devem ser simplificadas, evitando-se a caricatura de classes sociais ou rurais. Em televisão a linha "opereta" não funciona para produções de "época" e nem o "neo-realismo" é adequado às produções de atualidade.

B – Planos gerais devem ser usados somente para localização. Primeiros planos, closes e extreme-close-ups são recomendados.

Rio de Janeiro, 15 de abril de 1994

"Precisamos retomar uma linguagem direta, clara, menos nervosa. O vídeo enlouquecido já era. Os clipes estão abandonando esta forma e as MTVs da vida procurando outros caminhos. A palavra de ordem é simplificar. Efeito gratuito está proibido. Alucinações como os efeitos do 'Esporte Espetacular' devem ser banidas, por destruírem o conteúdo e serem uma desprezível e falsa forma de modernismo. Chega!".

Voltando aqui ao presente, em tempos de TV digital, por acaso existe alguma coisa mais lógica ou atual para a televisão de hoje? Esses dois memorandos, antes de serem documentos históricos, são de enorme utilidade para os que hoje estão à frente das nossas emissoras.

Além de comandar com rigor o processo criativo e de produção, em seus primeiros anos na Globo Boni teve a preocupação de reunir um elenco de artistas populares, mesmo que tivesse que tirá-los das emissoras concorrentes e colocá-los dentro do padrão que começava a desenvolver. Nesse sentido, Abelardo Barbosa, o Chacrinha, que havia estourado para o grande público no rádio e levou seu jeito irreverente para a televisão, saiu da TV Tupi e se transformou numa das apostas para as noites de domingo com seus calouros, interação com a plateia e brincadeiras, algumas com duplo sentido. E não poderia ser diferente. O programa rapidamente se transformou em sucesso de audiência, com excelente desempenho comercial, transformando o apresentador num homem poderoso na Globo, capaz de desafiar ordens, memorandos e até criar situações para provocar o alto comando. Conhecido pelo seu bom humor diante das câmeras, mas pelo temperamento difícil atrás delas, em 1972 Chacrinha teve o seu programa suspenso porque insistia em não atender os apelos para encerrar na hora certa, regra básica para uma grade nacional em que a pontualidade determina o sucesso de uma atração. Furioso, resolveu voltar para a Tupi, e para o seu lugar, nas noites de domingo, foi criado o *Fantástico*.

A compra da TV Paulista, o Canal 5 da Organização Victor Costa, que até nos dias atuais levanta discussões sobre sua validade e gera polêmicas, e a inauguração, em 1968, de uma emissora em Belo Horizonte e de retransmissoras em Juiz de Fora e Conselheiro Lafaiete foram os primeiros passos para a criação de uma rede nacional de televisão, projeto muito bem definido inicialmente por Walter Clark e que ganhou forma por meio do olhar atento de Boni, que foi designado para trabalhar em São Paulo, organizando a mais nova emissora do grupo comandado por Roberto Marinho.

Como ficaria um bom tempo longe do escritório no Jardim Botânico, José Bonifácio de Oliveira Sobrinho pediu a Mauro Borja Lopes, seu assistente direto, que durante a sua ausência pagasse todas as suas contas no Rio. Borjalo, craque nas caricaturas, também tinha uma facilidade muito grande de imitar assinaturas e recebeu um talão de cheques cheio para fazer o que o amigo tinha solicitado. Durante três meses, as contas de luz, telefone, condomínio e outras prestações foram pagas rigorosamente em dia. Quando Boni chegou e reassumiu seu posto, começou a confusão: o banco passou a devolver todos os cheques assinados pelo próprio Boni, a partir de então, com a alegação de que a assinatura não estava conferindo. A solução foi preencher novamente a ficha da conta bancária.

Aliás, vale destacar que, na Globo, muitas figuras fizeram história, mas poucas foram tão queridas pelos demais diretores e funcionários da casa como Borjalo. Desenhista e cartunista mineiro, ele entrou para a televisão pela equipe de Fernando Barbosa Lima, na TV Rio, entendendo que aquele seria o seu caminho para todo o sempre. E foi. Convidado por Walter Clark, foi para o Canal 4 do Rio de Janeiro em 1966 e durante um tempo ficou à frente do artístico para esperar a chegada de Boni. Foi ele o criador da Zebrinha, que durante muitos anos anunciou o resultado da Loteria Esportiva no *Fantástico*, e por muitos anos foi diretor de controle de qualidade.

Depois de sentir o baque com o sucesso de *Beto Rockfeller*, na TV Tupi, a Globo, que também havia adotado a estratégia de adaptar textos hispânicos, apostou na nacionalização das novelas e as transformou em seu principal produto do horário nobre, com produção de pelo menos três títulos, exibindo entre eles telejornais locais e nacional, chegando ao ponto máximo da perfeição da grade com programas que atendiam todos os telespectadores, fidelizavam a audiência por ocuparem sempre a mesma faixa e diluíam custos por serem exibidos seis vezes por semana, atendendo de forma mais eficiente os anseios dos anunciantes em busca de público cativo. "A dramaturgia diária deu a mesma identidade para o gaúcho e o pernambucano. O país assistindo a um drama na televisão e todo mundo discutindo os assuntos da novela. E isso, eu acho, cimentou a nossa nacionalidade", conclui Tarcísio Meira, que chegou à emissora já com status de superastro e, portanto, sempre como protagonista nos folhetins do *prime time*. A ousadia de Janete Clair só foi o primeiro capítulo de uma longa história.

Em setembro de 1969, Walter Clark, Boni e Armando Nogueira deram o passo mais importante na história da Globo e que, sem dúvida, determinou sua trajetória. Entrava no ar, apresentado por Hilton Gomes e Cid Moreira, o *Jornal Nacional*, projeto que definitivamente estabelecia o conceito de produção em rede e a transmissão simultânea para todo o Brasil através de conexões por link e, mais tarde, por satélites e sistemas da Embratel. "O jornal é a chave do credenciamento e de autenticidade junto ao povo. É isso que faz a televisão crescer", explica Octacílio Pereira, que é categórico ao afirmar que a Globo evoluiu em audiência a partir da implantação de um *hard news* concebido para levar ao telespectador as principais notícias do dia no Brasil e no mundo sem muitos comentários e com narrações imparciais. "Havia uma dificuldade muito grande em padronizar o jornal. Forma de se vestir, corte de cabelo e dicção foram pensados para dar uma unidade", diz Adilson Pontes Malta, que lembra o empenho de Boni para garantir fonoaudiólogos e um profissional para orientar sobre os figurinos. A estratégia dos diretores da emissora foi criar no público a necessidade de chegar em casa para se informar com o noticiário que traria tudo o que era importante e, portanto, indispensável. Esse costume passou por gerações e gerou obstáculos para qualquer reação das concorrentes na faixa das 20h. Além de conquistar audiência e trazer credibilidade para uma faixa ensanduichada por novelas, o *Jornal Nacional* foi durante muito tempo o espaço comercial mais caro da televisão brasileira, mas, mesmo assim, o mais procurado pelos anunciantes, e contaminou tudo à sua volta.

Mesmo com poucos anos de operação, a estratégia mais agressiva da direção da Globo, com salários mais altos, sondagens de artistas em canais concorrentes, melhores condições trabalhistas e sinais claros de investimentos em programação, elementos suficientes para projetar muitas carreiras, profissionais do rádio e de outras emissoras também foram buscar oportunidades no Jardim Botânico. "Eu vi que o Canal 4 estava despontando, crescendo aos poucos, e cheguei à conclusão de que precisava trabalhar lá", recorda o jornalista e narrador Léo Batista, que, no final de 1969, de olho na Copa do Mundo, passou a procurar quase que diariamente Armando Nogueira, o então diretor de jornalismo, atrás de um lugar na equipe, mas só recebia como resposta a ausência de verba para mais um salário. Certo dia, já às vésperas da maior competição de futebol, ao chegar ao estúdio para perguntar se finalmente havia uma vaga, encontrou Walter Clark, com quem havia trabalhado por um pequeno período na TV Excelsior, e comentou o que buscava ali. Imediatamente, ouviu a proposta para escrever e produzir um quadro desenhado pelo próprio diretor-geral para ser exibido durante o horário noturno. Pela ideia inicial, *Escalada Cultural* teria dez minutos de duração, com notícias rápidas sobre ciência, literatura, cinema, teatro e avanços da tecnologia, para levar um conteúdo mais qualificado ao telespectador. "Em uma semana fiz vinte programinhas e ilustrei com imagens de filmes fornecidos por embaixadas da Alemanha, Israel, Estados Unidos e França", conta Léo Batista, interrompido, numa tarde de trabalho, por Boni interessado em saber o que realizava naquela sala a pedido de Clark. O diretor artístico leu alguns roteiros e saiu dali com uma vinheta na cabeça e a certeza de colocar o noticioso no ar. Algumas semanas depois, diante de um imprevisto durante a transmissão da Copa do Mundo, Léo

Batista estreou sua carreira de narrador assumindo às pressas o microfone nos estúdios do Rio de Janeiro, enquanto tentavam arrumar o áudio, que não chegava do México perfeitamente. Com o apoio de uma reportagem publicada num jornal com o nome dos jogadores da partida inicial do Mundial, ele segurou o tempo necessário e emocionou a todos quando o atacante do Peru saiu em disparada, mas perdeu a bola para a Bulgária, que, no contra-ataque, abriu o placar. "O primeiro gol da Copa de 70 é meu", diz Léo com orgulho. Semanas depois, também sem planejar, apresentou um plantão do *Jornal Nacional*. Estava definitivamente contratado.

Se em seu início a televisão no Brasil foi obrigada a improvisar para vencer as dificuldades técnicas e importou profissionais do rádio, do teatro e do cinema para desenvolver programas para atrair o telespectador, na Globo, José Bonifácio de Oliveira Sobrinho percebeu que, para atingir sua meta, seria necessário capacitar sua equipe, principalmente diretores e produtores, para que todos compreendessem o que realmente era TV e potencializar o negócio, transformando-o em algo rentável, a fim de evitar o que muitas pioneiras viviam em seu dia a dia – com gastos desnecessários, dificuldades para honrar salários e dívidas com fornecedores e a constante ameaça de encerramento das operações. Assim como havia feito alguns anos antes, Boni começou a promover intercâmbios e cursos no exterior e a estimular os técnicos a ingressarem na faculdade para ampliar o conhecimento. "Eu não era engenheiro. Eu fui me formar depois e comecei a trazer meus professores para atuar na Globo", diz Adilson Pontes Malta, diretor de engenharia da emissora por muitos anos. "Nós criamos uma escolinha para treinamentos e uma área de recrutamento a partir de uma avaliação mais rigorosa", completa. "Eu passei seis meses na NBC em Nova York e mais três no escritório de Los Angeles para aprender a política comercial deles", recorda Octacílio Pereira, que também acompanhou de perto toda a operação de programação e exibição de comerciais em rede nos Estados Unidos e nos diversos estados, algo que exigia muito controle, habilidade e muita disciplina, padrão importado pela Globo. "Aprendemos muita coisa fora do Brasil e trouxemos o modelo da televisão americana porque era o mais desenvolvido para a ocasião", completa. Foi com essa troca de experiências que, em pouco tempo, a televisão brasileira, principalmente a emissora comandada pela família Marinho, ultrapassou em qualidade a realizada na Argentina e no México.

O avanço da tecnologia, o barateamento do videoteipe, a chegada da imagem colorida e, algum tempo depois, o satélite interligando o país fizeram dos primeiros anos da década de 1970 os mais intensos em termos de criação artística e de contratações na Globo. Com o avanço da grade e a teledramaturgia definitivamente consolidada, a emissora não mediu esforços para reunir os profissionais mais capacitados em todas as suas áreas. "No início de 1970, tinham ido Walther Negrão, Aracy Balabanian, Lima Duarte e o Dennis Carvalho. Eu queria ficar em São Paulo, mas a situação da Tupi não era das melhores. Aí comecei a me preocupar e resolvi aceitar o segundo convite", lembra Tony Ramos, que chegou ao Rio de Janeiro com a família e um contrato de um ano e nunca mais saiu da cidade, muito menos da emissora. "Eu fui muito assediado porque ganhava os prêmios em São Paulo com minhas novelas na Record e, numa dessas cerimônias, o Jô Soares insistiu muito para que trocasse de canal, como muitos fizeram", recorda Lauro César Muniz. Procurado por Daniel Filho para fazer o seriado *Shazan, Xerife & Cia.*, com base nas personagens de uma novela de Walther Negrão, o autor rescindiu um contrato com o Canal 7 de São Paulo, pagou a multa e migrou para o Rio de Janeiro. "A Record estava caindo diariamente 4 a 5 pontos e perdeu o primeiro lugar, espaço conquistado rapidamente pela Globo", completa. Praticamente na mesma época, Vicente Sesso, que havia feito sucesso com *Sangue do Meu Sangue*, na TV Excelsior, aceitou a proposta de Walter Clark para ir até a capital fluminense conversar com Boni sobre sua mudança de empresa. Ele chegou ao Jardim Botânico disposto a fazer algo diferente.

– Olha, drama eu não escrevo. Vim para fazer, se vocês quiserem, uma comédia – falou assim que entrou na sala do diretor artístico.

– Sesso, novela é telelágrima – pontuou Boni. – Você vai ganhar muito bem para escrever um drama.

Vicente Sesso lembrou que seu salário estava atrasado, algo muito comum nas TVs Record, Tupi e Excelsior, que atravessavam mais um daqueles momentos complicados. Ele pensou rapidamente e disparou:

– Tudo bem, eu vou aceitar, mas vou parar no capítulo 100. E aí você se vira para terminar.

– Tudo bem. No capítulo 100 você vai se ajoelhar, implorando para continuar a escrever a novela – sentenciou Boni.

Alguns dias depois, Vicente Sesso entregou a sinopse de *Pigmalião 70*, folhetim que lançou a minissaia, impôs a moda e transformou o corte de cabelo da protagonista na sensação de 1970. Ao chegar ao centésimo capítulo, o autor nem se lembrou do que havia dito a Boni e seguiu até o episódio 204. A Globo saiu da terceira colocação no horário das 19h para a liderança absoluta. Assim que terminou de escrever sua novela de estreia na emissora, Sesso até pensou em desistir, mas emendou outras histórias muito bem aceitas pelo telespectador.

"A Globo começou em 1965, e em 1972 já era líder de mercado. Ela expandiu rapidamente e se estabeleceu com facilidade", avalia José Carlos Missiroli. "Atingimos a meta antes do que havia me comprometido com o Dr. Roberto", explica Boni. "O segredo para esse rápido resultado foi ser intolerante com tudo que era defeito, não importando se era artístico, técnico, de comunicação ou estratégico", completa. Era um rigor que não perdoava ninguém, muito menos nos feriados. Um bom exemplo está em *O Livro do Boni*, coordenado por Edwaldo Pacote. Certa vez, numa véspera de Natal, domingo, o *Fantástico* estava no ar e José Bonifácio de Oliveira Sobrinho, em alguma comemoração, liga para a Globo e manda chamar o diretor José Itamar de Freitas. Aos berros, reclama de um musical e de uma matéria muito longa no começo do programa, entendendo que aquilo só iria espantar ainda mais o público, num dia já bem complicado. E Itamar, um trabalhador de plantão, nem esperou que o chefão terminasse o discurso:

– Olha, Boni, estou sem dormir desde ontem para pôr um programa de véspera de Natal. Eu poderia ter feito como os outros diretores e deixado alguém no meu lugar num dia como esse. Não tiro férias, não tenho folga...
– ele respirou profundamente e continuou:

– Sabe o que você deve fazer? Me demitir. Me demita, Boni!

– É o que eu vou fazer. Então passe na minha sala na terça-feira – esbravejou o diretor artístico.

José Itamar de Freitas bateu o telefone e, sem mesmo esperar o programa acabar, foi embora para casa. Um pouquinho antes da meia-noite, o telefone toca. Do outro lado da linha estava Boni:

– Estou te ligando para pedir desculpas. Gosto muito de você, como pessoa e como profissional. Quero te desejar um Feliz Natal!

E o diretor do *Fantástico* – e isso não está em *O Livro do Boni* – sempre disse aos amigos que aquele foi um dos maiores presentes de sua vida.

Com a conquista da primeira colocação em audiência no início da década de 1970, muito em função dos avanços da grade, mas também pelo fechamento da TV Excelsior e de outras emissoras regionais e, anos depois, da TV Tupi, a emissora ampliou seus investimentos, com a garantia de atrair boa parte da receita publicitária do país.

Ao completar 10 anos, em 1975, trocou sua identidade visual, adotando o logotipo e a moderna linguagem gráfica desenvolvida por um jovem designer austríaco contratado um ano antes por Walter Clark, então diretor-geral da Globo. Durante uma viagem de avião para a Europa, num guardanapo oferecido pela comissária de bordo, Hans Donner desenhou o famoso globo platinado que se transformou no símbolo da maior rede de televisão do país, estabelecendo definitivamente uma imagem forte, que atravessou gerações. "Boni foi o primeiro homem da televisão a perceber a importância da embalagem, que sempre teve papel de destaque nas muitas indústrias, como a de perfume", explica o designer. "Nós fizemos uma caixa muito bem cuidada para todos os produtos", completa. O raciocínio para o investimento na parte gráfica era de que a empresa havia conquistado uma base sólida, mas não tinha uma cara, algo que levasse o público imediatamente para sua marca e conteúdo.

No decorrer dos seus mais de cinquenta anos de história, a Globo acertou em muitos momentos, formou gerações de profissionais e estabeleceu uma linguagem e um jeito de produzir até mesmo para suas concorrentes. Errou também, e não foram poucas as vezes, como chegou a admitir durante uma série especial no *Jornal Nacional* pelos cinquenta anos da emissora. O mea-culpa foi sobre a edição exibida no JN do debate entre os candidatos à Presidência da República, em 1989. A reportagem favoreceu Fernando Collor no embate com Lula que acontecera na noite anterior. Sua linha editorial durante o regime militar, o pouco envolvimento com o movimento Diretas Já e uma postura mais conservadora diante das questões sociais sempre foram questionados pelos estudiosos em comunicação e partidários de esquerda. Há acusações também de monopólio, afinal de contas a emissora tem os direitos de imagem e transmissão de grandes eventos, várias modalidades esportivas e os campeonatos de futebol nacional e regionais. O fato é que, como você vai perceber nos próximos capítulos, boa parte da trajetória da televisão brasileira aconteceu na Globo. Para o bem ou para o mal.

Plim-Plim!

Beto Rockfeller: malandro brasileiro impõe o nosso jeito de fazer novelas tipo exportação

No último capítulo de sua novela preferida, você viu o exato momento em que, numa manhã de sábado, um jovem vestindo um alinhado e moderno paletó cruzou o salão principal do "Dobrão", localizado na Alameda Lorena, 1.504, cumprimentou uma jovem que comemorava seu aniversário com os amigos no local, acendeu um cigarro e ainda tomou uns goles da bebida que estava no copo de um dos convidados. A cena prossegue com o homem que chamou a atenção de Cassiano Gabus Mendes e Luis Gustavo tirando a garota para dançar e, minutos depois, saindo do bar com ela. Aonde será que foram? Quem era aquele cara tão confiante?

– Arnaldinho, quem é esse sujeito que saiu com a aniversariante? – indagou Luis Gustavo a um dos convidados do aniversário.

– Ninguém sabe – respondeu o rapaz.

– Como assim? Ele parecia tão enturmado com vocês – completou o ator.

– Esse foi o problema. Cada um pensou que fosse convidado do outro e ninguém desconfiou que era um bicão. E se deu bem, porque ficou com a mulher mais bonita da roda, a aniversariante do dia – concluiu Arnaldinho.

Matada a curiosidade, Luis Gustavo retornou à mesa onde estava Cassiano Gabus Mendes e, às gargalhadas, contou o que descobrira. No final da história, o diretor artístico da Tupi foi categórico:

– Isso dá uma novela!

– Eu quero ser ele – retrucou Tatá.

– Mas eu não quero escrever – disse Cassiano, que havia retornado à Tupi para colocar ordem na casa, o que exigia muito de seu tempo.

– Vamos encontrar alguém com texto moderno para fazer algo diferente – provocou Luis Gustavo.

E os dois seguiram nos dias seguintes com aquela imagem na cabeça e um perfil mais claro de um jovem anti-herói que conseguia tudo, desejava a ascensão social e sabia transitar com malandragem num mundo que não era o seu. Consultados pela dupla, Antônio Abujamra e Cacilda Becker lembraram que Bráulio Pedroso, que tinha um jeito mais ousado de escrever, atravessava uma situação muito complicada financeiramente, porque havia acabado de deixar o jornal *O Estado de S. Paulo* após uma briga com seus editores. Estava ali o autor da novela que entraria para a história da teledramaturgia brasileira como o elemento que levou a nossa televisão a encontrar sua identidade nos folhetins diários.

Proposta aceita, Cassiano, Luis Gustavo e Bráulio começaram a colocar no papel situações e personagens que seriam desenvolvidos nos capítulos apresentados ao grande público. E a identidade do protagonista? Os três sabiam que o nome precisava ser curto e remeter a algo meio nobre, para um malandro cheio de ginga que sempre teria uma boa sacada para os imprevistos. Não demorou muito para chegarem a "Beto", mas o sobrenome exigiu um pouco mais de atenção. "Onassis" e "Rothschild" foram propostos por Tatá, e "Rockfeller" foi o tiro certeiro de um diretor experiente que criava como poucos e enxergava muito além dos outros. Foi com essa sensibilidade, na plateia da peça *Dois Perdidos Numa Noite Suja*, que ele escalou o ator Plínio Marcos para fazer o melhor amigo do protagonista, numa química nunca antes vista em novelas. E Cassiano foi muito além. Chamou Lima Duarte para dirigir a novela, função que ele nunca havia desempenhado e, por isso, chegaria sem vícios para ajudar a construir algo novo. "O texto inovador do Bráulio Pedroso, com a colaboração do Eloy Araújo, a forma irreverente de interpretação do Tatá, a dupla formada por ele e Plínio, a direção despojada do Lima, tudo isso contribuiu para o estrondoso sucesso de *Beto Rockfeller*", destaca Ana Rosa, atriz que inaugurou a novela diária na TV Tupi e que também foi escalada para esse folhetim, ao lado de Bete Mendes, Irene Ravache, Othon Bastos, Débora Duarte, Maria Della Costa, Walter Forster, Marília Pêra, Yara Lins, Jofre Soares, entre outros.

Anúncio da novela em jornais do Rio de Janeiro

O terceiro grande marco da teledramaturgia brasileira estreou no dia 4 de novembro de 1968 e em pouquíssimo tempo atingiu a liderança de audiência em seu horário, além de contribuir para o crescimento dos índices em outras faixas da programação, incluindo atrações de entretenimento e variedades. "O Bráulio percebeu que o público aceitava a risada e a brincadeira na novela e começou a avançar um pouquinho. Percebeu também que o telespectador gostava de se ver na história, queria um pouco da sua realidade na televisão", analisa o professor Claudino Mayer, especialista em comunicação de massa. "O *Beto* era uma espécie de jornalismo, porque às vezes a gente estava gravando em externa e mostrava o que tinha acontecido naquela noite", recorda Luis Gustavo, que tinha autorização de todos os níveis envolvidos com a novela para improvisar nos capítulos e ajudar a criar o factual. Certa vez, uma cena foi registrada na frente de um hospital na Rua Peixoto Gomide para ser exibida no capítulo daquela noite mesmo. De repente, o ator percebeu que um homem saía do local todo machucado e não pensou duas vezes para prosseguir com sua ideia. Ele se aproximou, perguntou o nome do sujeito, o que havia acontecido e como seria sua recuperação. "A mulher dele estava assistindo à TV e ficou sabendo que ele chegaria atrasado", pontua o ator.

Gravar uma cena para colocá-la no ar no mesmo dia era algo relativamente comum em *Beto Rockfeller* e que exigia estratégia da equipe, muita confiança do diretor Lima Duarte e a certeza de que a fita chegaria na hora certa. "A gente estava rodando na Rua Augusta, por exemplo, o terceiro segmento do capítulo e no ar estava o primeiro bloco. Aí entravam os comerciais e voltava a segunda parte. Tirava a fita correndo, colocava no carro, que saía voando para a emissora. E entrava a conclusão daquela noite", conta Luis Gustavo. "Era quase uma coisa ao vivo", completa. Às vezes, o material não chegava a tempo e os produtores que estavam na sala de controle no Sumaré esticavam o intervalo com chamadas da programação e propagandas soltas para aguardar a entrada do bloco.

Beto Rockfeller tinha como ponto de partida a vida de Alberto, um jovem vendedor de sapatos, filho da classe média baixa que mora com os pais e é deslumbrado com o mundo da alta sociedade paulistana. Por isso, ele adota o apelido Beto e cria um sobrenome sofisticado para se passar pelo primo em terceiro grau de um grande magnata dos Estados Unidos. Como aparência é tudo num país como o Brasil, sua farsa é aceita pelos nobres ricos e ele passa a frequentar um mundo bem diferente do seu. É ali que ele se envolve com Lu, uma garota de família milionária que pode transformar seu futuro. Mas em seu coração ainda está Cida, sua namorada do bairro. É vida dupla para todos os lados, o que exige muita malandragem e fascina o telespectador, que estava cansado dos heróis perfeitos vindos da Argentina, Cuba ou México. Até então, nas novelas exibidas pela Excelsior, Tupi, Record ou Globo, o homem era muito viril, de ética inabalável, certo de suas decisões e usava frases bonitas e polidas. A partir desse momento, o protagonista torna-se igual a qualquer um de nós sentados no sofá de casa, sujeito a erros, deslizes morais, segredos – até mesmo com as namoradas –, não vê problema numa mentirinha, desde que não prejudique ninguém, e fala tão errado como na rua, mas todo mundo entende. "Ele rompia com paradigmas dos mocinhos. Era sacana, aproveitador, mentiroso e fez um grande sucesso", conclui Walderez de Barros, atriz que participou do elenco da novela. Para ela, aquela foi a primeira vez que a televisão se aproveitou do momento de efervescência na área cultural, principalmente no teatro, para contar uma história. "Os atores e autores foram obrigados a calar a boca através do AI-5 porque nos anos anteriores estavam produzindo muitos espetáculos que questionavam a sociedade e apontavam novos caminhos. Era uma nacionalização do teatro. E isso foi para a televisão, de certa maneira, com a novela", conclui a atriz.

Ao romper com os folhetins hispânicos e buscar elementos nacionais e do nosso cotidiano, Bráulio Pedroso apostou em algo arriscado, mas fundamental para aproximar os telespectadores. *Beto Rockfeller* precisava falar sobre a atualidade e, por isso, além do texto escrito pelo autor com toda a história, romances e humor, Luis Gustavo e Plínio Marcos tinham recomendação para colocar cacos, improvisos baseados na reação de quem estava em cena, nos fatos do dia. "Ele nos chamava e dizia para improvisar dois a três minutos de ocorrência atual. Às vezes, ele mandava o recado por escrito, no próprio capítulo", conta Tatá (apelido de Luis Gustavo). Há quem afirme que essa era uma maneira de o autor disfarçar que não havia conseguido escrever o episódio dentro do prazo e administrar do seu jeito a pressão da rotina industrial de um folhetim. Todo dia pela manhã, entre 9h e 10h, no mais tardar, ele tinha que entregar o material para o elenco e a equipe técnica para mais um dia de gravações em externas e estúdios. Aliás, esta era outra característica inovadora dessa produção: quase 80% da trama aconteceu em locações reais, como avenidas, praças e lojas, assim como na vida de verdade. Lima Duarte recorreu a muitas ruas e vias próximas à sede da TV Tupi para ambientar cenas e locais onde as personagens viviam. Ele também foi ousado ao realizar tomadas aéreas em São Paulo e sequências de ação, incluindo corridas de motos, carros em alta velocidade e perseguições. Fazer a novela do lado externo também foi uma decisão de logística, uma vez que a emissora estava com todos os grandes estúdios comprometidos em sua capacidade máxima. "A gente gravou num espaço improvisado que ficava no porão do Canal 4, no qual não havia piso e as câmeras trepidavam", relembra Ana Rosa.

Mais do que diretor, Lima Duarte foi um verdadeiro administrador de problemas durante a realização de *Beto Rockfeller*. O sucesso levou a emissora a esticar a novela em 230 capítulos, e, como Bráulio Pedroso não tinha tanta experiência com televisão, nem sempre o que escrevia era suficiente para completar o tempo total do capítulo. Cabia a Lima Duarte criar cenas e bolar alguns diálogos para fechar o episódio da noite.

Num certo dia, Etty Fraser foi até a TV Tupi para conversar com Geraldo Vietri sobre um próximo trabalho e encontrou o diretor de *Beto Rockfeller* nervoso à porta, logo perguntando o que ela tinha ido fazer ali. Bráulio tinha ficado doente, estava atrasando a entrega de capítulos e não havia mais o que gravar; era preciso inventar ou improvisar, caso contrário a novela iria parar porque não haveria o que pôr no ar. Lima, entendendo que a conversa com Vietri poderia esperar, em poucos minutos convenceu Etty a se transformar em madame Waleska, uma vidente russa, enquanto ele seria um cossaco. Os dois iriam improvisar algumas cenas, o que aguentassem e que fosse possível gravar. A única exigência, o que se entendeu que não poderia faltar, inclusive para dar maior realismo ao ambiente, era a presença de um samovar como elemento de cena. Nadir, o contrarregra – que mudava o nome para Ridan quando encontrava uma Nadir mulher –, saiu pela cidade atrás da encomenda, que ele nem sabia ser um utensílio culinário de origem russa utilizado para aquecer água e servir chá, muito apreciado pelos czares. Uma busca que só terminou por volta das três da tarde, com Lima, no mais completo sufoco, também desistindo e optando por gravar sem o tal samovar. Bem dentro do espírito da novela, em que o coloquial deu lugar a uma forma mais natural de interpretar, os dois improvisaram o tempo todo – e conseguiram segurar o riso, por se tratar de uma situação absolutamente bizarra. O mais curioso é que houve crítico, dias depois num jornal, que considerou essa uma das cenas "mais bem escritas e boladas pelo Bráulio".

Esse improviso e a criação de algumas personagens que não estavam previstas na sinopse geraram situações inusitadas, como a presença de Walderez de Barros no elenco. Em 1968, a atriz estava casada com Plínio Marcos, que interpretava o melhor amigo de Beto, e foi convidada para uma participação especial, em apenas dez capítulos. Como seria um trabalho rápido, ela e os representantes da TV Tupi acertaram um cachê por episódio para que interpretasse Mercedes, conselheira de Cida, personagem de Ana

Rosa. "O público gostou dela e a Mercedes foi ficando e o valor diário honrado sem atrasos", conta a atriz. E assim foi durante um bom tempo, até que, durante um dos intervalos de gravação, os atores aproveitaram a presença de Walter Forster, que além de atuar na novela também era diretor da TV Tupi, para reclamar dos atrasos nos salários, algo que já havia ultrapassado o aceitável para quem precisava de dinheiro para pagar suas contas mensais.

– Assim não dá, Walter, ajude a gente – disse um ator.
– Vamos ver o que é possível fazer – respondeu o diretor.
– Gente, eu ganho cachê e não tenho esse problema. Me pagam em dia e direitinho – disse Walderez, acreditando que poderia ajudar os amigos.
– Como assim? Você não tem contrato? – indagou Forster.
– Não, estou assim há três meses e recebo muito bem – respondeu a atriz.

Alguns dias depois, Walderez de Barros foi chamada na diretoria da TV Tupi para assinar um contrato e se transformar em estrela do elenco fixo da emissora. "Conclusão da história: meu salário diminuiu e passou a atrasar todo mês", diz a atriz. "Maldita boca!", conclui. O fato é que o valor pago a ela estava bem acima dos maiores salários dos protagonistas, o que poderia gerar desconforto e cobranças dos demais.

Apesar de todo o sucesso de *Beto Rockfeller* em audiência e faturamento, afinal muitas empresas queriam ter a imagem de seus produtos nos intervalos comerciais, a TV Tupi não tinha a preocupação de evitar desgastes emocionais de atores, diretores, produtores e técnicos e atrasava em até três meses o salário de todo mundo. Para o protagonista a solução foi fácil, porque, além de ser o que mais aparecia no vídeo, Cassiano Gabus Mendes era seu cunhado e não foi contrário ao "negócio paralelo" de Tatá: como o malandro Beto bebia muito uísque, Tatá fechou pessoalmente com o laboratório que produzia o medicamento Engov para, no improviso, citar a marca do produto e alertar quem estava em casa que, "para não ter problemas, bastava um comprimido antes e outro depois". O ator ganhava um gordo cachê para cada menção ao medicamento e, com isso, garantiu uma boa retirada mensal. Segundo informações da época, seu salário era de Cr$ 900,00, e o laboratório pagava a ele Cr$ 3.000 cada vez que a marca era citada. Se o processo fosse mais organizado, a TV Tupi teria faturado alguma coisa com o primeiro merchandising da teledramaturgia brasileira, uma vez que tudo era pago diretamente ao ator, sem intermediários. Atualmente, isso é praticamente impossível, pois os escritores já criam as novelas pensando em todas as ações comerciais que podem acontecer, desde a fala das personagens até a aparição dos produtos durante as cenas, incluindo o carro do galã, da mocinha ou dos empresários, além de países e cidades que aparecerão nos capítulos iniciais. Há ministérios de turismo que pagam altos valores para que pontos badalados sejam incluídos, uma forma de atrair mais pessoas para esses destinos. Hoje, os cachês dos artistas escalados para essas ações passam pelos departamentos responsáveis de cada emissora, que, em alguns casos, seguem tabelas predefinidas.

O esquema de produção em cima da hora, as longas jornadas de trabalho, as cansativas externas, o estúdio improvisado e o atraso no pagamento foram gerando cada vez mais estresse no elenco e muitos atores começaram a pedir para sair da novela. "Ela foi longa e no final já estávamos cansados, querendo que terminasse logo", desabafa Ana Rosa. O próprio Luis Gustavo pediu férias e os autores foram obrigados a justificar a saída de Beto, colocar boa parte da carga dramática em Neide, irmã do protagonista interpretada por Irene Ravache, e criar cenas para preencher o tempo, como tomadas nas ruas de São Paulo, conversas entre jovens e casais caminhando pelas ruas. Lima Duarte entregou a direção para Walter Avancini e, com todo esse movimento, mesmo com números elevados de audiência, Cassiano Gabus Mendes resolveu que a novela deveria acabar, antes que ocorresse um desgaste e gerasse desinteresse em quem estava em casa.

Beto Rockfeller não impôs apenas um jeito novo de fazer novela, algo genuíno e com as características brasileiras, mas ajudou a quebrar o preconceito de muitos atores de teatro que viviam afirmando que os folhetins eram algo menor e que apenas os profissionais que não sabiam encarar a responsabilidade dos palcos aceitavam entrar para esse veículo de comunicação. O texto de Bráulio Pedroso provou que era possível fazer algo bom na TV "ao se apropriar de uma linguagem direcionada para a massa para contar uma boa história, tocar em alguns problemas nacionais e se aprofundar na abordagem dessas temáticas", diz Walderez de Barros. A partir desse período, mesmo porque a ditadura praticamente sufocou as companhias teatrais, muitos artistas consagrados dos palcos passaram a atuar em televisão, principalmente nas novelas, contribuindo para o crescimento de um gênero que sempre empregou muitos profissionais, diante das câmeras e nos bastidores, estes em número muito maior. "O *Beto Rockfeller* foi exemplar nesse sentido para a época e para aquilo que a gente estava vivendo no teatro, por tudo o que estava acontecendo na sociedade e que viria a acontecer, lamentavelmente", conclui a atriz. "Nós, do elenco, direção e produção, claro, não sabíamos e nem esperávamos que a novela viesse a se tornar um marco na história da televisão", diz Ana Rosa.

O fato é que *Beto Rockfeller*, ao se apresentar de maneira diferente do que Glória Magadan e as agências que atuavam para os patrocinadores Colgate-Palmolive ou Gessy Lever costumavam fazer, se aproximou do público e se transformou numa grande sensação em São Paulo, Rio de Janeiro, Belo Horizonte, Recife e Porto Alegre, com números representativos, que colocavam a trama do anti-herói Beto em primeiro lugar, com uma larga vantagem em relação aos concorrentes. "Parou o Brasil. No nosso horário, os cinemas cancelavam as sessões e os restaurantes ficavam praticamente vazios. Quem não conseguia chegar em casa na hora, pegava a condução mais tarde, porque ficava em frente às vitrines das lojas da Barão de Itapetininga, por exemplo, assistindo ao capítulo", conta Luis Gustavo, citando um exemplo do que ocorria em São Paulo. "E as lojas de eletrodomésticos adoravam, porque sempre alguém comprava alguma coisa", completa.

O sucesso de *Beto Rockfeller* talvez tenha contribuído para a queda do prestígio das novelas da TV Excelsior, que entre 1968 e 1969 já enfrentava sérias dificuldades financeiras e muita pressão política, mas é certo afirmar que provocou a demissão de Glória Magadan da Globo, uma vez que o folhetim de Bráulio Pedroso estancou as possibilidades de crescimento da concorrente. Ao perceber que o telespectador desejava outro tipo de teledramaturgia, e encontrando resistência da autora cubana em promover mudanças em seu estilo, não restou outra ação a José Bonifácio de Oliveira Sobrinho. "Os nossos textos já estavam prontos antes. *Véu de Noiva*, de Janete Clair, já havia sido apresentado no rádio e com sucesso. Era só levar para a TV", afirma Boni. "Mas a Glória estava segurando o passo, e com o sucesso de *Beto* não havia mais como protelar", completa. A escritora saiu da Globo, Janete assumiu o posto da principal novelista do canal carioca e em pouco tempo levaria ao ar mais um marco importante da teledramaturgia brasileira. São cenas emocionantes para um próximo capítulo.

20

Entra no ar a TV Bandeirantes

Alguns dos principais problemas enfrentados pela Rádio e TV Bandeirantes, desde o seu começo, se deram por questões políticas. Adhemar de Barros – que comprou a emissora radiofônica de Paulo Machado de Carvalho e, depois, passou o comando para seu genro, João Saad – era uma força política em São Paulo, e Juscelino Kubitschek, em Minas Gerais. "Até a conhecida política café com leite tinha lá suas cisões, com consequências sempre inevitáveis", pondera o atual presidente do grupo Band, Johnny Saad. Juscelino, na presidência, não queria que se fortalecesse um grupo paulista na área de comunicação, e isso tudo foi atrasando o processo de implantação da TV Bandeirantes, uma vez que o pedido de concessão do Canal 13 de São Paulo foi solicitado no início da década de 1950, ainda no governo de Getúlio Vargas. "A segunda cassação", como classifica o presidente da emissora, aconteceu já na gestão de Jânio Quadros, inimigo político de Adhemar de Barros. Na época, a eleição para presidente e vice era separada e a Rádio Bandeirantes tinha ajudado na campanha de Jango, inclusive com participação expressiva na Rede da Legalidade.

Na mesma ocasião, a Rádio Guanabara, que faz parte da Cadeia Verde e Amarela até hoje, foi desmontada por Carlos Lacerda. "Ele mandou destruir os transmissores a machadada", conta Johnny Saad. No entanto, na gestão de Jango, como era esperado, a Bandeirantes finalmente conseguiu reaver essa concessão, mais ou menos, no fim do seu mandato, pouco antes de ele deixar a Presidência da República. A emissora entrou no ar no dia 13 de maio de 1967, com tudo para impressionar as concorrentes e os telespectadores, principalmente em função das modernas instalações e da equipe que foi reunida para comandá-la. "Era uma turma brilhante. Tinha até o Boni e uma quadra genial formada por Edson Leite, Pedro Luiz, Alberto Saad e Murilo Pereira Leite", recorda Johnny Saad. "Foi um esforço muito grande para uma emissora de rádio construir toda a estrutura para a televisão", pondera.

Johnny Saad

A TV Bandeirantes começou a ser erguida cinco anos antes de sua inauguração. Pela primeira vez no eixo Rio-São Paulo, os dirigentes de uma emissora pensaram em instalar toda a estrutura técnica e artística do novo canal num espaço projetado especialmente para uma televisão, evitando assim os improvisos, o jeitinho brasileiro, as adaptações de antigos cinemas e teatros e gravações em horários alternativos. "Antes, só a TV Jornal do Commercio, em Recife, e depois a Globo", pontua Castrinho. Os engenheiros contratados pela Bandeirantes para viabilizar o novo negócio de João Saad estagiaram em empresas de Nova York, Paris, Londres e Tóquio para observar o que havia de melhor em emissoras como a BBC ou NBC. No bairro do Morumbi, zona oeste de São Paulo, foram construídos os prédios que abrigavam a parte administrativa, produção, criação e todo o suporte artístico. A parte técnica ficava no centro do espaço, unindo as duas principais construções, e seis estúdios atendiam a demanda do Canal 13. "Era um estúdio grande, dois médios e três pequenos, muito bem distribuídos e funcionais", explica Johnny Saad. Havia também um centro de produções no bairro da Vila Mariana, nas antigas instalações da fábrica da Lacta, onde eram gravadas as novelas e seriados, e, alguns meses depois, o Teatro Bandeirantes, na região central da capital, para os musicais e especiais.

Durante quase quatro meses, foram realizadas transmissões experimentais para ajustes de equipamentos e imagem com exibição de pequenos documentários e alguns slides. No dia 13 de maio de 1967, artistas, empresários, políticos, entre eles o presidente da República, Arthur da Costa e Silva, o governador de São Paulo, Abreu Sodré, e o prefeito da capital, Faria Lima, e as pessoas mais importantes da época compareceram à cerimônia de inauguração, que contou com o discurso de João Saad e um show com os cantores Agostinho dos Santos e Claudia, grandes estrelas do final dos anos 1960. Tudo transmitido ao vivo, inclusive para monitores instalados na parte externa do "Palácio Encantado", apelido dado ao suntuoso e moderno edifício construído na Rua dos Radiantes, onde foi organizado um evento para atrair o público interessado em conhecer mais de perto o novo canal da cidade. Brindes e até casas foram sorteados para quem compareceu às atividades no pátio da emissora.

A ideia do comando da Band era entrar no mercado com todas as condições para competir com empresas que já atuavam nesse segmento havia muito tempo – como as pioneiras Tupi e Record, a agressiva Globo e a cambaleante TV Excelsior –, e, por isso, investiu inicialmente em esporte, jornalismo e telenovelas, produto que se mostrava extremamente atraente tanto em audiência quanto em faturamento. A primeira produção foi *Os Miseráveis*, com texto de Walther Negrão, direção de Walter Avancini e com Leonardo Villar, Laura Cardoso, Raul Cortez, Geraldo Del Rey, entre outros. "As externas aconteciam na fábrica da Lacta e as cenas de estúdio no Morumbi", conta Negrão, que, além de escrever, também produzia e acompanhava a edição dos capítulos e, por isso, possui salas nos estúdios da Vila Mariana, no Morumbi e uma máquina de escrever em sua casa. A adaptação do clássico foi escolhida por Amarílio Nicéas, um dos diretores da emissora na época, e realizada com total liberdade pelo autor e o diretor, que inovaram ao finalizar os episódios com 45 minutos, 50% a mais que os das concorrentes, que se limitavam a capítulos de meia hora. "Eu escalei a Leina Krespi e a Esmeralda Barros, as duas maravilhosas, para fazerem as prostitutas que movimentavam boa parte dos conflitos", lembra o dramaturgo. "Até hoje tenho que explicar para minha mulher como tinha uma mulata numa obra em Paris", ri Negrão. Atualmente um dos nomes mais importantes da teledramaturgia brasileira, autor de grandes sucessos e responsável pelas novelas da Globo, Silvio de Abreu participou de Os Miseráveis como ator. "Era sua terceira participação atuando diante das câmeras. Ele fez um garoto, apesar de já ter pouco cabelo", ressalta Walther Negrão.

Chico de Assis, parceiro de Walther Negrão em produções na Tupi e na Record, ficou responsável pelo Patrulha Bandeirantes, versão televisiva para a popular atração do rádio que dramatizava os crimes publicados em jornais e que ganhavam grande repercussão entre as pessoas. O jornalismo também buscou elementos na plataforma mais conhecida do grupo e apostou no Titulares da Notícia como principal informativo do Canal 13 em horário nobre. Foram dez anos no ar, com Maurício Loureiro Gama, Vicente Leporace, Salomão Ésper, Murilo Antunes Alves, Júlio Lerner, José Paulo de Andrade e Lourdes Rocha. "O DNA jornalístico da TV vem lá de trás, sem dúvida, da rádio marcada por suas campanhas, prestação de serviço e opinião", diz Johnny Saad.

Já na linha de entretenimento, um dos destaques do primeiro ano da TV Bandeirantes foi o seriado As Aventuras do Zorro, com José Paulo de Andrade, um dos mais importantes jornalistas brasileiros, reconhecido com inúmeros prêmios, que se arriscou por pouco tempo como ator. "Ele foi fazer uma cena sem dublê, caiu do telhado, se machucou inteiro. Sua carreira artística terminou ali", ri Johnny Saad, que não esconde o orgulho de ter o profissional em suas emissoras de rádio e TV. Ary Toledo Show e I Love Lúcio, com Lúcio Mauro e Arlete Salles, mesclavam humor e musicais e atingiram bons índices de audiência. No segmento de show, a emissora contratou Vicente Leporace e a cantora Claudia para programas solos semanais e o ator José Mojica Marins, com o personagem Zé do Caixão, comandava o Além, Muito Além do Além, um teatro de terror que rapidamente conquistou o telespectador e foi responsável por expressivos números nos dois primeiros anos de atividades da TV Bandeirantes.

Em 1968, a direção da TV Bandeirantes fez um grande investimento na grade vespertina e contratou Xênia Bier, apresentadora muito querida pelo público e de opiniões fortíssimas, para comandar uma atração diária voltada às mulheres. Além de boa audiência, o *Xênia e Você* era responsável por expressivo faturamento, numa emissora que gastava muito em suas produções para fazer frente às concorrentes. "Comecei a trabalhar na televisão nesse ano e cheguei aqui com crise, encrenca, contas apertadas", recorda Johnny Saad, atual presidente da Band. Todo o processo de produção era muito caro e a rádio, sempre bem posicionada em seu segmento, fazia aportes constantes para viabilizar as operações do braço televisivo da empresa. Na sequência do feminino, entrava no ar o *Sítio do Picapau Amarelo*, com episódios escritos e produzidos por Júlio Gouveia e Tatiana Belinky, responsáveis pela primeira adaptação do infantil na TV Tupi na década de 1950. No início da noite, o seriado *As Aventuras de Rin Tin Tin* atendia a adultos e jovens, fazendo uma importante passagem de público para a grade noturna.

No início de 1969, insatisfeito com os atrasos da TV Excelsior e com a elevada comissão de seu empresário, Raul Gil atendeu a um convite do então diretor da TV Bandeirantes, Gilberto Martins, intermediado por Valentino Guzzo, e, depois de rápidas reuniões, acertou um programa semanal com a emissora. *Raul Gil Show* era exibido todas as quintas-feiras, em horário nobre, e misturava as imitações do apresentador com números musicais, entrevistas e quadros variados. "O seu João me acompanhava de perto. Ele me assistia lá de cima, no switcher, e dava muitas risadas com minhas sátiras", recorda Raul. Com direito a grande orquestra de Chiquinho de Morais e a cenário com escadaria e iluminação diferenciada, muitas estrelas passaram pelo programa, entre elas Dalva de Oliveira. "Foi uma loucura. Imagine nós dois ao vivo", completa. Alguns meses depois, a diretoria da TV Bandeirantes foi trocada e o novo responsável resolveu dar outro tom para a grade da emissora, promovendo muitas demissões e rompendo contratos em andamento para fazer algo em seu estilo. "Fazia três meses que eu estava lá e ele me mandou embora junto com tanta gente boa. Zé do Caixão, Ary Toledo, Arthur Miranda e muitos outros", lembra Raul Gil, que, na fila para se desligar da emissora, ouviu de um dos diretores financeiros que o melhor seria usar o dinheiro da rescisão (Cr$ 55 milhões) para comprar um imóvel ou, como ele mesmo classificou, uma mansão. Algumas semanas depois, a Band sofreu um grande incêndio, o maior que uma emissora de televisão já tinha enfrentado, e que mudaria todos os planos traçados inicialmente.

O incêndio no moderno edifício da TV Bandeirantes, no bairro do Morumbi, durou quase quatro horas e, segundo investigações realizadas pelas autoridades da época, começou em três pontos diferentes, o que reforça a tese de uma série de ataques para intimidar as emissoras de televisão. "Era meu primeiro dia de trabalho lá, e, quando recebi a notícia, saí correndo de casa para ajudar no que fosse possível", conta Silvio Alimari, atual superintendente de programação da TV Gazeta. Muitos outros funcionários fizeram o mesmo e até profissionais dos canais concorrentes foram socorrer quem estava lá. "Foi um ato criminoso, porque eram bolas que espalhavam o fogo. Não adiantava jogar água", reforça Johnny Saad. Uma das mais modernas construções da época, possuía portas anti-incêndio, corredores que isolavam acusticamente os prédios e uma brigada, mas tudo se mostrou ineficiente diante das chamas, que chegaram a derrubar a construção principal. "O que parou o fogo foi o vácuo existente entre os dois prédios", completa Johnny. Assim que surgiram os primeiros indícios do incêndio, os responsáveis pela segurança conseguiram tirar o caminhão de externas, o que possibilitou a transmissão da ocorrência e a manutenção de uma grade improvisada nas semanas seguintes.

Assim como a Record após os incêndios, a TV Bandeirantes se viu obrigada a improvisar na programação e transferir toda a sua operação para o teatro na região central de São Paulo, na Avenida Brigadeiro Luís Antônio. "E ficou uma situação interessante. Todos estávamos com medo de novos ataques e, por isso, fazíamos nosso turno nas funções da TV e depois agíamos como uma espécie de segurança", recorda Silvio Alimari. Durante muito tempo, era comum ver os funcionários à noite circulando pelos corredores com lanternas para evitar novos ataques, porque só havia aquele espaço para a produção de tudo, do jornalismo aos musicais. "Não tinha dinheiro, estúdio, equipamento, nada! Foi um desastre. A estratégia para sobreviver era formar um tripé com filmes, esporte e jornalismo e uma pitada pequena de musicais", ressalta Johnny Saad ao reconhecer que o incêndio atrasou em dez anos a formação de rede, comprometeu por muito tempo as contas da empresa e alterou sua ambição de ser um canal de TV popular para se segmentar.

"A Bandeirantes não vai parar" foi o slogan adotado após o incêndio, e um pool com a Globo, Tupi e a Rede de Emissoras Independentes, organizado pelo governo federal, possibilitou a transmissão ao vivo da Copa de 70. Enquanto isso, medidas foram tomadas para, aos poucos, reequipar a empresa já com a tecnologia que possibilitava a exibição de imagens coloridas. Talvez esse tenha sido o lado positivo do ataque criminoso, uma vez que o Canal 13 foi o primeiro em todo o Brasil a ter toda a sua grade totalmente colorida, o que só foi acontecer nas concorrentes de forma gradual. A frase "Bandeirantes, a imagem colorida de São Paulo" foi utilizada numa agressiva campanha de marketing para mostrar ao telespectador o diferencial. Aos poucos, foram realizadas mais contratações e incluídas novas atrações em todas as faixas, sendo as mais significativas o *Japan Pop Show, Clube do Bolinha* e *Moacyr Franco Show*, além de Hebe Camargo, que no final de 1979 assinou com o Canal 13 para comandar um semanal a partir do ano seguinte. Era sua volta à televisão depois de dez anos de afastamento para se dedicar à família. As novelas começaram a ser retomadas no final dessa década, mas tiveram o auge nos anos 1980, tema que será abordado nos próximos capítulos.

Como consequência da estratégia adotada no início dos anos 1970 para vencer as dificuldades que surgiram a partir do grande incêndio, a TV Bandeirantes tem sua imagem bem associada ao jornalismo e ao esporte, com coberturas e programas marcantes. No início dos anos 1980, depois de breve passagem na Record, a Luqui, dos sócios Luciano do Valle e Francisco Leal, o Quico, implantou no Canal 13 uma das mais extensas e significativas programações esportivas da televisão brasileira. Inicialmente com o propósito de destacar as competições de vôlei, que começavam a ganhar espaço na preferência do telespectador brasileiro, a cobertura acabou se estendendo a outras modalidades, desde o futebol até a sinuca, passando pelo tênis de mesa, boxe, basquete e outros. O *Show do Esporte*, aos domingos, ficava no ar durante dez horas, das 10h às 20h, e colaborou de maneira decisiva para transformar a Bandeirantes no "canal do esporte", referência não somente entre os telespectadores, mas principalmente no mercado publicitário, de olho nos resultados de um produto que garantia um público bem determinado, algo ideal para as estratégias das grandes campanhas, com excelentes índices de audiência. Foi também o primeiro programa esportivo a inserir mensagens comerciais ao vivo, os merchandisings, que colaboravam de maneira importante para pagar os seus elevados custos operacionais. O *Show do Esporte* movimentava uma equipe bem numerosa, composta pelo próprio Luciano e também por apresentadores e narradores como Elia Júnior, Elis Marina, Simone

Melo, Luiz Andreoli, Silvia Vinhas, Cléo Brandão, Álvaro José, Dedé Gomes, Marco Antonio, Eduardo Vaz, Silvio Luiz, José Luiz Datena, Jota Júnior, Gilson Ribeiro, Eli Coimbra, Flávio Prado e comentaristas como Juarez Soares e os ex-jogadores Roberto Rivellino e Mário Sérgio, além de convidados especiais. Paulo Mattiussi, Paulo Roberto, Maraco e Flávio Fernandez eram os diretores do programa e Maurício Pollari e Beto Lima os seus principais editores-chefes.

Nascido no rádio de Campinas, aos 20 anos Luciano do Valle se transferiu para a Rádio Gazeta de São Paulo, convidado por Pedro Luiz, e dali para a Rádio Nacional, das Organizações Globo. Em 1968, passou para a TV Globo, até chegar a ser o narrador principal. Luciano é dono de uma história muito bonita e é reconhecido por muitos como um dos grandes responsáveis por transformar o vôlei, o boxe e o basquete, além de outros, em produtos importantes para a televisão brasileira. Ele veio a falecer aos 66 anos, vítima de um infarto agudo do miocárdio, em 19 de abril de 2014, em Uberlândia, de onde iria transmitir o jogo entre Atlético Mineiro e Corinthians, pela primeira rodada do Campeonato Brasileiro de Futebol de 2014.

"Na medida que o sogro de meu pai foi cassado, a história política da Bandeirantes morreu ali." É com essa frase que Johnny Saad explica a linha editorial da emissora adotada a partir do final dos anos 1960, período em que a ditadura militar acompanhava bem de perto qualquer movimentação dos veículos de comunicação. "O regime militar escolheu uma empresa de cada setor. Em aviação, por exemplo, foi a Varig, e em comunicação não fomos nós porque começamos a mostrar uma postura mais independente", pondera Johnny Saad. Em sua opinião, foi por isso que algumas concessões importantes demoraram mais do que as das concorrentes para serem aprovadas.

No início dos anos 1980, com a abertura política, a TV Bandeirantes apostou numa cobertura bem intensa de toda a campanha para a redemocratização do país. As pesquisas divulgadas durante as "Diretas Já" e outras que vieram depois, como as que apontaram para a vitória de Tancredo Neves no Colégio Eleitoral, obrigaram a emissora a atrasar os seus planos de ter uma estação em Brasília. João Figueiredo, no meio do seu mandato, cassou uma concessão que ela já tinha nas mãos, e somente no penúltimo dia de seu governo chamou João Saad em Brasília, confessando o que tinha feito: "Olha, eu me arrependi do que fiz. Tá aqui. Eu vou assinar uma concessão para você".

Foi só depois de tudo isso que a Bandeirantes entrou em Brasília, em 23 de janeiro de 1983. "Como era possível para uma rede nacional, que sempre balizou a sua programação no jornalismo, não possuir emissora em Brasília? Guardadas as proporções, é como uma rede americana, tipo CNN, não transmitir de Washington", provoca Johnny Saad. "Se tiver que trabalhar com jornalismo, se a sua linha editorial for realmente independente, é importante, é fundamental você ter uma emissora 100% no seu controle na capital federal, porque a pressão é muito forte. É quase irresistível", completa.

Consolidada no jornalismo, mas com o avanço da Globo na compra dos direitos de imagem de quase todas as modalidades esportivas, a TV Bandeirantes se viu obrigada, a partir do final dos anos 1980 e início dos 1990, a apostar numa grade mais diversificada, com produtos voltados para todas as faixas etárias, incluindo atrações mais jovens e dedicadas às mulheres. São dessa fase o programa de entrevistas de Marília Gabriela, *Jornal de Vanguarda*, transmissões da Fórmula Indy, debates políticos, entrevistas com Silvia Poppovic e, mais no final, o game de Luciano Huck. Essa programação mais abrangente e diversificada permanece até os dias atuais, com a Band na quarta posição em audiência e faturamento entre as redes nacionais de televisão.

Os incêndios na televisão brasileira – o fogo que destrói é o mesmo que traz novidades

Era 4 de maio de 1960 quando, logo pela manhã, os funcionários da TV Record detectaram fogo no estúdio principal da emissora, no bairro do Aeroporto, zona sul de São Paulo. Apesar dos esforços de quem estava no local, rapidamente as chamas se espalharam, consumindo os novos equipamentos, entre eles as câmeras inglesas Marconi, as mais modernas na época, e sensíveis microfones que haviam sido importados havia pouco, num grande investimento da empresa para melhorar sua estrutura diante da briga mais acirrada com as concorrentes. Aos poucos, a notícia do incêndio se espalhou e quem chegava para mais uma jornada de trabalho avisava os outros profissionais, num quase pedido de socorro, como se todos juntos pudessem controlar a situação e evitar o pior.

"Foi uma violência que amarra e deixa você completamente desorientado", recorda Nilton Travesso, que foi acordado com o telefonema de um amigo com a trágica notícia. "Na hora, você fica meio sem reação, mas depois corri até a emissora para ver o que era possível fazer", completa. Algo muito parecido aconteceu com Idalina de Oliveira, a principal garota-propaganda da emissora. "Eu me vesti correndo e fui pra lá porque queria ajudar de alguma forma", conta. Ao chegar ao bairro do Aeroporto, a apresentadora percebeu que o Corpo de Bombeiros já estava controlando o fogo na parte principal do estúdio e o setor em que ficavam os camarins das propagandistas não tinha chamas. "Entrei com o Blota Júnior e fomos até o armário onde eu havia deixado umas roupas e joias. Consegui recuperar um colar de pérolas", recorda Idalina, que teve que enfrentar a alta temperatura e a água quente que escorria pelas paredes.

O primeiro incêndio na Record não destruiu apenas estúdios, equipamentos, cenários e figurinos, mas principalmente um precioso arquivo de imagens que registravam o início da própria emissora e muitos dos fatos que aconteceram no país na década de 1950. "Só de gols do Pelé eram mais de duas horas de gravação, além de todos os shows com as grandes estrelas internacionais que se apresentaram em nossa programação", explica Nilton Travesso. Nas fitas estavam os números musicais de Nat King Cole, Louis Armstrong, Charles Aznavour, entre outros, algo que chegou às novas gerações pelo depoimento de quem trabalhou nesses programas ou pelas raras fotos que registraram esses momentos tão especiais em nossa televisão.

Ainda com o fogo consumindo os estúdios e parte da estrutura administrativa da emissora, os diretores da Record deram a ordem para que alguns profissionais fossem para o Teatro Record, na Rua da Consolação, na região central de São Paulo, de onde eram gerados alguns dos musicais internacionais e especiais mensais. Um palco com 200 metros quadrados, um fosso para uma pequena orquestra e as três câmeras que inauguraram o Canal 7 poderiam viabilizar a continuidade de uma grade nos próximos dias, meses e talvez anos, até que a empresa conseguisse reconstruir tudo o que o incêndio destruiu. Foi aí que surgiu a Equipe A, a mais famosa produção da televisão brasileira no final dos anos 1960, com Antônio Augusto Amaral de Carvalho, Nilton Travesso, Manoel Carlos e Raul Duarte, além de Jô Soares e Carlos Alberto de Nóbrega como redatores dos programas. "Começamos a fazer reuniões para ver o que era possível colocar no ar. Dramaturgia foi descartada logo no início, porque não havia equipamento, muito menos espaço para montar os cenários", conta Travesso. Nessa época, foram criadas atrações como *Família Trapo, Esta Noite se Improvisa, Bossaudade, Show em Si... Monal, O Fino da Bossa* e o programa *Hebe Camargo*, marcando o retorno da apresentadora à televisão com um dominical que misturava um pouco de tudo, passando por jornalismo, entrevistas, musicais, humor e reportagens externas. "Era uma grande revista eletrônica que começou com duas horas, das 20h às 22h, e depois ganhou mais uma, mais outra e, quando vimos, o sucesso garantia altos índices por quatro horas", recorda Nilton Travesso. O auditório, mesmo numa noite em que as pessoas costumam dormir mais cedo porque na segunda-feira todos voltam ao trabalho, vivia lotado. Na pauta estavam todos os assuntos importantes da semana, mesmo que necessitasse de um entrevistado internacional. "A Equipe A podia tudo, tinha verbas melhores e os artistas aceitavam facilmente os convites", conta Carlos Alberto de Nóbrega, que, durante um longo período, conciliou o trabalho nessa produção e no núcleo comandado por Carlos Manga e Mauro Wilson, que não tinha tantos benefícios e regalias.

A polícia e a perícia investigaram o incêndio e, na época, os comentários entre os profissionais da Record mencionavam atentados terroristas, uma forma de intimidar uma emissora que começava a crescer e a chamar a atenção dos jovens. O grande problema foi a ausência de um seguro contra esse tipo de incidente, o que dificultou a reconstrução do prédio no bairro do Aeroporto. "O Dr. Paulo Machado de Carvalho era meio supersticioso e não achava legal esse instrumento porque acreditava que isso chamava o fogo", pondera Nilton Travesso.

Seis anos depois, quando tudo já estava caminhando novamente e aos poucos se ampliava a linha de produção, no dia 29 de julho de 1966, novamente o desespero da destruição.

– Não é verdade que isso esteja acontecendo – gritou Nilton Travesso ao receber um telefonema dos amigos que estavam diante da sede da Record.

– Tudo de novo – disse um dos produtores da emissora.

– Perdemos tudo que criamos até aqui? – indagou o diretor, sem obter resposta.

Também em 1966, a TV Excelsior foi atingida por um incêndio de grandes proporções, que destruiu parte da estrutura técnica e o acervo da emissora. Manobras foram realizadas para que a programação continuasse no ar enquanto era reconstruído o que se perdera. Dois anos depois, novamente a Record é atingida pelo fogo. O *Jornal da Tarde*, num exemplo de humor negro, estampa a manchete "Está no ar mais um incêndio da Record", dividindo opiniões. Mas o pior ainda estava por vir.

O ano de 1969 ficou marcado na história da televisão brasileira. Somente no mês de julho foram quatro incêndios de grandes proporções, que destruíram instalações, obrigaram as emissoras a rever planos de expansão e exigiram muita criatividade dos profissionais. TV Paulista (Globo – SP), Bandeirantes, Record e Excelsior foram atacadas criminosamente, num intervalo pequeno de dias. As autoridades da época afirmaram que tudo aquilo era o resultado de uma ação criminosa muito bem arquitetada para criar tensão na população e pressionar os canais de TV a não avançarem em alguns tabus e temáticas.

No dia 13 de julho, o alarme disparou na sede da TV Globo em São Paulo, na Rua das Palmeiras, no bairro de Santa Cecília, região central da capital. Em poucos minutos, o fogo se alastrou, destruindo 80% dos equipamentos, cenários e estúdios e inviabilizando o trabalho no local por várias semanas. Naquela época, o conceito de rede nacional ainda não estava absolutamente desenvolvido e, por isso, as TVs Globo Rio e SP possuíam grades com atrações próprias, para atender a públicos bem diferentes nas duas cidades. As equipes paulista e carioca também dividiam a responsabilidade da produção de programas exibidos para todos os estados. Naquele ano, a novela *Rosa Rebelde* era gravada no Rio de Janeiro e *A Cabana do Pai Tomás* rodada em São Paulo. No dia citado, Glória Menezes e Tarcísio Meira estavam no estúdio do Jardim Botânico gravando o último capítulo de *Rosa Rebelde* quando alguém entrou correndo no local meio esbaforido com a notícia do incêndio. A solução encontrada pelo alto comando da Globo foi levar até onde era possível a produção que estava no ar. "Não acabou naquele dia e seguimos com mais quase cem capítulos", recorda Glória. Todo o elenco e a equipe de *A Cabana do Pai Tomás* foram deslocados para o Rio de Janeiro e precisaram improvisar e usar de muita criatividade para fazer os capítulos no único espaço disponível no prédio: o terraço.

Para manter o sinal no ar, os engenheiros da Globo São Paulo armaram um link entre a Torre do Jaraguá, na zona oeste da capital paulista, e o Sumaré, no Rio de Janeiro, unificando a programação e colocando um ponto final na discussão sobre a importância de essas duas praças terem atrações diferentes. Os paulistanos passaram a assistir à Globo dos cariocas, padrão que se estabeleceu em rede nacional. Alguns dias depois do incêndio, a emissora alugou uma grande garagem de ônibus e improvisou um estúdio para retomar alguns programas, principalmente os de auditório, como o de Silvio Santos. Isso só foi possível porque no fatídico 13 de julho alguém se lembrou de tirar da Rua das Palmeiras o ônibus de externas. A unidade móvel contava com uma pequena ilha de edição e mesa para algumas câmeras.

Nesse mesmo dia, algumas horas depois, a Record foi novamente atacada. Eram exatamente 17h30, horário de encerrar o *Pullman Junior*, uma atração infantil de grande sucesso comandada por Cidinha Campos. Depois de mais uma ação no palco, a apresentadora virou para uma das câmeras e se despediu do telespectador. A vinheta de encerramento com a propaganda do anunciante entrou no ar, a direção informou que o sinal já estava cortado, a técnica começou a desmontar a estrutura e a produção iniciou a retirada das muitas crianças que, mais uma vez, estavam na plateia para conferir o programa preferido da garotada. Quando todos os menores já estavam do lado de fora do teatro, os funcionários perceberam as intensas labaredas em vários pontos do edifício, principalmente no forro e no andar superior. "Os moradores dos prédios vizinhos disseram depois para a polícia que viram dois homens andando pelo telhado. Eles jogaram uma bola com uma espécie de gasolina gelatinosa que explodia e se alastrava em contato com a água", conta Nilton Travesso, que naquela tarde já estava no local para preparar a transmissão ao vivo da grade noturna. O fogo se espalhou rapidamente, para desespero de todos, apesar de os bombeiros da brigada mais próxima terem chegado em pouco tempo. Mais uma vez, artistas, produtores, cinegrafistas, técnicos e diretores não mediram esforços, nem mesmo físicos, para salvar o que fosse possível. O caminhão de externas foi retirado rapidamente, assim como alguns equipamentos. "Eu e o Jô Soares arrastamos para o lado de fora um transmissor que deveria pesar uns 200 quilos. Eu não sei onde achamos tanta força. Para dificultar, ainda pingava água quente na gente", diz Travesso. "Era nossa vida profissional que estávamos perdendo mais uma vez", completa.

O Teatro Consolação foi consumido em poucas horas e, com ele, centenas de fitas com momentos marcantes da televisão brasileira. O fogo queimou quase todos os episódios de *Família Trapo*, os shows, musicais e as grandes entrevistas do programa de Hebe Camargo que foram realizados no local. "Vivemos ali encontros únicos de pura arte, cenas que mereciam ser perpetuadas na história", diz Agnaldo Rayol. Uma das recordações do cantor naquele teatro aconteceu durante *O Fino da Bossa*, quando fez um dueto com Elis Regina na música "Somewhere", acompanhados por "O Quarteto". Para esse número, a produção se inspirou no espetáculo *West Side Story*, utilizando apenas jogo de luz e um figurino simples, porém marcante. Elis entrou com um vestido básico e ele com jeans, camiseta e jaqueta. No meio da canção, os dois se ajoelharam e um canhão de luz branca destacou o casal. "Estava lotado. Eram quase duas mil pessoas. Na última nota, aquilo veio abaixo com tantos aplausos. A gente saiu de cena e teve que voltar para atender a plateia. Elis entrou chorando de tanta emoção", recorda o cantor com os olhos cheios de lágrimas.

Naquela tarde do incêndio, a TV Record saiu do ar, voltando a transmitir precariamente no dia seguinte, do Teatro Paramount. Mais uma vez, recorreu-se ao improviso e à criatividade para manter uma programação mínima. Entre os funcionários, era perceptível um certo medo de novas ações criminosas e, por isso mesmo, grupos foram organizados para vigiar o teatro, as instalações técnicas e as proximidades do edifício. Algo que não funcionou, uma vez que o local também foi consumido por um incêndio de grandes proporções. "Aí, fomos para o Teatro Augusta dar continuidade ao nosso trabalho, projetos e sonhos", lamenta Nilton Travesso. Com tantas ocorrências e com certa insistência de Paulo Machado de Carvalho na superstição de que um seguro poderia atrair ainda mais problemas, a Record mergulhou numa situação financeira complicada, com grandes reflexos na parte artística. Muitos projetos não saíram do papel, diretores e produtores foram assediados por outras emissoras, principalmente a Globo, que avançava em seu plano de uma verdadeira rede nacional, e programas emblemáticos foram cancelados porque os artistas não renovaram seus contratos.

O mês de julho de 1969 parecia não terminar, para desespero de todos que atuavam na televisão. Nos corredores das emissoras em São Paulo e no Rio de Janeiro e nos bares em que os profissionais se reuniam após um dia de trabalho as conversas giravam em torno dos ataques que vinham acontecendo em pequeno intervalo de tempo. Quem estava por trás dessas ações articuladas e quais os seus interesses? Sem grandes esclarecimentos até os dias atuais, quem viveu naquela época afirma que grupos ligados a movimentos de esquerda sabotavam os canais de TV por acreditarem que omitiam informações importantes à população e que apostavam em entretenimento que alienava a nação. Mal sabiam que tudo o que era levado ao ar passava por um filtro rigoroso dos censores e que vários artistas e comunicadores, assim como suas famílias, viviam sob a perseguição de quem estava no poder.

Na manhã de 16 de julho o ataque atingiu a TV Bandeirantes, como informado no capítulo anterior. Foi um dia de inverno marcante para Johnny Saad em vários aspectos de sua vida. Na noite anterior, atendendo a um pedido da mãe, ele dormiu na casa de seus pais após a comemoração de mais um ano de casamento de João Saad e Maria Helena. Adolescente, ele havia se mudado com a namorada para um apartamento no centro de São Paulo, contrariando seu pai; o jantar foi uma reaproximação entre os dois. Assim que acordou, soube da notícia do incêndio na emissora de sua família.

– Queimou a televisão! – exclamou João Saad.

– Como assim? É praticamente impossível – disse alguém que se preparava para tomar o café da manhã.

– Vamos, filho! Vamos rápido! Vamos ver o que podemos fazer.

Pai e filho chegaram rapidamente à sede da TV Bandeirantes e se uniram aos funcionários que tentavam combater o fogo e salvar o que fosse possível, entre fitas com programas gravados, equipamentos e documentos. O atrito que existia entre os dois perdeu importância diante do que estava acontecendo. Nos meses seguintes, atuaram juntos para reconstruir o Canal 13 de São Paulo. "Foi um desastre total. Nós tínhamos apenas 10% do prédio no seguro e, portanto, o dinheiro não era suficiente", conclui Johnny Saad.

Para garantir a continuidade de sua programação, a direção da TV Bandeirantes alugou o Cine Arlequim, na Avenida Brigadeiro Luís Antônio, região central de São Paulo. O cinema foi adaptado para viabilizar a produção de jornalismo, shows, programa feminino e alguma dramaturgia. O caminhão de externas estacionado na parte dos fundos da edificação subiu o sinal para a torre e permaneceu ali por longos três anos, quando a sala onde ficavam as máquinas de projeção se transformou no controle técnico central com a chegada de novos equipamentos importados. Parte do espaço reservado originalmente para a plateia dos filmes foi desmontada para abrir dois pequenos estúdios para os telejornais e atrações que não exigiam grandes cenários. Séries e filmes, principalmente franceses, ocupavam boa parte da grade diária.

O segundo semestre de 1969 seguiu sem sustos nas emissoras de São Paulo. Em outros estados o assunto era tratado com certa preocupação, afinal a ação desses grupos extremistas poderia se espalhar para outras capitais. No dia 10 de janeiro de 1970, a Globo Rio enfrentou um pequeno incêndio. Alguns meses depois, no dia 17 de julho, os estúdios da TV Excelsior em que eram gravadas as novelas, no bairro da Vila Guilherme, zona norte de São Paulo, foram atingidos pelo fogo, agravando ainda mais a situação da emissora, que foi definitivamente cassada pelo governo militar no dia 30 de setembro.

Dia 28 de outubro de 1971. Uma grossa fumaça tomou conta do Estúdio A da Globo Rio e, em poucos minutos, se espalhou por corredores e salas. Os funcionários que já estavam na emissora saíram rapidamente do local e muitos correram para salvar fitas com programas, novelas, reportagens e imagens de arquivo. A notícia, assim como o fogo, se alastrou rapidamente e muita gente foi para a emissora numa tentativa de ajudar no que fosse possível. "Quando cheguei à Rua Von Martius e vi a Globo em chamas, não pensei duas vezes. Corri para ajudar os colegas que tiravam as fitas de vídeo e colocavam numa van", recorda com emoção Norma Blum. Uma verdadeira multidão atuava de maneira sincronizada para retirar dali o que era possível. "Eu ajudei a salvar grande parte do arquivo do jornalismo e esporte", diz Léo Batista, que, mesmo perto das chamas, contou aos bombeiros detalhes do prédio e onde estavam localizados os principais departamentos. "Eu comecei a gritar que queria uma picareta porque sabia que atrás daquela parede estava uma parte do arquivo. Fizemos um buraco e por ali conseguimos resgatar 70% desse material", destaca o narrador. Entre as fitas recuperadas estão algumas com os jogos da Copa de 70, que teve Léo Batista como apoio nos estúdios no Rio de Janeiro. A imagem foi recuperada, mas sem áudio. A solução foi acrescentar a locução feita no rádio por Pedro Luís e Edson Leite. "A voz dos dois é parecida e tem gente que acha que só tem um ali", conta.

O susto foi grande, mas a mobilização dos funcionários fez com que o prejuízo ficasse meio restrito ao Estúdio A, que precisou ser reformado e receber novos equipamentos para voltar a operar. O pior incêndio enfrentado pela Globo ocorreu no dia 4 de junho de 1976. Eram exatamente 13 horas quando um curto-circuito no sistema de ar-condicionado na sala de controle mestre da TV provocou o fogo que destruiu um dos parques tecnológicos mais modernos da América Latina. A fumaça se espalhou rapidamente, o alarme foi acionado e todos os departamentos foram desocupados. "Foi tão agressivo que o sinal da Globo caiu imediatamente", conta Léo Batista. Naquele momento, era transmitido ao vivo o *Jornal Hoje*, que voltou ao ar alguns minutos depois, gerado no improviso direto dos estúdios de São Paulo para informar o que acontecia na sede carioca da rede. Novamente, produtores, artistas, jornalistas, técnicos e executivos se organizaram para tentar salvar tudo o que estava dentro do prédio da Rua Von Martius. Quem podia, corria com fitas. E foi dessa forma que preservaram os capítulos prontos e os brutos de *Saramandaia, O Feijão e o Sonho, Anjo Mau, Pecado Capital* e *O Casarão*. Todo esse material estava guardado em um armário próximo à sala de Boni, como era de conhecimento de todos os envolvidos com a teledramaturgia. "Eu tinha umas fitas que não podiam ser queimadas. Então, com o Ronaldo Curi, entramos no meio das chamas e salvamos os teipes", relembra o ator Lafayette Galvão, que na época trabalhava como roteirista na Globo.

Enquanto os bombeiros tentavam controlar as grandes labaredas que avançavam na sede carioca da Globo, São Paulo permanecia no ar como cabeça de rede, informando sobre o incêndio. Boni e Walter Clark, que estavam na capital paulista para uma série de reuniões, voltaram imediatamente para tomar as providências necessárias, como manobras de programação, realocação de produções e parcerias que possibilitassem a continuidade da grade. Enquanto isso, Alice-Maria Reiniger, editora--chefe do *Jornal Nacional*, e Armando Nogueira, diretor de jornalismo, resolveram transferir o principal telejornal da rede para a redação da Globo São Paulo. Os apresentadores Cid Moreira e Sérgio Chapelin e alguns editores viajaram às pressas para viabilizar a edição daquela noite e permaneceram na cidade por pouco mais de três meses, tempo suficiente para a reforma da estrutura carioca.

Jornal Nacional com Sérgio Chapelin e Cid Moreira

Boa parte da programação nacional da Globo voltou a ser gerada do Rio de Janeiro no dia seguinte. Enquanto os bombeiros ainda trabalhavam no rescaldo do incêndio na Rua Von Martius, os engenheiros da emissora viabilizavam a operação da rede, com a instalação de uma miniestação retransmissora no prédio recém-adquirido na Rua Lopes Quintas. No local foram montados um videoteipe, uma máquina de telecine e o controle--mestre, equipamentos básicos para subir o sinal para todo o Brasil. Durante um bom tempo, o Rio de Janeiro gerava as novelas *Anjo Mau* e *O Feijão e o Sonho* e os programas da linha de shows com as grandes estrelas. São Paulo subia o sinal de *Saramandaia, O Casarão, Jornal Nacional* e todos os produtos jornalísticos. Para dar continuidade às novelas diárias, a solução encontrada foi jogar a edição dos capítulos para Porto Alegre, em parceria com a RBS, e São Paulo, além do eventual apoio da equipe de Recife. Os estúdios da TV Educativa e da Herbert Richers foram alugados para atender a teledramaturgia. Segundo Adilson Pontes Malta, então diretor de engenharia da Globo, por um bom tempo os técnicos trabalharam para corrigir os problemas que surgiram nos equipamentos que os funcionários conseguiram salvar do incêndio. A fumaça e a água quente danificaram muitas peças, provocando oscilações em seu funcionamento e gerando instabilidades na captação e geração de imagens. Aos poucos houve a substituição desse maquinário, e em praticamente um ano tudo voltou ao normal. É claro que alguns investimentos, como a criação do Projac, o centro de produção de entretenimento, foram adiados por quase uma década.

A TV Cultura de São Paulo, como a conhecemos atualmente – uma emissora pública educativa –, surgiu de um incêndio. É que em 1965 ela fazia parte dos Diários Associados, de Assis Chateaubriand. No dia 28 de abril daquele ano, um curto-circuito no estúdio instalado no 15º andar do Edifício Guilherme Guinle, na Rua 7 de Abril, 230, região central de São Paulo, iniciou o fogo que consumiu tudo o que estava ali, inclusive a Câmera UM, que foi utilizada na inauguração da TV Tupi, em 1950. "Então, determinaram que seria vendida e comentava-se à boca pequena que melhor seria o governo assumir. Foi criada a Fundação Padre Anchieta, com o José Bonifácio Coutinho, que era o presidente, o Professor Amora e Cláudio Petraglia", recorda Mario Fanucchi, o homem que criou a figura do indiozinho símbolo da PRF3-TV e que foi um dos primeiros profissionais da emissora educativa. Alguns meses depois da ocorrência, o empresário vendeu o Canal 2 para o governo do Estado de São Paulo, que iniciou o processo de criação de uma grade sem preocupações comerciais, voltada exclusivamente para a educação da população. No decorrer de sua história, alguns incidentes aconteceram, sempre controlados pela brigada de incêndio que atuava na emissora. Entretanto, no dia 28 de fevereiro de 1986, nada controlava as labaredas, que destruíram 90% de tudo o que havia na sede da TV Cultura. Foi um prejuízo estimado na época em US$ 10 milhões. Para continuar no ar, os técnicos reativaram um antigo transmissor da TV Tupi, e a Globo, Bandeirantes, Manchete e TVE do Rio emprestaram equipamentos, como câmeras, ilhas de edição e até máquina de escrever, além de programas para preencher sua grade.

Os vários incêndios que aconteceram principalmente nas TVs de São Paulo e Rio de Janeiro levaram as emissoras de todo o país a adotarem padrões mais rígidos de segurança, como proibição de fumo em áreas técnicas, ar-condicionado nos locais com muito maquinário e constante manutenção na estrutura. Os departamentos em que são armazenadas as fitas que a programação utilizará no dia a dia ou as imagens de arquivo são construídos atualmente com a tecnologia mais moderna e material capaz de evitar a propagação do fogo e, consequentemente, a perda de tudo o que está ali. A perda constante da história da televisão levou as novas gerações de executivos, artistas e produtores a pensarem diferente sobre cada momento criado nesse veículo de comunicação. Preservar o que foi feito é uma obrigação do presente e ficou mais fácil com o desenvolvimento da informática, que barateou a multiplicação e o armazenamento dessas imagens. A superstição também foi deixada de lado e seguros valiosíssimos cobrem qualquer eventualidade.

22

A era de ouro dos musicais na TV: rompimento de limites, novos comportamentos e jovens tardes de domingo

A segunda metade da década de 1960 foi uma das mais intensas para a televisão brasileira, que se viu obrigada a se virar no improviso e a buscar soluções baratas após os ataques que incendiaram as estruturas das principais emissoras em São Paulo. Sem o dinheiro do seguro, a TV Record recorreu a fórmulas simples para se manter no ar e ter alguma condição de concorrer com a líder Excelsior (forte em telenovelas), a pioneira Tupi (a TV das grandes estrelas) e a estreante Globo, que iniciava suas operações com vontade de conquistar importante fatia desse mercado. A música, que já havia mostrado sua força havia alguns anos, ganhou mais espaço na grade da emissora e o elenco foi ampliado para atender a uma linha diária da faixa nobre. Elis Regina, Elizeth Cardoso, Jair Rodrigues, Cyro Monteiro, Roberto Carlos, Erasmo Carlos e Wanderléa eram apenas alguns dos artistas que comandavam as principais atrações do Canal 7 e garantiam, mais do que audiência, a presença do público no teatro em que aconteciam as gravações. A venda de ingressos garantia um recurso a mais e bancava parte da produção. Foi uma pequena era de ouro que assegurou a sobrevivência da TV da família Machado de Carvalho e a colocou na liderança na capital paulista por um bom tempo.

Elis Regina, que arrebatou o grande público em São Paulo ao vencer o I Festival da Música Popular Brasileira com "Arrastão", foi contratada pela Record para comandar com Jair Rodrigues *O Fino da Bossa*, que, inicialmente, apostou nos novos artistas, mas com o tempo buscou em nomes consagrados a mistura de gerações para atender todos os telespectadores. Com o Jongo Trio, a dupla já havia atuado antes no espetáculo "Dois na Bossa", que fez curta temporada, mas de sucesso e imenso reconhecimento da crítica especializada, e originou o disco com o mesmo nome, lançado em 1965 pela gravadora Philips. O programa conquistou rapidamente o telespectador, se transformou em referência até para outras emissoras e por um ano representou a principal audiência do horário nobre da emissora, perdendo o lugar após a estreia do *Jovem Guarda*. "Esse excelente resultado imediato se deu porque pela primeira vez a televisão trabalhou com a emoção, porque não havia recursos para as formas, para dar um acabamento melhor à imagem através de cenários, iluminação ou algum efeito especial. Não tinha pirotecnia, somente um pequeno espaço. Mas as pessoas estavam carentes, na época, de algo tocante e que as fizesse extravasar os sentimentos, medos e desejos", analisa Nilton Travesso, um dos integrantes da Equipe A, responsável pelos musicais e pela *Família Trapo*.

Naquela estrutura reduzida e improvisada foram realizados outros programas marcantes, como o *Bossaudade, Esta Noite se Improvisa e Show do Dia 7*. Tudo acontecia ali e, portanto, artistas, produtores e diretores passavam várias horas do dia no local, entre ensaios, preparativos, pré--produção e exibição dos musicais. Para facilitar o trabalho, uma sala localizada bem próximo ao palco foi separada para que o multi--instrumentista Caçulinha, contratado fixo da emissora para acompanhar todos os convidados, pudesse ensaiar o que o roteiro pedia para a noite. "Eu ganhava um salário mensal e, quando ultrapassava o limite de apresentações no vídeo, estabelecido no documento, recebia um cachê", conta o músico. "Ele ensaiava as músicas com todo mundo e, enquanto ficava nesse espaço ao lado da coxia, no palco estavam o Zimbo Trio, César Camargo Mariano, Jair Rodrigues e a própria Elis discutindo conosco o que iriam fazer de noite durante o programa", recorda Nilton Travesso. Essa união de propósitos e muitas vezes o conflito de olhares artísticos revelam o porquê de a Record ter realmente brilhado durante os cinco anos em que as maiores estrelas e promessas atuaram no Canal 7. "Era uma geração que estava nascendo na televisão e que chegava com uma energia nunca vista antes", completa Nilton Travesso.

O camarim de Caçulinha, como era chamada a sala de ensaios dos musicais da Record, era o ponto de encontro de muita gente importante e de novos talentos. Com boa acústica, era o local preferido para repassar a letra, mostrar aos amigos uma nova composição ou simplesmente jogar conversa fora. O movimento começava às 17h, quando as primeiras pessoas chegavam para mais uma jornada de trabalho, e só era interrompido quando alguém reclamava que o som estava vazando e prejudicando a gravação ou a transmissão ao vivo. Caso contrário, nada interrompia uma intensa criação cultural. Certo dia, Caçulinha passava apressado quando foi chamado por Cyro Monteiro para ouvir uma música que um amigo acabara de compor.

– Ouça isso, Caçula! – gritou Cyro, batucando numa caixa de fósforo.
– Quanto riso, oh, quanta alegria... – cantarolou Zé Kéti.
– Calma – interrompeu Caçulinha. – Você já cantou isso em algum lugar?
– Não, em nenhum lugar. Hoje é a primeira vez – respondeu o sambista.

Caçulinha chamou para perto um violonista e pediu-lhe que acompanhasse Zé Kéti, e, aos poucos, ele foi encontrando o ritmo certo para "Máscara Negra". "Ele foi cantando e nós arrumamos o compasso certo para essa marcha que atravessou o tempo", conclui Caçulinha.

Foi entre um ensaio e outro, durante um café nos intervalos ou no bar após o programa que surgiram muitas das canções que estouraram na segunda metade da década de 1960. Foi também dessa forma que artistas acabaram descobertos pelos produtores da TV e revelados ao grande público. Maria Bethânia, um dos nomes mais consagrados da MPB, ganhou projeção por meio das atrações da TV Record, entre eles o *Esta Noite se Improvisa*, competição comandada por Blota Júnior e Sonia Ribeiro em que ganhava quem acertava mais músicas com a palavra anunciada pelo apresentador. A filha de dona Canô, uma das frequentes participantes, contava com uma ajuda especial. Sempre depois da gravação, seu irmão mais novo repassava os erros e acertos e rememorava as canções que poderiam ajudá-la na disputa. Nilton Travesso, um grande observador de pessoas, reparou que Caetano Veloso poderia oferecer muito mais do que as orientações para sua irmã. Numa noite, no bar onde estavam, se aproximou dele e foi direto ao assunto.

– Caetano, eu sei que você conhece tudo isso que está no palco e todos esses momentos de criatividade.

O cantor baiano tentou responder, mas foi contido pela conclusão da frase:

– Você tem essa musicalidade e ao mesmo tempo é um excelente compositor. Por que não vai para a TV?

– Ah, Nilton, eu não gosto de televisão e ainda não tenho força para um programa tão popular – respondeu.

A conversa foi encerrada ali, mas Nilton Travesso sabia que muito em breve Caetano Veloso aceitaria a proposta para participar do *Esta Noite se Improvisa*. Algumas semanas depois, no Teatro Paramount, o irmão de Maria Bethânia iniciava sua trajetória na competição com o pé direito. Ele venceu em sua noite de estreia e ganhou um Renault Dauphine. "E na plateia uma senhora levou outro prêmio, porque foi a única que acreditou no jovem cantor baiano", completa o diretor da Equipe A. Esporadicamente, a equipe do programa realizava apostas e premiações entre as pessoas que assistiam ao programa no estúdio.

Chico Buarque era um dos melhores competidores de *Esta Noite se Improvisa* e surpreendia o público com sua capacidade de lembrar rapidamente as letras das músicas com base em termos soltos. Sua genialidade também proporcionou momentos impagáveis, como numa noite em que compôs uma música ali no palco com o tema proposto por Blota Júnior. Com receio de perder a última ponte aérea para o Rio de Janeiro, ele apertou o botão na hora em que ouviu a palavra "futebol". Levantou-se da cadeira e caminhou calmamente em direção ao microfone para ganhar tempo e inventar alguma coisa.

– Caçulinha, por favor, sol maior! – disse Chico Buarque, numa mistura de charme e timidez.

A plateia acompanhou seu suspiro e se encantou com o samba cantado pelo brilhante compositor.

– Seis pontos – anunciou Blota Júnior com entusiasmo, após o sinal positivo dos jurados instalados no fosso da orquestra.

O auditório foi ao delírio e os aplausos foram intensos, numa cena perfeita para um espetáculo de televisão. Quando o apresentador anunciou o vencedor da noite, Chico Buarque o interrompeu, para surpresa de todos que acompanhavam o *Esta Noite se Improvisa*.

– Blota, eu não posso aceitar esse prêmio. Esse samba não fala em futebol porque eu acabei de inventar. É que a última ponte aérea sai às 10 da noite e eu quero dormir lá em casa, no Rio de Janeiro.

O programa daquela noite terminou de uma forma jamais imaginada pelos diretores, produtores e pelo próprio Blota Júnior, apresentador de longa experiência e que já tinha enfrentado todos os imprevistos e improvisos. Algum tempo depois, numa situação muito parecida, os jurados levantaram suspeita sobre uma letra cantada com muita certeza por Chico Buarque. No bloco final, solicitaram que ele interpretasse novamente o samba que garantiu a pontuação. "Eu não seria capaz de cantar novamente porque não tenho a memória dessa música", riu para os jurados. O compositor gênio foi advertido e acabou suspenso por uma semana da competição.

O sucesso de *Esta Noite se Improvisa* extrapolou a televisão. No final da década de 1960, era muito comum chamar toda a família, principalmente aos domingos, para brincar de acertar a música com base em uma palavra. Foi justamente esse clima de reunião familiar que deu o ponto de partida para o programa. Durante uma das reuniões da Equipe A para elaborar novos projetos para a emissora, um dos diretores lembrou que costumava fazer uma brincadeira com os filhos que prendia a atenção da garotada. Como não podiam se arriscar a colocar no ar algo que não funcionasse justamente no momento em que a Record havia conquistado a liderança na faixa noturna, coube a Hebe Camargo testar o formato, ou fazer o piloto, como os executivos modernos gostam de falar. Simonal e Nara Leão foram convidados para o quadro e já no primeiro desafio não souberam responder. A palavra escolhida foi "osso", que fazia parte da música "Opinião", interpretada pela própria Nara. O problema é que ela ficou nervosa e teve um branco. Um homem que estava no auditório subiu ao palco para ajudá-la, ganhou um prêmio e serviu como exemplo do que passaria a funcionar dentro de algumas semanas.

A linha de musicais desenvolvida pela Record agradou em cheio aos telespectadores mais jovens, justamente por apostar em novos artistas e gêneros mais modernos. "Aí a velha guarda se sentiu distanciada e provocou ciúme em todos os intérpretes da música popular. Ângela Maria,

Nelson Gonçalves, Orlando Silva e Ataulfo Alves, por exemplo, acharam que havíamos iniciado um movimento para só valorizar *O Fino da Bossa*, que estávamos esquecendo deles", recorda Nilton Travesso. Surgiu, então, o *Bossaudade*, com Elizeth Cardoso, Cyro Monteiro e todos os astros das décadas anteriores. Também foram criados o *Caras e Coroas*, *Guerra é Guerra*, *Alianças para o Sucesso* e *Corte Rayol Show*, com Agnaldo Rayol e Renato Corte Real, que imediatamente se transformou num sucesso. "Dávamos 91% de Ibope às sextas-feiras e, com isso, a TV Tupi decidiu transferir a apresentação do tradicional *Clube dos Artistas* para outra faixa só para tirar do confronto direto", recorda o cantor. Com um elenco formado por artistas consagrados e responsáveis pelos melhores índices da época, a direção da emissora da TV Record criou atrações a que todos pudessem comparecer, numa mistura que agradava a todas as pessoas e que potencializava a conquista da audiência.

O *Show do Dia 7* também deixou suas marcas na história da televisão brasileira, por promover os mais inusitados encontros artísticos e por reunir o que havia de melhor na época. "Eu adorava ficar nos camarins com a Isaurinha Garcia, que contava a vida dela, a paixão pelo Walter Wanderley. Eu não via a hora passar", revela Wanderléa. Um dia, a história estava tão envolvente que a cantora não terminou sua maquiagem e a chamaram no palco. "Só havia feito em um lado. No outro não tinha nada, nem lápis nos olhos. Não pensei duas vezes: joguei o cabelo de lado, que tampou a pele que estava ao natural", ri a cantora.

Outro momento de bastidores presenciado por poucas pessoas envolveu dois grandes nomes da música daquela época. Depois de se apresentar no *Show do Dia 7*, arrebentar no palco e sair com o público batendo palmas em pé, Elis cruzou com Elza Soares na coxia, como a próxima a se apresentar. E, ainda sob os aplausos da plateia, disse aos ouvidos da outra:

– Vai lá agora e faz melhor.

Aliás, é importante ressaltar que a agressividade com que a Record conquistou seu espaço no mercado naquele momento levou todas as TVs em São Paulo e Rio de Janeiro a buscarem formas para garantir os cantores de sucesso em seus bancos de elenco. Foi uma época com longos e generosos contratos com salário mensal, o que de certa forma garantiu tranquilidade para muitos artistas se dedicarem exclusivamente para a composição, criação musical e ensaio, resultando num período de intensa produção cultural raras vezes vista no Brasil. Sem medo de errar, é possível afirmar que as bases da indústria de entretenimento que atuou nas décadas de 1970, 1980 e 1990 no país foram construídas e desenvolvidas na intensa e televisiva década de 1960.

O primeiro semestre de 1965 trouxe uma grande dor de cabeça aos diretores das emissoras de televisão. A transmissão de jogos de futebol ao vivo aos domingos foi proibida na TV, uma forma de garantir a presença de torcedores nos estádios. Sem o esporte – que naquela época representava um custo baixo na programação porque não havia venda de direitos de imagem, o que o transformava em produto quase gratuito –, a Record se viu obrigada a preencher o buraco de pouco mais de duas horas na grade. A Equipe A ficou com a responsabilidade de administrar um novo programa criado pela agência de propaganda Magaldi, Maia & Prosperi. "A emissora resolveu juntar a garotada que estava envolvida com o rock 'n' roll no Brasil e decidiu chamar essa turma do Rio de Janeiro", pontua Wanderléa, a eterna Ternurinha e uma das marcas desse movimento musical. "Eu vim pensando que fosse um programa normal, mais um da minha agenda de divulgação de discos", completa.

No dia 22 de agosto, exatamente às 16h30, entrava no ar o *Jovem Guarda*, sob o comando de Roberto Carlos e os "maiorais da música moderna", entre eles Erasmo Carlos, Wanderléa, Ronnie Cord, Tony Campelo, The Jet Blacks, Rosemary, The Rebels, Jerry Adriani e Regina Célia. Os ingressos colocados à venda nas bilheterias do Teatro Record se esgotaram rapidamente, o primeiro sinal do estrondoso sucesso que viria nas próximas semanas. "O público se impressionou pela originalidade, porque até então os programas voltados à juventude não tinham identidade, muito menos uma voz ou música próprias. O nosso comportamento trouxe essa conexão com os jovens e uma nova cultura para o Brasil", diz Wanderléa. Não precisou de muito tempo para alcançar a liderança absoluta em seu horário. Já na quarta edição, no dia 12 de setembro de 1965, os números do Ibope colocavam o musical no topo do ranking das audiências da Record. Os relatórios apontavam que semanalmente o musical comandado por Roberto Carlos atingia 3 milhões de telespectadores em São Paulo, uma marca de causar inveja a muitos apresentadores que já estavam havia muitos anos na televisão. Os bons resultados atraíam investimentos do alto comando da emissora, que autorizava gastos extraordinários com cenários e edições especiais. Certa vez, uma piscina transparente foi colocada no meio do palco só para ilustrar uma das canções da tarde. "Podíamos ousar, como nessa ocasião em que nadadores completavam a cenografia", pontua Nilton Travesso.

O cantor Roberto Carlos (ao centro) no programa Jovem Guarda, da TV Record, em 1966

    Mais que um programa de televisão, o *Jovem Guarda* foi um movimento musical que lançou muitos artistas e estabeleceu o rock 'n' roll como elemento da música brasileira. Foi também um estímulo para mudanças de comportamento e uma forma de mostrar que a mulher podia ter espaço igual ao dos homens, ser livre em seu pensamento e ter atitudes fortes. Nesse sentido, Wanderléa foi a principal porta-voz. A cantora apostou num figurino mais ousado para a época, com muito couro, peças pretas, botas de cano alto e minissaias, o que gerou, num primeiro momento, a reação dos conservadores e das pessoas mais velhas. Aos poucos, tornou-se referência na moda. "O jovem brasileiro vinha de uma postura muito rígida, uma forma mais severa conduzida pelos seus pais", explica a cantora. No final da década de 1960, as garotas usavam vestidos abaixo do joelho, anáguas engomadas, blusinha rosa ou azul e cabelos armados com laquê. Já os homens, mesmo os adolescentes, calças de tergal e camisas brancas ou azuis. "E, de repente, eu cheguei com roupa de couro e penteado solto e o Roberto e o Erasmo com cabelos compridos", ri Wanderléa. "Fizemos a moda da época, lançamos muitos produtos e marcas que estão até hoje aí. A indústria têxtil para jovens, as roupas diferentes, a expansão das gravadoras, os magazines... tudo ampliado a partir do programa", completa.

Muitos jovens daquela época usavam os famosos anéis brucutu, como eram chamados os acessórios de Erasmo e Roberto Carlos, formados por uma aliança de metal e a réplica da peça que liberava água no para-brisa do Fusca. Todo homem que admirava os astros queria usar, para chamar a atenção das mulheres. A fim de potencializar as vendas, algumas unidades eram distribuídas para os que compareciam ao programa. Certa tarde, coube a Wanderléa se aproximar do auditório para pegar os anéis numa caixa e jogá-los em várias direções. Ao fazê-lo, percebeu que tinha voado junto um solitário de brilhante que ganhara quando ainda era criança e usava diariamente para se lembrar da família. "Nunca fiquei sabendo se alguém encontrou", lamenta.

Foi através do *Jovem Guarda* que a televisão descobriu que poderia ser mais informal na linguagem sem ferir sua credibilidade ou afastar o telespectador. Roberto, Erasmo, Wanderléa e os "maiorais da música moderna" não economizavam nas gírias em suas frases e, com certeza, marcaram o linguajar não só dos anos finais da década de 1960, mas do período que veio adiante. *Bicho, broto, carango, é uma brasa, lelé da cuca* e *barra limpa* são apenas alguns dos termos criados ali e que atravessaram gerações – ou que denunciam a idade de quem os fala.

O *Jovem Guarda* virou uma febre, seus ingressos eram disputados com muita antecedência e em dias de apresentação atraía, logo cedo, centenas de pessoas para as ruas próximas ao Teatro Record. Todo mundo queria ver, chegar perto e conversar com as estrelas da juventude. Roberto, Erasmo, Wanderléa, Golden Boys, Renato e seus Blue Caps e outros artistas que integravam o programa atendiam de segunda a sábado as agendas lotadas de shows, a maioria comercializada por Marcos Lázaro, o empresário dessa turma toda, e regressavam à cidade na manhã do domingo para ensaiar um pouco antes da exibição, corrigir o roteiro e propor novidades. Entrar na emissora, porém, era uma das tarefas mais difíceis. "As transversais ficavam lotadas com os fãs que nos aguardavam nas ruas. A chegada era sempre tumultuada, até mesmo no aeroporto", recorda-se Wanderléa. Não foram raras as vezes em que os cantores foram orientados a deixar Congonhas por uma saída alternativa porque o saguão estava tomado pelos jovens que buscavam fotos, autógrafos e uma oportunidade para expressar a admiração pelos artistas. "Vínhamos cansados de outros estados, mas não tinha solução", pondera a cantora. A orientação para os motoristas era para que trafegassem com velocidade reduzida nas proximidades do Teatro Record a fim de evitar atropelamentos, acidentes ou incidentes.

> *De que vale o céu azul e o sol sempre a brilhar*
> *Se você não vem e eu estou a lhe esperar*
> *Só tenho você no meu pensamento*
> *E a sua ausência é todo o meu tormento*
> *Quero que você me aqueça nesse inverno*
> *E que tudo mais vá pro inferno*
> *[...]*

Roberto Carlos não precisou cantar mais de uma vez a canção "Quero Que Vá Tudo Pro Inferno" para transformá-la no grande sucesso de 1966 e num dos momentos mais interessantes de seu programa na TV Record. O verso "quero que você me aqueça nesse inverno" era o tema de uma campanha para arrecadar roupas e cobertores para pessoas carentes, ação que superou todas as expectativas. Da mesma forma, o *Jovem Guarda* foi o ponto de partida para doações de brinquedos no Natal e outras atitudes de solidariedade. "Se no começo os mais velhos ficaram assustados, com o tempo aproximamos filhos e pais, netos e avós para conversas que antes não aconteciam", analisa Wanderléa. Isso foi possível porque, aos poucos, o dominical do Canal 7 passou a receber artistas mais velhos e apresentadores de outras atrações. "Cada semana tinha um marco. Recebemos o Ataulfo Alves e o Simonal, que já eram consagrados, e o Caetano Veloso, que ainda estava no começo da carreira", completa a cantora.

Diante do monopólio da Record na área musical, com seu amplo elenco de cantores e músicos, as demais emissoras precisaram buscar novos nomes para também investir no segmento e tentar atrair os jovens que se viam representados na televisão por meio do *Jovem Guarda*. Em 1967, a TV Excelsior contratou Eduardo Araújo, cantor que estava bem posicionado nas rádios com a música "O Bom".

> *Meu carro é vermelho*
> *Não uso espelho pra me pentear*
> *Botinha sem meia*
> *E só na areia eu sei trabalhar*
>
> *Cabelo na testa, sou o dono da festa*
> *Pertenço aos Dez Mais*

Se você quiser experimentar
Sei que vai gostar
[...]

Assim, *O Bom* entrou no ar, sob o comando de Eduardo Araújo e Sylvinha, cantora mineira que começava a despontar em São Paulo e que possuía uma voz diferenciada. "Só se apresentavam os grandes astros e bandas underground da época, gente que fazia o rock brasileiro, como Os Mutantes e Os Incríveis. O auditório sempre lotado, com centenas de garotas gritando e cantando, e o som comendo solto com a metaleira do maestro Peruzzi", recorda o cantor com alegria. Em pouco tempo, o programa conquistou 25% da audiência de seu horário, colocando a TV Excelsior em São Paulo e Rio de Janeiro numa situação mais confortável, num período em que já enfrentava complicados problemas administrativos em função da pressão cada vez maior dos militares.

Apesar de todo o sucesso, a equipe de *O Bom* enfrentava dificuldades para garantir alguns dos artistas mais famosos e consagrados, porque os produtores e diretores do Canal 7 ameaçavam não colocá-los mais em seus programas, principalmente no *Jovem Guarda, Hebe Camargo, O Fino da Bossa e Esta Noite se Improvisa*. "A Record tinha trinta musicais e pagava cachê para todo mundo. A solução foi fazer algumas contratações para garantir exclusividade. Vieram Sérgio Reis, The Fevers, Os Brasas e Os Minos, o grupo do Pepeu Gomes", recorda Eduardo Araújo. Houve um contra-ataque e, com essa disputa, muitos salários foram aumentados e condições revistas.

Assim como acontecia à porta do Teatro Record, milhares de pessoas se aglomeravam diante das instalações da Excelsior para ver de perto os astros do Canal 9. "Sair dali era uma loucura. Muitas vezes, foi necessário um carro da polícia entrar no estacionamento da emissora para escoltar o veículo que conduzia os artistas aos hotéis e suas casas", conta Eduardo Araújo. As fãs mais ousadas não mediam esforços para descobrir onde seus ídolos moravam ou se hospedavam para fazer "surpresinhas" ou tentar uma aproximação. O fato é que a dupla de apresentadores de *O Bom* rapidamente conquistou a plateia e se transformou em exemplo de comportamento, linguajar e moda. "Éramos patrocinados pela Moinho Santista e outras empresas de vestuário jovem. Com isso, estávamos sempre nas campanhas de lançamento de produtos idealizados por uma agência que só cuidava dos interesses do programa", completa. Vaidoso, Eduardo tinha um alfaiate particular que ficava em sua casa à disposição e toda semana desenvolvia um figurino novo, inspirado nas fotos das revistas francesas de moda.

A química entre Eduardo e Sylvinha foi imediata, aconteceu já no primeiro programa e surpreendia todo mundo que assistia ao *O Bom*. O público passou a torcer por algo a mais entre os dois e nem desconfiava que o namoro estava bem avançado, porque tinha começado praticamente com a estreia do musical jovem do Canal 9 de São Paulo. Se você não acredita em destino, a história dos dois vai mudar sua concepção sobre o tema.

No dia em que Eduardo Araújo foi chamado para fechar o contrato para apresentar *O Bom*, ele disse aos diretores da TV Excelsior que fazia questão de ter como parceira uma jovem cantora de Minas Gerais que chamava a atenção de todos pela sua voz e postura moderna nos shows. Como em qualquer negociação, os executivos deram um sorriso amarelo, agradeceram a sugestão e disseram que já tinham alguém para ser a nova estrela da emissora.

– Não, não pode ser. Vocês precisam conhecer essa moça!

– Eduardo, já temos o nome e você vai gostar – cortou um dos diretores presentes na reunião.

– Vocês vão se arrepender. Ela vai chegar em São Paulo, estourar de sucesso e vai acabar contratada pela concorrência – provocou o cantor.

A conversa terminou ali, sem que Eduardo os convencesse a contratar a garota de apenas 15 anos de idade que chamara tanto a sua atenção. Alguns dias depois, chegou a hora da apresentação da companheira no novo programa. Para sua surpresa, Sylvinha, mais tarde apelidada de Janis Joplin brasileira, que já estava bem nas paradas musicais com "Feitiço de Broto", entrou na sala.

Havia uma diferença de idade de dez anos entre os dois, e o namoro começou escondido, ali nos bastidores da TV Excelsior. Dois anos depois, no dia 23 de julho de 1969, São Paulo parava para acompanhar o casamento dos ídolos da juventude daquela década. A cerimônia ganhou uma dimensão maior, porque entre os convidados e padrinhos estavam artistas famosos, que viviam na televisão, como Ronnie Von. Nem mesmo o policiamento reforçado foi capaz de conter a multidão, que passou horas na frente da Igreja da Consolação, na região central da capital. Não muito longe dali, na Avenida Brigadeiro Luís Antônio, Sylvinha se preparava para o momento mais importante de sua vida, ouvindo pela janela os gritos dos fãs na rua onde se localizava seu apartamento. "O povo foi à loucura quando ela saiu já com o vestido de noiva e entrou no Cadillac emprestado por Roberto Carlos. Os batedores vieram à frente abrindo o caminho e as pessoas aplaudindo e acenando durante todo o trajeto", recorda Eduardo Araújo. Mas foi no final da Avenida Consolação, quando ela saiu do veículo para entrar na igreja, que a multidão foi ao delírio. Pessoas desmaiaram de emoção e pela falta de ar, apesar de não estarem em local fechado, mas aglomeradas numa praça. Algumas jovens conseguiram atravessar o cordão de segurança e invadiram a área reservada aos familiares e convidados. A cantora só conseguiu chegar ao altar rodeada por policiais. Naquela noite, São Paulo acompanhou um evento de estrelas pop de dar inveja a muitos artistas dos Estados Unidos, tão acostumados com essas manifestações populares.

Casamento de Sylvinha e Eduardo Araújo na revista Intervalo

O fato é que aquela cena à porta da Igreja da Consolação é um dos melhores exemplos da dimensão que os programas musicais alcançaram quando começaram a falar diretamente para os jovens. A indústria fonográfica passou a vender muito mais cópias de discos, os shows deixaram as pequenas boates ou espaços mais intimistas para serem realizados em grandes teatros e ginásios, as revistas de variedades se multiplicaram e disparou o consumo de produtos associados às estrelas. "Começamos a ganhar muito dinheiro porque trabalhávamos muito", lembra Wanderléa. Quem atuou naquela época nos bastidores desses programas garante que é verdadeira uma lenda que sobreviveu ao tempo. Contam que, certa tarde, ao chegar ao Teatro Record, Roberto Carlos abriu o porta-malas de seu carro para pegar a bagagem com o figurino para o programa daquela semana e quem estava ao lado viu o compartimento repleto de dinheiro. O comentário era de que a bilheteria do show do sábado numa cidade do interior tinha sido tão boa que a única solução foi colocar todas as notas ali. "Não lembro disso, não", ri a cantora. "Mas acredito que no início não soubéssemos onde aplicar aquilo tudo", completa.

Longe da turma da Jovem Guarda, Ronnie Von também teve papel importante nesse segmento de programação voltada aos jovens. Suas participações na televisão nunca passavam despercebidas. Seu primeiro compacto com as músicas "You've Got to Hide Your Love Away" e "Meu Bem" era sucesso absoluto, atraindo milhares de fãs. Por isso, em 1966, numa estratégia para reforçar a grade e impedir qualquer ataque da TV Excelsior, foi contratado pela Record para comandar *O Pequeno Mundo de Ronnie Von*, uma referência ao protagonista do livro *O Pequeno Príncipe*, apelido dado a Ronnie por Hebe Camargo. A estreia aconteceu no dia 15 de outubro, um sábado, e os números de audiência não demoraram muito para mostrar a força do projeto. Gilberto Gil, Caetano Veloso e Rita Lee, que raramente pisavam no palco de Roberto Carlos, passaram a ser presenças constantes na nova aposta do Canal 7. Assim como acontecia em outras atrações voltadas a esse público, o auditório ficava lotado, e o apresentador precisava de segurança reforçada para sair do teatro e chegar até seu carro. "Um dia, depois de ele esperar por várias horas, resolveu enfrentar aquela multidão. Quando as meninas o enxergaram, foi uma gritaria só e avançaram. Começaram a rasgar a camisa, a calça e até a cueca", ri Cristina Von, mulher de Ronnie, mas que naquela época era uma amiga bem mais nova que podia acompanhar as gravações num espaço destinado aos convidados VIP. Sem roupa, restou ao cantor sentar na sarjeta enquanto um produtor correu até o camarim para pegar algo para ele usar. "Só tinha uma camiseta bem grande do Erasmo Carlos, que mais parecia um vestido", completa Cristina. Em dezembro de 1967, o programa saiu do ar.

Algumas semanas depois, no dia 17 de janeiro de 1968, Roberto Carlos anunciou sua saída do *Jovem Guarda*. Impecável num terno azul-marinho esporte, com uma camisa branca com gola olímpica e uma capa preta de gola vermelha, o Rei cantou naquele domingo "Quando", "Como é Grande o meu Amor por Você" e "Quero que Vá Tudo Pro Inferno". Assim que falou a todos que não estaria mais no revolucionário programa, os músicos e cantores que

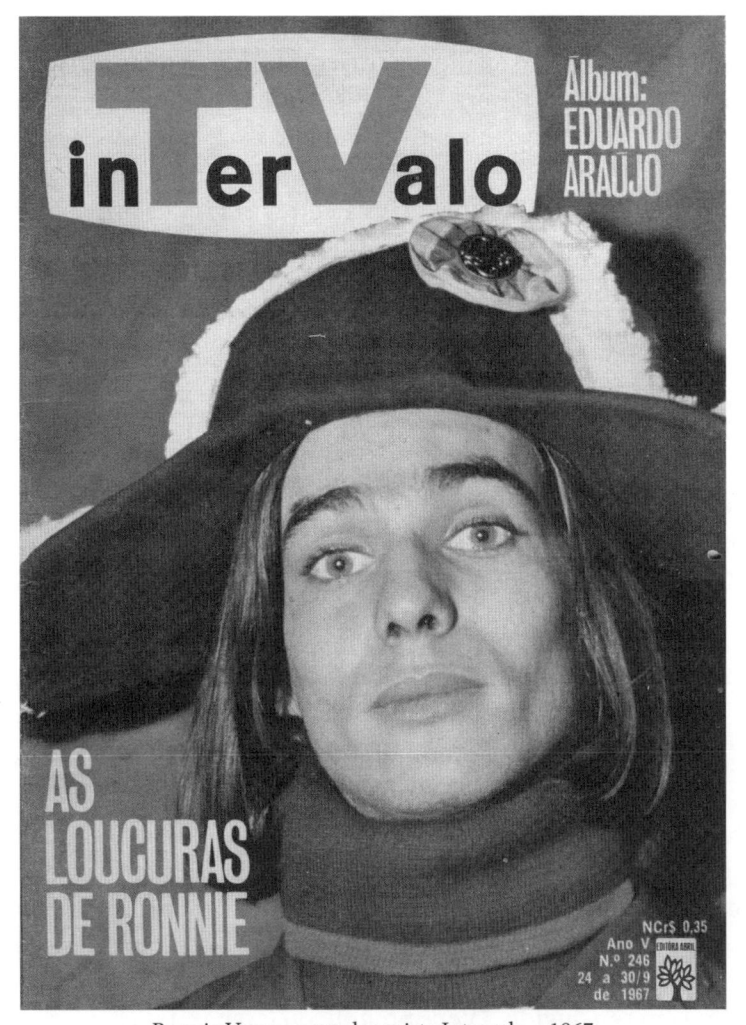

Ronnie Von na capa da revista Intervalo – 1967

estavam no teatro caíram no choro. A Record chegou a pensar numa atração semanal noturna com ele e Chico Anysio, projeto que nunca saiu do papel. Nos cinco meses seguintes, Erasmo e Wanderléa dividiram a apresentação, mas em junho daquele ano foi decidido pelo encerramento definitivo do maior sucesso musical da televisão na década de 1960. "O Canal 7 do doutor Paulo Machado de Carvalho já estava numa situação financeira complicada, o que dificultava qualquer contratação de peso", diz Nilton Travesso.

O programa de Hebe Camargo na Record não era exatamente musical, mas foi um elemento importante dessa era de ouro da emissora. Por ele passavam os nomes mais importantes de todos os setores, quem era notícia na semana, as grandes personalidades e os cantores e bandas mais admirados pelo público. O dominical era líder absoluto de audiência em São Paulo e fez com que o público jamais tivesse dúvidas de que ali estava a maior apresentadora do Brasil de todos os tempos. Hebe não era apenas a mestre de cerimônias da noite, mas uma exímia entrevistadora e brilhante repórter em externas. Sua espontaneidade, humor e agilidade para o improviso cativavam o telespectador e envolviam todos os profissionais que atuavam naquele teatro transformado em estúdio de televisão. Caçulinha, responsável pelo acompanhamento de artistas e pela sonorização ao vivo, compartilhou com a apresentadora as saias justas mais engraçadas da televisão.

Em 1968, o cantor Romuald, de Andorra, ficou em quinto lugar no Festival Internacional da Canção, exibido pela Globo. Sucesso no país, presença obrigatória no programa de Hebe Camargo, que naquela noite de domingo teve direito a tradutora para que o bate-papo com o artista internacional fluísse da melhor maneira. O roteiro previa uma canção ao vivo no final da entrevista e, por isso, antes de entrar no ar realizaram uma passagem de som para acertar o tom ideal para a apresentação. Mas o ensaio não serviu absolutamente para nada. Caçulinha e seu regional ficaram no canto do palco tocando suavemente, só para fazer um fundo especial. De repente, a ordem do diretor Nilton Travesso para introduzir a música. O convidado se levantou, microfone na mão, e iniciou a letra. "Fiz imediatamente um sinal para ele parar, mas não deu certo. Romuald estava quatro tons acima e a música subia muito mais. Quase matei o cara", ri o líder do regional. "E conforme ele cantava foi ficando com o rosto avermelhado. Parecia que ia explodir", completa Nilton Travesso. O número terminou, o público aplaudiu e ele saiu imediatamente do palco. Hebe foi até Caçulinha e cochichou em seu ouvido: "Você prejudicou o rapaz, fez ele passar a maior vergonha". O pior é que ele não podia negar o que havia acontecido ali no palco do Teatro Record.

Nos bastidores dos programas musicais do Canal 7 surgiram grandes amizades, que atravessaram anos. O convívio diário nas várias atrações gerou uma cumplicidade entre os profissionais, mesmo depois que deixaram a emissora para seguir suas carreiras individuais. As brincadeiras, sacanagens e provocações daquela turma de jovens aconteciam sempre que se encontravam. Uma prova disso ocorreu muitos anos depois, durante o segundo aniversário do *TV Mulher*, programa feminino da Globo que tinha Elis Regina como madrinha. A edição especial foi transmitida ao vivo do teatro do Hotel Maksoud Plaza, em São Paulo, com todos os lugares tomados por fãs da atração, além das pessoas que ficaram do lado de fora. Assim que a cantora chegou, avisou a todos que só daria a entrevista, porque não estava com voz para cantar nas primeiras horas da manhã. "O problema é que ela havia discutido com o César Camargo Mariano e estava sem clima", recorda Caçulinha. Nilton Travesso, o diretor do matinal, não queria ficar sem uma música com a maior intérprete deste país e pensou numa solução.

– Caçulinha, ela não quer cantar, mas fica esperto. Eu conheço bem a Elis, e se perceber que ela não recusará, te dou um sinal – disse o diretor.

– E eu preparo o quê?

– Fica esperto. Deixa "Carinhoso" na manga!

A entrevista com Elis Regina foi brilhantemente conduzida por Marília Gabriela e Ney Gonçalves Dias, que abordaram questões familiares, a carreira, sucesso e o momento da música brasileira. Como sempre, a cantora se entregou em cada resposta e foi aplaudida pela plateia diversas vezes.

– Elis, quero agradecer sua presença nesta festa tão especial para todos nós – disse Marília Gabriela.

– Que pena que ela não vai cantar hoje – completou Ney Gonçalves Dias.

Atrás das câmeras, Nilton Travesso deu sinal para Caçulinha iniciar na sanfona a música "Carinhoso", e aos primeiros acordes o público passou a gritar para Elis cantar. Os pedidos foram aumentando em intensidade e, para não contrariar seus fãs, ela pegou o microfone para interpretar apenas um pequeno trecho desse clássico. Sorrindo para a plateia, emocionada com tudo o que havia acontecido naquela manhã, ela se aproximou do músico.

– Eu não acredito que você fez isso pra mim. Vai ter troco – sussurrou Elis.

– Canta aí que todo mundo está adorando – falou Caçulinha bem baixinho.

Elis Regina terminou a primeira parte da letra e jogou para a plateia completar o verso. Olhou para Caçulinha para encerrar a apresentação naquele exato momento, mas, como ele continuou a música, foi obrigada a seguir até o final. "O auditório foi à loucura e a Elis prometeu o troco. Nem sei se aconteceu a vingança, porque esse tipo de sacanagem sempre existiu entre nós, músicos", recorda. "Foi uma ligeira provocação, que teve um resultado muito bonito, inclusive em homenagem a Pixinguinha. Um momento inesquecível, que só acontece quando a amizade é verdadeira e de longa data", completa Nilton Travesso.

Os festivais de música popular também são uma das marcas dessa era de ouro da televisão, já que ganharam destaque nas grades da TV Excelsior,

Record e Globo, cada um com suas características, mas todos com qualidade inquestionável no que foi levado ao público. Ali surgiram compositores e intérpretes e as bases de carreiras solidificadas dos principais nomes da MPB, como Chico Buarque, Caetano Veloso, Milton Nascimento, Ivan Lins e muitos outros. Esse importante capítulo da história de nossa cultura começou alguns anos antes da noite de 6 de abril de 1965, quando a gaúcha Elis Regina, com "Arrastão", foi apontada como a grande vencedora do I Festival da Música Popular Brasileira realizado no Guarujá, cidade do litoral de São Paulo, e transmitido pela TV Excelsior. A ideia desse evento chegou até a direção do Canal 9 de São Paulo graças à experiência de Lafayette Hohagen com esse tipo de programa nos Estados Unidos.

No início dos anos 1960, ele morava em Manhattan e frequentava os bares em que os astros do jazz se apresentavam. Nesse período, a cidade de Newport realizava reuniões anuais com músicos do gênero e promovia uma espécie de competição entre os convidados, sempre com plateia cheia e muita repercussão no rádio, imprensa e televisão. Já aqui no Brasil, Hohagen, trabalhando como contato na Midas Propaganda, conheceu Berto Filho, que atuava como redator na agência e como locutor na Excelsior, e, durante uma das conversas com o amigo, propôs a criação de algo parecido com o que viu enquanto esteve em Nova York. "Sugeri que fizéssemos parceria com a Rhodia, Fenit e Philips para realizar o festival e ele ficou de entregar o projeto a Solano Ribeiro, coordenador de publicidade do Canal 9", conta Hohagen. Segundo ele, algumas semanas depois Solano foi para San Remo acompanhar de perto detalhes do evento e na volta excluiu quem realmente trouxe a ideia de um festival no Brasil.

O I Festival da Música Popular Brasileira foi um sucesso sem precedentes e revelou Elis Regina, com sua voz impecável e uma presença intensa no palco. Essa imagem atravessa gerações, é um dos símbolos do formato e, principalmente, da força que esse gênero de programação teve tanto como produto televisivo como de manifestação cultural. "Os bons números levaram Paulinho Machado de Carvalho a contratar Solano Ribeiro para desenvolver os festivais na Record", conta Nilton Travesso. Entre setembro e outubro de 1966, o Canal 7 de São Paulo promoveu o II Festival da Música Popular Brasileira, que teve um empate entre as músicas "A Banda" e "Disparada". A primeira foi interpretada por Chico Buarque e Nara Leão, e a segunda, por Jair Rodrigues, Trio Maraya e Trio Novo. Alguns meses antes, em junho, a TV Excelsior havia colocado no ar o Festival Nacional de Música Popular Brasileira, um nome diferente para a mesma ideia que foi levada pela concorrente. "Porta Estandarte" foi a canção vitoriosa e "Inaê" conquistou o segundo lugar.

Mas, segundo os especialistas em música, foi o III Festival da Música Popular Brasileira, em 1967, que revelou e projetou o maior número de novos compositores. "Ponteio", de Edu Lobo, conquistou o primeiro lugar e "Domingo no Parque", de Gilberto Gil, o segundo. Na sequência, aparecem "Roda Viva", de Chico Buarque, "Alegria, Alegria", de Caetano Veloso, e "Maria, Carnaval e Cinzas", de Luiz Carlos Paraná. Com plateia lotada, opiniões e torcidas divididas, jurados polêmicos e muita repercussão na mídia especializada, os produtores se preocupavam em cada vez mais transformar tudo aquilo num grande espetáculo, dignos dos que eram realizados no Chile ou na Itália. Troca de cenário, mudança completa de instrumentos e iluminação diferenciada para cada apresentação eram apenas alguns dos cuidados especiais. "Enquanto um artista estava na parte da frente do palco, atrás da cortina montávamos toda a estrutura para o próximo candidato. Quando abria para o público, tudo estava perfeito", lembra com orgulho Cláudio Lopes, o Geleia, como é carinhosamente chamado o mais antigo diretor de estúdio da Record. Ele era um dos contrarregras responsáveis pela operação da cenografia dos festivais. "Tínhamos umas dez pessoas nos bastidores para viabilizar tudo. A bateria dos grupos, por exemplo, ficava numa estrutura com rodinhas que puxávamos com cordas", conta. Enquanto a troca não ficava pronta, o apresentador era obrigado a dar uma enrolada ou chamar um dos repórteres para os camarins ou no auditório. "Aí, eu dava o sinal para ele e o artista começava a cantar no meio do palco. Corríamos para a lateral a tempo de montar o regional do número seguinte", recorda Geleia. Era tudo muito rápido e praticamente perfeito, diante de todas as dificuldades da época com a falta de estrutura e um espaço relativamente pequeno. As substituições mais complexas eram realizadas durante os intervalos comerciais, quando até os mestres de cerimônia saíam para não atrapalhar a equipe. "Aquilo era um inferno, uma grande confusão. O jeito era ensaiar nos corredores, com todo mundo olhando", diz Caçulinha. Por isso, quem circulava pelos bastidores sabia exatamente qual música conquistaria a plateia e quais tinham mais chances de ganhar. "Era muito comum ver a Elis torcendo pelo Chico Buarque, Gil beijando a Nana após uma canção e o Caetano na coxia admirando as letras", completa Nilton Travesso. Para ele, toda essa emoção fazia com que os artistas e produtores esquecessem todas as pressões políticas, censuras e manifestações contrárias.

A Record realizou mais duas edições do Festival da Música Popular Brasileira, além da Bienal do Samba, em maio de 1968. Já a Globo produziu e transmitiu por sete anos seguidos, a partir de 1966, o Festival Internacional da Canção, que também contava com artistas nacionais, como Dori Caymmi, Nelson Motta, Milton Nascimento e Chico Buarque. No início de 1975, a emissora promoveu o Festival Abertura, com apresentação de Luiz Carlos Miele, Marília Gabriela, José Wilker e Márcia Mendes. A crítica especializada da época questionou a falta de inovação no formato. A música "Como um Ladrão", de Carlinhos Vergueiro, foi a vencedora e Djavan ficou em segundo lugar com "Fato Consumado". Já sem o grande impacto dos anos dourados dos festivais, a Globo realizou em maio de 1980 o "MPB 80" e nos anos seguintes o "MPB Shell 81" e "MPB Shell 82", que contribuíram para o sucesso de "Foi Deus que Fez Você", "Porto Solidão", "Planeta Água", "Doce Mistério", "Dona", entre outras. Em 1985, o "Festival dos Festivais" ressuscitou o gênero na emissora. A voz diferente de Tetê Espíndola fez de "Escrito nas Estrelas" a música mais executada nas rádios e na TV. Outra experiência parecida ocorreu somente em 2000, com o Festival da Música Brasileira realizado em São Paulo.

As doces memórias daquela juventude dos festivais e dos programas com muito rock 'n' roll são, de tempo em tempo, relembradas por quem viveu aquela época e servem de bom exemplo para o que a televisão pode fazer. É possível entreter e ao mesmo tempo transformar comportamentos, criar novos padrões de moda e estabelecer um movimento musical que entrou para a história a partir das jovens tardes de domingo.

> *Jovens tardes de domingo*
> *Tantas alegrias*
> *Velhos tempos*
> *Belos dias*
> *Canções usavam formas simples*
> *Pra falar de amor*
> *Carrões e gente numa festa*
> *De sorriso e cor*
> *Jovens tardes de domingo...*

(Trecho de "Jovens Tardes de Domingo", de Roberto e Erasmo Carlos)

Gol de Beto Rockfeller

Certo dia, Luis Gustavo pediu ao pessoal do arquivo da TV Tupi que gravassem uma fita com 80 gols de Pelé, pelo Santos ou Seleção Brasileira. Ele tinha pressa porque estava com viagem marcada para a Europa. Por ser querido de todos, o pedido foi aceito facilmente. Só que aí entrou em cena o Beto Rockfeller, personagem que ele viveu na novela. Em cada país por que passava, ele visitava a principal emissora de televisão e oferecia a fita dos "80 gols do Pelé" para única exibição. Pelé já era o Rei do Futebol. Tatá ficou mais de 60 dias viajando pelos mais diversos países e ainda voltou para o Brasil com um bom dinheiro no bolso.

Irmãos Coragem: é preciso coragem e ousadia na TV

Pouco mais de sete meses após o término de *Beto Rockfeller*, o terceiro grande marco da teledramaturgia brasileira que estabeleceu a verossimilhança com o cotidiano do público como elemento básico da nossa ficção diária, a Globo colocou no ar mais um divisor de águas nesse gênero de programação e iniciou definitivamente sua bem-sucedida história na indústria de novelas. Até esse momento, a emissora colocava no ar adaptações de tramas da Argentina, de Cuba e do México carregadas de drama, com enredos internacionais e personagens bem distantes do telespectador. "Os nossos textos já estavam prontos antes. *Véu de Noiva* já havia sido apresentada, mas Glória Magadan segurava esse passo. Não havia mais como protelar", conta José Bonifácio de Oliveira Sobrinho, o Boni, diretor artístico da Globo e que tinha a missão de colocar o canal o mais rápido possível em primeiro lugar no Rio de Janeiro e em São Paulo. Mas era justamente com os folhetins do horário nobre que as concorrentes resistiam e registravam seus melhores desempenhos.

Depois de assinar na Globo três adaptações de folhetins hispânicos, a versão para televisão da radionovela *Rosa Rebelde* e a inédita *Véu de Noiva*, que já apostava na realidade, em nomes nacionais e problemas, ambições e sentimentos iguais aos de quem estava em casa, em 29 de junho de 1970 Janete Clair estreou *Irmãos Coragem*, talvez a maior referência em sua impecável obra de sucesso, que impôs a dinâmica de fazer novela no Brasil e a engenharia perfeita para a construção de um capítulo com ganchos capazes de prender o telespectador e levá-lo para a noite seguinte durante meses. Sem a supervisão da cubana Magadan, a autora avançou muito mais. "Ela criou as expectativas em cada bloco, coisa que não existia com os teleteatros, para fazer a pessoa voltar depois dos comerciais. Até então, gravavam-se nas novelas todas as cenas e os cortes eram feitos em qualquer ponto, quando era necessário parar", explica Renata Dias Gomes, neta de Janete e Dias Gomes.

A nova superprodução da faixa das 20h reuniu em seu elenco os nomes mais fortes da época. Para os irmãos protagonistas foram escalados os galãs Tarcísio Meira, Cláudio Cavalcanti e Cláudio Marzo, que interpretou um jogador de futebol, símbolo máximo de realização pessoal no ano em que o Brasil venceu a Copa do Mundo e, portanto, principal assunto na TV, nos jornais, revistas e nas conversas de amigos nas ruas, em casa e no trabalho. Os mais jovens sonhavam em fazer carreira nos gramados, assim como Duda, personagem de Marzo. "Isso atraiu muito o público masculino, porque, até então, as novelas eram pensadas exclusivamente para as mulheres", analisa o professor Claudino Mayer, estudioso do assunto. "Era uma história de aventura e os personagens tinham uma dimensão épica, uma coisa bonita e, por isso, os homens assistiram", completa Tarcísio Meira. Colocar um dos irmãos na cidade grande lutando para vencer como atleta foi a forma encontrada pela autora para atender quem não gostava das tramas rurais e se identificava mais com os cenários urbanos, algo muito praticado atualmente pelos escritores por meio dos diversos núcleos paralelos, característica inexistente nos dramalhões latinos. "Começava ali a identidade brasileira", diz Glória Menezes, que interpretou Lara, a jovem apaixonada por João, mas que sofre com uma doença que lhe provoca a múltipla personalidade, surgindo, então, Diana e Márcia, mulheres de comportamentos bem diferentes que, por isso mesmo, traziam as mais variadas situações a todos os envolvidos no seu dia a dia, principalmente para seu par. Regina Duarte, que no início dos anos 1970 já era uma das mais conhecidas atrizes da televisão brasileira, deu vida a Ritinha, a paixão de infância de Duda que faz de tudo para garantir um final feliz com seu grande amor. Lúcia Alves, com sua beleza tipicamente brasileira e excelente profissional, foi a vilã Potira, irmã de criação de João, mas cegamente apaixonada por ele e, portanto, capaz das maiores maldades para tê-lo por perto. Ela está presente em dois triângulos amorosos, uma vez que

Jerônimo nutre uma paixão pela jovem. "Os homens eram muito másculos, muito viris, e as mulheres, muito femininas", destaca Tarcísio para explicar o sucesso que as personagens criadas pela autora fizeram com o público.

Irmãos Coragem tem como ponto de partida as lutas e paixões dos irmãos João, Jerônimo e Duda, que, de certa forma e unidos, representavam o brasileiro do início dos anos 1970. João, o garimpeiro, tem o diamante valioso roubado a mando do coronel Pedro Barros, que comanda toda a região, principalmente o garimpo. O jovem fará de tudo para ter de volta a sua fortuna. Jerônimo entra em conflito com o poderoso homem por meio da política, tornando-se a oposição em Coroado e a força que buscará a liberdade e melhores condições sociais. Duda vai para a cidade grande realizar o sonho de ser um famoso jogador de futebol. É o migrante

Capa da edição especial da revista Melodias com Tarcísio Meira

em busca de dias melhores. Por meio dos três protagonistas, Janete Clair levou ao telespectador um importante cenário daqueles anos difíceis com as ordens inquestionáveis do governo militar, falta de oportunidades econômicas e sociais, restrição na exposição do pensamento e a ordem estabelecida do famoso "quem pode, manda; quem tem juízo, obedece", raciocínio de grande interesse para os poderosos, em todos os níveis. Com um mundo imaginário e absolutamente envolvente, driblou a censura, que não permitia nenhum questionamento sobre as necessidades fundamentais de quem vivia no país.

Com carta branca para criar e se reportando somente a Boni, Janete Clair abordou em *Irmãos Coragem* todos os temas que julgou importantes, inclusive tabus da sociedade, como o amor entre um homem negro e uma mulher branca, algo que incomodava os mais conservadores. Milton Gonçalves interpretou Brás Canoeiro e Suzana Faini, Cema. O casal conquistou o público e se tornou um dos preferidos da novela. "Ela já tinha tentado essa temática em *Passo dos Ventos*, mas não deu certo. Dessa vez, houve química e funcionou muito bem", ressalta Renata Dias Gomes. A autora ainda recorreu à dupla para tratar de outro tema polêmico. Cema foi estuprada pelo desequilibrado Juca Cipó e alguns dias depois descobre que está grávida, levantando a dúvida sobre quem era o pai da criança que estava em seu ventre e uma importante discussão sobre violência contra a mulher dentro e fora de casa. "Através de suas histórias ela foi quebrando tabus, e não tenho dúvida que, se estivesse viva, teria feito há muito tempo o beijo gay", completa sua neta.

Irmãos Coragem foi inovadora em vários sentidos, inclusive na brilhante direção de Daniel Filho, que nunca escondeu de ninguém que buscou inspiração nos filmes de faroeste para criar o clima mais rural para a história desenvolvida por Janete Clair. Partiu dele, por exemplo, a ideia de gravar em película a cena da morte de Jerônimo e Potira, após um tiroteio no capítulo final, e exibi-la em ritmo mais lento, aumentando assim sua dramaticidade. Esse era um recurso impossível na época, com os equipamentos exclusivos da televisão, mas que se concretizou por meio da experimentação e abriu caminho para um intercâmbio entre cinema e TV que se consolidou nos anos seguintes, muito intensificado nos últimos anos pela aproximação com a linguagem dos seriados dos Estados Unidos. "Ele transformou tudo aquilo num épico, sempre com orientações muito precisas para o elenco", recorda Emiliano Queiroz, intérprete de Juca Cipó, um homem com problemas mentais e de comportamento violento, mas que fez muito sucesso entre crianças e jovens e, por isso, teve seu perfil alterado no decorrer dos 328 capítulos para atender ainda mais o gosto desse segmento do público. Perceber a reação do telespectador diante de tudo que é oferecido era outra característica forte da autora, que contribuiu para o sucesso alcançado em 1970 e é muito valorizada atualmente em quem faz teledramaturgia diária. "Ela começa a dialogar com os diversos públicos e a representá-los na televisão, que se enxergam nas personagens", pontua Claudino Mayer.

Diferentemente de outras produções de grande sucesso exibidas até então, como *O Direito de Nascer* e *Beto Rockfeller*, que atingiram elevados índices de audiência conforme ganharam repercussão após as primeiras semanas, *Irmãos Coragem* já entrou no ar com números altos, mostrando a todos que veio para marcar a história da teledramaturgia brasileira. Sua estreia aconteceu na reta final da Copa do México, que teve o Brasil como vencedor. A Globo registrava médias monstruosas com as partidas entre as seleções e superou todas as expectativas com o jogo final, entre Brasil e Itália, exibido num domingo. Na noite de segunda-feira, a surpresa: o capítulo marcou um ponto a mais que o futebol do dia anterior, comprovando que os homens haviam se interessado pela trama de Janete Clair, apesar de todo o preconceito que existia na época e das inúmeras brincadeiras jocosas dirigidas àqueles que assumiam assistir aos folhetins com suas esposas. "Dá pra acreditar?", provoca Tarcísio Meira, que defende a força da teledramaturgia como agente transformador da sociedade nas várias facetas de seu comportamento, desde os mais íntimos até os mais complexos, com campanhas de mobilização e conscientização.

Irmãos Coragem conseguiu avançar muito na arte de fazer novelas no Brasil ao impor mais ritmo e ação todas as noites, criando no telespectador a sensação de que, se não ligasse a televisão no horário certo, perderia fatos importantes para a compreensão da trama. "Cada capítulo era um acontecimento", diz Emiliano Queiroz, o que representava um passo a mais no que outras produções, entre elas *Beto Rockfeller*, haviam feito até o momento. As pesquisas de audiência apontavam para um cenário de estabilidade, com índices perto dos 80% do começo ao fim, do primeiro ao último capítulo, sem grandes oscilações no decorrer de sua exibição. O melodrama arrastado abriu espaço definitivamente para algo mais envolvente e que atingia homens, mulheres e crianças, ampliando em muito as possibilidades comerciais e, sem dúvida, impondo uma importância maior desse gênero às campanhas publicitárias. Se os grandes anunciantes já eram atraídos havia uma década pelas novelas diárias, em função da presença feminina – que determinava o padrão de consumo da família –, agora o leque era muito maior, e uma infinidade de mercadorias entraria nos intervalos do folhetim preferido do brasileiro.

Com tanta repercussão e bom Ibope, nem poderia ser diferente: *Irmãos Coragem* foi destaque nas principais premiações, se não com estatuetas, com várias indicações. No Troféu Imprensa, por exemplo, em 1971, ganhou como melhor novela, vencendo *Assim na Terra Como no Céu*, também da Rede Globo, e *Simplesmente Maria*, da Tupi. Regina Duarte, que deu vida a Ritinha, ganhou como melhor atriz, categoria que também contava com Glória Menezes entre as finalistas. Lúcia Alves venceu como revelação e Tarcísio Meira foi indicado como ator. Nas revistas e colunas especializadas nos jornais eram muitas as reportagens, fotos, notícias e análises do que diariamente o telespectador acompanhava. O trabalho de vários atores foi muito elogiado, já que a direção de Daniel Filho sinalizou para a busca dos elementos mais naturais para a identificação com o telespectador, e a entrega do elenco a seus personagens impressionou até mesmo quem estava acostumado a ver de perto como cada um construía suas cenas. Glória Menezes foi uma das mais elogiadas, afinal interpretava uma mulher com três personalidades, e para cada uma, mesmo sem grandes recursos de maquiagem e caracterização, desenvolveu trejeitos bem distintos. "A Márcia e a Lara eram muito parecidas, mas a Diana era a ruim, a danada. O Daniel Filho mandava eu virar o rosto para a câmera e já aparecer como a outra personagem. Tudo acontecia na troca de ângulo, de equipamento", conta a atriz, que logo nos capítulos iniciais resolveu acrescentar duas batidas de palmas cada vez que Diana tomava conta da cena. Não precisou de muito tempo para Boni mandar a protagonista da novela comparecer em sua sala para uma importante orientação. Assim que ela entrou, o diretor artístico da emissora foi direto.

– Tira essa batida de palma – ordenou Boni, imitando o gesto em cena da atriz.

– Mas é uma forma de mostrar que mudou a personagem – explicou Glória.

– Não importa. Tira esse som porque não está legal na televisão, parece um ruído – explicou o diretor.

Glória Menezes voltou para o estúdio e contou a Daniel Filho a conversa que havia tido com o todo-poderoso da emissora. A partir daquele momento, não haveria mais a batida de palmas, mas as cenas que já estavam gravadas entrariam no ar. Alguns dias depois, Glória e Tarcísio Meira retornavam para casa após mais um longo dia de trabalho no estúdio quando, numa das ruas mais movimentadas do bairro de Botafogo, no Rio de Janeiro, ouviram outro veículo buzinando. Com o sucesso de *Irmãos Coragem*, era muito comum que o público acenasse para o casal ou fizesse algo para chamar a atenção dos dois, até mesmo no trânsito. Glória e Tarcísio aumentaram a velocidade e perceberam que o outro motorista também acelerou. Semáforo fechado, o carro emparelhou. Na direção estava Boni, que fez um sinal para que abrissem o vidro.

– Glória, pensei bem, não tira não!
– O que, Boni? – indagou a atriz, sem entender direito o que ele falava.
– Não tira a palma da Márcia. Eu mandei você parar com aquilo, mas é o maior sucesso.

Glória Menezes sorriu ao perceber que o homem que mais entendia de televisão reconheceu que sua criação funcionara com o telespectador. E, já engatando a primeira marcha para andar com o carro, Boni emendou:

– Tá todo mundo fazendo como ela. Virou moda!

Ele deu duas batidinhas de palmas e seguiu seu caminho. Glória teve ali a convicção de mais um acerto em sua interpretação e não duvidou do sucesso da novela que Janete Clair havia criado para encantar toda uma geração.

Um dos segredos do excelente desempenho de *Irmãos Coragem* está na gravação de sequências inteiras realizadas em externas, o que dava mais veracidade ao garimpo onde trabalhavam os protagonistas da novela. Essas cenas foram geradas na Serra de Teresópolis e exigiam muita disciplina da equipe e logística numa época em que as estradas não eram tão boas como as atuais e os grandes equipamentos ocupavam veículos maiores. Era necessário sair cedo do Rio de Janeiro para aproveitar ao máximo a iluminação do dia e não correr o risco de perder tempo com algum imprevisto no trajeto. Além de todos os preparativos da emissora, os atores também se organizavam para que esses dias longe do estúdio não fossem tão insalubres. Alguns providenciavam sanduíches, outros, água e sucos. "A gente levava as coisas dentro do isopor no meio do mato porque não tinha estrutura", ri Glória Menezes. "O público não tem a menor ideia do que foi trabalhoso, das travessuras e estripulias que a gente tinha que fazer pra colocar as coisas no ar", completa Tarcísio Meira.

Para facilitar o andamento das gravações de *Irmãos Coragem*, Boni autorizou a equipe comandada por Daniel Filho a construir uma cidade cenográfica num grande terreno na Barra da Tijuca, bairro que atualmente abriga luxuosos condomínios de edifícios e casas, muitos frequentados por artistas e empresários, mas que no início dos anos 1970 era uma região distante de tudo, com poucos acessos, muito mato e escassas edificações. A fictícia Coroado tinha cinco mil metros quadrados em que foram erguidos coreto, casas, igreja e praça, algo ousado para uma produção da época e muito maior do que a estrutura de *Redenção*, o primeiro município construído para a ficção. A terra dos irmãos João, Jerônimo e Duda se transformou num dos assuntos do momento e em passeio, nos fins de semana, de muita gente curiosa em saber detalhes daquela cidade que todas as noites aparecia em sua televisão, na sala de estar em que a família se reunia para acompanhar mais um capítulo da fascinante história. Num dos períodos de fortes chuvas na capital fluminense, o cenário acabou destruído por um temporal e a foto de Coroado alagada foi estampada na página principal do jornal *O Dia*. Realidade ou coisa de novela? A imagem de ruas cheias de água e casas desmoronando se confundiu com o que havia acontecido em muitos bairros da cidade, misturando as notícias da vida real. Há quem afirme que Janete Clair se baseou justamente nesse acontecimento para criar uma cena do último capítulo, quando o coronel Pedro Barros põe fogo em Coroado. Outra inspiração na realidade partiu de Daniel Filho, que conseguiu por intermédio do então técnico do Flamengo, Fleitas Solich, gravar uma cena durante um jogo verdadeiro do time contra o Botafogo. Com Maracanã lotado, Cláudio Marzo entrou em campo vestindo a camisa 10 e participou do aquecimento com todos os jogadores. As câmeras captaram toda essa movimentação, e quem estava na arquibancada aplaudiu a mistura da realidade com a ficção e viu de perto o herói da novela fazer bonito com a bola. E quem diria que aquilo era mentirinha da televisão? Afinal Duda estava ali, no meio do gramado. *Irmãos Coragem* estabelece definitivamente o diálogo com o telespectador, a transferência da realidade para a ficção e da história de novela para as ruas de verdade.

Com mais de um ano no ar, a equipe de *Irmãos Coragem* não teve que se desdobrar somente com a enchente e a destruição parcial da cidade cenográfica, mas se viu obrigada a administrar alguns outros problemas inerentes a uma produção longa. Glória Menezes, sempre muito exigida com sua protagonista com tripla personalidade, contraiu meningite no meio da novela e foi obrigada pelo médico a se afastar completamente do trabalho por um mês. Apesar disso, o telespectador não sentiu sua ausência, afinal, as gravações estavam bem adiantadas e Daniel Filho e Janete Clair resolveram diluir as cenas com a atriz ao máximo durante o restabelecimento de sua saúde. A arriscada estratégia deu certo, afinal, Glória regressou aos estúdios um dia antes de acabar definitivamente o material separado na edição e registrou as sequências que foram acrescidas ao capítulo da noite seguinte. No vídeo, ninguém ficou de fora, mas isso só aconteceu graças à habilidade da autora em reescrever momentos e a pensar diferente do que pretendia diante dos imprevistos e problemas de um folhetim. Essa foi outra lição para as gerações futuras de escritores da teledramaturgia. A gravidez de Regina Duarte no meio da realização da novela também obrigou Janete a encontrar um caminho para Ritinha. Foi uma escolha simples, mas extremamente eficiente, afinal, as pessoas começariam a reparar no crescimento da barriga da atriz. A personagem também descobriu que estava esperando um bebê e seu destino foi ligeiramente corrigido.

Irmãos Coragem foi o resultado de um feliz encontro de talentos, ousadias e olhares diferentes e modernos de uma autora atenta ao telespectador e de um diretor com a sensibilidade necessária para arriscar. Em seu livro *O Circo Eletrônico*, Daniel Filho revela que teve um cuidado especial com a música-tema da novela, pois sabia que havia ali uma canção forte e marcante e, por isso, recorreu a sua forma instrumental nos 11 primeiros capítulos e à versão com letra a partir do 12º episódio, quando João encontrava o diamante mais valioso e que mudaria sua vida ao atrair a ganância do coronel da região. No auge da cena com Tarcísio Meira, entrou ao fundo o refrão da canção interpretada por Jair Rodrigues: "Irmão, é preciso coragem!".

> Abre o peito, coragem, irmão!
> Faz do amor sua imagem, irmão
> Quem à vida se entrega
> A sorte não nega seu braço, seu chão
>
> O rumo, a raça, a roda, o rodeio
> O rio, a relva, o risco, a razão
> Mas quem à vida se entrega
> A sorte não nega seu braço, seu chão
>
> Irmão, é preciso coragem...

Janete Clair teve a sua coragem, ousou ao quebrar as regras dos folhetins hispânicos, formatou definitivamente a novela brasileira e transformou *Irmãos Coragem* num dos marcos de nossa televisão.

A teledramaturgia nos anos 1970: "Vamos botar de lado os entretanto e partir pros finalmente"

O sucesso alcançado por *Irmãos Coragem,* graças à inclusão de temas brasileiros, ao afastamento do dramalhão dos folhetins hispânicos e aproximação com a realidade, foi mais um passo importante na construção da teledramaturgia de nosso país e determinou a forma como produziríamos nossas histórias, levando esse gênero a ser o principal produto de uma indústria de entretenimento que, alguns anos mais tarde, conquistaria um espaço de destaque no mercado internacional, deixando de ser mera adaptadora de tramas que circulavam o mundo determinadas pelos interesses comerciais de vendedores de sabonetes e sabão em pó. Os anos 1970 chegaram e, com eles, a vontade de superar os limites artísticos e dominar a audiência, tanto pela Globo quanto pela Tupi, com desejos semelhantes na Record e Bandeirantes. Fazer novela era prioridade dos executivos e diretores das emissoras de TV.

A década de 1970 foi determinante para a teledramaturgia brasileira e concentra grandes clássicos e referências para as gerações que vieram depois. Os autores, influenciados por Janete Clair e Ivani Ribeiro, estabeleceram uma estrutura mais eficiente para os capítulos, diretores buscaram novos elementos e passaram a se preocupar com a iluminação com o advento da imagem colorida, os produtores otimizaram o trabalho no estúdio e os atores impuseram cobranças e rotinas mais profissionais, como limite para jornadas de trabalho e estrutura física adequada. Por incrível que possa parecer ao olhar dos dias atuais, nas duas primeiras décadas de atividades a televisão não respeitava muito quem atuava nela. "O estúdio da TV Tupi, por exemplo, não tinha ar-condicionado, e eu me lembro que uma vez a gente colocou um termômetro numa determinada altura, perto da iluminação, e deu 70 graus", recorda Antônio Fagundes. A área de gravações da emissora no bairro do Sumaré, em São Paulo, contava com uma sala para maquiagem e cabelo para todos os atores e, no final de um longo corredor, com dois banheiros, um masculino e outro feminino, que atendiam ao elenco, técnicos, profissionais de outros departamentos e visitantes. "Era uma bagunça só", lembra Walderez de Barros. "Às vezes, você saía correndo após uma cena e ficava um tempão na fila para ir ao banheiro", completa. Quando Yoná Magalhães chegou à Tupi como superestrela, sua primeira exigência foi a construção de sanitários perto dos estúdios que atendessem às equipes que ali atuavam e camarins individuais para que tivesse um pouco mais de privacidade e pudesse guardar alguns objetos e acessórios que usava para compor Maria Ramos, a protagonista de *Simplesmente Maria*. Aliás, nessa novela a Tupi ensaiou voltar ao dramalhão latino, mas mudou o rumo quando percebeu que não atendia ao que o público desejava. Diante da pouca repercussão, Benjamin Cattan alterou o tom da história, mexeu em alguns perfis, criou novas situações e olhou para o Brasil. A audiência subiu e essa produção ficou no ar por 315 capítulos.

Simplesmente Maria representou um importante avanço na forma de fazer novelas no Brasil ao adotar um olhar mais industrial para sua produção. Até então, os capítulos eram gravados na sequência, sem inversão de cenas e com todos os ambientes montados no estúdio, no máximo em dois. "Os cenários eram erguidos nas laterais, um ao lado do outro, em sequência, criando um espaço ao centro onde ficavam as câmeras. O trabalho começava pelo primeiro, com os atores daquele núcleo", destaca Walderez de Barros.

Encerrada essa parte, mudavam o posicionamento dos equipamentos, entrava o elenco do próximo bloco e seguia no sentido horário, como estava determinado no roteiro. E, com esse movimento circulatório, não havia a preocupação do apuro com a iluminação, faziam-se apenas pequenos ajustes suficientes para uma captação adequada de imagem. "Um belo dia, chegamos para gravar e o Avancini tinha introduzido um novo modelo, o que é utilizado até hoje. Estava montado o cenário da mansão da Maria e fizemos todas as cenas da semana para esse ambiente", relembra a atriz. Com a nova metodologia, o diretor obrigou todo mundo a decorar o texto, estudar melhor cada fala e a chegar mais cedo para se preparar e se maquiar adequadamente. O alto comando da emissora gostou, afinal, isso representou economia com energia elétrica, menos horas extras e orçamentos mais modestos.

A aposta nas temáticas brasileiras, principalmente em relação às mudanças de comportamento e novos anseios da sociedade, é a marca mais forte da teledramaturgia brasileira no início dos anos 1970. "Houve a necessidade de atualizar o que se fazia e olhar para os nossos problemas. Foi um caminho que deu certo e continua atual", diz Henrique Martins, diretor de inúmeras novelas e que contribuiu para formatar o que se assiste atualmente. "Os profissionais envolvidos com esse tipo de programa levaram e ampliaram o valor social da telenovela. Tudo isso envolto por uma produção de altíssima qualidade e uma elaborada trilha sonora. Aí começou a residir todo o diferencial do gênero, com *Irmãos Coragem*, *Pigmalião 70* e *Verão Vermelho*, entrando na era da modernidade e, consequentemente, num processo de industrialização que iria elevar o seu conceito no universo do entretenimento", explica o mestre em teledramaturgia Mauro Alencar. "Quando a produção começou a avançar e a melhorar, o trabalho do ator e o texto subiram juntos, porque era possível realizar o que você não conseguia fazer antes. E isso durou a década inteira", pontua Antônio Fagundes sobre um período em que finalmente a teledramaturgia ganhou suas características definitivas como produto de massa. As tramas paralelas e os diversos núcleos passaram a ganhar cada vez mais importância e a criar identificação com quem estava em casa diante da TV, porque "uma novela exprime e representa a sua vida. E se não é a sua, é a de quem você conhece na vida real. Por isso que o telespectador torce para um personagem ou outro", conclui o diretor Reynaldo Boury.

No dia 2 de março de 1970, entrava no ar uma nova proposta de Vicente Sesso, que, talvez sem querer, mostrou que os textos mais leves e as comédias românticas seriam ideais para a faixa das 19h, horário em que existe a entrada de um novo público, das pessoas que chegaram em casa após um dia inteiro de trabalho. Algo longe do drama funciona muito bem até os dias atuais nesse momento da grade, destinado definitivamente às comédias, com Cassiano Gabus Mendes e Silvio de Abreu. *Pigmalião 70*, primeiro texto do autor na Globo, tinha como protagonista o ator Sérgio Cardoso na pele de um rapaz que ajudava a mãe na feira e vê sua vida mudar no dia em que se envolve num acidente com a milionária Cristina Guimarães. Para tornar esse ambiente o mais real possível, o autor passou uma semana ao lado de feirantes. "Levantava às 4h da manhã, montava a barraca, ia ao entreposto comprar os produtos e voltava para desmontar a estrutura", conta Sesso. Nesses sete dias de convivência, ele percebeu que esses profissionais eram olhados com certo preconceito até por seus clientes e viviam um cotidiano com características muito próprias. "Como eles dormiam cedo, não assistiam muita televisão e, portanto, não se influenciavam por gírias ou modismos", completa. O autor também percebeu que eram muitos os casamentos entre os feirantes e que o negócio passava de pai para filho. E, como havia um núcleo ligado ao mundo da alta-costura, ele pegou um avião e foi para Paris fazer um curso de moda. "Fiz uma semana de aulas e depois eles me mandavam folhetos com informações que utilizei em muitas cenas", relembra. Num dos capítulos, a milionária Cristina recebe algumas amigas da alta sociedade em sua casa e elas conversam sobre as novidades da moda na França, citando os profissionais que só faziam o "moulage", uma técnica de design de figurinos. "E eles passam horas fazendo aquilo. Como eu saberia detalhes se não tivesse ido até lá estudar?", questiona Sesso. A novela fez sucesso e, é claro, lançou moda, principalmente entre as mulheres, inclusive com corte de cabelo inspirado nas protagonistas.

Pigmalião 70 exibiu seu último capítulo no sábado, 24 de outubro, e, como era muito comum na televisão daquela época, os atores principais estrearam na segunda-feira, dia 26, no mesmo horário das 19h, *A Próxima Atração*, estreia de Walther Negrão na Globo. Sérgio Cardoso encarava mais um mocinho num par romântico com Tônia Carrero. No elenco ainda estavam, também do folhetim anterior, Marcos Paulo e Susana Vieira, além de Renata Sorrah e Betty Faria. O título foi uma imposição de José Bonifácio de Oliveira Sobrinho, que como diretor artístico tinha sempre a palavra mais forte. "Toda vez que ele dá o nome não quer dizer nada. É um horror! Para título, ele é péssimo", diz Negrão. "Uma vez, ele colocou *Pão, Pão, Beijo, Beijo*, só porque a amiga da mulher dele vendia sanduíche na praia e a abertura mostraria isso", completa.

A *Próxima Atração* gerou muita polêmica no vídeo e nos bastidores, inclusive com reclamações de publicitários, que não gostaram como foram retratados por meio do personagem de Armando Bógus. Para eles, uma representação de mau gosto e negativa, que mostrava um comportamento exagerado, vocabulário inadequado e agressividade no trato com as pessoas. Mas o problema maior foi um processo por plágio vencido pelo dramaturgo Hélio Bloch, autor de *A Úlcera de Ouro*, que provou na justiça que vários elementos de sua peça apareciam na novela das 19h. "Ele tinha alguma razão, não toda", reconhece Negrão. Segundo o novelista, toda a confusão começou numa das reuniões com Boni, Daniel Filho e Augusto César Vannucci, que deu vários palpites. "E eu achei bom porque tinha a ver com a novela, com o núcleo da agência", conta o autor. Todos deram sugestões e uma delas – a de Vannucci – ficou em sua memória, justamente aquela em que o publicitário criava um papel higiênico com história em quadrinhos para as pessoas lerem no banheiro e um palito de fósforo com duas cabeças. Provas suficientes que geraram uma indenização bem elevada a ser paga pela Globo, alguns anos depois, quando o processo foi finalizado.

Enquanto a Globo fugia dos dramalhões com a aposta em autores nacionais, a Tupi iniciou 1970 com a contratação de Glória Magadan, recém-demitida da concorrência por Boni após um período de muito desgaste com sua insistência em folhetins carregados e problemas de relacionamento com a equipe responsável pelas novelas na emissora de Roberto Marinho. Em fevereiro, pelo Canal 4 de São Paulo, ela colocou no ar *E nós, aonde vamos?*, uma história sobre dois jovens sonhadores e aventureiros interpretados por Geraldo Del Rey e Leila Diniz, que alguns meses depois morreria num acidente aéreo, em Nova Délhi, Índia. Apesar de reunir uma autora consagrada e a atriz que simbolizava a liberdade feminina, *E nós, aonde vamos?*" foi um enorme fracasso, estabelecendo o fim da carreira de Glória Magadan no Brasil e a mudança de postura na dramaturgia da Tupi. A escritora mudou-se para Miami, onde continuou por algum tempo produzindo os dramalhões que a consagraram por aqui. Há quem afirme que, durante todo o período em que viveu nos Estados Unidos, não gostava de falar sobre suas lembranças brasileiras.

No dia 30 de novembro de 1970, às 18h30, foi exibido o primeiro capítulo de *Meu Pé de Laranja Lima* na Tupi, escrita por Ivani Ribeiro e baseada no romance homônimo de José Mauro de Vasconcelos, estabelecendo um importante vínculo com a temática nacional. "A novela foi crescendo a cada dia, a cada capítulo", recorda com felicidade Eva Wilma, intérprete de

Jandira, a irmã solteirona e amargurada do protagonista Zezé, o menino que apronta todas em sua cidade e conversa com uma árvore plantada no quintal da família.

Meu Pé de Laranja Lima ampliou o conceito das tramas paralelas ao estabelecer oito núcleos muito bem definidos e que, além de seus próprios dramas, participavam do fio condutor da novela. Além disso, eram realizadas uma vez por semana gravações externas em Carapicuíba, cidade da Grande São Paulo escolhida para ambientar a região onde acontecia a história protagonizada pelo garoto Zezé e o velho Portuga. A presença de todo o elenco era obrigatória, afinal eram feitas cenas que seriam utilizadas em muitos capítulos e, por uma questão de economia e administração de custos, tudo era feito numa única saída dos estúdios. Para acomodar os artistas e técnicos, eram levados até o local caminhões que serviam como uma espécie de camarim e salas para descanso ou estudo do texto. É claro que o trabalho dos técnicos e das estrelas da televisão chamava muita atenção dos moradores, que deixavam seus afazeres do cotidiano para acompanhar o que – dias depois – estaria na tela da TV emocionando a todos.

Numa dessas tardes, Eva Wilma estava no *trailer* repassando suas próximas cenas, quando um câmera entra correndo, ofegante e falando alto:

– Dona Eva, dona Eva, me ajude!...

– O que foi, Toninho? O que está acontecendo? – indagou a atriz.

– Preciso me esconder, depois explico!

Do lado de fora, uma briga muito pesada entre os moradores da cidade e os integrantes da equipe técnica. Tudo porque as mulheres da região, atraídas pela presença dos artistas, ficavam o dia inteiro assistindo às gravações e acabavam se esquecendo dos afazeres domésticos. Os homens, revoltados com aquilo, um dia combinaram chegar mais cedo, tomar satisfações e intimidar os forasteiros. "Foi uma confusão que ninguém nunca mais esqueceu. Teve gente que se escondeu debaixo do caminhão só para não apanhar", ri Eva Wilma.

O olhar mais industrial para a produção de novelas viabilizou a realização de gravações externas, algo que se transformou numa das características marcantes de nossa teledramaturgia, um diferencial diante de indústrias fortes de folhetins diários, como a Televisa, do México, que só recentemente se rendeu ao respiro fora dos estúdios. Em 1972, a TV Tupi usou o recém--inaugurado Hotel Casa Grande, no Guarujá, litoral de São Paulo, para gravar cenas de *Na Idade do Lobo*, do gaúcho Sérgio Jockyman, com direção de Walter Avancini. No elenco estavam Carlos Alberto, Bete Mendes,

Irene Ravache, Tony Ramos, Older Cazarré, Mauro Mendonça, Dennis Carvalho, Maria Isabel de Lizandra, entre outros, além de uma participação especial da princesa Ira von Fürstenberg, em cena única feita no lado externo da construção, com bastidores dos mais interessantes.

Minutos antes do "gravando", eis que chega ao local o diretor-geral da TV Tupi, Edmundo Monteiro, dirigindo uma Mobilete, vestindo bermuda e chapéu de marinheiro. Avancini mandou parar tudo. Chamou a um canto o Aryzão, Ary Borges, com uma ordem expressa:

– Tire imediatamente ele daqui.

– Mas como? – questionou o assistente do diretor.

Era uma tarefa impossível para qualquer um. Como mandar sair justamente o diretor-geral da emissora, aquele que, para todos os efeitos, era o patrão? Impossível, mas não para o Aryzão. Depois de mandar pra baixo, num gole só, um "encorajador" qualquer, ele passou ao lado de Edmundo, que, vítima de um esbarrão, caiu na piscina. Depois de ser socorrido, encharcado, ele não tinha mais como ficar ali. Retirou-se e a gravação acabou sendo feita. Truques de quem sabe fazer televisão e compreende que, para tudo andar da maneira mais rápida e eficiente, os executivos precisam ficar longe dos estúdios e locações.

Nesse mesmo ano, a Tupi colocou no ar *Bel-Ami*, protagonizada pelo galã Adriano Reys, que fazia sua estreia no mercado paulista. Ele vivia o ganancioso Eduardo, um jovem que saiu de uma pequena cidade do interior para vencer na capital e não mediu as ações na conquista de seus objetivos. Essa produção, que também marcou a entrada de Antônio Fagundes na televisão, não atingiu as metas estabelecidas e Teixeira Filho foi chamado pelo alto comando da emissora para substituir o autor Ody Fraga, promovendo inúmeras alterações nos perfis das personagens e no enredo e eliminando qualquer coisa que desse a impressão de futilidade. Ele incluiu nos diálogos algumas campanhas sociais e convidou pessoas de famílias influentes e ricas para pequenas participações especiais. "Não fez muito sucesso, e, naquela época, quando não dava certo eles tiravam imediatamente do ar. Ficava dois ou três meses em cartaz", explica Fagundes. Foi o que aconteceu com *Bel-Ami*.

De forma mais modesta, com apenas um horário, em 1970 a Record também deu continuidade à sua teledramaturgia e apostou em *As Pupilas do Senhor Reitor* como substituta de *Algemas de Ouro*. Lauro César Muniz assinou a adaptação do romance de Júlio Diniz, que contou com uma produção sofisticada e mais investimentos que os títulos anteriores. Dionísio

Azevedo acumulou a direção geral com o papel de protagonista, o Padre Antônio, responsável pela criação das órfãs Margarida e Clara. "O livro era bem fininho e eu resolvi criar personagens e histórias novas. Com isso, atravessei os 200 e poucos capítulos", recorda Muniz. Os bons resultados alcançados levaram a direção da emissora a aprovar a criação de mais uma faixa para os folhetins. No dia 30 de novembro, com assinatura de Dulce Santucci, às 18h30 entrava no ar *Tilim*, apelido do personagem principal, um garoto de 7 anos de idade que tem um sino amarrado em seu tornozelo para denunciar cada vez que aprontasse alguma, principalmente pequenos furtos para sobreviver. A trama conquistou a garotada, registrou bons números e manteve o Canal 7 na disputa nesse segmento que se mostrava cada vez mais forte entre os anunciantes.

Depois do sucesso de *As Pupilas do Senhor Reitor*, Lauro César Muniz estreou, com apenas um domingo de intervalo, *Os Deuses Estão Mortos*, história ambientada, em sua primeira fase, entre o final da Monarquia e o início da República no Brasil, e a segunda, 40 anos depois. "Fiz uma passagem de tempo e levei a novela para a década de 20", conta o autor. "Nesse período a Globo me assediou muito porque eu ganhava todos os prêmios", pontua. Lauro engatou mais uma novela na sequência: *Quarenta Anos Depois*, uma espécie de continuação do texto anterior, com Fulvio Stefanini, Nathalia Timberg, Paulo Goulart, Mauro Mendonça e Célia Helena. A crise na Record se acentuou, com atrasos nos pagamentos e considerável queda nos índices de audiência. "O Daniel Filho me procurou novamente com uma boa proposta. Então, rescindi meu contrato", recorda o autor. Ele chegou à Globo para fazer *Shazan, Xerife & Cia.* e, depois de alguns episódios, foi transferido para *O Bofe*. "O Bráulio Pedroso estava muito doente e o Boni pediu para que eu o substituísse", conta Muniz, que fez alguns ajustes na história e conseguiu levá-la até o último capítulo. Quando colocou seu ponto final no script, foi chamado por Daniel Filho, que lhe comunicou que iria escrever mais uma novela, agora para a faixa das 19h. *Carinhoso* tinha como protagonistas os galãs Marcos Paulo e Cláudio Marzo, irmãos que disputavam o amor da personagem de Regina Duarte, que vinha de outras duas novelas com excelentes resultados e que acabara de se transformar numa das artistas mais conhecidas do entretenimento do país, a "namoradinha do Brasil", e, por isso, a preferida dos autores e diretores de folhetins e dos responsáveis pelas grandes campanhas publicitárias da época. Ela foi protagonista de *Minha Doce Namorada*, escrita por Vicente Sesso, que se viu obrigado a contornar a saída momentânea de Mário Lago, o vilão da história. Com pouco mais de um mês no ar, o ator sofreu um infarto, desfalcando todo um esquema desenhado pelo escritor. Sesso não pensou duas vezes e marcou uma consulta com o cardiologista Euryclides de Jesus Zerbini, conhecido por ter realizado o primeiro transplante de coração do Brasil e o quinto do mundo.

– Doutor, se eu sofrer um infarto dentro de um hospital, o que o senhor faz? – disparou o autor.

– Usaremos medicamentos de última geração para administrar a situação e analisaremos qual o procedimento – respondeu o cardiologista.

Depois de uma longa consulta, Vicente Sesso saiu do consultório e se reuniu com sua equipe na televisão com o destino do vilão César Leão traçado.

– Ele vai sofrer um infarto na novela – disse Sesso a todos os presentes.

– É melhor criar uma viagem para ele – ponderou um dos produtores.

– Nada disso. Ele vai ter o infarto, vamos falar da doença e daqui a um mês ele volta a gravar – concluiu.

Com autorização médica, Mário Lago gravou uma cena no hospital explicando o motivo pelo qual o personagem desapareceria durante alguns capítulos. A atriz Vanda Lacerda, que interpretava sua esposa na novela, ganhou mais destaque e assumiu a função de vilã. "Mantive o Mário trabalhando dentro da possibilidade, num cenário só, sem externa, para ele não ter que se esforçar demais", conta Vicente Sesso, que, desde então, sempre desenha mais de um perfil para fazer as maldades em suas histórias.

O outro folhetim protagonizado por Regina Duarte foi *Selva de Pedra*, que ficou no ar de abril de 1972 a janeiro do ano seguinte. O texto de Janete Clair ocupou a faixa das 20h e reservou à atriz uma das mais interessantes personagens, Simone, que, dada como morta, assume a identidade de sua irmã, Rosana. "Foi com essa novela que Janete mostrou sua grande habilidade em contar uma história e administrar muito bem as tramas paralelas", explica o especialista em teledramaturgia Claudino Mayer. O sucesso foi estrondoso e colocou a Globo definitivamente na liderança absoluta. No dia 4 de outubro, noite em que Simone foi desmascarada, *Selva de Pedra* registrou a impressionante marca de 100% de audiência no Rio de Janeiro e em São Paulo, algo até então inédito na história da teledramaturgia brasileira. "Até a trilha sonora se transformou em fenômeno, principalmente 'Rock and Roll Lullaby'", relembra Reynaldo Boury, que dirigiu a novela por alguns meses. A canção era tema de Simone e Cristiano e foi uma das mais executadas naquele ano.

A repercussão de *Selva de Pedra* era tão grande que os responsáveis pela censura ficavam atentos à novela. Janete Clair foi impedida de colocar no ar o casamento de Cristiano e Fernanda, sob a alegação de que a história fazia apologia à bigamia, crime no país. O problema é que os censores, assim como os telespectadores, sabiam que Simone estava viva e isso poderia se transformar, na avaliação do órgão censor, num péssimo exemplo para os telespectadores. Com o impedimento, que não pôde ser derrubado pelo departamento jurídico da Globo, muito menos pelas explicações da própria autora, mais de 20 capítulos precisaram ser editados para suprimir a cerimônia e o dia a dia do casal. No vídeo, o público viu apenas a jovem esperando seu noivo na igreja.

Com a produção de histórias brasileiras originais no lugar das adaptações dos textos que vinham de fora, iniciou-se no país a discussão pelos direitos autorais das novelas e a propriedade de imagem dos artistas, algo que estabeleceria regras para as vendas internacionais e reprises dos folhetins. A Lei nº 5.988, aprovada pelo Congresso Nacional em 1973, ampliou os conceitos de propriedade de uma obra intelectual para publicação, edição e transmissão e determinou de forma mais clara os tipos dessas obras e as funções de cada profissional envolvido com o processo. "A Globo foi a que mais pressionou pela aprovação porque, dessa forma, passou a ser sócia do direito autoral", explica Vicente Sesso, um questionador desse formato de negócio. A direção da emissora dos Marinhos defendia a tese de que ela mantinha longos contratos com os autores de telenovelas, assim como os atores, com remuneração mensal, mesmo sem um trabalho no ar, e, ao garantir a estabilidade para a equipe, tornava-se também proprietária daquele texto. De qualquer forma, nos documentos que estabeleciam esses vínculos estavam determinadas todas as obrigações de ambas as partes, regras para reprises e comercializações e titularidade da obra.

Foi um pouco antes da aprovação dessa lei que Vicente Sesso estreou *Uma Rosa com Amor*, sua terceira novela na Globo e a que encerraria seu ciclo na emissora. Depois, o autor foi para a TV Tupi, seis anos depois foi para a Bandeirantes e mais adiante escreveu na Argentina. Ele só retornou à Rede Globo em 1992, com a minissérie *Tereza Batista*. "Em *Uma Rosa* eu inverti tudo. A heroína era uma solteirona e o galã era um homem mais gordinho, o Paulo Goulart", conta o autor. A novela, apesar de não seguir a formação mais convencional para casais principais, conseguiu um bom índice de audiência e grande repercussão na imprensa especializada. "Uma mulher com 27 anos que, naquela época, não era casada, dificilmente subia ao altar", fala com orgulho por ter vencido o conservadorismo do público e envolvido muitas pessoas numa linda história de amor. "Nos bastidores as coisas eram mais difíceis com as reclamações dos protagonistas", completa.

Na faixa das 22h, o ponto máximo do horário nobre naquela época, no dia 24 de janeiro de 1973, estreou O Bem-Amado, primeira novela colorida do Brasil e uma das tramas mais marcantes da história da nossa teledramaturgia. Dias Gomes foi perfeito ao levar para a tela, por meio de personagens fictícios que viviam em Sucupira, a realidade do país e uma crítica ao sistema político do início dos anos 1970 e que, infelizmente, parece sobreviver até hoje, com suas promessas descabidas, como a construção de um cemitério, símbolo do crescimento de uma cidade. "Vamos botar de lado os entretanto e partir pros finalmente" era um dos bordões repetidos pelo prefeito Odorico Paraguaçu, brilhantemente interpretado por Paulo Gracindo. "A novela, ambientada no litoral baiano, tornou-se o primeiro produto da televisão brasileira a conquistar o mercado estrangeiro", pontua Mauro Alencar, doutor em teledramaturgia e membro da Latin American Studies Association. A novela partiu de um tema muito comum na América Latina, os poderosos regionais, para atender a uma comunicação universal e, por isso, muito bem aceita em outros países.

O Bem-Amado, com Paulo Gracindo, Emiliano Queiroz e Lima Duarte

O Bem-Amado foi a versão para a televisão da peça *Odorico, Bem-Amado ou os Mistérios do Amor e da Morte*, encenada em 1969 com relativo sucesso e já conhecida de muitos atores da Globo. "Procópio Ferreira protagonizou esse espetáculo no teatro e já sabíamos o princípio, meio e fim de cada personagem, o que não é comum em telenovelas", recorda Emiliano Queiroz, que deu vida a Dirceu Borboleta, o secretário do prefeito, que nas horas livres caçava lepidópteros e que caiu nas graças do público, até mesmo das poucas crianças que ficavam acordadas até mais tarde. "A voz aflita, sufocada e difícil veio com as angústias de Dirceu na novela", explica o ator. Lima Duarte foi outro que deixou sua marca em *O Bem-Amado,* com Zeca Diabo, um redimido matador de aluguel que volta a Sucupira para fazer um "servicinho" para o prefeito e que, no final, o mata, inaugurando o tão aguardado cemitério. Essa foi sua estreia como ator na Globo, num final de contrato para direção de folhetins, algo que redirecionou sua carreira artística. Segundo o advogado Sérgio D'Antino, um dos seus maiores amigos, após ser informado da sua escalação para a novela e se inteirar de detalhes do personagem, Lima deixou crescer o bigode e foi ao centro de São Paulo em busca de um chapéu, marcas que seriam imprescindíveis para o cangaceiro. Ele compôs o tipo nos detalhes que desejava e o transformou numa referência. As atrizes Ida Gomes, Dorinha Durval e Dirce Migliaccio imortalizaram as Irmãs Cajazeiras ou, como o próprio prefeito dizia, "as donzelas praticantes", fiéis correligionárias de Paraguaçu responsáveis por cenas carregadas de humor e críticas aos costumes e tabus da época. Noite após noite, a discussão da política brasileira acontecia por meio dos embates entre a situação e a oposição de Sucupira. Essa temática, o título de "coronel" para Odorico Paraguaçu e de "capitão" para Zeca Diabo e certas citações a notícias do Brasil e do mundo colocaram os homens da censura em alerta máximo. Eles chegaram a mandar a Globo editar e cobrir com efeito sonoro trechos de vários diálogos com as patentes proibidas e determinaram a troca do tema de abertura da novela. "Paiol de Pólvora", canção composta por Toquinho e Vinicius, assim como as demais da trilha sonora, foi substituída por "O Bem-Amado", gravada às pressas pelo Coral Som Livre.

> Estamos trancados no paiol de pólvora
> Paralisados no paiol de pólvora
> Olhos vendados no paiol de pólvora
> Dentes cerrados no paiol de pólvora
>
> Só tem entrada no paiol de pólvora
> Ninguém diz nada no paiol de pólvora

Ninguém se encara no paiol de pólvora
Só se enche a cara no paiol de pólvora

Mulher e homem no paiol de pólvora
Ninguém tem nome no paiol de pólvora
O azar é sorte no paiol de pólvora
A vida é morte no paiol de pólvora

São tudo flores no paiol de pólvora
TV a cores no paiol de pólvora
Tomem lugares no paiol de pólvora
Vai pelos ares o paiol de pólvora

A letra foi considerada subversiva e Toquinho e Vinicius de Moraes compuseram outra canção que marcou época e que, sem que os censores percebessem, falou tanto quanto a anterior, cortada porque o "paiol de pólvora" incomodou o governo militar. É importante ressaltar que na década de 1970 são inúmeros os exemplos de músicas e textos que, mesmo com referências políticas, conseguiam passar pela censura, graças à habilidade artística e inteligência de compositores e intérpretes.

A noite no dia, a vida na morte, o céu no chão
Pra ele, vingança dizia muito mais que o perdão
O riso no pranto, a sorte no azar, o sim no não
Pra ele, o poder valia muito mais que a razão

Quando o sol da manhã vem nos dizer
Que o dia que vem pode trazer
O remédio pra nossa ferida
Abre o meu coração

Logo o vento da noite vem lembrar
Que a morte está sempre a esperar
Em um canto qualquer desta vida
Quer queira, quer não

O espanto na calma
A coragem no medo
Vai e vem
O corpo sem alma
Ainda na dor
Que o mal não tem

> A noite no dia, a vida na morte, o céu no chão
> Pra ele, vingança dizia muito mais que o perdão

Por se tratar da primeira produção em cores da teledramaturgia da Globo, a direção artística da emissora ficou muito atenta à produção da novela e se baseou em todos os excessos cometidos para corrigir o padrão para os trabalhos que vieram depois. Empolgados com a nova tecnologia, os profissionais responsáveis pelos cenários e figurinos de *O Bem-Amado* exageraram no tom dos elementos e no vídeo, principalmente nos primeiros capítulos: as imagens ficaram carregadas com as fortes cores em roupas, acessórios e detalhes de decoração dos ambientes da novela. "A cor veio e nos obrigou a uma nova atuação. Eu, por exemplo, descobri que podia ficar vermelho feito um peru, como dizia Odorico Paraguaçu", destaca Emiliano Queiroz. Foi a partir daí que Boni determinou a utilização de tons pastel, proibiu listrados e xadrez nas vestimentas e qualquer objeto que tirasse o foco do telespectador da história que estava no ar. As mesmas orientações passaram a valer para o jornalismo e a linha de shows.

O Bem-Amado atingiu excelentes índices de audiência, ajudou a consolidar a faixa das 22h para a teledramaturgia e se transformou numa lembrança forte para o telespectador, a ponto de voltar sete anos depois como série. Em 1980, as principais personagens da novela de Dias Gomes regressaram ao vídeo em episódios semanais no *prime time*. "Cinco anos intensos e de sucesso, com gravações inclusive no exterior", conta, orgulhoso, Emiliano Queiroz. Foram gravadas cenas em Nova York, Paris, Roma e Lisboa, cidades que serviram de cenário para as viagens da comitiva do prefeito Odorico Paraguaçu, o único que ressuscitou no cemitério de Sucupira.

Também em janeiro de 1973, *Cavalo de Aço*, com a assinatura de Walther Negrão, substituiu *Selva de Pedra* na faixa das 20h e teve como protagonistas Tarcísio Meira e Glória Menezes, além de Betty Faria, José Wilker, Arlete Salles, Mário Lago, entre outros. Naquele início dos anos 1970, Janete Clair era imbatível em termos de audiência, sempre com os números mais elevados, por isso, entrar com uma novela na sequência era algo que envolvia muita pressão. Confiante em sua história que acontecia numa cidade do interior, abordava o tema da reforma agrária e tinha amores impossíveis, Negrão resolveu, numa das últimas reuniões antes da estreia, impressionar Boni:

– Eu dou mais audiência que a Janete – disparou o autor.

– Você está brincando, sabe que não consegue. Aposto com você uma caixa de uísque – retrucou Boni.

– Fechado! Mas vale a primeira semana da minha novela contra os capítulos iniciais dela. Começo com começo – determinou Negrão.

Cavalo de Aço estreou no dia 24 de janeiro e em sua primeira semana registrou índices elevados, pelo menos três pontos a mais que a fase inicial de *Selva de Pedra*. Portanto, Walther Negrão ganhou a aposta do todo--poderoso da Globo, e já estava aguardando o prêmio quando chegou em sua casa um bilhete assinado por Boni:

"*Se a gente tivesse concretizado aquela aposta, você teria ganho*".

Até hoje, Walther Negrão se pergunta o que Boni quis dizer com "concretizar a aposta". Seria registrá-la no cartório? O fato é que ele nunca viu a caixa de uísque, e, algumas semanas após a estreia da novela, começou a ter os primeiros problemas com a censura, que proibiu qualquer citação à reforma agrária e sugeriu a realização de uma campanha que mobilizasse a sociedade. Entrou no ar toda uma discussão sobre o problema das drogas, temática que, mesmo por orientação do governo, também foi vetada pelo órgão fiscalizador.

Cavalo de Aço foi ambientada em "Vila de Prata", no interior do Paraná, e para facilitar as gravações uma cidade cenográfica foi erguida em um terreno em Santa Cruz, na zona oeste do Rio de Janeiro. Mesmo com essa estrutura, algumas sequências foram realizadas em externas para garantir uma veracidade maior. Nessas ocasiões, os próprios artistas levavam suas refeições e líquidos para serem consumidos durante o longo dia de trabalho, e estavam sujeitos a todo tipo de imprevisto.

Numa bela tarde, Glória Menezes e Tarcísio Meira foram gravar uma sequência em que seus personagens (Miranda e Rodrigo, respectivamente) enfrentavam uma explosão no barco que utilizavam para chegar à cidade. A cena era muito rápida, mas exigiu um ensaio e marcações determinadas pelo diretor Walter Avancini para que todos os efeitos se realizassem corretamente. Depois de todas as orientações, os dois colocaram seus pesados figurinos e passaram pela maquiagem. A gravação começou. "Para dar movimento e parecer que explodiu, fomos para as marolas. Só que uma veio muito forte e derrubou todo mundo", recorda-se a atriz. "De repente, virou e afundamos, porque as roupas ficaram muito pesadas com a água", completa Tarcísio Meira. "Quando eu abri os olhos, só vi uma coisinha do céu e falei: 'agora eu vou'", pontua Glória. "Eu não pensei duas vezes e a puxei pelos cabelos", diz o ator. Enquanto os dois estavam no maior desespero e lutavam para não se afogar, Avancini continuou com as câmeras ligadas, impressionado com o realismo da cena. A correnteza levou os dois para longe da equipe, bombeiros foram acionados, mas o casal só foi retirado do rio quando um contrarregra percebeu o que estava acontecendo e resolveu mergulhar para ajudá-los.

Não foram apenas as marolas de um rio que mexeram com *Cavalo de Aço*. Sem as temáticas políticas mais fortes, Walther Negrão se viu obrigado a investir em mais romances, e, ao receber a informação de que a novela seria encurtada, resolveu matar o vilão e encerrar as tramas paralelas quando faltavam apenas dez capítulos para o ponto final. O problema é que, assim que colocou em prática seu plano, a Globo mudou de ideia e pediu mais alguns meses no ar. O autor administrou o famoso clichê "quem matou?" para o personagem Sr. Max, interpretado por Ziembinski.

Na sequência, em janeiro de 1974, Walther Negrão assinou *Supermanoela*, protagonizada por Marília Pêra, que já vinha emendando várias produções. A novela tinha como ponto de partida a vida de Manoela, uma empregada doméstica que resolve fazer de tudo para ajudar a família para a qual trabalhava após a morte do patriarca. A história até que caiu no gosto do telespectador, mas os bastidores foram dos mais conturbados, com direito a crise de estresse da atriz principal e, como consequência, a diminuição de cenas com sua presença. O autor foi obrigado a mexer na importância de alguns personagens secundários para manter o ritmo e levar a trama até o fim.

Você se lembra daquele processo por plágio em *A Próxima Atração* movido por Hélio Bloch? A decisão favorável ao autor de *A Úlcera de Ouro* gerou uma elevada indenização e Roberto Marinho determinou a demissão de Walther Negrão. "O Renato Pacote me chamou e disse que a Globo já tinha até preparado um acordo, que eu não aceitei porque, caso o fizesse, era assumir um erro que não cometi", diz o autor, que não mudou de opinião mesmo depois de ouvir a frase "é melhor deixar a porta aberta". "Eu tinha 33 anos de idade, e, se fui capaz de viver 30 sem a Globo, poderia seguir sem ela", disse Negrão ao representante da emissora.

– Ah, mas você nunca mais volta pra cá – afirmou Pacote.

– Tá bom, paga o que tem que pagar e tchau – concluiu o autor.

Depois de oito meses desempregado, vivendo apenas à base de freelance para jornais e revistas, Walther Negrão resolveu procurar uma oportunidade na TV Tupi. Certa manhã, foi até o bairro do Sumaré conversar com Carlos Zara, responsável pela direção artística da teledramaturgia da emissora. Ao chegar à antessala do executivo, encontrou Chico de Assis, com quem já havia trabalhado em outras ocasiões.

– Estou esperando para falar com o Zara porque vivo uma situação muito ruim – disse Chico de Assis.
– Bingo! É como estou também, sem emprego – contou Negrão.
– Podemos fazer alguma coisa juntos. O que acha? – indagou Assis.

A entusiasmada conversa entre os dois já durava algum tempo quando a secretária pediu a Chico de Assis que entrasse na sala da diretoria, pois havia chegado primeiro. Os dois se levantaram e se dirigiram para o escritório de Carlos Zara.

– Falei para entrar o Chico – disse Zara, com olhar de reprovação diante da invasão de sua sala.

Afoito, Walther Negrão nem permitiu que o diretor terminasse a fala e disparou:

– É o seguinte, Zara. Nós dois estamos na pior, na merda, sem emprego, e podemos trabalhar juntos.

– Você está querendo uma novela e a gente racha essa responsabilidade – completou Assis.

– Mas eu não tenho verba para dois autores – retrucou o diretor, que parou por alguns segundos para pensar no que podia fazer.

No final da conversa, Zara chamou um funcionário do departamento jurídico para redigir um contrato válido para os dois autores, que deveriam dividir os Cr$ 10 mil, dois mil a mais do que a emissora poderia pagar a somente um deles. "Saímos dali direto para a casa do Chico e fizemos três novelas na sequência: *Ovelha Negra, Xeque-Mate e Cinderela 77*", conta Walther Negrão, que chegou à Tupi ainda com os efeitos do sucesso estrondoso de *Mulheres de Areia*.

No dia 26 de março de 1973, na faixa das 20h, entrava no ar o primeiro capítulo de mais uma novela de Ivani Ribeiro. Dessa vez, a história acontecia em Itanhaém, no litoral de São Paulo, onde Marcos Assunção se apaixona pela angelical Ruth, filha de simples pescadores, uma jovem de comportamento correto e de extrema dedicação à sua família e aos amigos. O problema é sua irmã gêmea, Raquel, que fará de tudo para destruir essa relação e acabar ao lado do galã e, principalmente, de sua fortuna. Um triângulo amoroso que arrebatou o telespectador e provocou um dos grandes fenômenos de audiência da Tupi em São Paulo. Dos 5% registrados com *A Revolta dos Anjos*, novela anterior, a emissora atingiu em pouco tempo 25% de *share* com as aventuras e sofrimentos enfrentados pelas gêmeas, interpretadas brilhantemente por Eva Wilma. "O sucesso foi crescendo de tal maneira que começou a incomodar a Globo, porque ficávamos todas as noites à frente", diz a protagonista. "É sabido que o Boni vinha para São Paulo para analisar de perto esse fenômeno", completa. "O texto era muito bom. Ivani Ribeiro naquela época já era consagrada como uma grande novelista e tivemos atuações marcantes de Eva e do Guarnieri como o Tonho da Lua", explica Henrique Martins, que fez uma participação especial. "Foi um espetáculo aquilo", completa.

Mulheres de Areia era uma novela que exigia alguns cuidados especiais em relação às cenas em que as gêmeas conversavam entre si. O processo era quase artesanal, apesar de toda a preocupação com a entrega do capítulo, cumprimento de prazos e ritmo nas gravações. "A gente ensaiava antes com o diretor de imagem pra fazer todas as marcações das duas personagens", conta Eva Wilma. Primeiro, eram registradas as falas de Ruth e depois as de Raquel, sempre com uma dublê de costas para a câmera para o rosto da atriz aparecer em destaque. Mas, quando as duas apareciam juntas na cena, uma olhando para a outra, era necessário recorrer a uma técnica em que metade da tela fica escura e a cena acontece somente onde há iluminação. Para dar certo o encontro das gêmeas, eram gravadas duas vezes as falas, uma para cada irmã, uma para cada lado da tela. "Eu me atrevia a não ter fala guia, ou seja, alguém dizendo o texto da outra personagem. Eu tinha estudado muito bem cada detalhe, e na hora de registrar a cena sabia exatamente o tempo que uma das gêmeas falaria", conta Eva Wilma. Segundo as testemunhas da época, a atriz era perfeita nisso e os tempos se encaixavam com precisão na hora da edição.

Outra preocupação da equipe de *Mulheres de Areia* era garantir a qualidade das externas realizadas em Itanhaém, algo que aumentava a veracidade da história escrita por Ivani Ribeiro. Uma vez por semana, todo o elenco entrava no ônibus da Tupi e descia a serra para um longo dia de trabalho, afinal eram registradas todas as cenas fora de estúdio previstas num bloco inteiro de capítulo. Para atender às necessidades do elenco, a emissora alugava casas de pescadores que serviam como camarins, locais para refeições e banhos rápidos. Diante da grande movimentação de fãs da novela e de curiosos, já que era muito comum ter até quatro ônibus de excursão lotados em dia de gravação, muitos desses proprietários transformaram suas casas em ponto de turismo, inclusive com serviços de venda de alimentos e bebidas. Tonho da Lua foi um dos personagens mais marcantes da história da teledramaturgia brasileira, e, talvez por sua simplicidade, certa ingenuidade, o romance com Alzira e seu talento em esculpir na areia, conquistou em cheio o público infantojuvenil, o que contribuiu para engordar a audiência. "O casal Tonho e Alzira, em determinado momento da novela, alcançou um enorme destaque na trama", recorda Ana Rosa, intérprete da namorada do artista.

Outro casal que também funcionou muito bem em *Mulheres de Areia* foi Malu e Alaor, vividos respectivamente por Maria Isabel de Lizandra e Antônio Fagundes. "Não eram personagens centrais, mas deram tão certo que a Ivani separou o casal principal e criou duas tramas paralelas, para não diminuir nosso espaço, muito menos ofuscar os protagonistas", recorda Fagundes. De olho na repercussão junto ao telespectador, a direção artística da Tupi resolveu colocar os dois atores novamente como par romântico em *O Machão*, novela de Sérgio Jockyman baseada em um argumento de Ivani Ribeiro para *A Indomada*, adaptação de *A Megera Domada*, de Shakespeare, que a autora havia feito na TV Excelsior.

A Tupi apostou em alguns diferenciais para *O Machão*, como capítulos de apenas vinte minutos de duração, sem intervalos comerciais, e um tom de comédia nos principais núcleos. Com 371 episódios, é a quinta novela mais longa da história da televisão brasileira, perdendo apenas para *Redenção, Chiquititas, Os Mutantes e Os Imigrantes*. "Deu muito certo e fomos ficando no ar", recorda-se o protagonista. Sem grandes recursos para construir uma cidade cenográfica ou investir em externas em bairros da capital ou em regiões próximas, a produção concentrava as cenas em estúdio e, uma vez por semana, gravava algumas sequências no terreno da prefeitura, em frente à sede da emissora. "Utilizávamos o espaço onde ficava a caixa d'água do bairro. A gente passava os cabos por cima das grades e fazia alguns diálogos no jardim", conta Fagundes. Como o episódio era reduzido, os autores concentravam a ação da história em poucos cenários, mais uma forma de economizar dinheiro e potencializar os lucros. Já na reta final da novela, o protagonista se desentendeu com a direção da Tupi em relação à questão salarial. "Eu não concordei com o valor que eles estavam pagando e saí da novela e da emissora. Fiquei um ano sem fazer televisão, só me dedicando ao teatro", revela Antônio Fagundes, que algum tempo depois já estava contratado pela TV Globo.

Até 1973, quando decidiu encerrar por tempo indeterminado a produção de novelas, por não atingir com elas um patamar confortável de audiência e muito menos faturamento que compensasse insistir no investimento, a Record colocou no ar 17 folhetins, alguns com um pouco mais de repercussão. A emissora tinha um bom banco de elenco, com artistas respeitados, como Paulo Goulart, Mauro Mendonça, Nathalia Timberg,

Célia Helena, Sérgio Mamberti, Laura Cardoso, Jussara Freire, entre outros, mas mesmo assim com uma popularidade menor em comparação com a dos astros das concorrentes Globo e Tupi. *Vidas Marcadas*, uma das últimas produções dessa fase e que praticamente levou a direção da emissora a fechar seu departamento de teledramaturgia, narrava o cotidiano de uma cidade do interior, com diálogos mais realistas, cenas menos carregadas e uma interpretação naturalista. Entre os artistas estava uma garota que fazia sua estreia na televisão e que nos anos seguintes seria uma das grandes estrelas da concorrente TV Tupi. "Eu era a sobrinha portuguesa da Laura Cardoso. Fui escolhida para o papel porque eu conseguia fazer sotaque que não era caricato", recorda Suzy Camacho, um dos nomes fortes das novelas dos anos 1970 e 1980. Ela chegou à Record por indicação de Ivani Ribeiro, que ficou encantada com a menininha que entrou vestida como capitã da Marinha numa das etapas do concurso Mini Miss São Paulo, em 1971. A atriz foi escolhida inicialmente para ser a protagonista de *O Setinho*, um seriado voltado ao público infantojuvenil que foi censurado e não entrou no ar, mesmo com alguns capítulos já gravados.

Vidas Marcadas entregou o horário para *Meu Adorável Mendigo*, uma comédia de Emanuel Rodrigues com Jussara Freire e Ewerton de Castro nos papéis principais e as participações especiais de Dedé Santana e Mussum, que algum tempo depois entrariam para *Os Adoráveis Trapalhões*. Quando o último capítulo dessa novela saiu do ar, a Record fechou seu departamento de teledramaturgia.

Os anos 1970 foram essenciais para a formatação da novela brasileira, uma vez que os autores conseguiram mesclar os elementos clássicos do folhetim com os assuntos e prioridades do telespectador, principalmente em relação ao cotidiano. "O que você via no trabalho, ouvia nas ruas ou presenciava no transporte público estavam na televisão em horário nobre, quebrando estereótipos, conversando com todo mundo, das camadas mais simples às mais intelectuais", destaca o professor Claudino Mayer. Janete Clair era a rainha da novela nos primeiros anos da década de 1970, responsável pelas maiores audiências, e, por isso mesmo, emendava um texto no outro, num insano trabalho de criação de histórias que arrebatavam o povo. No final de 1974, percebendo o cansaço da autora e a necessidade de ofertar ao público uma variedade de tramas, a direção da Globo definiu que Lauro César Muniz escreveria para a principal faixa da teledramaturgia, às 20h, num rodízio com a autora de inúmeros sucessos. Ele estava no ar com *Corrida do Ouro*, feita em parceria com o estreante Gilberto Braga, quando soube da nova missão. Sua proposta, aprovada por Boni, foi *Escalada*, uma novela em três fases, com Tarcísio Meira no papel principal e Glória Menezes, depois de muitos anos sem contracenar com a esposa, muito menos como galã. Com muitas referências à história do estado de São Paulo, a novela focava um imigrante português que construiu sua vida como caixeiro-viajante e presenciou momentos importantes e inusitados do país de 1940 a 1975.

Alguns dias antes da estreia de *Escalada*, Lauro César Muniz foi convidado por Janete Clair para comemorar o Réveillon em sua casa, uma vez que *Fogo sobre Terra*, com sua assinatura, terminaria no dia 4 de janeiro e na segunda-feira começaria a outra novela. Pouco antes da meia-noite, a autora chamou o amigo para uma conversa mais reservada. "Ela esqueceu da família para me desejar sucesso", fala, emocionado, o dramaturgo. "Foram palavras lindas sobre substituição, parceria e o revezamento que faríamos durante muito tempo no principal horário de novelas", completa.

Escalada fez um grande sucesso, registrou bons índices de audiência e ganhou destaque ao colocar em discussão em toda a sociedade a importância de uma lei sobre o divórcio por meio da crise no relacionamento dos personagens Antônio e Cândida, interpretados por Tarcísio Meira e Susana Vieira, reconhecida com prêmios por sua brilhante interpretação. O tema entrou para o noticiário e, com a pressão popular, passou a ser analisado no Congresso Nacional, que, no dia 28 de junho de 1977, aprovou a emenda constitucional do senador Nelson Carneiro, que permitia extinguir os vínculos de um casal e autorizava que as pessoas casassem novamente. A temática proposta por Lauro César Muniz gerou muita polêmica e colocou setores mais conservadores da Igreja católica em posição crítica em relação à novela. O autor também ficou sob o olhar atento da censura em relação aos temas políticos abordados durante os capítulos e às inúmeras citações de fatos reais da construção de Brasília e do jogo de poder. Trechos de cenas foram cortados por determinação dos responsáveis pelo órgão fiscalizador, e o último capítulo, como previsto, foi exibido no dia 26 de agosto de 1975, uma terça-feira. Em seu lugar, deveria entrar no ar *Roque Santeiro*, novela que Dias Gomes escreveu baseado na peça *O Berço do Herói*. Com vinte capítulos gravados, apesar de uma primeira autorização com base na sinopse enviada pelo autor, a censura militar proibiu sua exibição às 20h e criou dificuldades para que ocupasse a faixa das 22h, no lugar de *Gabriela*, que seria transferida para mais cedo. A decisão do corte foi tomada após uma conversa por telefone entre Dias Gomes e Nelson Werneck Sodré, que tinha sua linha grampeada. Os militares não gostaram nem um pouco de saber que *Roque Santeiro* era na verdade *O Berço do Herói* sem fardas, uma crítica ao regime em vigor no país.

No dia 27 de agosto, durante o *Jornal Nacional*, Cid Moreira leu o editorial encomendado por Roberto Marinho após assistir aos capítulos que foram vetados.

Desde janeiro que a novela Roque Santeiro *vem sendo feita. Seria a primeira novela colorida do horário das oito da noite. Antecipando-se aos prazos legais, a Rede Globo entregou à Censura Federal o script dos vinte primeiros capítulos. No dia 4 de julho, finalmente, o diretor de Censura de Diversões Públicas, Sr. Rogério Nunes, comunicava à Rede Globo: os vinte primeiros capítulos estavam aprovados para o horário das oito "condicionados porém – dizia o ofício – à verificação das gravações para obtenção do certificado liberatório". O mesmo ofício apontava expressamente os cortes que deviam ser feitos e recomendava que os capítulos seguintes, a partir dos vinte já examinados, deviam manter – palavras textuais da Censura – "o mesmo nível apresentado até agora". Todos os cortes determinados foram feitos. A Rede Globo empregou todos os seus recursos técnicos e pessoais na produção da novela* Roque Santeiro. *Contratou artistas, contratou diretores, contratou cenógrafos, maquiladores, montou uma cidade em Barra de Guaratiba, enfim, a Globo mobilizou um grandioso conjunto de valores que hoje é necessário à realização de uma novela no padrão da Globo. Foram mais de 500 horas de gravação, das quais resultaram os vinte primeiros capítulos, devidamente submetidos à Censura. Depois de examinar detidamente os capítulos gravados, o Departamento de Censura decidiu: a novela estava liberada, mas só para depois das dez da noite. Assim mesmo, com novos cortes. Cortes que desfigurariam completamente a novela. Assim a Rede Globo, que até o último momento tentou vencer todas as dificuldades, vê-se forçada a cancelar a novela* Roque Santeiro. *No lugar de* Roque Santeiro, *entra em reapresentação, e em capítulos concentrados, a novela* Selva de Pedra, *com Regina Duarte e Francisco Cuoco. Dentro de alguns dias, porém – esse é um compromisso que assumimos com o público –, a Rede Globo estará com uma nova novela no horário das oito. Para isso começou hoje mesmo a mobilização de todo o nosso patrimônio: o elenco de artistas, os técnicos, os produtores, enfim, todos os profissionais que aqui trabalham com o ânimo de apurar cada vez mais a qualidade da televisão brasileira. Foi desse ideal de qualidade que nasceu a novela* Roque Santeiro *e é precisamente com esse mesmo ideal que, dentro de alguns dias, a Globo*

estará apresentando no horário das oito da noite uma novela – esperamos – de nível artístico ainda melhor que Roque Santeiro.
Roberto Marinho, presidente das Organizações Globo

Naquela quarta-feira, foi exibido o primeiro capítulo da reprise de *Selva de Pedra*, que permaneceu no ar por três meses, tempo necessário para Janete Clair preparar *Pecado Capital*, com Francisco Cuoco, Betty Faria e Lima Duarte, os três artistas que interpretariam Roque Santeiro, Viúva Porcina e Sinhozinho Malta, respectivamente, os protagonistas da novela de Dias Gomes.

Dinheiro na mão é vendaval
É vendaval!
Na vida de um sonhador
De um sonhador!
Quanta gente aí se engana
E cai da cama
Com toda a ilusão que sonhou
E a grandeza se desfaz
Quando a solidão é mais
Alguém já falou...

Mas é preciso viver
E viver
Não é brincadeira não
Quando o jeito é se virar
Cada um trata de si
Irmão desconhece irmão
E aí!
Dinheiro na mão é vendaval
Dinheiro na mão é solução
E solidão!
Dinheiro na mão é vendaval
Dinheiro na mão é solução
E solidão!

(Letra de "Pecado Capital" – composição de Paulinho da Viola, tema de abertura da novela)

Capa da revista Amiga com os astros da novela Pecado Capital

Pecado Capital, a primeira produção em cores na faixa das 20h, na Globo, narrava a história de um taxista que vive o dilema de entregar ou não uma mala cheia de dinheiro esquecida por assaltantes em seu carro. A novela marcou uma ruptura no estilo da autora, que deixava um pouco de lado a fantasia para mergulhar definitivamente na realidade e buscar nos jornais e revistas, nos fatos reais, o ponto de partida para muitas de suas histórias. Janete Clair não escondeu de ninguém que se inspirou em *Bandeira 2*, assinada por seu marido, Dias Gomes, talvez uma forma de homenageá-lo após a censura. *Pecado Capital* é, sem dúvida nenhuma, uma das obras--primas de nossa teledramaturgia e o principal texto da autora. No último capítulo, exibido no dia 5 de junho de 1976, Carlão morre assassinado no canteiro de obras de uma das estações do metrô do Rio de Janeiro, um final que, a princípio, não agradava muito à dramaturga, por, talvez, levar uma grande decepção ao telespectador. O desfecho arrancou aplausos de quem estava em casa e da crítica especializada.

Se na faixa das 20h a Globo teve problemas com a censura e precisou recorrer a uma reprise, às 22h seguiu com o seu planejamento e colocou

Gabriela em substituição a *O Rebu*, trama policial de Bráulio Pedroso em que 24 personagens são suspeitos de uma morte durante uma luxuosa festa. O mistério e as investigações, tendo o telespectador como cúmplice do assassino, garantiram boa repercussão e números interessantes a *O Rebu*, que entrou para a lista dos clássicos de nossa televisão.

A adaptação da obra de Jorge Amado – *Gabriela* –, assinada por Walter George Durst e com direção de Walter Avancini, é outro grande marco da teledramaturgia brasileira e está presente na memória do telespectador, principalmente em relação à ousada cena em que a protagonista, interpretada por Sônia Braga, sobe no telhado para pegar uma pipa esbanjando sensualidade, no tom ideal dos romances do escritor baiano. O enredo forte foi aprovado pela censura, com algumas restrições para a última faixa de novelas, mas recusado quando a Globo propôs sua exibição às 20h, no lugar de *Roque Santeiro*. Além dos bons números de audiência, *Gabriela* caiu no gosto da crítica especializada, que se rasgou em elogios pelo fato de a TV levar ao grande público a literatura brasileira. Não era a primeira vez que o folhetim buscava em livros o ponto de partida para entreter as pessoas, muito menos seria a última, uma vez que esse intercâmbio entre as duas plataformas sempre garantiu excelentes resultados, num produto voltado para a massa, mas com qualidade garantida.

Gabriela foi marcada por uma brilhante direção de Walter Avancini e pela riqueza de detalhes na caracterização dos personagens e na ambientação da história. Uma cidade cenográfica foi construída em Guaratiba, no Rio de Janeiro, reproduzindo prédios de Ilhéus. "Você se sentia na Bahia. Tinha todo um clima do Bataclan, o famoso bordel, e do Vesúvio, bar pelo qual todos os personagens passavam", recorda Fulvio Stefanini, intérprete de Tonico Bastos, o conquistador de mulheres solteiras e casadas e que se envolve com a protagonista, complicando ainda mais sua vida. "Todo mundo na Globo, inclusive o Boni, queria que eu fizesse o Mundinho Falcão, que ficou com o José Wilker. O Avancini achava que eu deveria viver o Tonico Bastos e acabou ganhando essa disputa", diz o ator. "E esse foi um momento muito importante de minha carreira", completa.

Tonico Bastos está entre as melhores construções de um personagem na teledramaturgia brasileira. Seus trejeitos marcantes passaram por gerações e todo mundo se recorda do bigode que sempre era penteado quando ele precisava atacar uma mulher ou levar vantagem na discussão entre os amigos. Foi algo que surgiu meio por acaso, numa observação do ator e gargalhadas no estúdio. Logo nas primeiras gravações da novela, Fulvio Stefanini estava na sala de maquiagem terminando sua caracterização e, como de costume, repassando o texto, enquanto Eric Herzenberg, profissional responsável pelo visual dos personagens, terminava de ajeitar o cabelo do ator com gomalina. Depois de passar um pó para tirar o brilho do rosto, ele recorreu a um pequeno pente para arrumar o bigode cuidadosamente modelado.

– É o *grand finale* – disse Eric ao alinhar o bigode.

Diante do espelho, Fulvio percebeu graça no movimento e, num salto, revelou sua ideia:

– Eric, você é um gênio. Me empresta este pentinho. Acho que sai uma coisa engraçada aqui.

– Claro, é seu. Fique com ele. Tenho outro e, se eu precisar, pego no estúdio com você – respondeu o maquiador.

– Então, não fale pra ninguém – disse o ator, pedindo segredo.

Fulvio Stefanini saiu da sala de maquiagem e entrou no estúdio onde todos se preparavam para ensaiar a cena que seria gravada no cenário do Bataclan com boa parte do elenco. Como envolvia muitas pessoas, era fundamental repassar todas as marcações, algo que sempre exigiu concentração de todos com os detalhes de diálogos, movimentações de atores, posicionamentos de câmera e correta iluminação. Avancini explicou o que desejava e deu a ordem para começar a encenação. De repente, Fulvio tirou o pentinho do bolso da camisa e arrumou o bigode na frente de Armando Bógus, que caiu na gargalhada. "Opa, funcionou", disse o ator, solicitando imediatamente ao diretor que isso fosse acrescentado ao seu personagem. Walter Avancini chegou a sugerir que a mexida no bigode acontecesse somente na saída da casa de Tonico, mas foi convencido do contrário com um forte argumento: "Você está pedindo para eu ir ao banheiro? O engraçado é fazer algo não tão agradável na frente de todo mundo e nem perceber". O pentinho de bigode estava aprovado. Quem assistiu à novela deve se recordar de que essa mania do filho do coronel Ramiro aparece no primeiro capítulo, desaparece por um tempo e ressurge lá pelo quinto episódio. "É que gravamos fora de ordem e a ideia não apareceu no primeiro dia de trabalho", explica Fulvio Stefanini.

A novela *Gabriela* fez parte do pacote de atrações desenvolvidas para comemorar os dez anos de Rede Globo e os cinco de liderança e, por isso mesmo, recebeu todas as atenções dos mais diferentes setores. A ordem era levar ao telespectador um produto impecável, com requintes nos detalhes e com o que havia de melhor. A Dorival Caymmi foi solicitado o tema de abertura, que aceitou o trabalho em respeito ao amigo Jorge Amado, uma vez que deixava claro a todos que não fazia composições por encomenda. Ainda bem que quebrou uma restrição, pois assim surgiu um dos mais marcantes temas de abertura de novelas.

> Quando eu vim para esse mundo
> Eu não atinava em nada
> Hoje eu sou Gabriela
> Gabriela, ê... Meus camaradas
>
> Eu nasci assim, eu cresci assim
> E sou mesmo assim
> Vou ser sempre assim
> Gabriela, sempre Gabriela
> Quem me batizou, quem me nomeou
> Pouco me importou, é assim que eu sou
> Gabriela, sempre Gabriela
>
> Eu sou sempre igual, não desejo o mal
> Amo o natural etc. e tal
> Gabriela, sempre Gabriela

Gal Costa – o primeiro nome pensado por Daniel Filho, na época o diretor-geral de teledramaturgia da Globo, para a protagonista – interpretou "Modinha para Gabriela". A cantora preferiu fazer o que sabia em vez de se arriscar na arte de dar vida a um personagem. Sônia Braga, até então atriz de personagens menores, brilhou para todo o país e conquistou o mundo com sua natural beleza e sensualidade. Em 1983, ela voltou a interpretar a personagem na versão cinematográfica da obra de Jorge Amado.

Gabriela foi a primeira novela do Brasil a ser apresentada aos portugueses, e, a partir daí, nossas produções começaram a ganhar respeito na Europa, que se rendeu definitivamente às tramas globais com *Escrava Isaura*, durante muitos anos líder absoluta em vendas internacionais. O sucesso da adaptação assinada por Walter George Durst em Lisboa e região foi tão grande que o governo lusitano convidou alguns artistas do elenco para uma noite brasileira em terras portuguesas. Fulvio Stefanini e Elizabeth Savalla, representando a novela, e Chico Anysio, contratado para um show de 40 minutos no evento, desembarcaram no Aeroporto da Portela diante de uma multidão que foi ao local conhecer as estrelas da história que encantava a todos diariamente. "Não tinha segurança e mais de dez mil pessoas invadiram a pista porque queriam estar ao lado da gente, pertinho do avião", conta Stefanini, que ficou mais de duas horas e meia junto aos fãs, até que conseguiram retirá-los em segurança e levá-los ao hotel. A fim de evitar acidentes, as autoridades da Aeronáutica pediram ao primeiro-ministro, Mário Soares, autorização para fechar o aeroporto para pousos e decolagens, o que gerou muitas complicações com as empresas aéreas e toda a estrutura aeroportuária.

A homenagem portuguesa foi maravilhosa, todos saíram satisfeitos do evento e os artistas brasileiros nunca esqueceram o carinho dos fãs durante aquele período, aliás, sentimento que permanece no público do país até os dias atuais em relação aos nossos profissionais da televisão, afinal as novelas produzidas por aqui continuam a fazer muito sucesso em telas lusitanas. Aquele momento também foi inesquecível para o então primeiro-ministro português, que, muitos anos depois, veio ao Brasil, já como presidente da República, e foi recebido para um jantar na casa da atriz Ruth Escobar, que fez questão de convidar também alguns amigos e intelectuais, entre eles Fulvio Stefanini, que, ao ser apresentado à autoridade máxima de Portugal, ouviu, às gargalhadas:

– Ah... você é aquele ator que parou um aeroporto inteiro e atrapalhou todo o tráfego aéreo do meu país.

Com essa frase, Mário Soares quebrou a barreira natural que um presidente da República impõe e conversou muito sobre as novelas e a literatura brasileiras, com destaque às obras de Jorge Amado, que retratam em profundidade as questões do Brasil, mas são capazes de dialogar com pessoas de diferentes nações e culturas.

***

"Assista a uma novela inédita com capítulos inéditos", anunciavam os cartazes espalhados por São Paulo e Rio de Janeiro para promover a estreia de *A Viagem*, maior investimento da TV Tupi em 1975 e que teve a produção acelerada para fisgar a audiência diante da reprise de *Selva de Pedra*, um tampão adotado pela Globo em função da proibição de *Roque Santeiro*. O novo texto de Ivani Ribeiro, com Eva Wilma, Altair Lima, Tony Ramos, Ewerton de Castro e Irene Ravache nos papéis principais, entrou no ar no dia 1º de outubro, para contar a história de um jovem da classe média que mata um homem durante um assalto, é condenado por seu crime e se suicida na prisão. O tema poderia ser apenas pesado, mas se transformou em polêmica num país, na época, predominantemente católico. Após a morte, Alexandre vai para o vale dos suicidas, onde nutre sentimentos cada vez piores contra aqueles que considera seus inimigos no plano material. Como espírito, passa a influenciar pessoas e agir para prejudicá-las. A vida após a morte, princípio básico da doutrina espírita, estava em destaque no horário nobre da televisão e foi muito bem desenvolvido pela autora, que contou com a consultoria de Chico Xavier, o médium mais respeitado do Brasil e autor de vários livros psicografados, muitos do espírito André Luiz, entre eles *Nosso Lar, Os Mensageiros e A Vida Continua*. "Ele veio para São Paulo para fazer toda a assessoria para a novela e esteve muito próximo do elenco", recorda Suzy Camacho, que interpretou Maria Lúcia, a filha de Estela, vivida por Irene Ravache. A novela conquistou bons índices de audiência e, por tratar de um tema que gerava muita discussão, ganhou um bom espaço nas publicações especializadas. "A gente conseguiu bater a Globo e comemorava", completa a atriz. Nas entrevistas que concedia às revistas, jornais e rádios, Ivani Ribeiro sempre afirmava que "*A Viagem* era para ser assistida por católicos, protestantes, espíritas e pessoas de qualquer religião, porque sua mensagem maior era a caridade, o amor a Deus e a pureza".

Enquanto esteve no ar, a novela levou ao grande público muitos dos conceitos do espiritismo por meio de um núcleo do Dr. Alberto, um médico interpretado por Rolando Boldrin que fazia reuniões mediúnicas em sua casa, momentos para os diálogos mais conceituais. Já na reta final de *A Viagem*, Ivani Ribeiro matou o casal principal. Primeiro foi César, num grave acidente. Depois Diná, personagem de Eva Wilma, por problemas de saúde. Se fosse uma novela convencional, a história teria terminado ali, mas, como se tratava de algo baseado na certeza de que a vida continua, os dois viveram um lindo relacionamento no plano espiritual, em que trabalharam pelo progresso de Alexandre e ajudaram muitos dos encarnados com quem conviveram.

A doença e o sofrimento de Diná envolveram o telespectador, e a sequência do desencarne – como foi explicado, no linguajar espírita, durante o capítulo – da personagem de Eva Wilma garantiu picos de audiência. "Eu já morri várias vezes na televisão, e sempre foram momentos bonitos", diz a atriz. "Uma delas, quem dirigiu foi o Luiz Fernando Carvalho, um dos gênios dessa arte, na primeira fase de *O Rei do Gado*. Ele não queria repetir a cena porque a maquiagem era bem difícil e tudo acontecia no alto de um morro", conta. Com muita delicadeza, ele fez todas as marcações de câmera e luz e repassou com Eva Wilma cada detalhe do que chegaria ao público. O resultado foi pura poesia visual.

***

Cassiano Gabus Mendes, o primeiro diretor artístico da televisão brasileira e responsável por inúmeros programas de sucesso na TV Tupi, aceitou o convite da Globo em abril de 1975, integrando a equipe de *Caso Especial*, faixa dedicada a histórias curtas que lembravam os antigos teleteatros transmitidos ao vivo. Em novembro, ele se afastou do projeto para se dedicar à sua primeira novela na nova emissora. *Anjo Mau* estreou no dia 2 de fevereiro do ano seguinte na faixa das 19h e, mais uma vez, o gênio da TV estabeleceu um formato. Com seus textos, ficou estabelecido que esse horário seria ocupado por comédias românticas cheias de ritmo e histórias que atendessem toda a família, conquistando a dona de casa após os preparativos para o jantar, os jovens que já haviam terminado os deveres escolares e os maridos que chegavam em casa após um dia de trabalho. Na tela da TV o telespectador não teria nada pesado, mas algo que conversasse com o maior número de pessoas.

Anjo Mau tinha como protagonista a atriz Susana Vieira, que deu vida a Nice, uma jovem disposta a tudo para se dar bem e que vai trabalhar como babá na casa de Stela e Getúlio e acaba apaixonada por Rodrigo, irmão de sua patroa. Até descobrir o amor, e lutar por ele, a moça foi capaz de fazer todas as maldades. O que parecia ser apenas mais uma história para entreter a plateia foi compreendida pela censura federal como péssimo exemplo para a juventude. Cassiano Gabus Mendes foi obrigado a explicar muitas situações apresentadas nos capítulos e, quando não tinha como contornar, recorria a *flashbacks* para preencher o espaço das cenas cortadas pelos militares. Durante sua produção, os estúdios da Globo no Rio de Janeiro foram atingidos por um grande incêndio, paralisando por alguns dias o trabalho da equipe. A emissora alugou um espaço para dar continuidade à novela.

O último capítulo de *Anjo Mau* levou o telespectador à loucura. O público torcia por Nice, mas setores conservadores da sociedade eram contra uma empregada doméstica se dar bem com o irmão do patrão, um dos galãs do momento, principalmente porque ela não se arrependia de tudo o que tinha feito por amor. A babá morreu após o parto de seu filho com Rodrigo. Foi condenada por ser ambiciosa, mas o que parecia atender aos preconceituosos abriu as portas para o questionador autor. O personagem de José Wilker acaba encantado com a nova funcionária da casa, uma babá que chega com um olhar dúbio, sinalizando para o telespectador que toda história pode voltar ao seu começo.

***

Mario Prata também estreou na autoria de novelas em 1976, com *Estúpido Cupido*, exibida às 19h no lugar de *Anjo Mau*. Foi um dos grandes sucessos da Globo, uma vez que a história atingiu em cheio quem viveu a juventude entre as décadas de 1950 e 1960, além dos mais novos, que se identificavam com a rebeldia e a luta pela liberdade de comportamento retratados na tela. O passado próximo foi arrebatador e levou a equipe de cenografia da emissora a recriar momentos marcantes, como o concurso de Miss Brasil no estádio do Maracanãzinho, com 10 mil pessoas nas arquibancadas, e a chegada de Celly Campello, a voz do tema de abertura, à cidade onde a trama se desenvolvia. Aliás, vale ressaltar, a excelente audiência impulsionou a venda de discos com a trilha sonora. Foi vendido 1 milhão de cópias, marca fenomenal na época e que levou muitos anos para ser superada, além de estabelecer definitivamente a comercialização das músicas-tema dos personagens e dos enredos, braço importante no orçamento da teledramaturgia e mais uma importante fonte de faturamento. Diante dos bons números e do aumento na execução das canções, a partir dali gravadoras e músicos começaram a disputar espaço nos LPs das novelas.

***

Uma cidade do interior da Bahia onde uma mulher explodiu em praça pública de tanto comer, um professor se transformava em lobisomem, um jovem possuía asas e um homem colocava o coração para fora cada vez que se emocionava virou o centro das atenções na faixa das 22h entre maio e dezembro de 1976. Nesse mundo de realismo fantástico criado por Dias Gomes, parte da população de Bole-Bole queria mudar o nome do município para *Saramandaia* e, assim, levar todos a um novo mundo, muito mais igualitário e sem a antiga estrutura de poder dos coronéis. A política e os problemas brasileiros chegavam ao telespectador por meio de metáforas que conseguiam passar pelos funcionários da censura, orientados pelos superiores a avaliar com rigor a obra para evitar que incentivasse algum tipo de discussão entre as pessoas. Alguns anos depois da exibição da novela, já no fim do regime militar e, portanto, com liberdade para revelar suas artimanhas, o dramaturgo reconheceu que, quando uma cena era cortada pelo pessoal de Brasília, ele simplesmente a reescrevia alterando algum detalhe e a colocava vinte capítulos adiante, quando, geralmente, era aprovada.

Para vencer as dificuldades técnicas da época, produtores e o diretor Walter Avancini usaram de muita criatividade em momentos especiais de *Saramandaia*. A transformação do professor Aristóbulo Camargo em lobisomem, por exemplo, era algo que chamava muita atenção e mexia com a imaginação de quem estava em casa. O maquiador Eric Rzepecki recorria a uma cola especial para colocar os pelos sintéticos em parte do corpo do ator. De tempo em tempo, era registrada uma etapa desse processo e, depois da edição, quem assistia em casa tinha a impressão de que os pelos começavam a crescer. Uma excelente direção de cena, aliada à bela interpretação de Ary Fontoura, garantia suspense e riqueza de detalhes no vídeo. Já a explosão de dona Redonda aconteceu graças a um mecanismo instalado debaixo do figurino utilizado por Wilza Carla. Um balão inflável foi enchendo com o ar de um compressor, o que deu a impressão no vídeo de que a mulher estava engordando sem parar enquanto caminhava. O voo de João Gibão, algo libertador num período de tamanha repressão ao direito de liberdade de expressão, só foi possível graças à mistura de tomadas feitas na cidade cenográfica e em estúdios preparados para a trucagem.

O ano de 1976 reservaria espaço para mais um marco na história da teledramaturgia brasileira. No dia 11 de outubro, entrava no ar o primeiro capítulo de *Escrava Isaura*, novela de Gilberto Braga baseada no romance de Bernardo Guimarães. O drama da escrava branca que sonha em conquistar sua liberdade, mas que é obrigada a esconder sua realidade diante da paixão por Tobias, dono do engenho vizinho, e que se transforma em vítima de todas as maldades de seu feitor, Leôncio, não conquistou o público somente no Brasil, mas em dezenas de países para os quais foi vendida. "Essa novela abriu as portas do fechadíssimo mercado europeu, em particular a Cortina de Ferro, formada pelos países do Leste", ressalta Mauro Alencar. "No início da década de 1990, *Escrava Isaura* provocou um verdadeiro cessar-fogo durante o período de guerrilha na Bósnia e Croácia", completa o estudioso. Lucélia Santos, Rubens de Falco e Edwin Luisi, principalmente, e boa parte do elenco viajaram para todos os países onde seus personagens conquistaram fãs. A Globo invadiu o mundo e se posicionou como importante produtora de conteúdo audiovisual e de entretenimento de massa.

Antes de *Escrava Isaura* entrar no ar, o autor Gilberto Braga foi chamado em Brasília para uma reunião com os responsáveis pela censura. A princípio, a intenção era proibir a produção do texto, porque, segundo um dos censores, uma trama sobre a escravidão poderia gerar um debate sobre o racismo, tema que, naquela época, era evitado em qualquer tipo de discussão. Alguns anos mais tarde, o novelista revelou em uma entrevista que fora orientado pelos funcionários do departamento de análises a não falar sobre escravos, dando mais espaço ao romance. Entretanto, ao assistir aos capítulos é possível perceber a habilidade do escritor em levar toda a temática até o grande público.

Durante sua gravação, um susto: o incêndio nos estúdios da TV Globo. "Fomos transferidos para as instalações da TV Educativa, no centro do Rio de Janeiro, onde ainda não existia ar-condicionado. Era verão e o uso dos figurinos pesados foi sacrificante", lembra Norma Blum, intérprete de Malvina, esposa de Leôncio, que morreu durante um incêndio provocado pelo próprio marido, cena que até os dias atuais é lembrada como uma das mais fortes e emocionantes da novela. *Escrava Isaura* foi exibida em mais de 80 países, reprisada quatro vezes em rede nacional e uma vez somente para Brasília, foi lançada em DVD em modo compacto e ganhou nova versão na TV Record. É, sem dúvida nenhuma, um dos clássicos de nossa teledramaturgia.

***

Em março de 1977, Cassiano Gabus Mendes retornou à faixa das 19h na Globo com *Locomotivas*, trama de grande sucesso que consolidou o estilo do autor e foi a primeira desse horário a ser produzida e transmitida 100% em cores. Diante da nova tecnologia, o escritor desenvolveu uma história em que a protagonista poderia abusar dos figurinos mais alegres. Eva Todor deu vida a Kiki Blanche, uma ex-vedete que se torna dona de um salão de beleza no Rio de Janeiro, ponto de encontro para muitas mulheres e local onde boa parte das ações tinha início. Graças a esse cenário e aos vários papéis femininos, as roupas e acessórios utilizados pelas atrizes se transformaram em objeto de desejo da telespectadora, impondo a moda desse ano. O autor conseguiu atingir a meta estabelecida por Boni alguns anos antes, de tirar público da TV Tupi, que estava estabilizada nessa faixa havia anos. Diante da audiência estrondosa da concorrente, o Canal 4 de São Paulo se viu obrigado a transferir a novela *Éramos Seis* para as 19h30. "Os diretores da emissora fizeram uma coisa bem audaciosa e no dia 14 de agosto de 1977 publicaram um anúncio em vários jornais e revistas para informar a mudança", conta Silvio de Abreu, que ao lado de Rubens Ewald Filho assinou a terceira adaptação do livro de Maria José Dupré para a televisão.

> **"A Rede Tupi mudou a novela *Éramos Seis* para as sete e meia da noite. Assim você não perde as *Locomotivas*. *Éramos Seis*, a novela mais humana e comovente da televisão, a partir do dia 15 de agosto, vai começar às sete e meia da noite. A Rede Tupi mudou o horário para você não perder nenhuma das duas novelas de que você gosta."**

A terceira versão de *Éramos Seis*, exibida pela TV Tupi, marcou a estreia de Silvio de Abreu e Rubens Ewald Filho como autores de teledramaturgia. Até então, os dois trabalhavam como diretores e roteiristas escrevendo as famosas pornochanchadas, entre elas *Gente que Transa* e *A Árvore do Sexo*. "Senti a necessidade de fazer algo diferente e de trabalhar com atores de teatro e mais conhecidos", conta Silvio de Abreu, que resolveu procurar na emissora de Assis Chateaubriand os amigos Antônio Abujamra e Carlos Manga, que também integraram as produções desses filmes com a mistura de humor e sexo, e que na televisão eram responsáveis por programas e dramaturgia.

Numa bela manhã, Rubens Ewald Filho e Silvio de Abreu foram até as instalações da TV Tupi, no bairro do Sumaré, para conversar sobre uma possível vaga na empresa. Durante a reunião, Roberto Talma, num dos poucos períodos em que atuou fora da Globo, apresentou uma ideia de história para transformá-la em novela. O ponto de partida era um acidente aéreo que deixava vinte pessoas isoladas em algum lugar do país e, a partir daí, o telespectador acompanharia um pouco de cada uma das personalidades.

– Se vocês conseguirem transformar essa ideia em novela, estão contratados – disse Carlos Manga.

Poucos dias depois, os dois voltaram aos escritórios da TV Tupi com a sinopse e alguns capítulos escritos de *O Acidente*. Após uma rápida leitura, foram contratados como autores para a faixa das 19h, uma das mais importantes da emissora. Silvio e Rubens começaram a escrever a novela para ter uma boa frente de episódios quando as gravações fossem iniciadas. O problema é que Roberto Talma, Carlos Manga e Antônio Abujamra saíram da emissora e o projeto não agradou aos novos diretores artístico e de teledramaturgia, Carlos Zara e Henrique Martins, respectivamente.

– Eu não conheço vocês, mas estão contratados. Quero que apresentem uma boa ideia de novela – disse, sem muitos rodeios, Henrique Martins.

Na reunião seguinte, nenhuma das sinopses levadas por Silvio de Abreu e Rubens Ewald Filho agradou aos diretores da TV Tupi, que já estavam influenciados pelo sucesso de *Locomotivas*, na Globo.

– Quero algo igual. Uma história dinâmica, cheia de cor, na praia...

Silvio de Abreu interrompeu o diretor Henrique Martins e trouxe todos que estavam na sala para a realidade da emissora.

– Acho que isso não vai dar certo. Aqui não tem praia e não temos dinheiro para fazer externas. O máximo que conseguimos é gravar na caixa d'água do outro lado da rua – disse, sob o olhar de todos.

– Mas se a gente der uma disfarçada nas externas... – alguém tentou interromper.

– É melhor ir para a simplicidade, para o mais humano. Vamos fazer uma história de gente e de família. Vamos no sentido contrário – explicou o autor.

Com os ânimos mais serenos, Silvio de Abreu contou a Carlos Zara e Henrique Martins detalhes da história criada por Maria José Dupré, que poderia muito bem ser adaptada à televisão, dentro das condições técnicas e financeiras da TV Tupi. "Era o livro que minha mãe lia", revela. *Éramos Seis* entrou no ar no dia 6 de junho de 1977 com índices baixos, mas em pouco tempo conquistou o telespectador, colocando a emissora na briga com a Globo, principalmente depois da mudança de horário. "Pegamos com 4 de média e entregamos com 25 pontos de audiência", comemora com orgulho Silvio de Abreu, que não esconde a tensão que viveu antes da estreia da novela. Sua maior preocupação era com a avaliação de seu texto por Gianfrancesco Guarnieri, escalado para o protagonista masculino, Júlio, marido de dona Lola. "Só relaxei depois que ele leu o primeiro bloco de capítulos e disse que eu escrevia muito bem e a trama estava amarrada", suspira o autor.

Nicette Bruno interpretou a matriarca da história e arrebatou o público com a carga dramática de uma mulher sofrida que faz de tudo para manter sua família unida, até mesmo secar as lágrimas diante do comportamento do marido e da morte do filho. "Ganhei todos os prêmios naquele ano, com uma novela que foi muito bonita e fez um enorme sucesso", recorda a atriz. Aliás, o primogênito Carlos morreu durante a revolução de 1932, a contragosto dos autores da versão de *Éramos Seis*. Isso porque Carlos Augusto Strazzer foi escalado para ser o protagonista de *O Profeta*, novela que Ivani Ribeiro estreou em outubro daquele ano na faixa das 21h.

Segundo Silvio de Abreu, o sucesso de *Éramos Seis* se deve à combinação de vários fatores, mas principalmente à verdade que existia nas relações narradas. "Além das tramas do livro, do original, levei para os personagens um pouco da minha família. Nós também éramos seis. O Júlio tinha um pouco do meu pai e minha mãe inspirou algumas coisas de dona Lola", conta. Curiosamente, muitos anos depois, assim como no texto dos capítulos que escreveu, seu irmão mais velho foi o primeiro a falecer.

Também nesse ano, mas na faixa das 18h, a TV Tupi colocou no ar *Cinderela 77*, o último texto da dupla Chico de Assis e Walther Negrão, que depois passariam a trabalhar individualmente. A nova novela era baseada em uma leitura diferenciada do clássico do francês Charles Perrault para contar uma história de amor moderna, com direito a mundos paralelos e sonhos que pareciam realidade. Tudo era possível, inclusive a madrasta que atrapalhava a vida da herdeira de uma fábrica de doces, uma boa madrinha, quase uma fada, que realizava suas "receitas mágicas" e lindas mulheres de outros planetas. Logo no primeiro capítulo, o galã avisava a seu opositor que "um dia gatos e ratos conviveriam em paz" e que não poderia se casar com suas fãs porque uma linda garota o esperava em Campo Dourado, uma cidade do interior. "Era tão metalinguagem que o príncipe era o Ronnie Von, o astro que tinha esse apelido na vida real", diz Negrão. O cantor, um dos grandes nomes da música da época, fazia par romântico com Vanusa, outra estrela que arrastava multidões para suas apresentações. Por isso mesmo, o casal principal fez muito sucesso, estampou inúmeras capas de revistas e pôsteres especiais vendidos para quem assistia ao folhetim e lançou moda entre os mais jovens. "A novela fez um grande sucesso com as crianças. Os adultos não entendiam muito bem, porque o texto era voltado para a garotada", explica o autor.

Cinderela 77 contava com muitas externas. Cid Balu, o príncipe Cid Baluarte III, papel de Ronnie Von, vivia altas aventuras em sua possante moto, sempre acompanhado por outros jovens que atraíam a atenção das mulheres. Era o grupo dos gatos. Cinderela, a personagem de Vanusa, tinha o costume de caminhar pelo campo nas terras próximas ao local onde morava e era protegida por Anjo, o líder dos Ratos, interpretado por Ricardo Petraglia. A atriz Elizabeth Hartmann foi odiada pelas crianças, afinal ficou com o papel da madrasta, que, entre outras maldades, fazia de tudo para machucar a pomba que era a grande companheira de Cinderela. Esse mundo mágico possibilitava aos autores as mais criativas saídas para os problemas que enfrentaram durante os quatro meses de exibição, como a impossibilidade de contar com os protagonistas durante 15 dias, pois tinham de cumprir a agenda de shows acertada antes do convite para o trabalho na novela. "Não pensamos duas vezes. A bruxa transformou os dois em crianças e seguimos a história com atores mirins até o regresso dos dois", relembra Walther Negrão. Um contrafeitiço devolveu os personagens a Ronnie e Vanusa.

Durante toda a novela, os capítulos começavam com as cenas que seriam exibidas no final, narradas como nos contos de fadas, algo absolutamente diferente e contra a estrutura do folhetim que havia sido aperfeiçoada nos anos 1970, desde que a Globo passara a investir no gênero com os textos de Janete Clair. Mas o último episódio inverteu tudo e "começou pelo começo, pela primeira vez", como disse o ator que diariamente revelava os detalhes da noite. Finalmente o Rei da Abóbora realizou o grande baile de gala em que seria escolhida a mulher que viveria ao lado do príncipe Cid Baluarte III após um concurso de maiô, um desfile de vestido de festa e uma bateria de perguntas sobre o livro *O Pequeno Príncipe*, o preferido das misses. Gatos e ratos se uniram numa única turma, assim como homens e mulheres para um mundo melhor. Cinderela chegou com um lindo vestido, perdeu o sapatinho na escadaria e viveu feliz para sempre com seu amado.

Outra produção emblemática de 1977 na TV Tupi foi *O Profeta*, com Carlos Augusto Strazzer no papel principal. Daniel é um paranormal capaz de ver o passado e prever o futuro e que fica famoso após montar um consultório e cobrar caro por suas profecias. Paixão, amores, traição, roubo e mistério se misturaram no decorrer dos 159 capítulos. É mais um texto de Ivani Ribeiro que aborda a espiritualidade, só que desta vez explicada por meio de várias vertentes. Conceitos de psiquiatria, candomblé, kardecismo e catolicismo foram levados ao ar para atender a todos os telespectadores, gerar menos polêmica com os conservadores – afinal a disputa estava mais acirrada – e formar um amplo painel sobre a temática. "O sucesso foi imenso. Conseguimos incomodar a Globo em vários momentos. E comemorávamos isso", recorda Suzy Camacho, a Mariucha da novela. No dia 19 de janeiro de 1978, a produção da TV Tupi ultrapassou *O Astro*, fechando em primeiro lugar em São Paulo com 36,7 de média, contra 33,3 pontos da concorrente, segundo dados da época publicados no livro *De Noite Tem.. Um Show de Teledramaturgia na TV Pioneira*, de Mauro Gianfrancesco e Eurico Neiva.

Para escrever a novela, Ivani Ribeiro foi emprestada à TV Tupi por Silvio Santos, que, já com a concessão do Canal 11 do Rio de Janeiro, no início de 1977, resolveu investir em teledramaturgia e contratou a autora de inúmeros sucessos no Canal 4 de São Paulo. Baseada em fatos reais, ela escreveu O Espantalho, história sobre diferenças entre o prefeito e o vice de uma cidade litorânea nas questões de meio ambiente, interesses econômicos e projetos políticos. Depois de derrubar o titular e assumir seu posto, o vice Rafael descobre ter um aneurisma cerebral e passa a conviver com alucinações repletas de espantalhos. Para viabilizar o projeto e diluir custos, o empresário fez uma parceria com a Record para exibir essa produção em São Paulo e em outras capitais. Dois anos depois foi exibida pela TV Tupi, já às vésperas de sua falência.

"Tudo que você sempre quis saber sobre a vida no teatro, cinema e TV. Espelho Mágico, onde a vida imita a arte!"

Durante algumas semanas, a Globo destacou em sua programação a chamada da nova atração das 20h. *Espelho Mágico*, de Lauro César Muniz, chegava para ser diferente ao colocar uma novela dentro de uma novela verdadeira. Os protagonistas Diogo e Leila eram atores famosos da televisão que todas as noites entravam na casa dos fãs com *Coquetel de Amor*, um folhetim do estreante Jordão. Além dos problemas enfrentados no dia a dia do trabalho e da relação com seus admiradores, o casal precisava enfrentar a fúria da filha adolescente. Eles eram interpretados por Tarcísio Meira e Glória Menezes, sempre muito respeitados. Os demais personagens também eram artistas, profissionais de comunicação ou de áreas próximas, e, muitas vezes, o telespectador assistia à gravação de um capítulo da ficção, bastidores de mentirinha para contar a história proposta pelo autor. "Era algo muito interessante, lindo, mas que talvez não tivesse o alcance popular que a empresa imaginava. Não é que as pessoas não assistissem, mas o sucesso era razoável", conta Tony Ramos, que fez sua estreia na Globo durante esse texto. "*Duas Vidas*, de Janete Clair, foi exibida antes e marcou mais audiência", completa. Segundo Daniel Filho no livro *O Circo Eletrônico*, a Globo perdeu perto de 20 pontos no horário, num período em que já estava praticamente consolidada na liderança absoluta. Vera Fischer, eleita Miss Brasil em 1969, também iniciou sua trajetória na televisão durante esse trabalho, ao interpretar uma jovem que venceu um concurso de beleza, se aventurou pelos filmes da pornochanchada e finalmente conseguiu uma oportunidade na TV. Diana Queiroz contava, de certa forma, o caminho percorrido na realidade por sua intérprete. Muitas participações especiais aconteceram no decorrer de seus 150 capítulos, entre elas Bibi Vogel, Brigitte Blair e Sylvia Kristel, estrela internacional de filmes pornográficos.

Além de atuar em *Espelho Mágico*, em 1977, Tony Ramos também apresentava, às sextas-feiras, o *Globo de Ouro*, programa semanal que levava ao público as músicas mais executadas. Recém-chegado à emissora, mesmo com agenda apertada, não recusou um pedido de Daniel Filho para ajudá-lo nos testes para a seleção de atrizes que entrariam na novela que Janete Clair preparava para ser exibida em seguida. O trabalho foi simples. Ele fez a mesma cena com cinco candidatas a uma vaga em *O Astro*, entre elas Denise Dumont e Silvia Salgado. "Era um texto duro, uma discussão de casal, e, na medida em que fui lendo, decorei as falas", recorda Tony Ramos. No final da tarde, o responsável pelas novelas da Globo chamou o ator a um canto do estúdio.

– Tony, eu sei que está acabando a novela *Espelho Mágico* e você vai ficar esperando o fim de seu contrato – disse Daniel Filho.

– Você sabe como é, ainda estou medindo a cidade para ver se continuo por aqui – respondeu o ator.

– Olha, eu fiquei vendo você com as meninas e acho que se encaixa perfeitamente no Márcio Hayalla. Topa?

– Daniel, não sei, não, emendar uma novela na outra... – ponderou Tony Ramos.

– Deixa comigo. Falarei com o Boni e com a Janete – concluiu Daniel Filho.

Alguns dias depois, devidamente aprovado pelo diretor-geral da emissora e pela autora, Tony Ramos teve seu contrato renovado por um período maior e começou a atuar na nova novela de Janete Clair, mesmo faltando alguns capítulos da trama de Lauro César Muniz. "Durante um tempo, eu gravava *Espelho Mágico* às terças e quartas, *O Astro* às quintas e sábados e o *Globo de Ouro* às sextas", revela.

No dia 6 de dezembro de 1977, entrava no ar a história do vidente Herculano Quintanilha, um homem capaz de tudo para conseguir fama e poder, e os dramas da família Hayalla, que comandava um poderoso império industrial e, portanto, centro de muitas disputas por dinheiro e para ver quem podia mandar mais. No meio disso, um jovem idealista capaz de se rebelar contra o próprio pai. Nos papéis principais estavam Francisco Cuoco, Dina Sfat, Tony Ramos, Elizabeth Savalla, Tereza Rachel e Dionísio Azevedo, que interpretou o personagem que tornou *O Astro* um grande fenômeno de audiência. No capítulo 42, o patriarca do clã de empresários foi assassinado, gerando um grande mistério e levando o telespectador ao ponto máximo da curiosidade: Afinal, "quem matou Salomão Hayalla?". "Essa pergunta encerra qualquer discussão sobre o resultado da novela. Com o caminhar da trama, o país foi parando", brinca Tony Ramos. A dúvida se arrastou por semanas e só foi esclarecida no último capítulo, em 8 de julho de 1978. Naquela noite, a cantora Maria Bethânia só iniciou seu espetáculo após o término do folhetim de Janete Clair. Fã declarada de *O Astro*, exigiu em contrato uma televisão com boa imagem instalada em seu camarim. Em Brasília, os convidados do ministro Azeredo da Silveira, das Relações Exteriores, de um jantar em homenagem ao ex-secretário de Estado norte-americano Henry Kissinger, simplesmente foram para uma pequena sala da residência para acompanhar a tão aguardada revelação. Segundo as pesquisas da época, o último capítulo foi assistido por 80% das pessoas que estavam diante de um aparelho de televisão. "Os intelectuais, principalmente os homens, diziam que não assistiam novelas. *O Astro* mostrou que essas afirmativas eram falsas", conclui Fernanda Montenegro.

Os roteiros originais de *O Astro* apontam para uma autora muito participativa, várias referências às notícias publicadas em jornais e revistas e uma descrição detalhada na sinopse de cada personagem, inclusive com o juízo de valores de Janete Clair. Ela descreveu Jose, interpretada por Silvia Salgado, como "uma mulher que fica em casa, não trabalha, uma pobre coitada". E termina o texto com a seguinte indagação: "Afinal, como pode em 1978 uma mulher ficar em casa?". "Minha avó tinha essa visão e gostava de carregar a bandeira feminina", diz Renata Dias Gomes. Os atores que trabalharam nesse texto garantem que era muito comum receberem bilhetes com orientações ou simplesmente desabafos, como foi o caso da cena em que Amanda não aparece em seu casamento com Herculano. "Aos de boa memória, finalmente Fernanda se vinga de Cristiano", anotou Janete Clair no roteiro. Fernanda e Cristiano foram interpretados em *Pecado Capital* por Dina Staf e Francisco Cuoco, mas também formavam casal em *O Astro*. Na novela anterior, a censura não permitiu a união das duas personagens, alegando que transgredia os costumes da época.

É claro que a censura esteve o tempo todo de olho no grande sucesso de Janete Clair. Aos funcionários também interessava saber quem matou Salomão Hayalla, mas no dia a dia eles não podiam deixar passar mensagens políticas ou algo que fosse de encontro aos costumes da década de 1970. Eles não permitiram, por exemplo, que Lili fosse mãe solteira e cortaram vários trechos de Herculano. Mas, no final, uma vez mais, a autora encerrou uma novela driblando os militares e deixou mais um clássico para a história da teledramaturgia brasileira, que naquele momento já tinha suas características próprias consolidadas.

***

Em 1978, mais uma produção da Globo gerou grande impacto no público, mostrando definitivamente que uma história bem construída é capaz de envolver as pessoas a ponto de promover mudanças de comportamento ou antecipar temáticas da sociedade. Se algumas novelas já eram capazes de despertar o desejo de consumo em quem estava em casa, principalmente em relação aos figurinos das protagonistas, *Dancin' Days* foi muito além e ampliou ainda mais as possibilidades comerciais de uma novela. É bem verdade que o autor Gilberto Braga, o diretor Daniel Filho e Boni buscaram na realidade de jovens do Rio de Janeiro o melhor caminho para o que foi proposto no argumento de Janete Clair, mas também é certo que a história da ex-presidiária Júlia impôs elementos na vida real. Ao se tornar mania nacional, criou moda e popularizou a discoteca, estilo musical que levava centenas de pessoas às pistas das casas noturnas.

> Abra suas asas
> Solte suas feras
> Caia na gandaia
> Entre nessa festa
>
> E leve com você
> Seu sonho mais louco
> Eu quero ver seu corpo
> Lindo, leve e solto

No dia 10 de julho de 1978, pontualmente às 20h, entrava no ar a vinheta de abertura de *Dancin' Days*, título inspirado no nome da boate de Nelson Motta, a Frenetic Dancin' Days Discotheque, que fora fechada dois anos antes, mas reabriu com o sucesso da televisão. Júlia Matos, interpretada por Sônia Braga, era uma ex-presidiária que, em liberdade condicional após onze anos de detenção, tenta reconquistar sua filha, Marisa, vivida por Glória Pires. "Foi a novela que me projetou artisticamente. Aprendi muito, pois já estava com 14 anos de idade e atenta a tudo à minha volta, convivendo com ícones como Antônio Fagundes, Joana Fomm, Beatriz Segall, José Lewgoy, Mário Lago, Yara Amaral, Lourdes Mayer, Reginaldo Faria, Milton Moraes e Daniel Filho", diz Glória. "Ela foi inovadora em diversos sentidos, inclusive porque não tinha grandes nomes populares no elenco. Era uma novela com pouca gente conhecida do grande público, mas profissionais respeitados do teatro", afirma Fagundes, o Cacá, um diplomata que larga tudo para se dedicar ao cinema e viver uma linda história de amor com Júlia. Os dois terão que vencer o preconceito em todos os níveis.

> A gente às vezes
> Sente, sofre, dança
> Sem querer dançar
> Na nossa festa vale tudo
> Vale ser alguém como eu
> Como você

Como fenômeno nacional, *Dancin' Days*" lançou moda. Os figurinos foram desenvolvidos por Marília Carneiro e chegaram rapidamente às ruas. Mulheres de todas as idades passaram a usar as meias soquetes de lurex, listradas, com cores fortes e fosforescentes, assim como as sandálias altas de tiras e a calça jogging vermelha. Tudo isso se transformou numa imagem da juventude dos anos 1970 no Brasil, ícone de uma geração e referência temporal até os dias atuais. "O Gilberto Braga foi responsável por uma grande virada na teledramaturgia com a introdução do merchandising. Com isso, se descobriu que a novela também poderia faturar com produtos associados ao conteúdo, como foi o caso de uma marca de calças jeans, a Staroup", pontua o professor Claudino Mayer, especialista em telenovelas. O cenário da pista de dança em que os principais personagens se encontravam possuía vários painéis luminosos que estampavam os patrocinadores, entre eles Smirnoff, Caloi e Olympikus. A Grendene, por sua vez, investiu pesado e lançou as Melissas coloridas em vários capítulos por meio das personagens femininas. "Foi um retrato do Brasil daquela época e, de certa forma, ensinou muito às pessoas, tanto em relação a direitos sociais e preconceitos, como na forma de se vestir", explica Beatriz Segall. A trilha sonora ultrapassou a barreira de um milhão de cópias vendidas somente com o primeiro LP nacional.

Dancin' Days foi um grande fenômeno em nossa televisão e a primeira novela brasileira a ser exibida no México, rompendo uma barreira estabelecida naturalmente num país grande produtor de teledramaturgia diária. Ela também foi assistida em mais 40 países, incluindo Portugal, Espanha e Uruguai. Por estar presente na lembrança de muitas pessoas e por retratar perfeitamente uma época de profundas transformações na sociedade, a novela foi uma das mais pedidas para remakes e reprises.

Em novembro de 1978, durante os momentos decisivos de *Dancin' Days*, a TV Tupi colocou no ar *Aritana*, um texto de Ivani Ribeiro que falava sobre a ganância e a importância da preservação da cultura e das terras indígenas por meio da história do índio interpretado por Carlos Alberto Riccelli. A novela ganhou uma interessante repercussão, inclusive com a desconfiança de alguns quanto à verdadeira intenção da autora, acusada erroneamente de defender os interesses das grandes corporações internacionais e de querer estimular conflitos no campo. De olho em toda essa polêmica, a direção do Canal 4 tirou essa produção do confronto direto com o folhetim da Globo, transferindo-a para a faixa das 21h. Assim que Gilberto Braga colocou um ponto final em sua trama, *Aritana* voltou ao seu horário normal.

A novela de Ivani Ribeiro também ganhou as capas das revistas especializadas em função de uma grande paixão. Os protagonistas Carlos Alberto Riccelli e Bruna Lombardi, grandes estrelas da época, além de referências de beleza e símbolos sexuais, assumiram o namoro na vida real, instigando ainda mais o público a assistir a *Aritana*.

Depois do estrondoso sucesso de *Dancin' Days* e estando Lauro César Muniz, o autor da vez, doente, só restava à Globo exibir mais uma novela de Janete Clair. No dia 29 de janeiro de 1979 entrava no ar *Pai Herói*, história de André Cajarana, um homem que tenta provar que seu pai não é o bandido que afirmam, muito menos o responsável por algumas mortes. Ao chegar perto do vilão, Bruno, personagem de Paulo Autran em sua estreia na teledramaturgia diária, esse jovem conhece Ana Preta, dona de uma gafieira e mulher que esconde muito de seu sofrimento. Em paralelo, Carina é uma mulher que larga tudo, inclusive a filha, para tentar ser feliz. O destino a leva para uma paixão com o protagonista, mas ela é dada como morta, complicando ainda mais o enredo. Tony Ramos e Elizabeth Savalla formaram um belo casal protagonista e ganharam a torcida de quem estava em casa, obrigando à mudança da sinopse. No projeto original, André viveria feliz para sempre ao lado de Ana Preta, mas o público apontou para outro caminho, mesmo tendo Glória Menezes na interpretação mais marcante dessa produção. "Ela caiu no gosto popular. Eu inventei de colocar uma flor no cabelo para caracterizá-la e aquilo virou uma febre. Um dia eu cheguei em Brasília e todas as mulheres estavam vestidas como ela", recorda emocionada a atriz.

O sucesso de *Pai Herói* foi tão grande que, mesmo com o término da novela, Janete Clair não parava de conceder entrevistas para explicar suas decisões e o destino de muitos personagens, principalmente em relação à morte de César Reis, que não foi claramente compreendida pelo telespectador. O ano de 1979 avançou e outras boas novelas foram levadas ao ar pela Globo, entre elas *Feijão Maravilha*, de Bráulio Pedroso; *Marron Glacê*, de Cassiano Gabus Mendes; e *Os Gigantes*, de Lauro César Muniz. Nesse mesmo ano, Benedito Ruy Barbosa estreou na emissora com *Cabocla*, adaptação do romance de Ribeiro Couto que teve como temas centrais a importância do voto e a construção de um país mais justo, algo que incomodava muito os censores do regime militar. Oito anos antes, em 1971, uma novela sua fora exibida na emissora, mas sem vínculo profissional, uma vez que Boni comprava os capítulos prontos de *Pedacinho de Chão*, produzida pela TV Cultura. "Eles não tinham dinheiro para fazer mais um horário e, portanto, era mais barato compartilhar com a Cultura", diz o autor. "Foi a única novela do mundo exibida quatro vezes por dia. O Canal 2 passava às 18h30 e às 22h e a Globo no *Vale a Pena Ver de Novo* e às 18h", completa.

Em *Cabocla*, Glória Pires e Fábio Júnior eram os protagonistas, e, como formavam o principal casal romântico na ficção e na vida real, viviam nas capas das revistas mais populares. A novela fez muito sucesso, atingiu números interessantes de audiência e foi elogiada pela crítica por sua abordagem das questões políticas. Em função do bom resultado e com o atraso na produção de *Olhai os Lírios do Campo*, de Geraldo Vietri, o alto comando da emissora determinou que o autor esticasse a novela em mais alguns capítulos. Benedito Ruy Barbosa não atendeu ao pedido porque já havia assinado com a TV Bandeirantes. A solução foi reprisar *Escrava Isaura*. Aliás, é importante destacar que durante os anos 1970 era muito comum a Globo recorrer à exibição de sucessos que já haviam entrado no ar para tapar buracos provocados por erros no planejamento ou na produção do departamento de teledramaturgia do Canal 4 do Rio de Janeiro.

Em 1979, a TV Tupi já agonizava diante de sua mais acentuada crise financeira e administrativa e com os desencontros das decisões tomadas pelos integrantes do Condomínio Acionário das Emissoras e Diários Associados. Sem o apoio político que existia na época em que Assis Chateaubriand estava vivo, a empresa já não tinha muito a quem recorrer. Os atrasos de salários eram constantes e o calote em prestadores de serviços e fornecedores era rotineiro. Sem dinheiro em caixa, a solução foi recorrer a reprises e programas baratos, em que os apresentadores garantiam o mínimo para o mês diretamente com os anunciantes em merchandising. Por isso, foram produzidas apenas três novelas: *Gaivotas, Dinheiro Vivo* e *Como Salvar Meu Casamento*, folhetim assinado por Edy Lima com colaboração de Ney Marcondes e Carlos Lombardi e que não teve seu final exibido ao público porque a emissora foi cassada pelo governo. "A gente foi chegar para gravar e estava tudo acabado", lembra com pesar a atriz Nicette Bruno, que interpretava Dorinha, abandonada pelo marido após 23 anos de casamento e uma longa crise no relacionamento. "Foi muito triste. Eu vi literalmente fechando tudo. Vi tirar a válvula e o cristal", conta Suzy Camacho, que deu vida a Simone, uma garota de seus 16 anos de idade apaixonada por um homem muito mais velho, vivido por Walmor Chagas.

Como Salvar Meu Casamento saiu do ar alguns dias antes de a emissora fechar, porque muitos dos funcionários que atuavam nos departamentos técnicos estavam sem receber salários havia meses e pressionavam a direção da TV Tupi para que pudessem honrar suas contas e garantir, no mínimo, a alimentação para a família. "Nos bastidores, estávamos todos esperançosos que conseguiríamos reverter aquela triste situação", pondera Suzy Camacho. "E não recebemos um centavo", completa Nicette Bruno, que não esconde a frustração por não concluir um trabalho que alcançava boa repercussão, afinal tratava-se da primeira novela que abordava a crise no casamento, algo que muitas telespectadoras viviam no dia a dia em suas casas, mas não tinham como compartilhar o sofrimento com as amigas. A novela possibilitava que esse tema ganhasse maior dimensão e gerasse conversas entre os casais de diferentes idades que atravessavam momento semelhante ao narrado na televisão. Com o fim do império construído por Assis Chateaubriand, encerrava-se um importante capítulo da história do maior veículo de comunicação do Brasil. "O grande celeiro da televisão foi a TV Tupi. Foi de lá que quase todo mundo saiu para brilhar na Globo", diz a determinada Laura Cardoso.

Os anos 1970 foram intensos para a nossa teledramaturgia. De um lado, os executivos comerciais enxergavam nas novelas a possibilidade de aumentar cada vez mais a venda de anúncios; de outro, os diretores administrativos estabeleceram elementos para otimizar a produção industrial de algo voltado para o entretenimento da massa. Os grandes autores desenvolveram técnicas para fisgar a curiosidade da plateia e os atores deram vida às emoções que todos, de certo modo, escondiam ou sentiam silenciosamente. Um rápido encontro de Glória Menezes com um fã é o melhor exemplo de quanto é mágico esse universo tão brasileiro. Voltando de uma temporada no Rio de Janeiro, ao desembarcar do avião em São Paulo, ela se surpreendeu com a gentileza de um homem que ofereceu o seu lugar na fila.

– Glória, por favor, este lugar é seu. É seu pelas muitas lágrimas e risadas que me possibilitou nessa vida.

E, com um olhar, agradeceu tudo o que viveu por meio das muitas personagens dessa atriz que protagonizou a primeira novela diária do Brasil.

Os criadores de sonhos na televisão brasileira

A telenovela brasileira ganhou características próprias e se diferenciou dos folhetins exibidos em outros países da América Latina graças ao trabalho de duas mulheres que, durante as décadas de 1960 e 1970, escreveram praticamente sem intervalos ou longas férias as mais diferentes tramas, desenvolvendo elementos e fórmulas para atrair a atenção do telespectador e transformar o gênero no principal produto da televisão de nosso país, tanto em relação à audiência quanto ao faturamento. Janete Clair e Ivani Ribeiro possuem carreiras muito parecidas, com início nas radionovelas, passagens pelas agências que produziam sob encomenda dos anunciantes e inúmeros sucessos na TV, sempre nas faixas de horário mais competitivas. As duas assinaram os grandes clássicos da teledramaturgia do Brasil, abordaram tabus e preconceitos, quebraram padrões estabelecidos, determinaram novos limites ficcionais e, sem dúvida, influenciaram e inspiram os profissionais que até hoje transformam sonhos em realidade por meio dos personagens que diariamente aparecem na telinha e se tornam tão íntimos de quem assiste aos folhetins. "Elas foram expoentes da telenovela e tinham a sabedoria de deixar o público ansioso, em suspense. Tecnicamente, possuíam todas as armas para isso, pois escreviam bem, criavam *personas* interessantes", analisa a atriz Nicette Bruno, que deu vida a textos das duas autoras.

Natural de São Vicente, cidade no litoral de São Paulo, Ivani Ribeiro chegou à capital paulista com a intenção de cursar Filosofia, mas viu no rádio a oportunidade de ganhar algum dinheiro e mostrar aos outros a sua arte e as palavras que colocava no papel, inicialmente por meio de algumas canções folclóricas e sambas. A jovem de apenas 16 anos de idade se apresentou em programas musicais e de calouros da Rádio Educadora e, algum tempo depois, já estava na equipe responsável pela redação e produção de algumas das principais atrações da emissora, como o *Teatrinho de Dona Chiquinha*. Em 1939, numa rápida passagem pela Rádio Tupi, assinou e atuou em *As Mais Belas Cartas de Amor*, um programa que tinha como ponto de partida a dramatização de histórias românticas, muitas propostas pelos ouvintes. As primeiras radionovelas surgiram em 1940, já na Rádio Bandeirantes, e logo de início registraram excelentes índices de audiência e muita repercussão na mídia especializada. *As Minas de Prata, A Muralha, Ambição* e *Corações em Conflito* são apenas alguns dos títulos com sua assinatura nessa fase.

Uma das pioneiras da televisão brasileira, Ivani Ribeiro estreou na TV Tupi em 1952, ainda sob o impacto da chegada de um novo veículo de comunicação ao país e num período de grande experimentação com programação ao vivo. Lá, escreveu a série *Os Eternos Apaixonados*, e, mesmo com todos os desafios da TV e a necessidade de estar presente em quase todo o processo, não deixou sua produção na Bandeirantes. A autora dividia perfeitamente seu tempo entre os roteiros do rádio e da TV, sem perder o ritmo, misturar histórias ou atrasar a entrega dos capítulos, num exemplo perfeito de administração de uma carreira. "Ela costumava dizer que ninguém tinha nada a ver com os seus problemas e que, por isso, o melhor era deixar a dor de lado, sentar e trabalhar", conta Solange Castro Neves, que durante muitos anos foi sua colaboradora.

Em 1954, ela se transferiu para a TV Record, onde, ainda em formato de episódios semanais, adaptou *A Muralha* e escreveu alguns teleteatros. Mas foi na década de 1960, por meio das telenovelas diárias, que os executivos das emissoras de televisão descobriram a capacidade de criação da autora. Sua estreia no formato ocorreu no dia 10 de dezembro de 1963, na TV Excelsior, com *Corações em Conflito*, trama que já havia escrito para o rádio e que obteve grande sucesso. O contrato da novelista era assinado diretamente com a agência publicitária do patrocinador do gênero, por isso, durante um bom tempo, seus textos ganhavam vida em São Paulo no Canal 9 e no Canal 4, respectivamente TV Excelsior e TV Tupi, emissoras que brigavam para liderar o mercado. Ela chegou a emendar treze novelas, o que representa, diante dos padrões da época, 1.600 capítulos seguidos com 30 minutos de duração, uma imensa enciclopédia com mais de 30 mil páginas, produção para causar inveja aos mais conceituados nomes da literatura mundial.

Ivani Ribeiro criou as mais diferentes histórias, muitas inspiradas em casos reais ou baseadas em suas observações do cotidiano e das várias viagens que realizou pelo mundo, nos raros intervalos de seu trabalho. "Ela sempre foi muito estudiosa e gostava de conhecer outros países, e, quando voltava, contava pra gente tudo o que tinha visto", pontua Suzy Camacho, atriz que foi lançada pela autora. "Ela escrevia de acordo com essa realidade, pegava fatos verdadeiros e conseguia passar de uma maneira muito bonita as mensagens de vida. Ivani entregava ao público a esperança e a certeza de que todo problema no final tinha uma solução", completa a atriz. Ao longo de sua carreira, a novelista sempre fez questão de contar com o apoio de pesquisadores, para que nenhum tema fosse abordado de forma leviana ou sem o devido aprofundamento. Também era muito comum ela solicitar uma espécie de consultoria a especialistas na temática que abordaria em suas novelas, como aconteceu durante *A Viagem*, quando o médium Chico Xavier forneceu importantes informações sobre a doutrina espírita e orientou como deveriam ser tratados os conceitos de vida após a morte, comunicação dos espíritos, influências energéticas, posturas dos praticantes da religião e os planos mais e menos iluminados. Respaldada por um homem de grande credibilidade, a autora conseguiu fazer de sua novela um sucesso estrondoso, conquistou telespectadores que, a princípio, não acreditavam naquilo que aparecia na televisão e colocou o assunto em debate nos vários meios de comunicação.

Ivani Ribeiro era uma mulher muito simples, extremamente criativa e que gostava de compartilhar suas experiências com os amigos e, principalmente, com seu elenco. "Antes de começar a novela e assim que acabava, ela reunia os artistas em sua casa para comemorar e passar algumas informações importantes para a construção dos personagens", revela Nicette Bruno. Nessas ocasiões, era muito comum cozinhar para seus convidados as receitas anotadas à mão em alguns cadernos que guardava cuidadosamente numa das gavetas do armário da cozinha. Eram verdadeiras preciosidades, herdadas por Solange Castro Neves, que as reuniu nos livros *Segredinhos e Magias do Fogo,* versões doces e salgados, publicados em 1996, em benefício de crianças aidéticas e para a manutenção do Retiro dos Artistas. "Ela tinha personalidade forte, era exigente até consigo mesma, mas amava as pessoas, a vida e a natureza, principalmente o mar", pontua a colaboradora de muitos anos.

A ligação de Ivani com Solange superou todos os vínculos trabalhistas ou de uma simples amizade. A afinidade entre as duas era quase inexplicável aos olhos humanos comuns, e tinha vínculos que vinham de outras esferas. Um certo dia, a autora recebeu uma longa carta de Chico Xavier, em que ele descrevia a relação das duas. Segundo o texto enviado pelo médium, Solange fora filha de Ivani numa das encarnações passadas, o que elucidava a química imediata que tiveram já no primeiro encontro. "Foi uma emoção muito grande, pois, apesar de ser espírita, ela era uma pessoa prática e pé no chão, e, diante das palavras do Chico, nós não tínhamos como questionar", releva Solange. Quem presenciou a leitura da mensagem garante que a emoção tomou conta do ambiente, num misto de alegria e gratidão.

Ivani Ribeiro não influenciou apenas seus colaboradores diretos, mas muitos dos principais autores da televisão brasileira. Um deles é Silvio de Abreu, criador de vários sucessos e atual responsável pela teledramaturgia diária da Rede Globo, que, entre 1967 e 1971, trabalhou como ator nas TVs Excelsior, Record e Tupi, fazendo pequenos papéis nas novelas e teleteatros, o que não exigia sua presença diária nos estúdios das emissoras. Mas, mesmo assim, rigorosamente, toda sexta-feira buscava os blocos dos capítulos da semana seguinte para devorá-los na leitura. "Eu me interessava pela maneira como aquilo era escrito, como ela amarrava cada cena, como juntava os personagens e as orientações que passava em suas marcações", lembra o autor de *Guerra dos Sexos*, que na época morava na Rua Major Sertório, centro de São Paulo, e gravava na Vila Guilherme, zona norte, um longo trajeto de ônibus, tempo suficiente para observar a técnica e absorver todos os conhecimentos que estavam naquelas folhas de papel. "Ela conseguia dar brasilidade a seu texto e, com aquele contexto fantástico de histórias de vida, fazer obras que eram compreendidas em qualquer parte do mundo, independente dos continentes e fronteiras", completa Suzy Camacho.

Ivani Ribeiro escreveu 49 novelas no Brasil e uma no Chile, para a TV Universidad Católica. Raras são as produções que não atingiram as metas estabelecidas de audiência ou que geraram críticas negativas, por isso é praticamente impossível criar uma lista de importância em sua obra. Entretanto, títulos como *Alma Cigana, Mulheres de Areia, A Viagem, Aritana, Meu Pé de Laranja Lima, Amor com Amor se Paga, O Profeta* e *A Gata Comeu* estão entre os mais citados pelos telespectadores e fazem parte das recordações afetivas das diversas gerações que apreciam um bom folhetim na televisão.

***

Janete Clair, autora dos maiores sucessos e responsável pelas grandes audiências dos anos 1970, é outro nome inquestionável na história da teledramaturgia brasileira. Foi ela, como citado em capítulo anterior, quem criou o gancho dramático em cada bloco do capítulo e o ápice da emoção para encerrar o episódio e atrair o público para a noite seguinte. "Ela reinventou a telenovela brasileira com *Véu de Noiva* e foi aperfeiçoando depois em cada texto que assinava. O capítulo era pensado como uma história com começo, meio e fim, algo muito revolucionário", diz Renata Dias Gomes, neta da novelista. "A Janete compreendeu o que ela mesma havia criado e teve a habilidade para transformar tudo isso num formato, que depois foi adotado por todos os profissionais da área", completa. Suas tramas sempre surpreenderam quem estava em casa, e não foram raras as ocasiões em que os temas abordados no folhetim ganharam grande repercussão na sociedade. Em 1978, ela conseguiu parar o Brasil na noite em que finalmente seria respondida a questão que conduziu *O Astro*: quem matou Salomão Hayalla? "Há uma contribuição essencial ao gênero, que é utilizada por todos nós, mais ou menos influenciados por ela: a concepção do capítulo como um espetáculo, em que se temperam a emoção, o riso e o momento de refletir", analisa Gloria Perez, que iniciou sua carreira de escritora de televisão como colaboradora da autora em *Eu Prometo*. "Antes as novelas eram escritas a metro. Janete deu unidade ao capítulo", pontua. É essa estrutura que funciona até os dias atuais e, de certa forma a partir das vendas internacionais, mexeu também com as produções de outros países.

Janete Clair nasceu em Conquista, interior de Minas Gerais, e ainda criança mudou-se para Franca, onde se apresentou pela primeira vez no rádio. Ela interpretou canções francesas e árabes num programa musical da Rádio PRB-5, emissora de grande alcance na região. Alguns anos depois, chegou a São Paulo junto com a família e, mesmo com 13 anos de idade, para ajudar o orçamento doméstico trabalhou como datilógrafa e numa clínica de análises médicas. Em 1944, passou a atuar no "Teatrinho das Cinco Horas", uma atração infantil da Rádio Difusora de São Paulo. Mas foi somente em 1956, influenciada por seu marido, o dramaturgo Dias Gomes, que começou a assinar adaptações de clássicos e a criar novelas. Entre outras, surgiram

Perdão, Meu Filho, O Canto do Cisne, Uma Escada para o Céu, Inocente Pecadora e *Vende-se um Véu de Noiva*, histórias que até os dias atuais despertam o interesse do público e o desejo de empresários da comunicação de garantir o direito de adaptá-los para as novas gerações.

Sua carreira na televisão começou em 1963, quando escreveu para a TV Rio a novela *Nuvem de Fogo*. No ano seguinte, produziu para a TV Tupi e, simultaneamente, escreveu *Estrada do Pecado* para a TV Itacolomi, em Belo Horizonte. Nessa fase inicial, era forte a influência das radionovelas em seu texto, sempre com diálogos intensos e marcantes conduzindo as tramas. "As frases ditas pelos personagens tinham muita importância, mas, aos poucos, ela percebeu que as palavras podiam ser substituídas pelas imagens, que na televisão eram naturalmente mais atraentes", analisa Lauro César Muniz. Apesar de ter um estilo próprio e compreender que o telespectador desejava algo mais próximo, Janete foi obrigada, em seus primeiros anos como autora na TV, a seguir as orientações de Glória Magadan, supervisora do núcleo de dramaturgia da agência da Colgate-Palmolive, patrocinadora das adaptações de folhetins hispânicos que eram exibidos no Brasil, principalmente na Excelsior, Tupi e TV Rio, e que gostava do estilo carregado dos dramalhões cubanos e mexicanos.

Em 1967, a TV Globo já investia pesado em novelas, numa estratégia para conquistar uma posição melhor no ranking das audiências do Rio de Janeiro, mas, mesmo com Glória Magadan à frente desse núcleo, enfrentava sérios problemas com *Anastácia, a Mulher Sem Destino*, uma adaptação assinada por Emiliano Queiroz que não atingia um índice satisfatório e consumia muito mais dinheiro do que o previsto no orçamento. Janete Clair foi contratada às pressas e recebeu de Boni liberdade total para arrumar o estrago em sua grade. Um terremoto, como já foi relatado em capítulo anterior, matou mais de 90% dos personagens e a passagem de tempo que reiniciou a história vinte anos depois, apenas com os protagonistas, parecia loucura aos olhos dos diretores, acostumados com a mesmice da televisão, mas mudou completamente o cenário da emissora. Os números dispararam, os custos da produção foram abruptamente reduzidos e o lucro apareceu quase que imediatamente. Dois anos depois, Magadan foi demitida e Janete assumiu o posto de principal autora da rede que começava a crescer, ocupando a faixa mais nobre da grade.

Em novembro de 1969, coube a Janete Clair tentar frear o crescimento de audiência da TV Tupi com o megassucesso *Beto Rockfeller*. A autora colocou no ar *Véu de Noiva*, uma trama contemporânea, com Regina Duarte e Cláudio Marzo nos papéis principais, e de grande identificação com o telespectador. Anos mais tarde, numa entrevista, Janete Clair explicou esse e outros sucessos de uma forma muito simples. "Eu entendo um pouco da psicologia do povo, eu sei quando ele quer uma emoção de drama ou uma de amor. Eu não estudei para isso, então é um sexto sentido", disse ao repórter. Segundo sua neta, a também roteirista Renata Dias Gomes, a autora era uma mulher que apreciava assistir e fazer novelas e, por isso, se entregava intensamente ao trabalho. "Ela gostava do que fazia e aquilo tudo não era racional, mas a reação natural de seus sentimentos", pontua.

Janete Clair trabalhava intensamente e, assim como Ivani Ribeiro, emendava uma novela na outra, numa produção de causar inveja a muitos dramaturgos. Em sua primeira fase na Globo, escreveu quatro histórias seguidas, somando 663 capítulos contínuos. Em outubro de 1969, conseguiu rápidas férias na emissora, tempo que aproveitou para socorrer Daniel Filho na TV Rio com *Os Acorrentados*. Mas, na segunda quinzena de novembro, já voltava ao ar na TV da família Marinho com *Véu de Noiva*, assinando depois *Irmãos Coragem*, *O Homem que Deve Morrer* e *Selva de Pedra*, trabalho de 37 meses seguidos, que atingiu 1.050 episódios com, no mínimo, 30 páginas de roteiro com diálogos e todas as marcações necessárias para o diretor transformar o que havia criado a partir de sua imaginação em realidade para o telespectador. Sete meses de intervalo e mais duas tramas: *O Semideus* e *Fogo sobre Terra*. "Ela teve quatro filhos, escrevendo literalmente uma novela atrás da outra, substituindo a si própria no horário das 20h, perdeu um filho enquanto escrevia e, quando o marido foi preso, manteve o equilíbrio e cuidou da família, sem parar de produzir", ressalta Gloria Perez. "A semana de trabalho dela era de três dias; nos outros quatro se dedicava aos assuntos pessoais. Se jogava no trabalho de uma forma total e ficava até 20h construindo os capítulos", relembra Lauro César Muniz. "Era algo excepcional para aquele momento", conclui.

Apesar de novelas cheias de romances e ardentes paixões, que durante muito tempo contribuíram para a criação de uma imagem de mulher doce e alienada em relação aos assuntos essenciais do país, Janete Clair era muito antenada ao que acontecia no Brasil, e, por meio de suas obras, levou a política e as mudanças de comportamento ao grande público. "Ela desafiou o moralismo da época e teve atitude para enfrentar todas as reações contrárias", enaltece Gloria Perez. "Foi a primeira a fazer uma história em que a mulher trabalhava fora de casa e a apostar numa mocinha que não era mais virgem. E tudo isso era muito dela, que começou a trabalhar aos 14 anos de idade, casou grávida e sabia que estava à frente de seu tempo", diz Renata Dias Gomes. *Irmãos Coragem* talvez seja o melhor exemplo do engajamento político da autora, afinal a novela tem nas disputas de poder, na luta pela terra e na ascensão social os motivos de existência de seus protagonistas. "Era um grupo de refugiados armados na montanha lutando contra a força opressora de um coronel que mandava na cidade e de um delegado que não se arriscava a ir contra o estabelecido. Era um espelho da guerrilha daquela época que poucos perceberam", avalia Marcílio Moraes, responsável pelo remake de 1995 desse grande sucesso.

Representante de uma época em que escrever teledramaturgia era um trabalho solitário e sem o *glamour* dos dias contemporâneos, assim como Ivani Ribeiro, Janete Clair recorria a alguns especialistas ou consultores para obter informações pontuais para o desenvolvimento de suas temáticas, mas elaborava sozinha seus roteiros, desde a sinopse, passando pela escaleta de cada capítulo, ações das cenas, marcações, orientações para o diretor, até o diálogo dos personagens. Quando o telespectador assistia ao resultado final, tinha a certeza de que cada momento havia sido muito bem pensado pela autora. Em 1975, ela escreveu os 105 primeiros capítulos de *Bravo!*, e, como durante esse período passou suas técnicas para Gilberto Braga, deixou que ele terminasse a trama. "Ele usa as técnicas e os truques da minha avó até hoje. Tem a liberdade para voar, soltar a imaginação e se deixar levar pela emoção com o mesmo despudor na criação das histórias", analisa Renata Dias Gomes.

Premiada escritora de novelas, entre elas *O Clone, Caminho das Índias* e *Barriga de Aluguel*, Gloria Perez começou na teledramaturgia como colaboradora de Janete Clair, que em 1983, durante a novela *Eu Prometo*, lutou contra um agressivo câncer que a matou no decorrer desse trabalho. "Assim que a vi, ela fez questão de me revelar suas condições de saúde e disse que era só por isso que estava contando pela primeira vez com um colaborador", recorda a autora.

– Eu não sei se vou chegar ao fim desta novela, mas quero que ela chegue ao final – disse Janete Clair.

– Vamos trabalhar para isso – respondeu a jovem, indicada por uma amiga.

– Você vai ter que escrever pela minha perspectiva, pegar meu jeito, para a obra não perder a unidade – falou Janete, de forma objetiva.

Foi ali que Gloria Perez aprendeu que o grande exercício de um escritor é entrar em personalidades que não são dele e viver sentimentos de outros seres. Seus primeiros dias de trabalho foram de pura observação. Depois, começou a levar para casa alguns capítulos para escrever, que deveriam estar prontos no dia seguinte, quando os entregava para leitura e avaliação da autora principal.

– Ótimo, perfeito! – sussurrava Janete Clair durante a leitura do que a aprendiz havia escrito. No olhar daquela jovem, a alegria de ouvir palavras tão curtas, mas certeiras. Entretanto...

– Mas não é Janete Clair. É Gloria Perez. Então, faça de novo, pela minha perspectiva – completava a autora.

E assim foi por algumas semanas, até que Janete Clair entregou um bloco inteiro de capítulos para a produção de *Eu Prometo*. Grudado ao envelope lacrado, um curto bilhete direcionado ao diretor Paulo Ubiratan.

Paulo,

Duvido que você saiba quem escreveu o quê.

Janete Clair

Gloria Perez costuma afirmar aos mais jovens que a procuram atrás de orientações profissionais que aquela foi a principal aula que teve de Janete Clair. "Hoje é muito fácil pra mim vestir a pele de qualquer personagem." E ela provou isso levando *Eu Prometo* até o último capítulo do jeito que sua mestra havia planejado.

Uma das referências da televisão brasileira, Janete Clair deixou grandes clássicos da teledramaturgia, histórias que ultrapassaram o tempo, conquistaram novas gerações e se mostraram atemporais. Suas novelas marcaram os mais altos índices de audiência e é praticamente impossível encontrar algum grande deslize na construção dos personagens e no desenvolvimento das temáticas. A autora era uma verdadeira engenheira da ficção, uma profissional capaz de erguer tramas e reinventá-las sem nenhum pudor quando o telespectador dava os primeiros sinais de incompreensão ou rejeição do que estava na tela. Ela soltava a imaginação e, se necessário, flertava com o irreal para atingir os objetivos reais. A ousadia era sua maior marca. "Ela não tinha medo de errar, porque o importante era fazer", diz Álvaro de Moya. "Foi, sem dúvida nenhuma, a profissional mais completa de todos nós", conclui Gloria Perez.

O fato é que não há como negar a importância de Ivani Ribeiro e Janete Clair para o desenvolvimento de uma teledramaturgia verdadeiramente brasileira e com os elementos que a identificam em qualquer parte do mundo. As duas autoras começaram no rádio, adaptaram dramalhões latinos, se arriscaram a quebrar tabus, contribuíram muito para o principal produto da televisão de nosso país e suas influências ainda são notadas nas novelas em exibição. Para os atores que trabalhavam na TV Tupi de São Paulo, Ivani é a grande mestra da dramaturgia para televisão. Quem atuou na TV Globo do Rio de Janeiro garante que Janete é o primeiro nome dessa história. Para o telespectador, o que valeu foi o mundo imaginário que elas criaram para entreter a grande massa de um país que há muito tempo se vê e se transforma por meio da televisão.

***

Dias Gomes, dramaturgo com 33 peças teatrais no currículo e um grande questionador das condições sociais e políticas do Brasil, também é um dos profissionais que colaboraram intensamente com o desenvolvimento das novelas brasileiras. Com histórias cheias de referências às esferas do poder e do comportamento humano, seus textos ocupavam, prioritariamente, a faixa das 22h. Na década de 1970, assinou *Verão Vermelho, Assim na Terra como no Céu, Bandeira 2, O Bem-Amado, O Espigão, Saramandaia e Sinal de Alerta*, além de ser censurado com *Roque Santeiro*, proibida pelo governo federal às vésperas de sua estreia. "Sua crítica tinha um sentido muito objetivo, por se tratar de uma oposição aos militares e alertar sobre suas consequências para o povo brasileiro", explica Walcyr Carrasco. Ao ambientar algumas de suas tramas no interior do Brasil, Dias Gomes ensinou aos autores que vieram nas gerações seguintes que uma das funções da novela era ser uma espécie de lente de aumento da realidade para contribuir na conscientização e educação política de uma nação. Foi uma aula prática de como transformar algo regional e pequeno na melhor amostragem do maior e fundamental.

Casado com Janete Clair, um não interferia no trabalho do outro, mesmo porque, além dos estilos diferentes, cada um tinha o seu jeito de lidar com o cotidiano de um autor. Ela era concentração absoluta, com uma jornada que ultrapassava facilmente 12 horas de total reclusão em seu quarto; ele, num escritório numa parte separada da casa, gostava de parar de tempo em tempo para beber água e trocar algumas palavras. "Dias descia para a cozinha, pegava um copo, puxava uma conversa e depois voltava a escrever. E, no final do dia, já com a máquina parada, recebia a gente ali na sala dele", relembra

Renata Dias Gomes. "Meu avô tinha mais dificuldade de concentração", pontua. Mas, na hora do jantar, era obrigatório todo mundo à mesa, em que os mais variados assuntos – menos as novelas do casal – eram debatidos entre a família. O pequeno escritório era um local cheio de referências, com muitos livros, anotações e dois pôsteres, um deles do lançamento do filme *O Pagador de Promessas* na Polônia.

Na lembrança da neta, Dias Gomes se apresenta como um homem bem mais doce do que seu texto questionador. Flamenguista doente, apaixonado por futebol, divertido e que nas datas comemorativas adorava reunir à mesma mesa os cinco filhos e todos os netos, numa cena típica de novela. "E ele era uma figura. Meio desligadão. Várias vezes trancou o carro com a chave dentro ou a perdeu no Maracanã", diverte-se Renata. Nessas ocasiões, a única solução era ligar para algum filho buscá-lo no estádio e levá-lo até sua casa para pegar a reserva e resolver o problema. Comunista e ateu, pelos pequenos ele se rendia aos apelos consumistas e religiosos do Natal. "As festas na casa dele eram as melhores. Era uma farra, porque ele se vestia de Papai Noel para não estragar a imaginação das crianças", conta Renata Dias Gomes.

***

Também com importantes trabalhos no teatro e, portanto, sem os ranços da linguagem do rádio, Lauro César Muniz foi um dos responsáveis pela evolução dos diálogos nas novelas, uma vez que, influenciado pelo cinema norte-americano, já nos anos 1970 construía falas mais naturais e apostava na força da imagem para conduzir suas histórias, o oposto do que era feito até aquele momento na televisão brasileira. *As Pupilas do Senhor Reitor, Os Deuses Estão Mortos, O Espelho Mágico, O Bofe* e *Carinhoso* são alguns dos títulos iniciais com bons resultados e repercussão satisfatória na mídia especializada. Mas, sem dúvida, *Escalada* é um divisor na carreira do autor. Foi a primeira novela em que se revezou com Janete Clair na faixa das 20h da Rede Globo, algo que só aconteceu após pedido da própria escritora aos diretores da emissora. O telespectador acompanhou a trajetória de Antônio Dias desde 1930 até 1975, ano da exibição da trama. Na tela, a construção de Brasília, os problemas políticos e sociais, o grande amor e a luta pela felicidade, com muitas referências à própria vida do pai do dramaturgo. Contar uma saga em várias fases foi outro elemento que ajudou a implantar e mostrar sua viabilidade.

Muito diferente de Janete Clair, que conseguia concentrar seu trabalho em alguns dias da semana, Lauro César Muniz é um autor de produção contínua. Isto é, escreve um capítulo por dia, numa longa jornada. "Eu não tenho nem sábado, nem domingo. Eu sou um autor que sofre para colocar as palavras no papel. Uso sete dias da semana para concluir um bloco com seis episódios", confessa o dramaturgo. Por isso, mesmo escrevendo em casa ou na sala de um hotel e com colaboradores conectados por meio da internet, é necessário ter disciplina para manter o ritmo e atender os prazos impostos pela produção e direção. A agenda tem de funcionar perfeitamente, inclusive para as questões pessoais.

"Quando eu estava no ar, trabalhava das 7h da manhã até meia-noite, e só saía da sala para comer alguma coisa", conta Silvio de Abreu, autor de inúmeros sucessos e atualmente responsável pela dramaturgia da Globo. "É realmente uma atividade de entrega total. Só atendia o telefone para resolver problemas intransferíveis ou conceder entrevistas agendadas", completa.

A facilidade de transmissão dos arquivos por e-mail é algo recente na vida de todos os profissionais envolvidos com a teledramaturgia. Numa época em que até a telefonia funcionava precariamente no país, a única solução era terminar de escrever rigorosamente na hora e mandar tudo por malote para o Rio de Janeiro. O problema é que nem sempre isso foi possível. O jeito era correr para o aeroporto e tentar despachar o envelope com as preciosas laudas no último voo para o Santos Dumont. "O serviço de entrega fechava às 18h e, por isso, mandava um capítulo até esse horário e os demais na sequência ou na manhã seguinte", relembra o autor. Para conseguir fazer cópias suficientes para todo o elenco e funcionários das mais variadas áreas envolvidas com uma novela, o roteiro era escrito no papel hectográfico estêncil, aquele utilizado em escolas até a década de 1990 para imprimir as provas. Um produtor passava algumas horas rodando o mimeógrafo para atingir o número certo de scripts, distribuídos depois aos artistas. "No final do dia, depois da gravação de várias cenas, íamos para a fila para esperar o próximo bloco", recorda Bárbara Bruno, que atuou em inúmeras novelas da TV Tupi. "E a mão ficava toda azul porque a tinta desbotava, isso quando não borrava e a gente não entendia muito bem o que estava escrito", diz a atriz, rindo com a lembrança.

O tempo passou e novas tecnologias surgiram para facilitar o trabalho dos autores. Primeiro vieram as máquinas elétricas, depois as fotocopiadoras e, mais adiante, o fax possibilitou a transmissão dos capítulos sem a necessidade de recorrer ao antigo malote por avião. "Mas a conta telefônica disparava, porque demorava horas para passar todas as páginas escritas", destaca Lauro César Muniz. Isso quando a ligação não caía, obrigando a refazer a chamada, sem contar que a linha ficava bloqueada para outras ligações. Atualmente, os roteiros chegam à produção por e-mail ou aplicativos específicos desenvolvidos pelas emissoras para maximizar o trabalho. Os atores mais velhos ainda gostam de uma cópia em papel, porque podem fazer anotações e pequenas alterações. Já os mais jovens estão acostumados com a leitura em tablets e não se importam de consultar o texto apenas com a versão digital.

***

Com o avanço da telenovela durante os anos 1970 e, principalmente, com a abordagem de temas genuinamente brasileiros, os nossos autores buscaram se aproximar do cotidiano do telespectador e passaram a pesquisar profundamente os assuntos desenvolvidos em suas histórias, incluindo um estudo do comportamento dos personagens que estariam em evidência durante alguns meses. "Eu gosto de ir a campo, mesmo com a possibilidade de contar com profissionais para as pesquisas. No começo de minha carreira, eu ia com minha mãe à feira em Avaré para ouvir as conversas das comadres", revela Walther Negrão. Foi dessa forma, por exemplo, que surgiu a novela *Nino, o Italianinho*, em que o protagonista era dono de um açougue, famoso com suas clientes, mas infeliz por não conquistar o coração de Natália. "Eu pegava subsídios para os personagens e muitos enredos para as faixas das 18h e 19h", completa o autor.

***

Benedito Ruy Barbosa é outro novelista que faz questão de mergulhar no universo que abordará em suas novelas. Responsável por sucessos como *Os Imigrantes, Pantanal, O Rei do Gado* e *Terra Nostra*, ele leva para a tela muitos dos causos que ouviu em rodas de caboclo e durante as conversas com trabalhadores de fazendas. "Eu ficava horas tomando pinga com os caras, só ouvindo. Eu levantava a bola e eles contavam as histórias. *Renascer* nasceu assim. Fiquei semanas na Bahia viajando mais de três mil quilômetros", revela. Sua curiosidade pelo registro popular dos acontecimentos de um povo ou região surgiu ainda na infância, quando nas férias escolares passava alguns dias na fazenda de seu tio. Assim que chegava, corria para a casa dos colonos, onde ficavam muitos dos trabalhadores, principalmente as famílias italianas que vieram ao Brasil atrás de oportunidades que não encontravam na Europa. "Todos os sábados as mulheres faziam festa, com a mesa farta, e os homens cantavam as músicas da Itália. Eu aprendi tudo ali e as coloco em minhas novelas", diz Benedito. Assim como outros jovens, no período em que ficava hospedado, ajudava no trabalho do campo, na colheita de feijão, café e algodão e observava tudo, sem saber que um dia contaria essas belezas para milhões de pessoas. É por isso que suas tramas rurais são tão envolventes e convincentes, porque partem de uma narrativa real revelada por alguém por meio da transmissão oral de conhecimentos da gente deste país. "E eu vim para São Paulo com esse Brasil dentro de mim, simplesmente lotado de imagens e fatos", completa.

Benedito Ruy Barbosa

De todas as histórias e momentos que viveu, Benedito Ruy Barbosa só não levou uma delas para a tela da televisão. É uma cena sobre a realização de um pai e seu filho, da afinidade entre os dois e do orgulho de cada um em relação ao que eles são. O autor até já começou a escrever, mas sempre desiste quando a emoção toma conta de suas lembranças e as lágrimas embaçam a visão. A sequência tem início na primeira metade da década de 1940, em Vera Cruz, no interior de São Paulo. O cenário é o Colégio Castro Alves, todo feito de madeira para receber as crianças da região. Professores, alunos e pais estavam reunidos para mais uma formatura e o orador escolhido era um garoto, filho de jornalista e que gostava de contar histórias aos amigos.

Sua missão: declamar um trecho de "O Navio Negreiro", em homenagem ao poeta que dava nome ao estabelecimento. Depois de vários dias de treinamento, com certa insegurança, o menino Benedito começou a recitar o poema, mas ganhou firmeza ao perceber que a plateia o acompanhava atentamente. No final, os aplausos e o anúncio de mais um discurso, desta vez do paraninfo, justamente o pai do garoto que muitos anos depois seria um dos mais consagrados autores brasileiros. Ao passar por ele no palco para assumir o microfone, sussurrou:

– Filho, por mais que eu viva nessa vida, nunca vou viver um momento como este.

O discurso foi rápido e mexeu com todos os presentes, que permaneceram mais algum tempo no Colégio Castro Alves para uma simples recepção. Depois de algumas conversas e agradecimentos, pai e filho caminharam para casa. A rua estava deserta, o luar iluminava a via e só era possível ouvir os passos da dupla. De repente, uma pergunta quebrou o silêncio.

– Filho, o que você achou da festa? Bonita, não é?

– Sim, muito bonita – respondeu o garoto Benedito.

– E eu estou esperando que me diga o que achou do meu discurso – emendou o pai.

Benedito Ruy Barbosa respirou profundamente, parou e olhou fixamente para o pai.

– Por mais que eu viva nessa vida, nunca vou viver um momento como este – repetiu a frase que ouvira horas antes.

Os dois se abraçaram e, emocionados, choraram pela cumplicidade entre pai e filho. Essa cena nunca foi escrita por Benedito Ruy Barbosa, o maior defensor de que o bom autor é aquele que consegue levar seus sentimentos em sua totalidade ao telespectador. Os atores que atuam em suas novelas afirmam que a sinopse que recebem traz riquezas de detalhes de seus personagens, inclusive referências sobre antepassados e acontecimentos da infância que poderão explicar atitudes que serão tomadas no decorrer dos mais de 200 capítulos. Vicente Sesso é outro autor que adota um caminho muito semelhante para a construção de suas histórias, desenvolvendo, inclusive, vocabulário específico para cada integrante da trama. "Faço uma relação das palavras que cada um usará mais de acordo com sua condição social, senão, a empregada fala igual ao advogado, o que não é real", explica.

Vicente Sesso é um novelista com características bem próprias, como fazer o rascunho à mão e escrever prioritariamente durante a madrugada. Ele tem 11 novelas no Brasil, entre elas o remake de 2010 de *Uma Rosa com*

Amor, escrita em parceria com Tiago Santiago, e mais algumas adaptações na Argentina, como *Dios se lo Pague* e *Verónica: el Rostro del Amor*, ambas realizadas no início da década de 1980. Aliás, foi durante a primeira produção feita para o Canal 7 de Buenos Aires (Argentina Televisora Color – ATC) que Sesso mostrou aos diretores da emissora seu desprendimento para resolver os diferentes problemas que surgem durante uma telenovela. Ele foi obrigado a deixar desfigurado o galã porque o ator Federico Luppi, um dos nomes mais importantes do cinema e da televisão argentinos, exigiu um aumento salarial impossível de ser atendido. "Quando a audiência estourou e *Dios se lo Pague* se transformou num grande sucesso, ele pediu 300 mil dólares por mês para continuar gravando. Algo impraticável para a época", recorda Sesso. Pela lei dos direitos autorais do país, não poderia aparecer nem uma foto dele no cenário sem o pagamento dos valores de imagem. Diante desse impasse, o autor escreveu um grande final para o personagem. Luppi interpretava Carlos Pereyra, que, num dos capítulos, resolve fazer uma viagem romântica com sua mulher, mas acaba vítima da vilania de seu sogro, um homem sem escrúpulos que instala uma bomba no automóvel utilizado pelos dois. No meio do caminho, um acidente com um trem obriga todo mundo a parar e a jovem resolve descer do carro para ajudar as vítimas. É nesse exato momento que acontece a explosão. Pereyra desaparece e sua esposa fica gravemente ferida. O tempo passa e um antigo amor do passado volta a Buenos Aires e decide visitá-la. Ressurge uma grande paixão e o telespectador passa a torcer pelo novo casal, esquecendo completamente o grande astro Federico Luppi. Seu personagem, absolutamente deformado e sem memória, passa a vagar pelas ruas da cidade ao lado de um mendigo, interpretado, é claro, por outro ator.

Cassiano Gabus Mendes foi outro grande mestre em soluções para os imprevistos que surgem durante uma novela, sempre na base do humor, elemento que desenvolveu na década de 1970 e estabeleceu como uma das características da teledramaturgia brasileira. Com seus textos, mostrou que a comédia é um bom formato para a faixa das 19h, momento que, pelo menos até o final dos anos 1990, marcava a chegada em casa de quem passara o dia inteiro trabalhando e, antes do jornal, desejava algo mais suave para esquecer os problemas do cotidiano. "Ele tinha uma mente privilegiada e conhecia a alma do ser humano e a arte da dramaturgia", ressalta Solange Castro Neves, colaboradora do autor em *Brega & Chique*, *Que Rei Sou Eu?* e *Meu Bem, Meu Mal*. Metódico, em suas quatro primeiras novelas para a Globo (*Anjo Mau*, *Locomotivas*, *Te Contei?* e *Marron Glacê*), escreveu sozinho a sinopse e os roteiros completos, com falas, marcações de cenas, ações dos personagens, rubricas para o elenco e orientações para os diretores. "Ele trabalhava de segunda a sexta até tarde da noite e aos sábados até as 17h e nunca atrasou um capítulo. Com uma semana de antecedência o elenco recebia o texto", conta o filho Cássio Gabus Mendes. Ele era concentração total. Poucas pessoas entravam em seu escritório enquanto era possível ouvir o barulho da máquina de escrever. "Ele trancava a porta, tirava a camisa e ficava mais de sete horas ininterruptas colocando no papel as cenas que criava", diz o ator Luis Gustavo, um dos poucos autorizados a acessar o local. Na sala, livros para consultas e um imenso quadro-negro com os nomes de todos os personagens da novela divididos em núcleos e relacionamentos, para uma rápida lembrança do andamento da trama. Mas, quando um de seus netos chegava, a regra era outra. "Ele largava tudo para brincar um pouco com os meninos e, num piscar de olhos, se transformava numa criança", entrega Solange Castro Neves. No final de 1980, perto de atingir o 100º capítulo de *Plumas e Paetês*, Cassiano Gabus Mendes sofreu um infarto e, obrigado pelos médicos, afastou-se do trabalho até sua plena recuperação. Silvio de Abreu, indicado pelo próprio autor, assumiu a novela, e, depois desse susto, o criador de *Anjo Mau* se rendeu aos colaboradores, contribuindo para formar uma nova geração de novelistas, entre eles Maria Adelaide Amaral e Carlos Lombardi.

"Como não assistia à história dele, peguei todos os roteiros e passei um fim de semana, com a ajuda de minha mulher, lendo todos os episódios para compreender sua construção e entender qual caminho ele havia adotado", lembra Silvio de Abreu, que fez alguns ajustes na trama, deu-lhe mais ritmo e conseguiu ampliar os índices de audiência. Depois de *Plumas e Paetês*, escreveu mais 12 novelas na Globo, supervisionou seis trabalhos de outros criadores e, em 2014, assumiu o Fórum de Novelas da TV Globo, sendo o responsável por toda a dramaturgia diária exibida em horário nobre. "Sou apenas um trabalhador, um autor essencialmente de televisão que descobriu o prazer de lidar com a fantasia", define-se.

Sucessor de Cassiano Gabus Mendes como principal colaborador da faixa das 19h e com fortes influências de Ivani Ribeiro, Silvio de Abreu também contribuiu para consolidar a comédia como um dos gêneros de nossa teledramaturgia, principalmente na década de 1980, com obras como *Guerra dos Sexos, Cambalacho e Sassaricando*. Seu texto leve e divertido talvez venha da época em que integrou a equipe de Carlos Manga como roteirista e diretor de filmes da Boca do Lixo, as famosas pornochanchadas dos anos 1970. "Mas eu queria trabalhar com bons atores e resolvi abandonar aquele cinema e me arriscar na TV, afinal já tinha visto muitos roteiros de novelas", recorda o autor. Em 1977, ao lado de Rubens Ewald Filho, escreveu *Éramos Seis* para a TV Tupi e dois anos depois já estava na Globo com *Pecado Rasgado*.

Além das comédias, Silvio de Abreu contribuiu para acrescentar o suspense como um formato apreciado pelo telespectador brasileiro. No dia 13 de março de 1995, colocou no ar *A Próxima Vítima*, novela com uma série de assassinatos que obrigava o público a acompanhar cada capítulo atrás de pistas sobre a identidade do assassino e o motivo para os crimes. Foi com essa produção que ele colocou em evidência uma família de classe média com negros, algo inédito em nossa teledramaturgia, e um casal jovem homossexual, sem recorrer a estereótipos, levando o público a torcer por um final feliz de dois homens. Com isso, mostrou aos diretores da Globo e, principalmente, às pessoas que assistem à televisão que todos os temas são permitidos, desde que tratados com respeito e da forma mais real possível, vencendo qualquer tabu ou preconceito.

Silvio de Abreu tem um estilo muito marcante em sua obra e entrega à equipe um roteiro absolutamente completo, com tudo que é necessário para os produtores, diretores e atores, inclusive com orientações sobre a fotografia da cena, iluminação e sonorização. Essa riqueza de detalhes sempre atraiu grandes intérpretes para as tramas com sua assinatura, como Fernanda Montenegro, Cleyde Yáconis, Paulo Autran, Tereza Rachel, Irene Ravache, Glória Menezes, Tarcísio Meira, entre outros. Ele também ajuda a escolher a trilha sonora, principalmente o tema de abertura, em que a letra da canção conta um pouco da história que estará na tela durante meses. "Eu escrevo a novela dirigida. Quando o diretor não concorda, eu posso até discutir com ele, mas existe uma visão de direção. Eu tenho todas as marcações do que acontece. Cada fala tem uma rubrica de intenção e toda cena passa uma ideia", explica o autor, que colaborou para lançar uma nova geração de escritores para teledramaturgia ao orientar profissionais como João Emanuel Carneiro, Andréa Maltarolli e Daniel Ortiz.

Escrever novelas não é tarefa para qualquer profissional da televisão ou que esteja acostumado às linguagens de um produto audiovisual. É necessário ter muita disciplina durante mais de dois anos, período que engloba as primeiras pesquisas para a história, elaboração e aprovação da sinopse, desenvolvimento das estratégias comerciais com base nos núcleos de personagens, pré-produção e criação do roteiro dos capítulos já com a telenovela no ar. Nos dias atuais, as emissoras exigem uma boa frente de episódios escritos, a fim de evitar surpresas e gastos desnecessários. O autor ainda precisa ser um profundo conhecedor da logística de um estúdio, a fim de racionalizar o uso de cenários, viabilizar externas e dinamizar o trabalho de cada ator, evitando que o elenco fique ocioso no aguardo de sua próxima cena. Ou seja, para o autor, não basta criar; é fundamental administrar o universo que ele transferiu de sua imaginação para a realidade e olhar sempre para a frente em busca de algo que vá impactar a plateia, por ser novo ou simplesmente por retratar o que atinge a vida e os sentimentos de quem assiste àquela história. "O novelista está à frente do tempo porque tem a sensibilidade de perceber o que está no inconsciente coletivo", avalia o professor Claudino Mayer, especialista nesse gênero.

***

Premiada em 2009 com o Emmy Internacional de Melhor Novela com *Caminho das Índias*, Gloria Perez é um bom exemplo de escritora vanguardista. Em 2001, por meio de romances e intrigas da ficção, colocou em discussão para o grande público a clonagem de humanos e todos os questionamentos éticos sobre esse avanço científico. O que parecia ser algo distante da dona de casa acostumada com as paixões dos folhetins ganhou os noticiários e se transformou num tema palatável. "Gosto de falar sobre assuntos que me interessem. Escrever sobre eles é uma forma de refletir sobre eles. Me interessa a maneira como as conquistas da tecnologia interferem na vida cotidiana, criando novas possibilidades de drama para a humanidade", pontua a autora. Quatro anos depois, criou uma protagonista do subúrbio carioca que, diante das dificuldades do Brasil, deposita todas as suas esperanças nos Estados Unidos e entra clandestinamente no país. Em pleno horário nobre, a denúncia de quadrilhas que, de forma irresponsável e por muito dinheiro, realizavam a travessia da fronteira com o México e deixavam centenas de pessoas morrerem à beira da realização de um sonho. Mais sete anos e o tráfico humano, adoções ilegais e escravidão sexual ganham a tela no *prime time*. Temas difíceis que envolveram as pessoas, despertaram a curiosidade e a indignação, mexeram com a sensibilidade de quem assistiu àquela história e contribuíram para quebrar o preconceito por meio de uma mocinha obrigada a se prostituir na Turquia para não morrer. "Em toda a minha obra tenho reforçado a ideia de que nosso umbigo não é o centro do mundo, e faço isso pondo as diferentes visões de mundo, comportamentos, opções de vida, valores, condições sexuais e até culturas", diz Gloria Perez, que também inclui em suas novelas o conhecido merchandising social, campanhas para engajar o público nas mais diversas ações, como doação de órgãos, desaparecimento de crianças, prevenção da AIDS e combate às drogas – esta última premiada pelo FBI e pela DEA, agência ligada ao Departamento de Justiça dos Estados Unidos responsável pela luta contra o tráfico de entorpecentes. Outra característica da autora é o domínio de todo o processo de criação de uma telenovela – ela foi capaz de escrever com meses de antecedência as cenas do desfecho dos protagonistas de *Caminho das Índias,* que necessitavam ser gravadas no exterior, na mesma época em que foram registrados os capítulos iniciais e, dessa forma, pôde racionalizar os custos de produção com viagens e aluguel de equipamentos em outro país. "A verdade é que eu gosto de ousar", completa a autora.

***

Assim como Gloria Perez, Marcílio Moraes iniciou sua carreira de autor de novelas e minisséries como colaborador de um dos grandes nomes da teledramaturgia brasileira. Em 1985, depois de trabalhar com o poeta Ferreira Gullar no roteiro da minissérie *A Juíza*, que acabou engavetada, ingressou na equipe que Dias Gomes reuniu para finalmente estrear a censurada *Roque Santeiro*, desta vez com Regina Duarte, José Wilker e Lima Duarte nos papéis principais. "Eu aprendi muita coisa sobre construção de uma história e de seus personagens lendo os primeiros 51 capítulos escritos em 1975", revela Moraes. Quando a produção atingiu essa marca, Dias Gomes – que também acumulava a direção da "Casa de Criação", espécie de oficina que tinha por objetivo descobrir e orientar novos profissionais para a dramaturgia da Globo – passou a Aguinaldo Silva a responsabilidade de continuar a trama e coordenar o grupo de roteiristas auxiliares. De tempo em tempo, reunia-se com todos para supervisionar o texto e dar sugestões para o encaminhamento de núcleos e das tramas.

***

Nos dias atuais, é praticamente impossível um autor colocar no ar na Globo, na Record ou no SBT uma novela sem contar com uma equipe de bons colaboradores. Um capítulo com quase uma hora de arte exige a criação de mais de 30 cenas, num roteiro que muitas vezes ultrapassa as 40 páginas, com falas, marcações e descrição completa da ação. Cabe ao autor participar de inúmeras reuniões com anunciantes, que buscam no merchandising a melhor forma para anunciar seus produtos, com grupos de discussão e pesquisas de aceitação das histórias, atender à imprensa e a todas as necessidades do marketing da emissora, inclusive com a presença em programas de entrevistas e de entretenimento. "Os colaboradores trabalham até mais do que eu, que faço as duas pontas: a escaleta do capítulo e a edição do texto final", explica Walther Negrão, que costuma pedir à direção da TV que inclua os nomes de seus auxiliares como autores.

De uma forma geral, é da responsabilidade do titular entregar a sinopse da história com o perfil dos personagens e definir tudo que acontecerá no capítulo. Com a escaleta pronta, ele distribui o material para cada colaborador, que deverá devolver dentro de um prazo estabelecido os pedaços do roteiro com o diálogo e algumas orientações para a ação. No final do dia, fará a edição desse material, estabelecendo o texto que será entregue à produção. "São acolhidas as marcas de cada integrante da equipe, mas o escritor principal é quem sempre dá a última palavra, é quem mantém a novela nos trilhos. É ele o responsável pela qualidade da história. Isso precisa ser preservado ou a trama se perde", diz Alcides Nogueira, que iniciou sua carreira ajudando Walther Negrão, Lauro César Muniz, Gilberto Braga e Silvio de Abreu. "Para quem está começando, é uma excelente oportunidade para aprender, mas não se deve acreditar que é uma escada profissional", pontua Renata Dias Gomes, defensora de que algumas pessoas não podem deixar essa função porque possuem habilidade para trabalhar nos mais diferentes estilos, atendendo completamente às necessidades da produção industrial da teledramaturgia e se adaptando aos vários titulares.

Na década de 1990, a Globo colocou em prática o projeto de oficinas permanentes para identificar e treinar profissionais para a televisão, principalmente atores e autores, e assim descobrir novos talentos. Nesses grupos foram revelados artistas que atualmente fazem muito sucesso e conquistaram espaço nesse mercado, como Rodrigo Santoro, Giovanna Antonelli, Carolina Dieckmann e Grazi Massafera. Já entre os autores, Thelma Guedes, que, ao lado de Duca Rachid, escreveu *Joia Rara*, vencedora do Emmy Internacional em 2014, é um dos exemplos de quem ingressou nessa mídia por meio do curso promovido pela própria emissora.

Em 1997, prestes a lançar seu primeiro livro e na fase final de uma pós-graduação em Literatura na USP, a escritora se deparou no quadro de comunicados da universidade com o anúncio da abertura do processo de seleção para a primeira oficina para escritores da TV Globo. Era necessário enviar um roteiro para um tema estabelecido pelos organizadores. Seu texto não passou pela avaliação inicial. Seis meses depois, outra turma, e, desta vez, a estudante de Literatura conseguiu avançar no processo seletivo.

"Eram 700 inscritos. Entre eles, passaram somente 30 para a entrevista e teste. Doze avançaram para a primeira fase e apenas 6 roteiristas chegaram ao final", relembra Thelma Guedes. "Foi um tempo dificílimo, porque eu acumulava minhas funções na editora em que trabalhava, na pós-graduação e na oficina [da Globo]. Quase não dormia e parecia um zumbi!", acrescenta. Aprovada, assinou seu contrato com a Globo para escrever os episódios de "Caça Talentos" e "Flora Encantada", dois espaços dedicados à dramaturgia dentro do programa infantil comandado por Angélica. Na sequência, colaborou com Walther Negrão para a novela *Vila Madalena* e integrou a equipe de redatores do *Turma do Didi*. "Só entrei depois que o próprio Renato Aragão aprovou quatro roteiros que escrevi sozinha, porque achavam que eu não tinha pegada de humor", recorda. Alguns meses depois, foi chamada por Walcyr Carrasco para ajudá-lo no script do *Sítio do Picapau Amarelo* e permaneceu a seu lado nas novelas *Chocolate com Pimenta* e *Alma Gêmea*.

Um bom autor de teledramaturgia tem a sensibilidade para descobrir entre seus colaboradores quem poderá assumir a responsabilidade da autoria de uma novela e coordenar com eficiência uma equipe de roteiristas. É por meio da avaliação diária do material que recebe de sua equipe que reunirá elementos para indicar ao comando da emissora os profissionais mais jovens que estão aptos para a função. Em 2006, Walcyr Carrasco resolveu unir Thelma Guedes e Duca Rachid para escreverem, sob sua supervisão, o remake de *O Profeta*, grande sucesso de Ivani Ribeiro, para a faixa das 18h. A novela registrou bons índices e a dupla assinou depois *Cama de Gato*, *Cordel Encantado* e *Joia Rara*, além de preparar para a faixa das 21h uma história inédita.

Autor de 15 novelas e 5 séries, além de episódios para *Retrato de Mulher* e *Sítio do Picapau Amarelo*, Walcyr Carrasco é um dos escritores mais versáteis da televisão brasileira, produzindo em grande escala e praticamente emendando um trabalho no outro. "É algo que me faz muito bem. Eu saio descansado do computador cada vez que termino um capítulo", revela o criador de *Verdades Secretas* e responsável pelo primeiro beijo entre dois homens na teledramaturgia brasileira. Fã de novela desde criança, ele não esconde de ninguém as fortes influências de Janete Clair e Ivani Ribeiro em relação à estrutura dos episódios e construção das histórias e de Silvio de Abreu para os núcleos cômicos. "Eu não teria me atrevido a escrever, por exemplo, *Chocolate com Pimenta* sem ter visto as novelas do Silvio", ressalta.

Walcyr Carrasco

Sem preconceito em relação a horários mais ou menos importantes, nos últimos anos, Walcyr Carrasco emplacou sucessos em todas as faixas dedicadas à teledramaturgia na Globo. Às 18h, oferece ao público as comédias românticas com a suavidade que atende perfeitamente o início da noite. Às 21h, fez o telespectador torcer para o vilão Félix se redimir dos erros e terminar feliz ao lado de Niko. Já às 23h, ousou ao escancarar a prostituição de luxo por intermédio de agências de modelos, abordar a destruição provocada pelo crack e exibir cenas bem sensualizadas e polêmicas. "Eu gosto de variar os horários, mas respeito aqueles que preferem se dedicar a uma faixa única. Não é melhor ou pior, só mesmo uma maneira de trabalhar", explica.

Responsabilidade é a palavra que resume um autor de novelas no Brasil, já que é ele quem conduz o principal produto da televisão do país, tanto em relação a audiência, como em faturamento com publicidade e vendas internacionais. "Do nosso trabalho, segurança, firmeza e tenacidade dependem muitos profissionais envolvidos no processo. Um dos desafios do autor é não se fragilizar diante do peso da responsabilidade", pondera Thelma Guedes. Para ela, nunca se deve confundir a firmeza com arrogância, intolerância ou rispidez, porque os escritores apenas iniciam uma obra aberta, sujeita a muitos palpites do elenco, produtores, diretores, executivos da TV e, principalmente, do público. "Devemos saber ouvir, estando abertos a opiniões diferentes das nossas", conclui a autora.

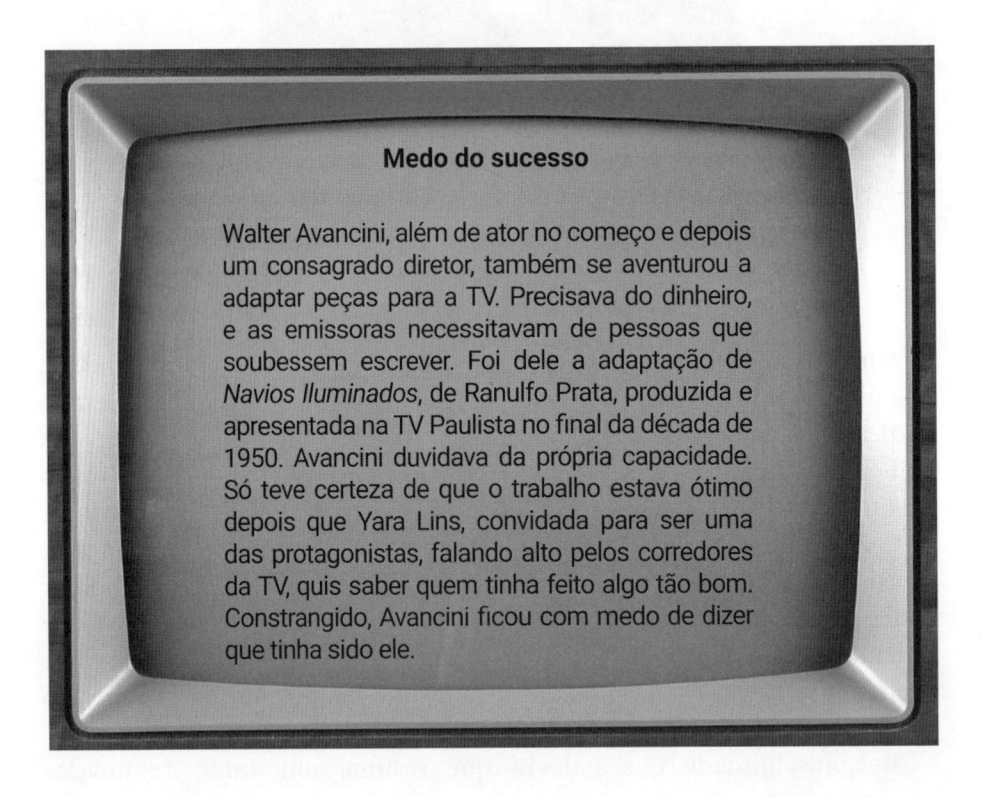

Medo do sucesso

Walter Avancini, além de ator no começo e depois um consagrado diretor, também se aventurou a adaptar peças para a TV. Precisava do dinheiro, e as emissoras necessitavam de pessoas que soubessem escrever. Foi dele a adaptação de *Navios Iluminados*, de Ranulfo Prata, produzida e apresentada na TV Paulista no final da década de 1950. Avancini duvidava da própria capacidade. Só teve certeza de que o trabalho estava ótimo depois que Yara Lins, convidada para ser uma das protagonistas, falando alto pelos corredores da TV, quis saber quem tinha feito algo tão bom. Constrangido, Avancini ficou com medo de dizer que tinha sido ele.

O governo militar e o controle da televisão

A televisão não precisou de muito tempo para arrebatar a plateia e mostrar sua força a executivos, publicitários, empresários e políticos. A imagem que seduz por meio de histórias bem contadas e da emoção transmitida pelas grandes estrelas populares foi capaz de levar o consumo a um novo patamar. Era seu poder comercial de uma forma muito nítida para todos. Nos seus primeiros 15 anos de atividades, novelas foram capazes de mostrar uma nova mulher, mudar comportamentos e propor a discussão de muitos tabus. Nos telejornais e programas de entrevistas, a opinião de jornalistas e grandes pensadores ajudou a questionar a situação e os rumos do país. Ou seja, desde que entrou no ar, a TV brasileira deixou bem claro que faria a diferença e poderia ser um importante instrumento para conduzir, educar e politizar a população em todas as suas camadas socioeconômicas. Por isso, quem sempre esteve no poder ou o almejou, de alguma forma tentou controlar o principal veículo de comunicação do país ou se beneficiar dele, independentemente do período histórico. Governos ditadores ou democráticos e estruturas partidárias sempre, de alguma maneira, se beneficiaram desse fascínio que a televisão desperta nas pessoas. Entretanto, durante longos 21 anos o regime militar controlou rigorosamente ações e pensamentos da TV, assim como dos jornais, revistas, rádios, peças teatrais e manifestações culturais, qualquer coisa que levasse informação e gerasse um novo olhar sobre o mundo. Ao mesmo tempo, viu na televisão o caminho mais rápido para a nacionalização do país e a disseminação de informações que reforçavam a imagem de uma nação que não existia na realidade, mas que era construída artificialmente nos gabinetes de homens de farda.

Muito já foi dito sobre a censura que calou o país, principalmente na televisão. Novelas foram proibidas, programas alterados, piadas cortadas e até artistas deixaram o vídeo porque não davam bons exemplos ao país, segundo as poucas pessoas que eram responsáveis por dizer o que atendia a moral ideal para uma nação. "Eu fiquei um tempo sem trabalhar porque fui obrigada a morar fora. Foi o tempo do exílio, de uma censura muito grande. E, como eu era casada com Chico Buarque, não podia aparecer na TV, muito menos ser citada", desabafa Marieta Severo, que, apesar de ter recebido na época alguns convites para atuar em novelas, achou melhor recusá-los para preservar sua família.

A intenção deste capítulo não é julgar empresas ou profissionais que de alguma forma atenderam aos interesses dos militares, porque é muito fácil afirmar, por exemplo, que a Globo se beneficiou com sua boa relação com os militares ou que Silvio Santos criou *Semana do Presidente* como agradecimento pela concessão que ganhou. Sem dúvida, a TV da família Marinho cresceu muito nesse período, conquistando a liderança absoluta com a morte de suas grandes concorrentes, as TVs Tupi e Excelsior. A emissora dos Simonsen foi cassada em 1970, depois de uma intensa e longa perseguição que sufocou economicamente o grupo que apoiou o presidente João Goulart durante o golpe de 1964. A pioneira TV de Assis Chateaubriand agonizou sem a ajuda militar. Nos anos de chumbo, atendia-se às ordens e orientações dos censores ou se arranjava muita dor de cabeça e horas perdidas de trabalho. "Eles escolhiam uma empresa de cada setor para ajudar e contar com o apoio. Na aviação, por exemplo, foi a Varig, e na comunicação não foi a Bandeirantes", analisa Johnny Saad, atual presidente do grupo Band, insinuando que a rival Globo foi a preferida do regime. "Eles criaram a Embratel, o que possibilitou falar com todo o país. Naquela época, as regiões Norte e Nordeste estavam abandonadas e a Oeste começando a andar, graças a Brasília. Um país imenso e que os militares queriam integrar. Nós estávamos com a cabeça na criação de uma network", explica Octacílio Pereira, que durante muitos anos foi diretor da Globo.

Durante os longos anos da ditadura militar, autores, artistas, executivos e produtores da televisão foram obrigados a explicar as intenções de suas obras, as frases que seriam ditas nas conversas dos personagens das novelas, as temáticas abordadas e a aceitar os mais inexplicáveis cortes e proibições. Em *Escrava Isaura*, por exemplo, foi recomendado ao autor Gilberto Braga que evitasse mostrar agressões físicas aos escravos, uma forma de atenuar esse terrível momento da história brasileira. Os censores também não gostavam de folhetins em que a mulher fosse muito independente ou que as pessoas tivessem uma segunda chance após o fim do casamento. Divórcios não eram bem vistos porque não representavam um bom exemplo à sociedade. *Beto Rockfeller*, produção da TV Tupi que revolucionou a teledramaturgia nacional por mostrar situações cotidianas, se aproximar da realidade e contar com um protagonista meio picareta, esteve o tempo todo no foco da Divisão de Censura. "A cada quinze dias, a gente parava para atender o general responsável pelos vetos. Eu e o Plínio Marcos éramos chamados porque, segundo o militar, na mesa dele estavam inúmeros casos de homens que se comportavam como nossas personagens, meio rebeldes, meio malandros", conta Luis Gustavo. "Eu só não coloco vocês na gaiola porque estão no ar e isso vai me dar mais dor de cabeça", ouviu o ator durante a reunião com o censor. Em 1976, a Globo foi obrigada a cancelar a apresentação do espetáculo *Romeu e Julieta*, com o Ballet Bolshoi, porque o então ministro da Justiça, Armando Falcão, acreditava que a companhia russa poderia colocar princípios socialistas na obra de Shakespeare. Tudo isso só foi possível em função da publicação, em dezembro de 1968, do Ato Institucional número 5, o AI-5, com normas extremamente rigorosas para calar quem produzia arte e conteúdo audiovisual. Só iria ao ar o que fosse autorizado previamente pelos representantes do governo. O mesmo acontecia em jornais e revistas, que precisavam destinar um bom lugar ao censor para que ele acompanhasse a produção de cada texto ou reportagem e permitisse sua publicação.

"Tudo que se enviava a Brasília vinha cortado. A censura era absolutamente rigorosa com qualquer coisa que cheirasse a imoralidade ou ofensas às religiões, crítica ao governo de direita, aos costumes da época, qualquer coisa que insinuasse ligação com o comunismo e apreensão da identidade brasileira", recorda o autor Lauro César Muniz, que várias vezes foi ao Distrito Federal prestar esclarecimentos sobre o que escrevia em suas novelas. Benedito Ruy Barbosa foi outro profissional que precisou explicar suas intenções com *Meu Pedacinho de Chão*, trama que abordava a questão da reforma agrária e a importância da educação.

"Você era obrigado a levar o capítulo para alguém assistir. Primeiro, eles censuravam o script, depois cortavam o que já estava gravado", conta Vicente Sesso. Com o tempo, os autores de dramaturgia na televisão começaram a desenvolver macetes para driblar os vetos. "Eu descobri que os leitores dos textos se revezavam durante o mês. Então, eu armava uma situação numa semana, era cortada e, na seguinte, a inseria novamente com pequenas alterações. A cena acabava aprovada", revela Sesso, que viveu um dos momentos mais tensos no auge da repressão militar.

Em 1969, já com os militares pressionando a Excelsior, a emissora encomendou a Vicente Sesso a novela *Sangue do Meu Sangue*, história ambientada no Segundo Reinado e que tem entre seus protagonistas um homem que oprime os negros e dá o golpe num banco. Várias questões sociais foram abordadas durante a trama, despertando maior atenção dos censores, que chegaram a colocar soldados armados no estúdio. Numa tarde de muito trabalho, a atriz Fernanda Montenegro, que interpretava Júlia, foi barrada por um jovem com fuzil engatilhado quando voltava ao camarim para trocar o figurino para a próxima cena. A situação foi constrangedora para todos e o autor não pensou duas vezes ao cobrar do comandante da tropa destacada na emissora outra postura com os profissionais que estavam ali. "Fernanda presenciou minha discussão e ficou branca com minha postura. Ela temia pelo pior. Não aconteceu nada", completa o novelista.

O fato é que, naquele ano, a TV Excelsior estava na mira dos militares, que buscavam qualquer coisa para justificar uma ação mais extremista. "O Wallace Simonsen se negou no primeiro momento da posse do Castelo Branco a fazer propaganda e emitir notícias a respeito da chamada revolução. Colocavam-se os bonequinhos da Excelsior no lugar", conta Lauro César Muniz.

Outro caso emblemático de censura aconteceu no início de 1977, quando a novela *Despedida de Casado*, que Walter George Durst preparava para a faixa das 22h, foi proibida às vésperas de estrear, mesmo atendendo todo o processo para sua liberação. Quando foi vetada, já estavam gravados e editados 30 capítulos, todos com o texto, que havia sido enviado muito tempo antes, absolutamente aprovado pelos funcionários do Serviço de Censura de Diversões Públicas. "Imediatamente, fomos deslocados para a novela *Nina*, que o Durst escreveu às pressas", recorda Antônio Fagundes, que seria o protagonista da trama vetada. "Para a história deste país, ficou o ridículo da proibição", completa o ator. Meses antes, a Globo não conseguira aprovação para as sinopses das adaptações de *Dona Flor e Seus Dois Maridos*, *A Vida*

Como Ela é e *A Vida Escrachada de Joana Martini e Baby Stompanato*, que também concorriam a uma vaga no principal horário de dramaturgia da emissora. A única que recebeu o sinal verde para produção foi justamente a que os militares mandaram jogar no lixo, gerando um prejuízo de Cr$ 5 milhões. Um ano e três meses antes, a mesma prática fora adotada com *Roque Santeiro*, como já descrito em capítulo anterior.

Em nome da preservação dos bons costumes, dos princípios da família brasileira e da moral, o Serviço de Censura de Diversões Públicas foi muito rigoroso com qualquer obra que ousasse questionar os comportamentos da época ou apontar para uma discussão sobre avanços dos direitos individuais, como a igualdade entre os gêneros, liberdade sexual e uma visão menos preconceituosa em relação às minorias, principalmente os gays. Essa era uma temática proibida na televisão se tratada com naturalidade, mas liberada quando carregada no humor e com personagens caricatos. "Toda vez que levávamos o grupo Secos & Molhados aos programas, ouvíamos insinuações dos censores para que não colocássemos no ar", conta Nilton Travesso, porque, na visão dos funcionários do departamento federal, Ney Matogrosso e os outros integrantes eram muito ousados, carregavam na maquiagem e poderiam estimular uma forma diferente de agir. "Era puro preconceito, e, por isso mesmo, bancávamos a presença deles", completa o diretor.

Nilton Travesso foi um dos profissionais da televisão que precisaram ter muito jogo de cintura e paciência para conviver com a pressão permanente da censura. Na segunda metade da década de 1960, a Equipe A, da qual era integrante, produzia os principais musicais da Record, como *O Fino da Bossa, Bossaudade, Corte Rayol Show,* além do *Show do Dia 7, Esta Noite se Improvisa e Família Trapo.* Para que fossem ao ar, todas essas atrações necessitavam do certificado de liberação, exibido antes das vinhetas de abertura com o número da autorização e a assinatura do responsável. "E, toda tarde, me dirigia ao departamento de censura para conseguir o documento. Levava o roteiro com tudo o que seria apresentado", conta o diretor. Não foram poucas as vezes em que ele ficou horas à espera de uma resposta, anunciada meia hora antes da entrada do programa. "Saía correndo para o teatro torcendo para que não acontecesse nenhum acidente ou imprevisto que me atrasasse ainda mais", completa.

Os mais importantes artistas da época passavam pelos musicais da Record, e, como muitos estavam na lista dos profissionais com engajamento político, as letras das músicas eram analisadas com muito rigor. Os compositores conseguiam, na maioria das vezes, abordar temáticas políticas e sociais com base em algo que parecia ser uma história de amor. "Mas eles descobriam os códigos e vetavam lindas canções", diz Travesso. Outra estratégia dos artistas era, após a aprovação, fazer pequenos ajustes, trocando algumas palavras. Ao perceber que isso acontecia, o Serviço de Censura de Diversões Públicas passou a escalar funcionários para acompanhar no estúdio a transmissão ao vivo dos programas. Durante todo o tempo, ficavam com o roteiro em mãos para verificar quem mudava o que fora aprovado horas antes. Os critérios para as proibições nunca ficaram muito claros. Adoniran Barbosa, por exemplo, teve muitas músicas vetadas porque não eram escritas segundo a norma culta da língua portuguesa – na visão deles, um desrespeito à cultura brasileira. "Não percebiam que era uma verdadeira poética urbana, uma obra de arte e algo revolucionário", lamenta Nilton Travesso.

Não foram apenas os artistas, em especial os cantores e compositores, que foram amordaçados diversas vezes e submetidos a rigoroso controle. Jornalistas permaneciam o tempo todo no foco do regime militar, porque poderiam veicular no rádio e na televisão ou publicar nos jornais e revistas informações que revelassem um Brasil bem distante das propagandas oficiais. Goulart de Andrade, referência em reportagens de comportamento e grandes denúncias, sempre adotou as abordagens mais aprofundadas e era um dos profissionais com ficha no Dops, o temido Departamento de Ordem Política e Social, que torturava para obter informações de quem contestava o regime. Depois de passar pela TV Tupi, TV Rio e TV Continental, o jornalista assumiu a direção da TV Jornal de Recife, uma forma de ficar um pouco afastado dos olhares dos censores. "Um ano e meio depois que eu cheguei lá, eles me descobriram e obrigaram o dono da emissora a me demitir", conta Goulart. Por dois anos ficou meio escondido e voltou a atuar no Canal 4 de São Paulo em 1971. "Meu trabalho era censurado antecipadamente. Eu era obrigado a levar todos os dias os meus roteiros para serem avaliados", conta o jornalista, que acabou amigo da funcionária que avaliava seu material.

A mão do regime militar pesou no telejornalismo durante a década de 1970, quando qualquer tipo de comentário político ou econômico era imediatamente descartado pela censura prévia. Diante desse cenário, coube às emissoras de televisão, principalmente a Globo, com seu projeto de rede nacional, desenvolver jornais de bancada com os principais fatos do dia, sem opiniões, reportagens de comportamento e serviços, além da cobertura esportiva. "O formato foi engessado como uma consequência natural de um regime político que não permitia a ninguém falar absolutamente nada. E o estilo desenvolvido pelo *Jornal Nacional* foi ficando, porque deu audiência e levou a emissora à liderança", explica Carlos Nascimento, um dos profissionais mais respeitados dessa área. Celso Freitas, que no início dos anos 1970 era o apresentador do jornal local da Globo e narrava algumas notas para os demais estados, reforça que "cada palavra e adjetivo eram meticulosamente estudados" para evitar problemas com os censores. Em 1975, a Embratel ainda não tinha condições para transmitir informativos ao vivo para todo o Brasil durante boa parte do dia. Os horários eram bem definidos pelas emissoras e o órgão estatal. No entanto, não houve restrições no dia em que se anunciou e repercutiu a indicação do general Ernesto Geisel como substituto do presidente Emílio Médici. "As televisões eram totalmente submissas, porque não havia outro jeito", diz Dácio Nitrini, atual diretor de jornalismo da TV Gazeta – SP, com passagens por importantes emissoras e jornais. Ele chegou ao *Globo Repórter* após a repercussão de uma grande reportagem que havia realizado na Rádio Globo sobre o "Caso Wilsinho Galileia", envolvendo tortura e morte de menores ligados ao mundo do crime. Sua primeira missão era preparar uma edição especial sobre o caso para o jornalístico semanal. "Meia hora antes de ir ao ar, chegou a ordem para não exibir o programa, mesmo com dois dias de chamadas no ar", recorda Nitrini. Era a censura proibindo que algo importante, mas que não estava alinhado à bela imagem construída pelo governo federal, chegasse ao grande público.

A TV Cultura, canal que se voltou à programação educativa em São Paulo a partir de 1969, desenvolveu um jornalismo mais questionador dos problemas sociais e uma grade que se propunha a agregar algum conteúdo a seu telespectador, como formação profissional e orientações sobre comportamento. Por isso, viveu no foco dos censores. "A TV naquela época era um ambiente totalmente repressivo", pontua Gabriel Romeiro, um dos responsáveis pelo semanal *Foco na Notícia*, que um ano após sua criação se transformou no diário *Hora da Notícia*. "O José Bonifácio Coutinho Nogueira, apesar de ser conservador e um homem do regime, tinha uma postura muito liberal diante da informação e não ficava interferindo no trabalho do jornalismo", completa. Por isso, o compromisso com algo mais analítico e denunciador, o que deixava em alerta o pessoal da censura e repressão. Em 1974, Romeiro assumiu a direção de jornalismo da TV Bandeirantes e percebeu que a redação da emissora, que ainda era local, tinha outro clima, mas, a partir do momento que recebeu a concessão no Rio de Janeiro, a situação começou a mudar. "A partir daí, foi orientado a evitar falar de um certo número de assuntos, como anistia, constituinte e inflação", destaca o jornalista.

O caso mais grave da censura na TV Cultura – e, claro, da história da televisão brasileira – foi registrado em outubro de 1975, quando Vladimir Herzog, o Vlado, então diretor de jornalismo da Fundação Padre Anchieta, foi detido pelo DOI-Codi e torturado até a morte. Oficialmente, divulgaram que ele havia cometido suicídio, fato reparado somente muitos anos depois. Na verdade, os militares estavam incomodados com a quantidade de profissionais ligados aos partidos de esquerda e com os documentários do Leste Europeu que eram exibidos diariamente pela emissora. Na opinião do governo federal, o Canal 2 fazia proselitismo do regime soviético. Eles também implicavam com os temas abordados na linha voltada aos adolescentes, principalmente durante o *Jovem Urgente*, sob o comando do psiquiatra Paulo Gaudêncio. A plateia debatia vários temas sobre sexualidade, algo que foi considerado inadequado para uma TV e que desrespeitava a moral brasileira.

Violar o que o Serviço de Censura acreditava ser o padrão ideal de comportamento era sinônimo de muita dor de cabeça e inúmeras explicações em Brasília. Em 1981, a Globo colocou no ar o seriado *Amizade Colorida*, que tinha como protagonista o fotógrafo Edu, um solteirão que se relacionava abertamente com várias mulheres. A ideia era levar ao público uma discussão sobre o papel do homem e desassociar o casamento da felicidade ao mostrar alguém que vivia bem sem os compromissos de um casal considerado padrão. Entre abril e junho daquele ano, os censores criaram muitos problemas para os autores Armando Costa, Bráulio Pedroso, Domingos Oliveira, Joaquim Assis e Lenita Ponczynski. "A gente estava tão certo em relação ao novo padrão de comportamento que acabou sendo proibido pela censura. *Malu Mulher*, nunca; mas a abordagem do seriado nos colocou no foco deles", pondera Antônio Fagundes. As reclamações dos mais conservadores em relação às cenas exibidas, como o ator de cuecas ou o envolvimento de sua personagem com duas mulheres (mãe e filha), potencializaram a pressão pelos cortes. "Atualmente, os episódios de *Amizade Colorida* passariam facilmente às 10h da manhã", provoca Fagundes. Para o ator, o melhor exemplo do exagero aconteceu no capítulo "Bagunça", em que Edu hospedava por alguns dias em sua casa uma amiga e resolvia impressioná-la assumindo todos os afazeres domésticos. Os censores não acharam aquilo um bom exemplo e picotaram o roteiro, deixando a história praticamente incompreensível. A solução foi colocar um editorial no fim do *Jornal Nacional* daquela noite explicando o porquê da não exibição de *Amizade Colorida*.

A década de 1980 começou com sinais de mudanças na política e uma pressão maior para a redemocratização do Brasil. Os movimentos sindicais ganharam espaço e visibilidade na luta pelos direitos dos trabalhadores e faziam cobranças por melhorias sociais. Os militares continuavam alertas com o trabalho da imprensa e da televisão e fizeram de tudo para que as reportagens atenuassem os gritos e as adesões às paralisações nas portas de fábrica, assim como a discussão sobre política que se ampliava entre os jovens. No Congresso Nacional, no dia 2 de março de 1983, foi proposta pelo deputado Dante de Oliveira (PMDB-MT) a emenda à Constituição prevendo a volta de eleições diretas para a Presidência da República, assunto que foi abordado, numa primeira etapa, de forma bem discreta nos telejornais das principais emissoras. Um mês depois, estava lançada a campanha "Diretas Já", que reuniu políticos, empresários, artistas e formadores de opinião e levou para as ruas multidões no mesmo grito pelo voto e pela troca de governo. Com um engajamento cada vez maior da sociedade, não houve outro caminho a não ser cobrir jornalisticamente o que o país vivia nas praças públicas das grandes cidades. As redes nacionais passaram a ter mais problemas para liberação de programas e acesso a crédito e chegaram até a sofrer ameaças, além de deixarem de ganhar concessões de canais, como foi o caso da TV Bandeirantes após uma denúncia de irregularidades nas pesquisas que prejudicavam a candidatura de Tancredo Neves no Colégio Eleitoral. Era o peso da mão militar, que chegou a colocar um helicóptero do Exército para sobrevoar bem baixo a redação da Globo no Rio de Janeiro, uma ação para mostrar a presença do poder e um recado direto para que se tomasse cuidado com cada palavra empregada nos textos dos apresentadores e repórteres.

A Rede Globo, já na época a maior audiência da televisão brasileira, é acusada até os dias atuais de não ter mostrado o movimento Diretas Já em toda a sua plenitude, optando por abordagens mais suaves. O maior comício, realizado na Praça da Sé, marco zero da cidade de São Paulo, aconteceu no dia 25 de janeiro de 1984, aniversário da capital. Naquela noite, o *Jornal Nacional* noticiou o comício como sendo parte das comemorações pelos 430 anos do município. A emissora levou por muitos anos a imagem de ter mentido para o telespectador para não aborrecer os militares. O tema foi abordado durante os especiais pelos 50 anos da Globo, numa mistura de esclarecimento, inclusive sobre a duração de cada vídeo, e pedido de desculpas.

O regime militar no Brasil foi encerrado no dia 15 de janeiro de 1985, quando o Colégio Eleitoral elegeu o deputado Tancredo Neves, da Aliança

Democrática formada pelo PMDB e Frente Liberal, presidente da República. Doente, não chegou a assumir no dia da posse, e após a sua morte o país foi governado pelo vice, José Sarney. A censura prévia de programas e telejornais na televisão só foi terminar no dia 3 de agosto de 1988, com a publicação da Constituição Federal, que em seu Capítulo I (Dos Direitos e Garantias Fundamentais) determinou a "livre expressão da atividade intelectual, artística, científica e de comunicação, independentemente de censura ou licença". Mesmo assim, durante um bom tempo, ainda existiu um desejo de controlar a produção da televisão.

No dia 9 de janeiro de 1989, entrou no ar *O Salvador da Pátria*, de Lauro César Muniz. O Brasil vivia a expectativa das primeiras eleições diretas para a Presidência da República e tinha entre os 22 candidatos ao cargo o ex-metalúrgico Luiz Inácio Lula da Silva, do Partido dos Trabalhadores, Fernando Collor de Mello, conhecido por ser o "caçador de marajás", Mário Covas e Paulo Maluf, dois políticos mais conhecidos nacionalmente. O folhetim das 20h era ambientado na região de Ouro Verde e tinha um ingênuo boia-fria como protagonista. Sassá Mutema, que foi usado por um poderoso político para camuflar seu caso extraconjugal, acaba como suspeito de um crime que não cometeu e só consegue provar sua inocência com a ajuda da bondosa professora Clotilde. Ao ganhar popularidade, todos querem vê-lo na prefeitura da cidade e, com isso, começa outro jogo de interesses muito forte – elementos suficientes para colocar a estrutura do governo a postos. "A novela foi excepcionalmente bem em audiência, mas teve problemas, entre eles a intervenção da censura. Foi uma época muito difícil", diz o autor, que precisou se ausentar durante um período do texto para se recuperar de uma cirurgia para retirada de pedra na vesícula. Nos bastidores da Globo, brincavam que ele seria o responsável pela eleição do novo presidente. "A Globo apoiando o Collor e eu escrevendo o Sassá Mutema, que era um cara que se fazia na política tendo nascido como um cara simples, analfabeto e apaixonado pela professora", pondera.

Já a partir do dia 13 de fevereiro de 1989, na faixa das 19h, a Globo estreou um clássico da obra de Cassiano Gabus Mendes, uma novela que durante muitos anos ainda será lembrada pelas pessoas e citada como referência de boa teledramaturgia. *Que Rei Sou Eu?* era ambientada no fictício reino de Avilan, marcado pela miséria do povo, instabilidade financeira, carga elevada de impostos e uma elite de políticos que se esbaldava nas falcatruas. Estava no ar uma sátira muito bem construída do Brasil pós-regime militar e sob o governo muito questionável de José Sarney. Para muitos, a novela serviu de excelente propaganda para Fernando Collor de Mello, por meio do herói Jean Pierre, interpretado por Edson Celulari. "E se botar hoje no ar está igual ao que a gente vive na política", diz Cássio Gabus Mendes, filho do autor. O fato é que especialistas em dramaturgia e o biógrafo do novelista, Elmo Francfort, garantem que em nenhum momento a intenção de Cassiano era favorecer algum candidato, apenas fazer uma crítica ao momento que o país atravessava.

Outra polêmica envolvendo a TV da família Marinho é a edição do debate do segundo turno entre Fernando Collor e Luiz Inácio Lula da Silva, realizado em pool pela Globo, Bandeirantes, Manchete e SBT, em 1989. "O Collor foi preparado para aquele encontro e eu fui o responsável", confessa José Bonifácio de Oliveira Sobrinho, que desajeitou o cabelo do presidenciável, assim como afrouxou o nó de sua gravata e jogou umas gotas de glicerina para dar a impressão de suor e, assim, passar a imagem de alguém mais próximo do telespectador. "Foi um pedido do doutor Roberto Marinho, que era defensor do Collor", completa. No dia seguinte, o *Jornal Hoje* apresentou uma reportagem sobre o embate entre os dois candidatos. "O doutor Marinho encomendou uma edição equilibrada, mas a redação, com jornalistas de esquerda, favoreceu Lula", diz Boni. Ao ver o resultado no ar, o dono da Globo solicitou a reedição da matéria para o *Jornal Nacional*, que pendeu absolutamente para o lado de Collor, desagradando o outro grupo. Protestos, inclusive com artistas da emissora, aconteceram nos dias seguintes. Tal fato gerou mais um pedido de desculpas durante as comemorações pelo cinquentenário global.

Atualmente, não existe censura no Brasil, mas uma equipe com cerca de trinta pessoas é responsável pela classificação indicativa de filmes, jogos eletrônicos e programas de televisão aberta. A Comissão de Classificação Indicativa, ligada à Secretaria Nacional de Justiça e Cidadania, tem como objetivo fazer uma análise prévia do que será exibido e apontar sua melhor faixa com base em critérios que envolvem violência, sexo, drogas e preconceito social. São seis selos que vão do livre (recomendado a qualquer hora) até o de 18 anos, liberado somente entre 23h e 6h. Os produtores de audiovisual para televisão e vídeos por demanda (VoD) fazem uma auto-classificação que será monitorada pela Classificação Indicativa – Classind.

Sufocada pelo regime militar, a TV Excelsior agoniza em público até ser cassada

Passava das 18h30 daquela quinta-feira, 1º de outubro de 1970, quando o jornalista Ferreira Netto, na época chefe operacional de rede, entrou no estúdio principal da TV Excelsior para colocar no ar uma importante notícia, talvez a mais difícil de sua carreira. O Canal 9 exibia o humorístico *Adélia e Suas Trapalhadas*, um dos poucos programas que sobreviviam ao maior descontrole administrativo de uma emissora de televisão que por uma década contribuiu para inovar o setor e reuniu as mais importantes estrelas dos anos 1960. A atração foi interrompida para informar ao público que, por ordem dos militares que governavam o Brasil, a TV Excelsior teria o seu sinal cortado assim que os funcionários do Departamento Nacional de Telecomunicações (Dentel) retirassem o cristal de transmissão, peça fundamental para o sinal gerado por uma TV chegar até o aparelho receptor. Bastaram alguns segundos para surgir na tela os chuviscos que indicavam a ausência de conteúdo.

A morte da TV Excelsior aconteceu após um longo período enfrentando inúmeras crises financeiras, má administração, descontrole fiscal, dívidas trabalhistas e tributárias, exageros nas contratações e mudanças de acionistas. Foi fruto também de uma intensa e constante perseguição política contra o grupo econômico comandado pela família Simonsen, que abertamente apoiou o presidente João Goulart no golpe de Estado de 1964, quando os militares assumiram o governo federal e controlaram os meios de comunicação com mãos de ferro. "O Wallace manteve uma ligação fortíssima com o Jango e se colocou contra a ditadura, achando que era possível fazer uma oposição ao regime porque aquilo seria apenas uma transição e haveria eleições em 1965", pondera Lauro César Muniz. Não foi o que aconteceu. Os militares atuaram por todos os meios para calar a TV Excelsior, inclusive criando dificuldades para outras empresas da companhia, como a Panair do Brasil. Em 10 de fevereiro de 1965, um decreto suspendeu as operações da companhia aérea de que os Simonsen eram sócios e que representava importante aporte financeiro para a TV. Com menos dinheiro em caixa e custos elevados com salários e produção de alto nível, todos os diretores que passaram por lá jamais conseguiram equilibrar as contas. "Eram seríssimos os problemas na área administrativa e a empresa acabou se arrebentando", completa Johnny Saad, que acompanhou de perto o fim da Excelsior e a chegada de muitos profissionais à recém-inaugurada TV Bandeirantes.

Alguns dias antes da ordem para interromper a história da TV Excelsior, o jornalista Ferreira Netto usou de todo o seu prestígio junto ao governador Abreu Sodré para que o colocasse ao lado do presidente da República, general Emílio Médici, na inauguração da usina elétrica de Xavantes, no interior de São Paulo. Então, durante alguns minutos após a cerimônia, ele explicou que a emissora pretendia vender parte de um terreno em Campos do Jordão e, com o dinheiro arrecadado, realizar uma novela ambientada na cidade serrana para valorizar a outra parte da propriedade e comercializá-la com grandes empresários do setor hoteleiro. Assim, conseguiria recursos para pagar boa parte da dívida de Cr$ 40 milhões de cruzeiros novos, algo equivalente a US$ 10 milhões. Apesar da promessa de análise da proposta, o militar determinou ao Dentel que cassasse a concessão da TV Excelsior. O próprio jornalista, alguns meses antes, havia se reunido com todos os credores da empresa para pedir que não entrassem com ações na justiça, uma forma de contribuir com os projetos para a saída da crise e a preservação de 400 empregos.

Nos dois últimos anos em que agonizou publicamente, a TV Excelsior se manteve no ar graças ao empenho dos funcionários de diferentes setores, incluindo os ligados diretamente à programação e os administrativos. A grade vespertina, por exemplo, foi entregue aos trabalhadores para que eles comercializassem o espaço publicitário das atrações desenvolvidas nessa faixa e destinassem o resultado das vendas a um fundo organizado por eles, uma espécie de cooperativa. Apesar de todos os esforços e do empenho das estrelas da época, poucos foram os anunciantes que embarcaram na proposta, porque a audiência não compensava o investimento, mesmo com o apelo de ajuda a uma categoria.

Nesse período, o comando da emissora passou pelas mãos de Octavio Frias de Oliveira e Carlos Caldeira Filho – proprietários do jornal *Folha de S. Paulo*, de emissoras de rádio e da rodoviária da capital –, que colocaram nos principais cargos pessoas que não compreendiam muito bem o que era televisão, meio em que muitas variáveis precisam ser avaliadas no processo de produção, bem diferente do que ocorre em empresas de outros setores. No segundo semestre de 1969, convencido por seus advogados, Wallace Simonsen Neto recomprou as ações e, algum tempo depois, ao ver que o negócio não era interessante, porque só havia pegado a parte ruim da empresa, vendeu-as para o dono da Rádio Marconi, Dorival Masci de Abreu, numa operação em nome da esposa de Dorival. Cheio de dívidas, com irregularidades na documentação e acusado de corrupção, acabou preso pela Subcomissão Geral de Investigações do Governo Federal e a compra foi desfeita. Um colegiado com vários profissionais ficou responsável pela administração da TV Excelsior.

Conforme a crise se agravou e o pagamento de salários passou a ser algo raro (há relatos de até oito meses sem nenhuma remuneração), os profissionais se uniram em campanhas para arrecadar fundos para suas famílias conseguirem honrar as dívidas com moradia e garantir o mínimo para a alimentação. Não são poucos os casos de artistas, produtores, técnicos e redatores que foram obrigados a devolver imóveis porque não conseguiam quitar os empréstimos ou o aluguel e de pessoas que venderam parte do patrimônio, como carros e joias, para não agravar a situação. "Apresentadores, atores e jornalistas vendiam os bonequinhos Joãozinho e Ritinha, símbolos da TV Excelsior, nos estádios de futebol para arrecadar dinheiro para os funcionários e também para manter a programação no ar", recorda Silvio Alimari, atual superintendente da

TV Gazeta, mas que na época atuava como produtor no Canal 9. Outra ação muito comum era o pedágio com vários famosos na Rua Nestor Pestana, na frente do Teatro Cultura Artística, onde ficavam os estúdios principais, para conseguir doações de fãs que passavam pelo local em seus carros. Até mesmo estrelas das concorrentes Record e Tupi, como Hebe Camargo, Agnaldo Rayol e Roberto Carlos, participaram da "Campanha da Esperança", uma série de shows beneficentes com bilheteria revertida a quem não recebia um centavo de seus empregadores. Muitos lembram-se do proprietário de um bar na Rua Dona Santa Veloso, na zona norte de São Paulo, que liberou refeições apenas diante do compromisso de que um dia pagariam tudo o que foi anotado nas cadernetas de consumo. Um prejuízo que jamais foi reparado, mas, com certeza, o dono do bar ficou com a consciência tranquila por ter ajudado uma equipe esforçada em manter um belo projeto de comunicação no ar.

As TVs Excelsior de São Paulo e do Rio de Janeiro saíram do ar no dia 1º de outubro, mas a falência fraudulenta da Televisão Excelsior S/A só foi decretada no dia 15 do mesmo mês. Parte do equipamento que era propriedade de Frias e Caldeira foi utilizada na TV Gazeta, emissora que surgia em São Paulo sob a responsabilidade da Fundação Cásper Líbero. Nos meses seguintes, vários depoimentos foram colhidos para determinar a responsabilidade de cada diretor no triste fim da emissora. Wallace Simonsen Neto se refugiou em Paris e só retornou ao país em março de 1972, após a revogação da sua ordem de prisão mediante seu compromisso de colaborar com a justiça. Apesar do interesse dos militares em punir aqueles que um dia apoiaram Jango, determinando o fim da rede de televisão, os mais prejudicados foram os funcionários e os credores do Canal 9 de São Paulo e o Canal 2 do Rio de Janeiro, que nunca receberam o que era de direito.

Quatro anos antes, no dia 24 de abril de 1966, havia sido fechado o negócio que previa a venda da TV Paulista para o empresário Roberto Marinho, que iniciava o projeto de expansão da TV Globo. Começava ali o fim de uma das pioneiras do meio de comunicação mais popular do Brasil. Após a morte de Victor Costa, a terceira emissora do estado de São Paulo se via diante de uma situação financeira muito complicada, com cancelamento de programas e a saída de grandes comunicadores. Foi ali no Canal 5 que Silvio Santos estreou na televisão, com o dominical *Vamos Brincar de Forca*, uma atração com duas horas de duração. A conclusão da transferência das ações aconteceu somente em 1967, depois de uma longa discussão política. A validade dessa transação é questionada até os dias atuais, com a eterna suspeita de irregularidades.

No entanto, foi na década de 1970 que outras duas emissoras de TV com importante participação no Rio de Janeiro fecharam suas portas, em razão do total descontrole administrativo. Com uma competição cada vez mais acirrada e os salários estratosféricos dos artistas, os diretores da TV Continental não conseguiram reverter o desequilíbrio financeiro. O Canal 9, apelidado como o "Recreio dos Bandeirantes", chegou a ter em seu elenco Elizeth Cardoso, Agnaldo Rayol, Hebe Camargo e Ivon Curi, grandes estrelas nacionais, além de ter feito história por ter sido o primeiro a gravar e exibir um programa em videoteipe. No final de 1971, houve o despejo da sede da Rua das Laranjeiras e a transferência de suas instalações para o bairro de Vila Isabel. Apesar da locação de horários para a Ordem dos Capuchinhos, não houve dinheiro suficiente para honrar as dívidas e a hipoteca de imóveis. A programação, gerada de um velho caminhão de externas, saiu do ar no início de fevereiro de 1972, quando o Dentel cassou sua concessão e retirou o cristal do transmissor.

Cinco anos depois, no dia 11 de abril de 1977, foi a vez de a TV Rio tirar seu sinal do ar. A emissora, que já estava sob o comando da Ordem dos Capuchinhos de Porto Alegre, foi cassada porque sua dívida era praticamente impagável, principalmente com a RCA Eletrônica, responsável pelo cristal do transmissor. O chuvisco e o silêncio tomaram conta da tela de uma emissora que reuniu os principais artistas brasileiros e os mais populares comunicadores do país. Chico Anysio, Chacrinha, Flávio Cavalcanti, Moacyr Franco e Dercy Gonçalves foram alguns de seus contratados para uma grade que exibiu clássicos como *O Riso é o Limite*, *Chico Anysio Show*, *Noites Cariocas*, *O Domingo é Nosso*, *Show 713*, *Buzina do Chacrinha*, *Hoje é Dia de Rock* e *Brotos no Treze*. Foi pela TV Rio que o público fluminense acompanhou *O Direito de Nascer*, grande fenômeno da teledramaturgia brasileira, com 99,75% de audiência em seu último capítulo, transmitido ao vivo diretamente do Maracanãzinho. A líder de uma década morreu atolada em dívidas administradas por quem realmente não entendia nem um pouco de televisão. Dez anos depois, em 1987, Walter Clark, um de seus primeiros diretores, tentou ressuscitar o Canal 13, projeto que não durou cinco anos.

O dia 16 de julho de 1980 é emblemático na história da televisão brasileira. Foi nessa data que a concessão da pioneira TV Tupi foi cassada pelo governo federal. Em poucos minutos, Tupi de São Paulo, Tupi RJ, TV Itacolomi, TV Piratini, TV Alvorada, TV Marajoara, TV Ceará e TV Rádio Clube simplesmente deixaram de existir. Nos transmissores em São Paulo, Rio de Janeiro, Belo Horizonte, Porto Alegre, Brasília, Belém, Fortaleza e Recife, homens da Polícia Federal e do Exército faziam a segurança dos

Walter Clark quando foi trabalhar na Bandeirantes

funcionários do Dentel que foram retirar o cristal e lacrar os equipamentos. O objetivo era evitar que algum funcionário mais tenso tentasse alguma ação, numa loucura para adiar o impossível.

Sem o prestígio e poder político de Assis Chateaubriand, todas as emissoras ligadas aos Diários Associados saíram do ar, após um longo período de várias e contínuas crises financeiras, atrasos de salários, dívidas com fornecedores e clientes e total descontrole administrativo. O sonho do homem que implantou a primeira televisão no Brasil, segunda na América do Sul e quarta no mundo começou a desmoronar depois de sua morte, em 1968. Foi praticamente uma década com poucos investimentos e projetos pontuais que conseguiam fazer frente à Globo, rede de Roberto Marinho que avançava em audiência e no mercado publicitário graças a uma aposta muito forte em teledramaturgia. "O Chateaubriand criou um colegiado que ninguém sabia quem mandava", conta a atriz Bárbara Bruno, uma das contratadas da emissora. "Eles foram esvaziando aquilo de uma forma melancólica. As pessoas não acreditavam. Até um quadro do Portinari sumiu", lembra Francesco Calvano, profissional que atuou por muitos anos na Tupi. "Foi tudo muito triste e a pior fase de minha vida", revela Ana Rosa, um dos símbolos da dramaturgia do Canal 4 de São Paulo. "Todos sofremos na pele esse longo processo de falência", completa. "Como eu entrei menina, aquilo era minha segunda casa. Eu só saí dali quando acabou e muita gente aceitou a proposta da Globo", recorda Laura Cardoso. Segundo a atriz, como muitos profissionais moravam no bairro do Sumaré, onde ficava a sede da emissora, um certo comodismo prendeu a equipe a essa situação dolorosa.

Segundo quem viveu esse capítulo da história da TV Tupi, a estrutura que Assis Chateaubriand criou para sua rede de televisão contribuiu para o agravamento da crise e o total descontrole administrativo da pioneira, que durante muitos anos foi referência em programação e qualidade, dominou a audiência, atraiu os maiores anunciantes da época e contou com as grandes estrelas de todos os segmentos artísticos em seu elenco. Ao longo do tempo, o sistema de condomínios, uma espécie de divisão de poderes, responsabilidades e forças de gestão, não se mostrou eficiente e serviu como um meio de muito diretor mostrar poder por simplesmente ocupar um posto no grupo que determinava os passos da Rede Tupi. "Quando o Roberto Talma passou pela emissora, teve muitas dificuldades para colocar suas ideias em prática, porque sofria resistência nas reuniões com o comitê. Uma vez, ele chegou a pedir a demissão do Armando de Oliveira após ouvir inúmeros nãos. E ouviu de um amigo que aquilo não podia acontecer porque ele era uma espécie de dono, que não poderia ser demitido", conta às gargalhadas Francesco Calvano. Depois de um tempo, Talma pediu seu desligamento.

No dia em que a TV Tupi foi lacrada, muitos funcionários chegavam para mais um dia de trabalho, apesar do atraso nos salários. A Tupi do Rio de Janeiro ainda permaneceu no ar por mais dois dias, mas, às 12h36 de 18 de julho, seu sinal foi cortado após um apelo dos trabalhadores feito ao presidente João Figueiredo. Na tela, apenas a frase: "Até Breve, Telespectadores Amigos. Rede Tupi". Anos mais tarde, as concessões que pertenciam aos Diários Associados e à TV Excelsior foram distribuídas para Silvio Santos e Adolpho Bloch criarem o SBT e a TV Manchete, respectivamente.

Outras emissoras que iniciaram a história da televisão no Brasil ou que tiveram papel relevante também foram extintas ou vendidas para grupos de empresários ou religiosos. É o caso da TV Ajuricaba, pioneira na região amazônica, fundada em setembro de 1962 e que chegou a ter 38 retransmissoras no Norte do país. Em abril de 1986, diante de inúmeros problemas financeiros, todos os canais foram vendidos para o Grupo Simões e, posteriormente, para o pastor Samuel Câmara, da Assembleia de Deus no Amazonas, que criou a Rede Boas Novas. A TV Nacional, que nasceu junto com a capital Brasília, é desde 2007 exibidora de uma programação do governo federal, deixando para trás uma grade competitiva, comercial e plural.

O fim da TV Manchete, em maio de 1999, após 16 anos de operações com a grife do Grupo Bloch, é o melhor exemplo de que uma administração equivocada pode acabar com os grandes grupos de comunicação. Lembrada como uma referência de qualidade e pelos programas e novelas que marcaram época, a rede foi cassada diante de um cenário de muitas dívidas, atrasos de salários, greves de funcionários e uma grade cheia de falhas em seus últimos dias.

Todos esses episódios serviram de lição para os atuais executivos da televisão brasileira em dois importantes aspectos. O primeiro é o político. Infelizmente, no Brasil atual, mesmo com os direitos de expressão garantidos e com governos democraticamente eleitos, existem várias formas de exercer pressão sobre o conteúdo produzido, principalmente através de verbas publicitárias de empresas federais. Para a sobrevivência em um mercado extremamente competitivo que ainda depende de dinheiro público, é fundamental manter a imparcialidade diante das questões que envolvem os interesses de partidos, governantes e seus assistentes. O segundo ensinamento é sobre a importância de uma administração responsável, com gastos de acordo com as receitas, equilíbrio financeiro e pagamento de todas as obrigações fiscais e trabalhistas. Apesar de alguns exageros cometidos em função da louca guerra pela audiência, as principais redes do país trabalham atualmente um pouco mais com o pé no chão, porque sabem que no final do mês os balancetes entregam seus deslizes.

28

O Galinho em Salvador e o tucano em São Paulo: nascem emissoras com forte identidade com sua gente

Enquanto a TV Excelsior agonizava em São Paulo e no Rio de Janeiro e todo o Brasil acompanhava sua morte lenta e paulatina provocada por uma pressão cada vez maior do regime militar, em Salvador aconteciam os preparativos para a chegada da segunda emissora de televisão da capital baiana. A TV Aratu foi um projeto idealizado e comandado por quatro importantes famílias da Bahia que se dividiram nos principais cargos administrativos da empresa, com os diretores Carlos Alberto Jesuíno dos Santos, Luís Viana Neto, Humberto Castro e Nilton Nunes Tavares, além de Alberto Maluf, também acionista do grupo. Sua chegada aconteceu no ápice de um projeto idealizado pelo governo federal, de expansão e controle das telecomunicações no país, com a distribuição de concessões em várias cidades, acirrando a disputa de mercado com os Diários Associados, proprietários de inúmeras repetidoras e geradoras da TV Tupi e considerados uma importante força política.

O Canal 4 de Salvador foi fundado no dia 15 de março de 1969, e, para entrar no ar, precisou de uma autorização especial a mais. Seus diretores foram a um centro de candomblé solicitar a licença aos orixás para a construção das instalações da emissora em um terreno no bairro da Federação, onde alguns anos antes fora erguido um terreiro. Com o sinal verde do mundo espiritual, a TV Aratu passou a transmitir a programação. Como sua implantação ocorreu após um bom planejamento, os profissionais selecionados haviam passado por treinamentos no eixo Rio-São Paulo, principalmente para operar os equipamentos que captavam e geravam as imagens coloridas, novidade no estado. Além disso, David Raw, que já havia atuado com Chacrinha e participado de TVs na região Sudeste, foi contratado para ser o diretor artístico da nova TV. Seu trabalho seguia dois pontos fundamentais, talvez os grandes responsáveis pela conquista quase que imediata da liderança de audiência: pontualidade no horário dos programas e espaço para as questões e artistas regionais. Essa grade local, em poucos meses, foi mesclada à programação nacional da TV Globo, que no segundo semestre de 1969 avançava agressivamente na formação de sua rede, atraindo muitas afiliadas entre as TVs que chegavam e as que se desgrudavam da TV Excelsior.

Em 1969, o bairro da Federação não contava com uma grande estrutura de comércio, mas, por estar na parte alta da capital baiana e relativamente perto da região central, já atraía alguns moradores. Atualmente, TV Bahia, TV Aratu, TV Record Bahia, Band Bahia, TV Baiana e TVE Bahia estão instaladas no local. Na fase inicial da emissora, no terreno que um dia recebeu as entidades do candomblé, foram erguidos quatro estúdios, salas de comando e edição, espaço para as produções, camarins e a estrutura para abrigar os departamentos administrativos. Tratava-se de algo extremamente moderno para a época, que atendia às demandas artísticas e dos telejornais focados nos acontecimentos regionais, que colaboraram para a rápida conquista do telespectador.

Apesar da associação com a Rede Globo, que obrigava a emissora a fazer a transmissão simultânea de novelas, do *Jornal Nacional* e da grade noturna, a TV Aratu apostou nas atrações locais, principalmente na faixa da manhã, saindo à frente da TV Itapoan, que ainda seguia o velho esquema dos anos anteriores, de iniciar a programação entre o meio da tarde e o início da noite, quando havia um número maior de telespectadores a serem atingidos. Foi nessa época que surgiu o grande símbolo do Canal 4 de Salvador, o Galinho, que se transformou em mascote da empresa, por ser utilizado durante o *Bom Dia Bahia* para chamar a atenção de quem estava em casa para assistir às primeiras notícias do estado. "Tem Bahia, Tem Você" também foi uma marca que começou nos primeiros anos de atividades e se perpetuou até os dias atuais, refletindo um pouco dessa relação entre uma emissora de televisão, o povo de um estado e a cultura de toda uma região.

Leila Cordeiro em uma externa do jornalismo da Globo

A moderna estrutura técnica da TV Aratu possibilitou uma das mais produtivas parcerias com a Rede Globo. Durante 18 anos, as duas emissoras trocaram experiências, principalmente por meio do jornalismo, com um intercâmbio de profissionais e realização de reportagens para serem exibidas no *Jornal Nacional*, numa ação para ampliar o leque de notícias muito concentradas em São Paulo e Rio de Janeiro, cidades onde estavam instaladas as redações comandadas pela TV da família Marinho, e fazer o Nordeste presente na televisão. "Minha equipe possuía uma câmera 13 CP com quantidade limitada de filme, suficiente para dez minutos de material bruto. Tínhamos que cobrir todos os acontecimentos em tempo recorde, voltar para a redação, revelar as imagens, editar em moviola e, depois, passar para VT", lembra Leila Cordeiro, que iniciou sua carreira como repórter em 1979 no Canal 4 de Salvador. Só depois desse processo todo é que, na hora marcada, o editor enviava a matéria, via satélite, para a equipe carioca, que tinha o poder de não aproveitar o que tinha sido produzido sob pressão durante todo o dia. Praticamente um ano depois, Leila se mudava para o Rio de Janeiro para atuar, inicialmente, como repórter no *Jornal Nacional*. Essa troca de conteúdo também foi uma maneira de mostrar ao resto do país que a Globo não era uma emissora fundamentalmente carioca, mas que tinha o objetivo muito claro de conquistar e falar com todo o país.

Durante muitos anos, vários profissionais foram transferidos para Salvador, uma forma de uniformizar o esquema de produção e buscar uma linguagem que vencesse os regionalismos e sotaques. Na Globo, muitos diziam que, ao aceitar a proposta para trabalhar em outra praça, o jornalista dava sinais claros de que não estava preso a vínculos regionais e que desejava fazer uma carreira promissora, mesmo que em outra cidade ou, até mesmo, outro país. No início da década de 1980, depois de um longo período no exterior, onde cobriu grandes acontecimentos, como as Copas de 1974 e 1978, os Jogos Olímpicos de Moscou, a Revolução Iraniana e a morte de Charles Chaplin, Hermano Henning foi convocado por Armando Nogueira para reforçar a equipe do *Jornal Nacional* que atuava no Nordeste. A ideia da cabeça de rede era ampliar a quantidade de material jornalístico das principais capitais e contar com profissionais que eram referência no setor. "Mandaram um bom repórter para Manaus para cobrir a Amazônia, eu fui para Salvador e o Chico José ganhou mais importância em Pernambuco. Essa expansão do *JN* foi muito importante para sua consolidação como produto de televisão", avalia o jornalista, que durante anos foi âncora do *Jornal do SBT*. Hermano ficou pouco tempo na capital baiana. A guerra civil na Angola e o conflito entre Argentina e Inglaterra nas Ilhas Malvinas o levaram novamente para o exterior, no papel de um excelente correspondente. Em 1989, aceitou o convite do SBT para criar o escritório da emissora em Washington e de lá apresentar o *Telejornal Internacional*.

Mas não foram apenas Leila Cordeiro e Hermano Henning que fizeram fama e impulsionaram sua trajetória a partir da televisão baiana. Pedro Bial, Mônica Puga, José Raimundo e Maria Manso são apenas alguns dos jornalistas que passaram pela redação da TV Aratu, contribuindo para sua expansão, para o desenvolvimento de um padrão de qualidade e para a consolidação de uma linguagem que atende às necessidades regionais e nacionais sem perder suas características nem a forte identidade com o povo da Bahia.

A produtiva parceria com a Rede Globo foi desfeita em 1986, após uma forte pressão do Ministério das Comunicações, que obrigou a empresa de Roberto Marinho a se associar ao grupo de mídia comandado por Antonio Carlos Magalhães, o ACM, então ministro da pasta. Na prática, ACM cancelou vários contratos que o governo federal possuía com a NEC do Brasil, empresa que oferecia equipamentos às estatais e também à emissora. Entre venda e compra de ações pela Globo, houve um importante lucro financeiro, retribuído em forma de um acordo de parceria com a TV Bahia, que, do dia para a noite, herdou a programação que todo mundo estava acostumado a assistir no estado e que garantia a liderança absoluta ao Canal 4. Apesar da contestação na justiça, coube aos diretores da TV Aratu se afiliar à Rede Manchete, que surgia como opção de qualidade.

Assim como foi pioneira com uma programação local, foi graças à ousadia da televisão de Adolpho Bloch que a TV Aratu colocou no ar pela primeira vez para todo o Brasil o Carnaval de Salvador. Ela mostrou ao país uma festa mais democrática e muito mais popular que os desfiles das escolas de samba do Rio de Janeiro que imperavam na Rede Globo. Aliás, a presença constante nos eventos culturais em todo o estado da Bahia e a promoção de atividades em datas específicas só fizeram reforçar ao longo do tempo seu vínculo com o telespectador baiano. Com a extinção da TV Manchete, o Canal 4 se associou à Rede CNT e desde 1997 é afiliada do SBT em Salvador, com importante participação na conquista de audiência no Painel Nacional de Televisão (PNT).

Atualmente, além de transmitir programas como os de Silvio Santos, Eliana, Raul Gil, *Domingo Legal, Máquina da Fama* e novelas infantojuvenis produzidas em São Paulo, a TV Aratu aposta numa grade local, com excelentes resultados e marcas fortes.

A TV Gazeta, emissora paulistana ligada à Fundação Cásper Líbero, também tem parte de sua história associada ao período de decadência e morte da TV Excelsior. Foi durante a fase final do Canal 9 que os funcionários contratados para a nova TV de São Paulo correram contra o tempo para colocar no ar o sinal do Canal 11. O Ministério das Comunicações já tinha mandado recados claros de que cancelaria o processo caso houvesse o desrespeito e um novo adiamento das operações, mesmo que experimentais. No dia 23 de junho de 1969, uma segunda-feira, exatamente às 17h45, o telespectador assistia à movimentação na Avenida Paulista, símbolo da expansão da cidade e do poder financeiro de um estado. Ao fundo, uma canção que fazia muito sucesso entre os jovens, interpretada por Wilson Simonal.

Descendo a rua da ladeira
Só quem viu que pode contar
Cheirando a flor de laranjeira
Sá Marina vem pra dançar...

A cena da Avenida Paulista encerrava naquela tarde ensolarada de inverno, mas de temperaturas baixas, uma longa batalha para operar em São Paulo mais uma emissora de televisão. O Canal 11 de São Paulo, com seu logotipo com desenho de um tucano, fora idealizado quase vinte anos antes, quando a direção da Fundação Cásper Líbero, que já comandava jornais e rádios, projetou um grande edifício na Avenida Paulista para abrigar estúdios, camarins, salas de produção, ilhas de edição e controle, estrutura técnica e administrativa, torre de transmissão e tudo o que fosse necessário para um grupo de comunicação com veículos impressos e eletrônicos. O problema é que a primeira concessão, assinada por Getúlio Vargas em 1952, acabou nas mãos de Assis Chateaubriand, porque os responsáveis não conseguiram viabilizar a emissora. O dono da Tupi colocou no ar a TV Cultura, que, anos mais tarde, foi transferida para o governo de São Paulo. Algum tempo depois, em 1961, também por não atender aos prazos, a instituição perdeu outra autorização, fato que foi reconsiderado poucos dias depois.

Cerimônia de inauguração da TV Gazeta com o governador do Estado de São Paulo Roberto Costa de Abreu Sodré (ao centro)

A TV Gazeta entrou no ar graças ao trabalho de muitos jovens profissionais ligados ao jornal *Folha de S. Paulo*. Na segunda metade da década de 1960, a Fundação Cásper Líbero (FCL) enfrentou uma grave crise financeira, que só foi sanada mediante o envolvimento do governo de São Paulo e de vários empresários, entre eles Octávio Frias e Carlos Caldeira, do grupo Frical, que assumiram, respectivamente, a presidência e a vice-presidência da instituição. Os dois já haviam se envolvido com televisão por meio da compra e venda da TV Excelsior e chegaram com vontade de fazer história e, principalmente, com uma administração mais responsável, em que os gastos deveriam atender a limites para que a entrada de recursos garantisse uma operação no positivo, algo muito diferente do que era praticado nas outras empresas do setor. Com passagens pela TV Vila Rica, de Belo Horizonte, e Excelsior Rio, Marco Aurélio Rodrigues da Costa foi convocado para administrar o Canal 11. Ao mesmo tempo, foi iniciado nos jornais do Grupo Folha um processo para seleção de interessados em migrar para o novo veículo. "O objetivo era encontrar gente nova, pessoas que não haviam trabalhado em outras emissoras. Junto com isso, lançar formatos inéditos", explica Elmo Francfort, estudioso em comunicação e autor do livro *Av. Paulista, 900 – A História da TV Gazeta*. "O Marco Aurélio foi ousado em montar uma TV daquele jeito. Ele comprou equipamento de ponta e tudo deu certo porque o lucro veio rápido", recorda Luiz Francfort, pioneiro da televisão brasileira e que esteve na primeira equipe da Gazeta. Naqueles dias que antecederam a inauguração, o que mais se ouvia nas salas de reunião era a orientação para contratar poucos famosos e pensar em coisas diferentes para os testes que seriam realizados. Foi assim que surgiu, por exemplo, o *Mingau Quente*, apresentado por Eduardo Queiroga e Aurélio Belotti Jr. com a participação dos alunos da Faculdade Cásper Líbero e de alguns dançarinos. A atração tinha quatro horas de duração, era gravada aos sábados e reprisada diariamente várias vezes para a FCL não correr o risco de perder novamente a concessão. De tempo em tempo, entravam imagens da Avenida Paulista com a locução alertando o público para a estreia oficial e a necessidade de ajustes técnicos.

No dia 25 de janeiro de 1970, São Paulo completava 416 anos de sua fundação e, com uma certa pressão do Grupo Folha, a inauguração do Canal 11 entrou para o calendário oficial das festividades da capital paulista. Naquele domingo, foi inaugurado o Centro Educacional e Esportivo Edson Arantes do Nascimento, entregue a nova Praça Roosevelt, na região central, aberta a Usina de Tratamento de Lixo e foram colocados em operação mais 40 quilômetros de iluminação pública à base de mercúrio, além da conclusão de escolas municipais. À noite, por volta das 19h, políticos, empresários, artistas e personalidades foram recepcionados nas instalações da emissora, na Avenida Paulista, 900, no evento que marcaria a entrada do sinal regular da TV Gazeta. Pontualmente às 20h, a tela foi tomada por imagens aéreas de São Paulo. Quem estava no grande salão do suntuoso e moderno edifício da Fundação Cásper Líbero não resistiu à emoção e aplaudiu o momento histórico.

> **"Boa noite, São Paulo! Como você cresceu! Como você está diferente no tempo e no espaço nestes últimos 30 ou 40 anos. Aliás, como toda a humanidade. Mas você é uma cidade bonita, São Paulo!"**

Assim começou o texto narrado brilhantemente por Honoré Rodrigues, uma das vozes marcantes da Rádio Gazeta. No vídeo apareciam recortes de jornais e cenas que misturavam as histórias de São Paulo, do jornalista Cásper Líbero e de seu trabalho para conseguir um canal de televisão para a fundação que já comandava alguns veículos de comunicação e uma faculdade de jornalismo. Depois desse primeiro momento, as câmeras passaram a registrar a movimentação no evento de inauguração e o discurso do governador Abreu Sodré. Na sequência, os apresentadores Darcy Reis e Domingos Leoni se revezaram nas entrevistas com os presentes, entre eles o então prefeito Paulo Maluf, os secretários Dilson Funaro, Tibiriçá Botelho e Paulo Zingg; o presidente do Palmeiras, Tito Silveira; e o professor José Luiz de Anhaia Mello. Após os depoimentos ao vivo, o telespectador foi levado ao estúdio principal, onde os apresentadores das atrações que marcariam a grade a partir da segunda-feira revelaram detalhes de cada projeto que integraria a grade, preparada para ser diferente do que se oferecia até o momento. A noite foi encerrada com a exibição de um documentário sobre a Missão Apolo 11, cedido pela Nasa especialmente para a ocasião.

Força Jovem, com Domingos Leoni, *Mulher*, com Marlene, *Show de Ensino*, com Paulo Kobayashi, *Mingau Quente*, com Eduardo Queiroga, *Multiplicação do Dinheiro*, com Joelmir Beting, e *Nossa Cidade*, com Odon Pereira da Silva, foram algumas das primeiras atrações fixas da TV Gazeta de São Paulo. "Toda a equipe tinha muita liberdade para criar, porque não havia a preocupação imediata com a audiência, mas sim em fazer algo diferente", pontua Elmo Francfort. "Foi, por exemplo, a estreia do Joelmir na televisão, com um novo olhar sobre a economia e com uma pegada de prestação de serviço", completa o autor do livro que narra a história da TV Gazeta. O jornalismo ocupava a faixa das 20h15, com o *Telejornal Gazeta*, ancorado por Fernando Pacheco Jordão, que comentava os principais assuntos do Brasil e do mundo apenas com slides das imagens de agências de notícias. Aos poucos, foram acrescidos os filmes e as reportagens. Inicialmente, a preocupação da direção da emissora foi no sentido de desenvolver programas que pudessem ser equilibrados financeiramente apenas com o patrocínio geral, evitando assim os anúncios soltos durante os intervalos e as longas interrupções.

Com apenas seis meses no ar, o Canal 11 de São Paulo estreou no dia 15 de junho o programa *Clarice Amaral em Desfile*, grande sucesso de audiência e comercial da emissora durante a década de 1970 e referência no segmento feminino na história da televisão brasileira. Uma das mais populares garotas-propaganda dos anos 1960 e estrela maior do *Gincana Kibon*, infantil da TV Record, Clarice Amaral chegou à TV Gazeta para ocupar a faixa das 18h com um programa diário de uma hora de duração voltado às mulheres. A repercussão foi tão grande e imediata que em pouco tempo ela se transformou na dona absoluta das tardes paulistanas, com uma atração que chegou a ter quase seis horas. "A Clarice era muito forte e presente no programa. Sua personalidade atraía o público", diz Silvio Alimari, atual superintendente-geral da TV Gazeta e que foi produtor e diretor da apresentadora. O êxito comercial atraiu importantes anunciantes, como o Mappin, grande loja de departamentos da cidade que promovia três desfiles por semana com as roupas das coleções expostas nas vitrines do prédio no centro da capital, bem na frente do Theatro Municipal. Ione Borges, que anos mais tarde comandaria o *Mulheres em Desfile* – diário que substituiu o programa de Clarice Amaral –, era uma das modelos contratadas pela loja de departamentos.

Com o fim da TV Excelsior, muitos profissionais que atuavam nos bastidores da emissora em cargos técnicos, administrativos e de produção naturalmente migraram para a TV Gazeta, que já colocava em prática ações para a ampliação da grade. David Grinberg, que assumiu a direção artística, Joaquim Loureiro e o próprio Alimari foram alguns dos que saíram da TV da família Simonsen. "O grupo Folha negociou e conseguiu trazer alguns equipamentos, incluindo um moderno ônibus de externas, câmeras e videoteipe", ressalta o atual superintendente. Mas o grande problema era a estrutura física. "Comparando com o Canal 9, o estúdio era pequeno e sem altura para iluminar corretamente", completa Silvio Alimari.

Sem a preocupação com audiência a qualquer custo, o conselho administrativo da Fundação Cásper Líbero deixava bem claro que a programação da emissora deveria se preocupar com a qualidade do conteúdo para agregar conhecimentos ao público, mas sem ser didática como a TV Cultura, muito menos apelativa como os grandes canais comerciais. Em sua essência, a filosofia passada aos funcionários era muito parecida com o que atualmente a TV por assinatura pratica no Brasil, ao segmentar a grade e desenvolver projetos que atendam os anunciantes que buscam um telespectador que não esteja obrigatoriamente na massa. Assim, durante a década de 1970, pela manhã a TV Gazeta exibia infantis, na hora do almoço, programas esportivos, um grande feminino à tarde, telejornais, entrevistas e programas de economia no período da noite. "Transmitíamos também muito esporte. Era mais fácil ter futebol, futebol de salão e basquete. A Gazeta foi pioneira ao colocar no ar uma partida de vôlei, esporte que não era tão popular nas outras TVs, mas que todo jovem praticava na escola e na universidade", recorda Silvio Alimari.

A tradição dos programas esportivos da TV Gazeta pode até ser uma herança do jornal *A Gazeta Esportiva*, referência na história da imprensa brasileira, mas também é resultado de um olhar constante para esse segmento da grade, sempre com uma abordagem diferente e com a preocupação jornalística. A primeira aposta foi logo no início das operações da emissora. Em 1970, o Brasil entrava na Copa do México como um dos favoritos, apesar dos resultados ruins da competição anterior, em 1966. Estavam convocados Pelé, Jairzinho, Tostão, Rivellino, Gérson, Clodoaldo, Piazza e Carlos Alberto Torres, e o brasileiro aguardava com ansiedade a Seleção pisar em campo. *Onze na Copa* foi desenvolvido para reunir repórteres e comentaristas para analisar os principais jogos, principalmente do nosso time. "O sucesso foi imenso, e, com o fim da Copa, transformaram o programa no *Futebol é com Onze*. Esse foi o pai do *Mesa Redonda*", explica Elmo Francfort. Exibido atualmente aos domingos à noite, o esportivo é um dos pilares de sustentação da emissora, tanto no desempenho da audiência como no faturamento, mas principalmente em função da credibilidade de sua equipe. A corrida de São Silvestre, inicialmente realizada nas últimas horas do ano para terminar com a queima de fogos do Réveillon, é outro bom exemplo da atuação da TV Gazeta no campo esportivo. A modalidade sempre foi exibida ao vivo, muito tempo antes de a Globo se interessar por seus direitos e se tornar parceira na corrida paulistana. Aliás, foi essa aproximação com a rede comandada pela família Marinho, em boa parte pela locação da torre instalada no alto do edifício da Avenida Paulista, 900, que possibilitou que o Canal 11 de São Paulo fosse o pioneiro na Fórmula 1, numa época em que o público de televisão não se interessava muito pelo automobilismo. "Ficamos responsáveis pela produção de todo o evento, inclusive no Autódromo de Interlagos. Antes da corrida, os fuzileiros navais do Rio de Janeiro marcharam na pista e os paraquedistas do Exército saltaram diante do público. Foi um grande show no dia em que a televisão em cores chegava ao Brasil", conta, com orgulho, Luiz Francfort.

O GP de São Paulo no dia 30 de março de 1972 é, oficialmente, o ponto que marca o início das transmissões em cores no Brasil, apesar de um teste realizado durante a XII Festa da Uva, em Caxias do Sul, e do *Vida em Movimento*, atração que Vida Alves comandava na TV Gazeta, terem autorização para a produção e exibição no novo sistema, como uma espécie de avaliação do padrão que seria utilizado pelas demais emissoras brasileiras. Como o Canal 11 de São Paulo foi o primeiro a importar e montar uma unidade de externa com 11 metros de comprimento por 3 metros de altura, com duas câmeras Marconi modelo Mark-8, ilhas de edição e corte, mesa de efeitos especiais e videoteipe, teve uma participação importante nesse momento da história da televisão brasileira. A Globo foi obrigada a fazer uma parceria para utilizar o estúdio móvel da Gazeta, liberando para a emissora as imagens em São Paulo, já que possuía com exclusividade os direitos da competição.

A prova de Fórmula 1 em São Paulo era apenas um dos eventos que marcariam a chegada da cor à televisão brasileira. No dia seguinte, cada emissora exibiria filmes ou programas especiais, mas era responsabilidade da equipe da TV Gazeta gravar em Brasília os pronunciamentos do presidente da República, Emílio Garrastazu Médici, e do ministro das Comunicações, Hygino Corsetti, que seriam exibidos durante a programação. Essa foi uma operação que exigiu muita estratégia e logística, além de velocidade superior à das máquinas que correm na pista de Interlagos. Assim que o sinal saiu do ar, os técnicos do Canal 11 começaram a desmontar os equipamentos e a preparar tudo para ser embarcado num avião da Vasp, a segunda mais importante empresa aérea brasileira da época. Os caminhões lotados saíram do extremo sul da capital em direção ao aeroporto de Congonhas escoltados por carros da Rota, grupamento da Polícia Militar de São Paulo, que foram abrindo caminho, liberando semáforos e o trânsito. "Tinha conosco uma engenheira dos Estados Unidos que acompanhou a implantação do sistema em cores que não entendia absolutamente nada do que estava acontecendo. De repente, alguém pegou em seu braço e a levou até a viatura, que partiu em alta velocidade. Como ninguém havia explicado nada, ela olhava tudo aquilo muito assustada. Em pouco tempo, já estava acomodada no avião que partiu para Brasília", recorda Luiz Francfort, um dos profissionais que participaram dessa verdadeira operação de guerra. As mensagens oficiais foram gravadas e exibidas no dia em que o Brasil ganhou cor em sua TV.

Alguns anos depois, em 1975, os engenheiros, técnicos, câmeras e diretores da TV Gazeta viveram outra aventura, graças à moderna unidade móvel com equipamentos para transmissões em cores. O governo da Argentina determinou que as imagens coloridas começassem a ser exibidas no país a partir do dia 12 de abril, com a transformação da TV Belgrano, o Canal 7 de Buenos Aires, na ACT, Argentina Televisora Color, comandada pela presidência. Todas as medidas foram tomadas e um rigoroso calendário adotado para que tudo acontecesse durante o 1º Festival OTI de Folclore Ibero-Americano, transmitido para 52 países. Alguns meses antes, tinha havido mais um atraso na entrega dos equipamentos, levando as autoridades da Argentina a pedir socorro ao Brasil. A presidente Isabel Perón em pessoa ligou a Médici, que imediatamente se colocou à disposição. O ministro da Comunicação entrou em contato com a direção geral da Gazeta e combinou toda a operação. "Durante as reuniões com os representantes do governo, ficou informalmente acertado que a Fundação Cásper Líbero ficaria com a concessão do Canal 11 do Rio de Janeiro, da extinta TV Continental, mas acabaram passando para Silvio Santos", revela com certa mágoa Luiz Francfort, que não viu se concretizar o projeto de uma rede nacional baseada nos números 11 das duas principais capitais do país.

Algumas semanas antes do evento, uma equipe com 23 pessoas partiu de São Paulo com destino a Buenos Aires via terrestre, cruzando estradas de São Paulo, Paraná, Santa Catarina e parte da Argentina, num comboio que reunia a unidade de externa, caminhão com equipamentos de apoio, ônibus com os profissionais escalados para o festival e uma carreta com gerador, porque a eletricidade no país vizinho não correspondia aos nossos padrões. Foi uma longa e cansativa viagem, que durou dias, afinal os veículos eram obrigados a andar em baixa velocidade para não colocar em risco câmeras, ilhas de edição, videoteipes, iluminação, microfones, lentes e até cabos especiais. Era uma carga valiosa que exigia muita responsabilidade de quem a transportava.

Já em Buenos Aires, os profissionais da TV Gazeta comandaram todas as etapas do processo de montagem da estrutura que possibilitaria a transmissão ao vivo e em cores do 1º Festival OTI de Folclore Ibero-Americano, incluindo as passagens de som no Teatro Colombo, um dos mais importantes da capital da Argentina. Todos os detalhes foram repassados e um ensaio geral realizado na noite anterior ao evento. Os câmeras, produtores e diretores de imagem atuaram como se estivessem ao vivo e gravaram o que acontecia no palco exatamente como seria no dia seguinte. Ao término dos trabalhos, Luiz Francfort resolveu pedir a um amigo piloto da Varig que levasse as pesadas fitas quadruplex para São Paulo a fim de serem usadas em uma eventualidade, caso o sinal do satélite caísse. Na tarde seguinte, algumas horas antes da grande festa, a surpresa: a Embratel cortou a Gazeta, porque a direção da TV Tupi alegou que possuía os direitos totais do festival no Brasil e não permitiria que, mesmo responsável pela geração, a concorrente colocasse no ar as imagens ao vivo. "Soltamos o VT e a gravação ficou com alguns segundos de diferença, mas transmitimos todo o show", comemora Francfort com orgulho. Na época, não houve questionamentos judiciais, porque o que entrou no ar era um ensaio que não estava previsto na exclusividade do evento. Só os mais atentos perceberam a pequena diferença entre as imagens das duas emissoras, já que uma era ao vivo e a outra o ensaio geral.

Se aqui no Brasil, especificamente no prédio da Avenida Paulista, 900, o clima era de comemoração, lá em Buenos Aires a emoção tomou conta de toda a equipe conforme o trabalho saía de acordo com o planejado, apesar de todos os esforços e a necessidade de alguns improvisos diante das dificuldades que surgiram naturalmente. "Operamos as câmeras o tempo todo, afinal aquilo era muito precioso, mas, quando faltava meia hora para o espetáculo terminar, deixamos os profissionais argentinos assumirem. Foi bonito. Choramos de alegria ao ver essa cena, que não sai de minha memória", explica Luiz Francfort.

Os oito primeiros anos de atividades do Canal 11 de São Paulo foram marcados por uma certa experimentação na grade, por meio da parceria com o Grupo Folha. Os recursos eram escassos e qualquer passo a ser tomado exigia planejamento e muita criatividade para vencer a limitação financeira. "O ano de 1978 foi crucial para a Gazeta porque houve o desligamento da Folha, e a emissora precisou ter uma abertura maior para testar outras coisas para sobreviver", pontua Elmo Francfort. "Foi criada uma produtora independente interna que produzia comerciais, e o caminhão de externas com equipamento para transmissão em cores passou a ser alugado para gerar dinheiro para a Fundação Cásper Líbero", completa o estudioso. Em 1980, o *Clarice Amaral em Desfile* foi cancelado e em seu lugar entrou o *Mulheres em Desfile*, com Claudete Troiano e Ione Borges na apresentação e uma proposta mais moderna de conteúdo para retratar as mudanças de comportamento no mundo feminino. Aos poucos, a emissora se preparava para mais uma fase intensa e de grandes revelações.

Em 11 de agosto de 1983, estreava a faixa *São Paulo na TV*, um dos produtos que surgiram da parceria da Gazeta com a Abril Vídeo, que passou a ocupar duas horas diárias da grade. Também são dessa época *Veja Entrevista, Negócios em Exame, Boa Noite São Paulo e Estação Paulista*. Foi por meio dessa associação que a Editora Abril, da família Civita, conseguiu concretizar parte do projeto de ter uma emissora de televisão. O grupo perdeu para Silvio Santos a concessão do Canal 4, da extinta TV Tupi, e para Adolpho Bloch a permissão para operar a frequência que um dia fora da TV Excelsior. "Esse foi um período muito importante, porque se abriu espaço para outras coproduções com a *Gazeta Mercantil* e o jornalista Goulart de Andrade", conta Elmo Francfort. Foi nesse período, por quase um ano, que um jovem radialista e repórter esportivo comandou um programa irreverente e inovador. Fausto Silva passou pela emissora com o *Perdidos na Noite*, uma atração "que só o Goulart acreditava que daria certo", diz o apresentador. "Um dia ele foi fazer uma reportagem sobre os bastidores de um programa de rádio no auge de uma das crises brasileiras e se encantou com o que viu", destaca Faustão. O jornalista gostou do estilo e do improviso daquele garoto e resolveu indicá-lo para a direção da TV Gazeta, que buscava novos parceiros e, principalmente, revelar formatos e profissionais.

Apesar de problemas financeiros e administrativos, muitos causados pelo não pagamento das produtoras independentes e de processos trabalhistas, 1985 foi um ano de várias estreias. Ana Tavares Miranda comandava o *Cara a Cara*, um espaço para debates de ideias opostas; Amaury Júnior assumiu o *Flash* e Roberto Avallone o *Mesa Redonda: Futebol Debate*, agora em sua versão dominical. Mas foi a faixa *Night Clip*, com mais de sete horas de duração, que chamou atenção, com videoclipes nacionais e internacionais, numa época em que ainda não existia a MTV Brasil e esse gênero era restrito ao *Fantástico*, da Globo.

Dois anos depois, entrava no ar outro projeto revolucionário. O *TV Mix* começou na faixa da manhã, com a direção de Fernando Meirelles e apresentação da personagem Condessa Giovanna Civetta, interpretada pelo ator Luís Henrique, mas em pouco tempo conquistou outros três horários.

A jogadora de basquete Hortência com Fausto Silva no Perdidos na Noite

"Era uma ideia muito bem-intencionada e com dinamismo nunca visto. Quem participou dessa fase entendeu que estava produzindo um conteúdo que não havia na televisão. Era uma linguagem nova, jovem e urbana, que impactava quem assistia, porque ela estava muito próxima do que acontecia aqui", explica Marinês Rodrigues, atual superintendente de programação da TV Gazeta e que ingressou na emissora praticamente na mesma época da estreia do programa. Um dos grandes diferenciais era a presença dos "repórteres-abelhas", jornalistas que assumiam as câmeras e microfones durante as reportagens e, por isso, mostravam o olhar de quem havia saído para captar o assunto, algo bem diferente dos enquadramentos tradicionais dos telejornais ou revistas eletrônicas e uma importante contribuição para o avanço na maneira de fazer televisão. "Era um experimento de TV ao vivo bem interessante, um momento muito específico e bem diferente de tudo que a Gazeta fez antes e depois", avalia Rodrigo Carelli, diretor de reality shows, entre eles *Casa dos Artistas* e *A Fazenda*, que foi estagiário na produção do *TV Mix*. Astrid Fontenelle e Serginho Groisman ficaram responsáveis pela apresentação das edições que entravam no ar à noite, intercalados pelo *Paulista 900*, de Paula Dip. "O Fernando Meirelles e o Marcelo Machado me convidaram para apresentar e dirigir o número 4. Era um programa diário, ao vivo, realizado na redação da emissora e com poucos recursos, mas que conquistou a crítica", recorda o apresentador do *Altas Horas*.

Em junho de 1990, diante de gastos cada vez mais elevados, o então diretor-geral da TV Gazeta, Luiz Guimarães, determinou o fim do *TV Mix* e do *Paulista 900*. "Infelizmente, do ponto de vista econômico esse projeto não teve continuidade e essa gestão que cuidou desse momento da televisão rapidamente deixou a empresa. Quando esse grupo saiu, as pessoas que permaneceram aqui estavam muito tristes, primeiro porque não tinha dado certo e era muito legal trabalhar naquilo, e, segundo, os salários estavam atrasados, porque tinha muita conta que não estava paga", recorda Marinês Rodrigues. Com nova diretoria, ao longo do tempo, a TV Gazeta voltou a ter condições de desenvolver outras ideias, uma delas a parceria com a Globo para a exibição de filmes antigos que estavam no acervo da rede da família Marinho. "Foi um período bem pequeno, logo após a TV Desindexada, em que se utilizaram produtos que a Globo não tinha onde colocar", explica Elmo Francfort. O conceito da TV Desindexada misturava o interesse público e produções voltadas a plateias específicas, fugindo da preocupação com audiência como fator primordial. Os índices eram consequência desse processo. A partir de 1992, a emissora se associou à Rede OM, transmitindo a linha de shows do horário nobre produzida em Curitiba e exibindo para toda a rede nacional alguns programas, entre eles o *Mulheres*. Esse foi o período de *Marília Gabi Gabriela*, *Programa Clodovil*, das novelas *Árvore Azul e Manuela* e do polêmico filme *Calígula*, retirado do ar por determinação da justiça. No ano 2000, a parceria com a CNT, novo nome da Rede OM, foi desfeita e houve um novo investimento no conceito da Rede Gazeta, com uma grade baseada em entretenimento, jornalismo e esporte, atendendo principalmente os segmentos feminino e familiar. Já a partir de 2012, ampliou-se a responsabilidade do núcleo de criação, que reúne profissionais para o desenvolvimento de novas atrações numa linguagem mais moderna e que atenda às necessidades das novas plataformas e gerações. "A TV Gazeta tem em sua essência a inovação e a coragem de mexer na grade para sempre ser uma alternativa na televisão. É a vocação da Fundação Cásper Líbero passar essa transparência", conclui Elmo Francfort.

O clone de Henrique Martins

Nos anos 1950, Rolando Boldrin, ainda sem fama e sem dinheiro, pegou um táxi para ir aos estúdios da Tupi. Percebeu que o motorista o chamava de Henrique Martins, confundindo-o com outro artista. Era a solução para não pagar. Desembarcou e pediu para o taxista esperar. E, claro, não voltou. O motorista foi reclamar na portaria e tiveram que buscar um possesso Henrique Martins, que chegou cobrando explicações:
– Não foi o senhor. Foi o outro Henrique Martins.
– Mas Henrique Martins sou eu!
– Foi o outro Henrique Martins – disse, atordoado, o taxista.

Mais cor em sua vida

A Copa do Mundo de futebol de 1970 foi o primeiro evento com transmissão direta no sistema em cores para o Brasil, acompanhada nos raros domicílios que já possuíam aparelhos habilitados para sua recepção. Outras pessoas, a maioria políticos ou autoridades na ocasião, tiveram o privilégio de ser convidadas pela própria Embratel para assistir aos jogos em seu auditório no Rio de Janeiro, ou em locais determinados por ela em São Paulo e Brasília, como o gabinete e a residência oficial do presidente da República na época, Emílio Garrastazu Médici.

O sinal, enviado do México, sede do acontecimento, aqui foi convertido para o padrão europeu PAL-M – Phase Alternation Line, em padrão de formação de imagem "M", uma opção política e com claros objetivos econômicos, em detrimento do padrão NTSC, desenvolvido nos Estados Unidos em 1954, o primeiro sistema de televisão em cores do mundo. Na década de 1970, ainda em plena ditadura militar, valendo-se do anunciado "milagre brasileiro" e sem que as emissoras pudessem ser ouvidas, deu-se como estabelecido que o sistema PAL era o que mais atendia as nossas necessidades. Foi uma opção que, na oportunidade, mereceu severas críticas de setores da sociedade, por ser entendida como uma medida extremamente protecionista, cuja única intenção era favorecer a economia brasileira, por meio das empresas de eletrodomésticos aqui existentes. O televisor importado não se adaptava ao nosso padrão.

O desenvolvimento do sistema analógico de televisão PAL, em fins da década de 1960, pelo engenheiro alemão Walter Bruch, em um trabalho com a empresa Telefunken, se deu pela necessidade de melhorar as transmissões do americano NTSC, criado em 1941 e aprimorado para cores em 1954, mas que apresentava problemas na resolução de algumas delas. A discussão sobre qual dos dois era melhor se arrastou durante muito tempo, aqui e no exterior, e o Brasil, entre os poucos que adotaram o PAL, teve de acrescentar o "M" em face da necessidade de se ajustar à corrente 60 Hz usada no país.

Tem-se, como registro histórico, que em 1963 a Excelsior de São Paulo fez a primeira experimentação colorida da televisão brasileira. Dois programas foram escolhidos para isso, o de Luiz Vieira e o *Moacyr Franco Show,* que entrava imediatamente a seguir. O próprio Moacyr tem ainda muito vivas essas recordações: "A NTSC trouxe dois monitores e uma câmera monstruosa para o Brasil e os instalou no estúdio da Rua Nestor Pestana. Foi uma transmissão interna. Primeiro eu assisti o programa do Luiz e, depois, ele o meu, ao lado de um grande número de convidados, diretores e funcionários da Excelsior". Ao longo de anos foi essa a nossa única tentativa. As principais emissoras brasileiras, especialmente na segunda metade da década de 1960, enfrentaram anos economicamente muito difíceis. Pouco se tinha para investir em produção, quanto mais para pensar em cor e em todos os recursos que seriam necessários para isso. Walter Clark, em depoimento ao programa de Júlio Lerner, na TV Cultura, falou dessas dificuldades financeiras, citando especialmente a Tupi, e revelou que a implantação da TV em cores no Brasil se deu por decreto do Ministério das Comunicações, em 1970, contrariando a todos e sem ouvir os setores diretamente envolvidos – no caso, a indústria de receptores e as próprias emissoras. Foi um "tem de fazer e pronto", apesar do que essa iniciativa poderia significar. Como exemplo, no mesmo programa, Clark citou que uma câmera em cores, equivalente ao padrão de qualidade de uma preto e branco da época, comprada da RCA por 27 ou 28 mil dólares, não saía por menos de 140 mil dólares. A produção de um programa em cores ficava três ou quatro vezes mais cara que o P&B, e o aparelho em cores, quatro ou cinco vezes mais. "A conta era só de multiplicar", pontuou. Isso, segundo ele, criou um problema de mercado muito grande. "Foi um momento de grande decadência da televisão brasileira. Os Diários Associados já viviam trôpegos; a Excelsior estava em fim de carreira e outras emissoras deixaram de existir naquele período, como a própria TV Rio e a TV Continental, também do Rio", disse. Ele contou ainda que, entre os tantos puxões de orelha que levou de Brasília na ocasião, o maior foi por não concordar com essa ordem de cima para baixo na questão do sistema colorido. Era uma determinação, entendia ele, que iria asfixiar boa parte dessas empresas, como de fato acabou acontecendo.

Boni, outro importante nome da história da televisão brasileira, no site Memória Globo, se referiu da mesma maneira a essa imposição. "O governo militar resolveu que a televisão brasileira tinha que ser colorida porque isso era compatível com o Primeiro Mundo. Havia uma mentalidade colonizadora e de 'primeiro mundismo'. 'Ou vocês fazem a televisão colorida ou cassamos o canal'". Apesar dos protestos, tanto da Globo como das outras TVs, o decreto foi baixado e as emissoras tiveram de se curvar a ele.

A primeira transmissão em cores no Brasil, também como parte de um acontecimento político, aconteceu em 19 de fevereiro de 1972, durante a realização da Festa da Uva, em Caxias do Sul. Embora existam controvérsias em torno do assunto, a versão que prevalece é a de que já existiam plenas condições de transmitir em cores no Brasil antes mesmo desse evento, mas a escolha de Caxias do Sul teria acontecido por exigência do então ministro das Comunicações, Hygino Corsetti, natural dessa cidade, gaúcho como o então presidente Médici. Outra interpretação para o mesmo fato é a de que as emissoras do centro do país, entre elas a TV Globo, não apresentaram, em tempo hábil, condições de fazer o Carnaval do Rio de Janeiro daquele ano de 1972, até então o evento escolhido para dar início às transmissões em cores. Quando se fala em interpretações diferentes para o mesmo fato, observamos que nem dentro da TV Globo havia um discurso único sobre a escolha da Festa da Uva. Era muito comum ouvir de Walter Clark que, durante uma visita protocolar de representantes de emissoras da Rede Globo ao ministro Corsetti, no momento em que a dona de uma TV do interior – que ele nunca revelou qual – resolveu se manifestar e começou a fazer críticas ao baixo nível das programações, Maurício Sirotsky, com sua voz forte e característico senso de oportunidade, levantou-se e propôs inaugurar a televisão colorida na Festa da Uva. Boni, sobre o mesmo tema, sempre discordou, dizendo que a escolha de Caxias do Sul foi feita para agradar ao ministro, porque ele tinha uma filha que era rainha da Festa da Uva. De fato, a menina, filha do ministro, na época com 15 anos, desfilou no alto de um carro da Rede Brasil Sul, distribuindo acenos e beijos para os espectadores. Coincidência ou não, foi uma das que mereceram maior atenção durante a transmissão.

A TV Difusora, emissora com sede em Porto Alegre, que pertenceu à Ordem dos Frades dos Capuchinhos e operava no Canal 10 VHF, foi responsável por transmitir a festa e gerar as primeiras imagens coloridas em solo brasileiro, contando na oportunidade com o apoio técnico da TV Rio e a colaboração de outras TVs, como Piratini e Gaúcha. Alguns artistas, como Francisco Cuoco, Jô Soares e Tônia Carrero, especialmente convidados, estiveram em Caxias do Sul prestigiando o acontecimento e participando diretamente de todas as solenidades. Adilson Pontes Malta, durante muitos anos à frente da engenharia da Rede Globo, naquilo que diz respeito à televisão colorida, entende que tudo aconteceu no momento certo. "Ela chegou ao Brasil na hora certa. Ela já existia nos Estados Unidos e na Europa, e aqui foi em plena ditadura. Os militares – basicamente – comandaram esse processo, tanto que nós acabamos adotando o padrão alemão e não um padrão mais universal", explica.

Em toda essa fase de implantação, as emissoras tiveram o cuidado de enviar alguns dos seus engenheiros, técnicos e responsáveis por setores como a criação visual, para fazer estágios na televisão da Alemanha. O que gerou mais impacto, na mudança do preto e branco para o colorido, foi a obrigação de se ajustar a novos conceitos em itens como iluminação, cenografia, maquiagem e figurinos, além da indispensável adaptação ao uso de equipamentos muito caros, mais delicados e extremamente instáveis. Não eram raros os momentos em que as gravações de programas ou novelas eram interrompidas pela necessidade de reajustar os padrões das câmeras. Era muito comum o equipamento perder a definição de cores e foco estabelecidos no início do dia. Em várias dessas ocasiões, os trabalhos se paralisavam por muitas horas. Tal complexidade levou todas as TVs a dosarem o uso do colorido em suas programações, limitando-o a alguns horários, a determinadas novelas e a um ou outro musical. Nada que pudesse fugir do controle.

A propaganda, outro setor interessado, com o advento das cores também teve um ganho importante diante da possibilidade de mostrar os produtos como eles realmente eram e com as suas cores originais, criando com isso uma motivação adicional para o público consumidor. Os publicitários Orlando Marques e Décio Clemente acompanharam esse momento de perto e usam o mesmo discurso, entendendo que o nível da propaganda foi elevado, porque o profissional do mercado se viu obrigado a trabalhar com mais qualidade. A valorização do intervalo foi consequente. Não havia como ir para uma TV em cores e ver um comercial em preto e branco. Isso, aos poucos, deixou de ser aceito. Independentemente do que aqui era produzido, as grandes agências passaram a programar a exibição, em cores, dos comerciais produzidos em outros países, especialmente nos Estados Unidos, como marcas de cigarros, automóveis, aparelhos eletrônicos e bebidas. Assim como foi necessário para setores da televisão, também na publicidade existiu a busca de conhecimentos em centros mais desenvolvidos para que os profissionais se adaptassem a uma situação que ainda era estranha para eles.

Há de se destacar, no entanto, que, de todas as emissoras de TV brasileiras, a TV Gazeta de São Paulo foi a que mais investiu na compra de equipamentos para a transmissão em cores. Desde a construção da sua sede na Avenida Paulista, 900, em 1958, sob a responsabilidade do engenheiro Sérgio Mendes, existia a preocupação da direção da Fundação Cásper Líbero em dotar a sua emissora de televisão com o que existia de mais moderno no mundo.

Algo de fazer inveja a todas as demais. Entre esses equipamentos, uma carreta com 6 câmeras, mesa com capacidade para 352 efeitos especiais, mais 3 ônibus, sendo dois deles ingleses e outro que tinha vindo da Excelsior. A Globo, para as suas produções em São Paulo, era a que mais recorria ao aluguel de equipamentos da Gazeta, para, entre outros trabalhos, transmissão da Fórmula 1, jogos de futebol, gravações de novelas e matérias do *Fantástico*. Numa determinada semana, a carreta com as seis câmeras foi requisitada pelo diretor Augusto César Vannucci para gravar uma apresentação especial da Orquestra Sinfônica do Estado de São Paulo, sob a regência do maestro Eleazar de Carvalho, dentro da Igreja da Consolação. Os trabalhos, que tiveram início numa segunda-feira, só terminaram na sexta, praticamente às vésperas da exibição do programa. A matéria foi apresentada no domingo. No ar, apenas dois minutos dos cinco intensos dias de trabalhos.

A seguir, dados relevantes da chegada das cores à televisão brasileira.

– O amistoso entre Grêmio e Caxias do Sul, com placar de zero a zero, ainda como comemoração da Festa da Uva em 1972, foi o primeiro jogo de futebol gerado pela televisão brasileira.

– Por ter intermediado a entrada de 18 milhões de cruzeiros na Record e ouvido do dono Paulinho Machado de Carvalho palavras como "não tenho como te agradecer", Raul Gil inaugurou com seu programa as transmissões em cores da Record.

– Em relação ao que existia em preto e branco, os aparelhos coloridos passaram a ser fabricados no Brasil com 26 polegadas, ainda em uma estrutura muito grande, mas com a miniaturização dos componentes.

- Os primeiros aparelhos de televisão em cores nas lojas brasileiras custavam, em média, em 1972, quase vinte salários mínimos, à época fixado em Cr$ 268,80.

- Nenhum aparelho produzido no exterior, nos Estados Unidos, Europa ou qualquer outro lugar tinha capacidade de captar a programação das TVs brasileiras, porque o PAL-M tinha características próprias e únicas. Nem mesmo o alemão, que era apenas PAL.

- A sessão *Supercine*, nas noites de sábado, dada a facilidade de não precisar produzir nada, apenas comprar o filme e colocá-lo no ar, foi a estreia da Globo no sistema colorido.

- A primeira produção colorida da Globo foi o Caso Especial *Meu Primeiro Baile*, escrito por Janete Clair, inspirado no conto "Un Carnet de Bal", do poeta e escritor francês Jacques Prévert. Foi exibido em 31 de março de 1972, com participação de Glória Menezes, Tarcísio Meira, Francisco Cuoco, Emiliano Queiroz, Zilka Sallaberry, Marcos Paulo, Arnaldo Weiss, Eloísa Mafalda, Paulo José, Sérgio Cardoso, Felipe Carone, Jacyra Silva, Suzana Gonçalves, Antônio Carlos Ganzarolli e Léa Garcia. Direção de Daniel Filho.

- A primeira transmissão em cores para fora do Brasil se deu durante a realização do Festival Internacional da Canção, na sua sétima e última edição, em 3 outubro de 1972, especialmente para o Canal 8 de Caracas. A música vencedora foi "Fio Maravilha", de Jorge Ben (atualmente Jorge Ben Jor), com interpretação de Maria Alcina e Paulinho da Costa na percussão.

- *O Bem-Amado*, de Dias Gomes, em 178 capítulos, levada ao ar entre 22 de janeiro e 3 de outubro de 1973, acabou sendo escolhida como a primeira novela gravada em cores. Dirigida por Régis Cardoso, na época responsável pelo núcleo das 22h, reuniu em seu elenco nomes como Paulo Gracindo, Lima Duarte, Jardel Filho, Sandra Bréa, Zilka Sallaberry, Ida Gomes, Dorinha Duval, Dirce Migliaccio, Jardel Filho, Carlos Eduardo Dolabella, Gracindo Júnior, Maria Cláudia, Milton Gonçalves, Ruth de Souza, Lutero Luiz, Álvaro Aguiar, Ana Ariel, Wilson Aguiar, Rogério Fróes, Suzy Arruda, Arnaldo Weiss, Lídia Mattos, Juan Daniel, Guiomar Gonçalves, Ferreira Leite, Rafael Carvalho, Isolda Cresta, João Paulo Adour, Dilma Lóes, Augusto Olímpio, Apolo Correia, Estelita Bell, Angelita Mello, Antônio Victor, Margarida Rey, Eliezer Motta, João Carlos Barroso, Teresa Cristina Arnaud, Jorge Botelho, Dartagnan Mello, Valéria Amar e Antônio Carlos Ganzarolli.

- A Globo, na década de 1970, passou a trabalhar com quatro núcleos de produção de novelas, cada um deles com seu diretor e todos sob as ordens de Daniel Filho. *Senhora*, adaptação de Gilberto Braga para um conto de José de Alencar, foi a primeira realizada em cores no horário das 18h. Imediatamente, no mesmo ano de 1975, o horário das 20h também estreou *Pecado Capital*, de Janete Clair, em cores, enquanto a faixa das 19h, praticamente um ano depois, em agosto de 1976, com os dois últimos capítulos de *Estúpido Cupido*, de Mario Prata.

– A adaptação ao colorido, além de exigir certas improvisações, em muitas ocasiões levou seus diretores a exagerar nos cuidados. Na estreia das cores do *Jornal Nacional*, entendendo que a gravata preta de Cid Moreira não era a que melhor se ajustava à ocasião, Boni se deu ao trabalho de ir até em casa buscar uma outra, com destaque para o azul e o vermelho.

– *Mais Cor em sua Vida*, com apresentação de Cidinha Campos e Walter Forster, levado ao ar em 31 de março de 1972, inaugurou oficialmente as transmissões em cores da TV Tupi, tendo ainda a participação de alguns dos principais intérpretes e instrumentistas da MPB daquela época. Trechos desse programa foram recuperados entre o pouco material que restou do acerto da primeira emissora de televisão da América Latina.

– Já a Bandeirantes considera a sua primeira transmissão colorida a Festa da Uva em Caxias do Sul, porque a TV Difusora gaúcha já integrava a sua rede de emissoras.

O Brasil ligado pelas ondas da televisão

No começo de tudo, quando a televisão por aqui ainda dava seus primeiros passos, as emissoras de todas as praças eram obrigadas a manter seus próprios centros de produção para suprir as necessidades da grade. No momento seguinte, já com o avanço da tecnologia, passaram a receber programas em videoteipe enviados do Rio de Janeiro e de São Paulo para diversos pontos do país. Somente no início dos anos 1960 é que foi possível adquirir as máquinas de videoteipe, desenvolvidas pela americana Ampex, que tornaram possível a magia da gravação e reprodução de áudio e vídeo quadruplex. Cada rolo de fita de duas polegadas, com estojo próprio de armazenamento, pesava algo em torno de 6 quilos, o que transformava em um verdadeiro sacrifício carregar isso tudo de lá para cá.

A TV Tupi, em São Paulo, ainda em caráter experimental, foi a primeira a fazer uso do videoteipe, na gravação de "Crime e Castigo", episódio do *TV de Vanguarda*, com Marly Bueno e Cassiano Gabus Mendes como protagonistas. O uso dessa nova tecnologia colaborou de maneira decisiva para acabar com os improvisos, que eram comuns em quase todos os programas. Um bom exemplo disso aconteceu ainda na década de 1950, na televisão totalmente ao vivo, no *Grande Teatro Tupi*, quando faltou fogo para queimar a heroína francesa Joana d'Arc ao final da apresentação da peça. Por maiores que fossem os esforços, ninguém conseguiu manter acesa a fogueira armada do lado de fora do estúdio, porque a intermitente garoa paulistana não permitia. Já cansado de improvisar e sentindo que não ia ser possível manter o fogo aceso, o ator Xisto Guzzi, no papel do inquisidor, olhou bem nos olhos da atriz Maria Fernanda, a Joana d'Arc, e sentenciou: "Levem-na para a forca". Pano rápido. O diretor de teledramaturgia Henrique Martins viveu esses momentos muito de perto e se recorda das dificuldades. "A fita era transportada para outros estados, outras capitais. Tinha alguém que pegava avião e levava a fita na mão. Era muito raro um capítulo de novela ser apresentado no mesmo dia em todos os lugares", explica. *Beto Rockfeller* e *O Direito de Nascer*, segundo o publicitário José Carlos Missiroli, chegaram a ser exibidas uma semana depois em Porto Alegre e dez dias depois em Recife, em relação a São Paulo e Rio. "Naquela época era difícil até a gente falar por telefone. Para se comunicar com qualquer outra cidade, você pedia para a telefonista fazer a ligação, ela anotava o seu número e aí, quando completava a ligação, te passava de volta. Todo o serviço de comunicação era muito complicado e isso tudo aumentava o valor dos custos, porque havia a obrigação de uma mesma TV produzir aqui e produzir lá. Fazer televisão no começo era muito mais caro e trabalhoso que agora", pondera Missiroli.

Quando foram levados para a TV Globo, Walter Clark antes e Boni logo depois, os dois já tinham na cabeça, desde os tempos em que trabalharam juntos na TV Rio, a convicção de que a televisão só se tornaria viável no Brasil com a formação de redes de emissoras. Depois de participar de um treinamento na NBC, em Nova York, Boni admite que voltou de lá só pensando nisso e encontrou em Joe Wallach – americano que preferiu ficar aqui, mesmo com o fim do acordo com a Time-Life – um grande aliado para o desenvolvimento do seu plano. O executivo também foi um dos principais articuladores no trabalho de adesão de afiliadas em diferentes pontos do país. Mesmo com dificuldade de falar português, foi quem mais se colocou à frente das negociações para formar uma poderosa malha de emissoras. No começo, admite Boni, foi complicado superar algumas dificuldades, entre as principais, vencer o receio dos donos dessas emissoras de que poderiam perder o controle sobre elas. Ao contrário, só teriam vantagens, especialmente comerciais, com esse novo modelo de trabalho. Além de a medição de audiência se tornar menos complexa, os anunciantes também passariam a contar com facilidades muito maiores para programar e controlar as suas mídias. No primeiro momento, além das emissoras próprias e ainda com as dificuldades de superar as resistências, a rede da Globo tinha pouco mais de dez afiliadas. Hoje esse total chega a 117.

"O *Jornal Nacional*, da Rede Globo, um serviço de notícias integrando o Brasil novo, inaugura-se neste momento: imagem e som de todo o Brasil." Com essas palavras, às 19h45 do dia 1º de setembro de 1969, Hilton Gomes abriu a primeira edição do *Jornal Nacional*, interligando algumas das principais cidades do país. A inauguração do Tronco Sul, denominação da Embratel para um sistema de transmissão de imagens e áudio através de torres e satélites, acabou por possibilitar, por meio de sistemas de micro-ondas, a ligação da geradora do Rio de Janeiro com emissoras de São Paulo, Porto Alegre e Curitiba. "O *JN* acelerou o processo de transmissão em rede, mostrando para nós que não seria mais possível transmitir novelas e programas circulando videoteipes defasados. A qualquer custo tínhamos que fazer as transmissões no mesmo dia e horário. E foi isso que consolidou a nossa liderança", destaca Boni sobre o significado desse importante momento na história da televisão brasileira. A transmissão via satélite veio colaborar decisivamente para isso, mas houve problemas muito sérios no começo. "Era tudo muito protocolar, muito formal. Você não podia abrir links proprietários, ou seja, estabelecer um sinal somente com a tecnologia e equipamentos da própria emissora. Você tinha que entregar o sinal para a Embratel e ela colocar no satélite. Isso foi muito chato. Uma dor de cabeça danada, porque, quando se tem o equipamento instalado dentro de casa, qualquer coisa que aconteça está ali na sua mão. É possível agir e controlar rapidamente. Quando você tem que recorrer a outra empresa, que naquela época não tinha o conceito tão ágil como tem hoje, qualquer coisa que acontecia levava minutos, às vezes horas para ser resolvido", diz Adilson Campos Malta, na época, engenheiro da Globo.

Em todo esse sistema operado pela Embratel, não foram poucas as vezes em que trocaram o sinal de uma emissora pelo de outra, como também era comum desligar a transmissão da emissora errada. Em 1972, quando a formação das redes brasileiras de televisão foi regulamentada pelo Programa Nacional de Telecomunicações – Prontel, o Brasil já dispunha de cerca de 6 milhões e 250 mil aparelhos de recepção de TV, de acordo com o recenseamento realizado dois anos antes.

Por já possuir emissoras próprias em algumas das mais importantes capitais brasileiras, era de se imaginar que os Diários Associados teriam facilidades muito maiores na formação da sua rede de televisão em relação aos demais grupos. No entanto, as muitas divergências entre os seus condôminos e o acirrado regionalismo entre as TVs de São Paulo e Rio de Janeiro na disputa de quem seria a cabeça de rede acabaram por retardar todo o processo. A primeira experiência foi tornar o Rio de Janeiro responsável por atender com conteúdo e sinal as emissoras do Norte, Nordeste e Centro-Oeste, e São Paulo teria a missão de alimentar o Sul e o restante do Sudeste. Não deu certo. Na tentativa seguinte, a TV Tupi SP passou a gerar para todo o país o jornalismo e novelas, enquanto a Tupi carioca ficou incumbida de produzir os shows e programas de auditório. Não funcionou também. A Rede Tupi de Televisão, de fato e direito, só começou a funcionar em 1974, com a sua emissora de São Paulo assumindo a condição de principal geradora. Boni, antes disso, em sua rápida passagem pelo Canal 4 de São Paulo e já com esse conceito de rede na cabeça, trabalhou na montagem do Telecentro com o propósito de unificar toda a programação em um lugar só, São Paulo ou Rio, mas só funcionou por pouco tempo. As emissoras das praças, sempre fazendo prevalecer interesses pessoais dos seus responsáveis, atrasavam ou simplesmente não pagavam a parte que lhes cabia no custo das produções. O projeto que tinha tudo para dar certo e colocar a TV de Assis Chateaubriand como maior centro de produção de TV da América Latina se inviabilizou em pouco tempo. Particularmente foi uma lição que ficou para Boni e que ele acabou colocando em prática na Globo. "O caminho era receber dos anunciantes e só repassar para as emissoras a parte que cabia a elas", explica.

A outorga a Silvio Santos de três emissoras que pertenciam à Rede Tupi de Televisão (Canal 4 – São Paulo, Canal 5 – Porto Alegre e Canal 5 – Belém, além da TVS, Canal 11 – Rio de Janeiro, que já pertencia a ele desde 22 de outubro de 1975), fez surgir o SBT – Sistema Brasileiro de Televisão. Como havia muito tempo vinha se preparando para isso, e como fato único na história, a até então TVS transmitiu direto de Brasília a sua própria cerimônia de concessão, com imagens geradas pela TV Anhanguera, afiliada da Rede Globo em Goiânia. Imediatamente após a sua instalação e porque era necessário para os seus negócios ter todos os programas, especialmente os dele, transmitidos para todo o Brasil, Silvio Santos colocou o plano de expansão de uma rede entre as prioridades. Em 1990, todas as emissoras próprias passaram a ser chamadas de SBT em vez de TVS. José Eduardo Piza Marcondes, como diretor divisional de rede, foi um dos principais articuladores desse trabalho, que hoje, além das oito emissoras próprias em São Paulo, Rio de Janeiro, Distrito Federal, Jaú, Ribeirão Preto, Araçatuba,

Pará, Rio Grande do Sul e Nova Friburgo, inclui outras 107 afiliadas distribuídas em diferentes pontos do nosso território.

A mesma complexidade de Globo e Tupi para a formação de suas redes foi observada pela Bandeirantes, que teve todo esse processo atrasado por causa do incêndio que destruiu praticamente todas as suas instalações em São Paulo no ano de 1969. "Levamos quase uma década para nos recuperar daquela tragédia", admite seu presidente, Johnny Saad. A compra da TV Vila Rica, de Belo Horizonte, que era dos Diários Associados, e da TV Guanabara, no Rio, dois anos depois, deu início à formação da Rede Bandeirantes de Televisão. E não havia também para ela outro caminho que não fosse esse para viabilizar o seu caixa. A cada dia ficava mais inviável trabalhar com custos nacionais em uma linha de produção com receita local, o que levou sua direção a apressar o processo de instalação de rede, afinal não havia na televisão daquela época, como não há até hoje, outro modelo tão viável.

O primeiro grande problema para a Bandeirantes, no programa de implantação da sua rede, foi perder a concessão da emissora de Brasília no início do governo Figueiredo. A Bandeirantes, desde os tempos em que era só rádio, sempre se viu diante de dificuldades inesperadas, especialmente de ordem política, porque o seu fundador, João Saad, foi casado com Maria Helena Barros, filha de Adhemar de Barros, governador do estado e prefeito da cidade de São Paulo entre as décadas de 1940, 1950 e 1960. Não ter emissora em Brasília, admite Johnny Saad, foi mais um terrível golpe. E ela só se tornou realidade aos 45 minutos do segundo tempo, conforme informado anteriormente. "Só no penúltimo dia do seu governo, o Figueiredo chamou meu pai no seu gabinete e falou: 'Olha, eu me arrependi do que fiz. Está aqui. Eu vou assinar uma concessão para você em Brasília'. Como é possível, num país como o Brasil, formar uma rede nacional sem Brasília? Ninguém consegue, e a gente era chantageado o tempo todo. O jogo político sempre estava presente e atrapalhando tudo. Até hoje é assim. Aí você tem um afiliado e dá uma notícia que desagrada o governo. O governo aperta esse afiliado e ele fala 'eu tô fora'; e você sai do ar naquela cidade ou em toda uma região. Nos Estados Unidos, você não tem como formar uma rede nacional sem ter uma emissora própria em Washington. Lá, você pode ter afiliada onde quiser, mas em Washington tem que ter uma emissora do grupo. O problema é que a pressão é irresistível. A menos que você fale: 'eu só faço show, passo filme', então tudo bem, não preciso ter televisão em Brasília, em Washington ou qualquer outra capital do mundo. Mas se tiver e quiser trabalhar com jornalismo, se a sua linha editorial for realmente independente, é fundamental você ter uma emissora 100% do seu controle na capital federal, independentemente de que país for, porque as pressões são muito fortes. E não pense que acabaram com isso. Até hoje elas existem", desabafa Johnny.

A Rede Bandeirantes é formada por 15 emissoras próprias e 32 afiliadas, cobrindo 92% do território nacional. Como curiosidade, durante muitos anos, as cores usadas em seu logotipo eram as mesmas da bandeira de São Paulo: preto, vermelho e branco. Com a constituição da rede, veio a decisão de usar o diminutivo, e ser conhecida apenas por Band, com as cores alteradas para o verde e amarelo.

Entre as principais emissoras, a Record foi a que mais demorou para viabilizar a montagem e o processo de expansão da sua rede, especialmente devido à falta de recursos para investir na compra de novas TVs ou na montagem de uma programação que pudesse atrair emissoras que tivessem interesse de se afiliar a ela. O trabalho começou a ser desenvolvido por meio de cidades do estado de São Paulo e a partir da TV Record Franca, fundada em 1978, e da TV Record São José do Rio Preto, que desde 1971, ano de sua fundação, integrava a Rede de Emissoras Independentes – REI. A REI passou a existir após a extinção das Emissoras Unidas, fundada por Paulo Machado de Carvalho em 1969, com o mesmo propósito de ter a TV Record de São Paulo e a TV Rio como provedoras de programação para outras praças, como Brasília, por meio da TV Alvorada, fundada pelo seu cunhado, João Batista do Amaral, hoje TV Record Brasília. Somente com a mudança do controle acionário, no início dos anos 1990, foi possível colocar em prática um trabalho muito forte para a expansão da sua rede. A nova direção, mesmo sem nenhuma familiaridade com o veículo, mas contando com o conhecimento e colaboração de Dermeval Gonçalves, executivo que já havia trabalhado com Silvio Santos, passou a investir com muita firmeza na aquisição de novas emissoras em todo o país.

Hoje a Rede Record de Televisão atinge 96% do território nacional, com as suas 108 emissoras, entre próprias e afiliadas, distribuídas pelos 26 estados, mais o Distrito Federal.

A Rede TV!, dos sócios Amilcare Dallevo e Marcelo de Carvalho, teve origem com a extinção da Rede Manchete, em 10 de maio de 1999, na sua última e derradeira crise. Ao longo de 16 anos de existência, houve um período em que as suas operações foram controladas pelo empresário Hamilton Lucas de Oliveira, que havia acertado com Adolpho Bloch a compra de 49% da Rede Manchete de Televisão por 25 milhões de dólares, além de assumir 110 milhões de dólares em dívidas. O negócio, realizado em junho de 1992, foi desfeito em 23 de abril de 1993. A Rede Manchete tinha emissoras próprias no Rio de Janeiro, em São Paulo, Belo Horizonte, Fortaleza e Recife. Todas, a partir de 15 de novembro de 1999, passaram a compor a Rede TV!. Hoje, de acordo com dados da própria emissora, 83% dos domicílios brasileiros com televisor estão cobertos pela Rede TV!. São mais de 140 milhões de telespectadores recebendo o seu sinal em todo o Brasil. Em 15 anos, também de acordo com informações oficiais, são 42 emissoras brasileiras transmitindo a sua programação, cobrindo um total de 3.159 municípios no país.

Todas as grandes TVs brasileiras têm profissionais especializados pensando e agindo na operação de rede e na grade de programação nas 24 horas do dia. O que no passado era tratado de forma despretensiosa e apenas para atender necessidades de momento, com o decorrer do tempo se transformou numa central de inteligência, capaz de ao mesmo tempo organizar entradas e saídas de programas ou intervalos comerciais e também planificar estratégias para se impor ou se precaver contra as sempre possíveis articulações das concorrentes. A Globo, num trabalho que passou a existir desde os tempos de Boni, tem no Rio de Janeiro dois centros de coordenação de programação, um para atender a emissora da praça, o Canal 4, e outro para toda a sua rede de emissoras. Ambos têm funções semelhantes e bem específicas, como cuidar da mídia de chamadas das diversas atrações e horários de programas, alterar roteiros, afinar horários e determinar tempo de produção do jornalismo.

Para pontuar a programação da rede, a Globo tem ao longo da sua grade o que se convencionou chamar de "marcos". O primeiro deles é o *Hora Um*, às cinco da manhã, e o segundo é o *Bom Dia Brasil*, às sete e meia da manhã. Às 13h20 é o *Jornal Hoje* e, às 20h30, o *Jornal Nacional*. Toda a Rede Globo é "arredondada" com base nesses quatro "marcos", que devem ser respeitados acima de qualquer outra situação, mesmo quando uma emissora de praça estiver liberada ou se vir obrigada a intervir com uma programação local. Ainda no caso da Globo, o Rio tem a função de exercer a coordenação geral de toda a sua rede de emissoras. Em caso de algum problema ou impedimento, esse trabalho de comando e articulação passa imediatamente para São Paulo. As demais redes não trabalham com esses "marcos" e têm mais horários à disposição das praças, todas com sistemas muito próprios de operação.

No SBT, por exemplo, de segunda a sexta – não contando o sábado e o domingo, em que esses espaços são ainda maiores –, suas emissoras próprias e afiliadas se desligam da cabeça de rede de São Paulo em três períodos distintos: das 7h às 8h, das 11h às 14h15 e das 19h20 às 19h45. A liberdade das praças em produzir conteúdos próprios e diretamente dirigidos para seus públicos contribui de maneira muito importante nos resultados da rede no Painel Nacional de Televisão – PNT –, uma vez que muitos programas locais chegam a conquistar o primeiro lugar em seus horários de exibição, ampliando o desempenho na média do país. Todo e qualquer conteúdo, antes de ser colocado no ar, e mesmo com destinação para determinada praça, precisa necessariamente ser aprovado pela cabeça de rede.

Hoje, no Brasil, de acordo com o último levantamento do Ministério das Comunicações, existem 272 geradoras de TV e 6.167 retransmissoras. SBT, Globo, Record, Rede TV!, Bandeirantes, Rede Vida, Rede Mulher, Rede Brasil, Canção Nova, TV Aparecida, Mix TV, RIT TV, TV Ideal e CNT são consideradas redes de televisão. Para chegar a essa condição, obrigatoriamente precisam atender algumas prerrogativas, sendo as mais importantes a presença em todas as regiões geopolíticas; atingir pelo menos um terço da população de todo o território nacional; e provimento da maior parte da programação por uma das estações para as demais. A cabeça de rede, na praça da sua sede principal, necessariamente consta do menu das operadoras de cabo.

A excelência da televisão brasileira é enciclopédica. Merecia ser documentada, no mínimo, em um livro. Finalmente ele foi feito.

Washington Olivetto

A história da televisão brasileira é contar um pouco da história de cada um de nós. Um pouco da história do país. Contar a história da TV é contar e entender também a nossa identidade como povo.

Fernando Musa

Encontrar as pessoas certas, Boni e Walter Clark entre elas, no lugar e na hora certos, me deu a oportunidade de transformar inimagináveis sonhos em realidade na TV Globo, contribuindo para torná-la na mais sofisticada televisão do mundo, segundo opinião dos críticos na Europa. Só num livro sobre a TV, com toda a sua história, para se retratar tantas verdades e reconhecimentos.

Hans Donner

A televisão brasileira – particularmente na área da teledramaturgia – sempre foi vista como arte de primeira grandeza, patrimônio cultural da nossa terra, exemplo de comunicação social. No exterior. Por aqui os vira-latas complexados nunca foram capazes de enxergar isso. Agora talvez voltando suas garras contra a internet eles permitam que ela ocupe seu verdadeiro lugar na história do país: arte, patrimônio cultural, exemplo de comunicação social.

Antônio Fagundes

Daqui a cem anos, se alguém quiser saber como era o Brasil de hoje terá que pesquisar não nos livros de Sociologia, mas no que se produziu sobre a televisão da época. E para saber em que circunstâncias foi produzido material sobre a vida brasileira de agora, terá que ler livros essenciais como este de Flávio Ricco e José Armando Vannucci.

Aguinaldo Silva

MATRIX